22,50

HET LAND DAT ZICHZELF BEMINT

Van Rudi Rotthier verschenen eerder bij uitgeverij Atlas:

Het recht op dwaling
Kinderen van de krokodil
Het gulle continent
Caesars van de wildernis (red.)
Het beste land van de wereld
Hotel Fabiola
De koranroute

Rudi Rotthier

Het land dat zichzelf bemint

Een reis door de Verenigde Staten

Uitgeverij Atlas – Amsterdam/Antwerpen

Deze uitgave kwam tot stand met steun van *De Morgen* en het Fonds Pascal Decroos voor Bijzondere Journalistiek

FONDS PASCAL DECROOS
VOOR BIJZONDERE JOURNALISTIEK
fondspascaldecroos.org

Eerste druk, oktober 2005
Tweede druk, november 2005

Omslagontwerp: Zeno
Omslagillustratie: © Charles 'O Rear/Corbis/TCS
Kaart: Hester Schaap

ISBN 90 450 1492 0
D/2005/0108/597
NUR 508

www.boekenwereld.com

Inhoud

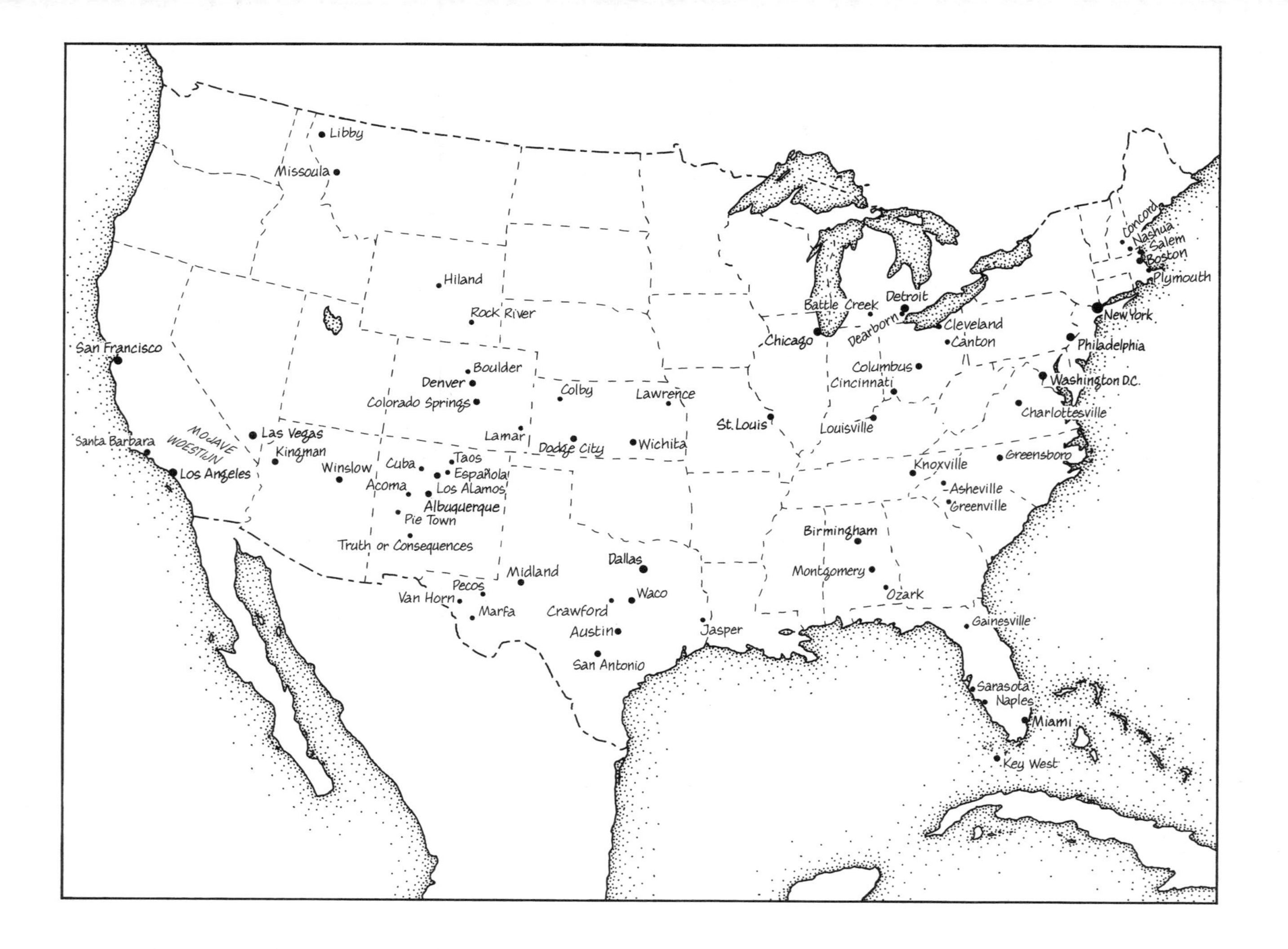
Libby
Missoula
Hiland
Rock River
San Francisco
Boulder
Denver
Colorado Springs
Colby
Lawrence
St. Louis
Chicago
Battle Creek
Detroit
Dearborn
Cleveland
Canton
Columbus
Cincinnati
Louisville
Concord
Nashua
Salem
Boston
Plymouth
New York
Philadelphia
Washington D.C.
Charlottesville
Santa Barbara
MOJAVE
WOESTIJN
Las Vegas
Kingman
Los Angeles
Winslow
Lamar
Dodge City
Wichita
Cuba
Taos
Española
Acoma
Los Alamos
Albuquerque
Pie Town
Truth or Consequences
Knoxville
Greensboro
Asheville
Greenville
Birmingham
Montgomery
Ozark
Midland
Dallas
Pecos
Van Horn
Marfa
Crawford
Waco
Austin
San Antonio
Jasper
Gainesville
Sarasota
Naples
Miami
Key West

PROLOOG

De prijs van onzekerheid

Eens begaan is de beginnersfout quasi-onherstelbaar.

De douanebeambte bekijkt mijn inreisformulier onaangedaan.

'Waarom heb je je adres niet ingevuld?'

Omdat ik nog geen hotel heb geboekt. Het is een vroege namiddag in Philadelphia. De stad telt ongetwijfeld duizenden kamers. Ik vind wel wat. Het is zonde voor wie zo vroeg arriveert om een hotel vast te leggen.

De man, nog altijd onaangedaan, geeft mijn papieren door aan een politieagent die me begeleidt naar het kantoortje voor de dubieuze gevallen.

Daar overheerst de derde wereld. Een sikh met overtallige familie en bagage probeert het onderscheid duidelijk te maken tussen de islam en wat hij zelf gelooft. Naarmate hij wanhopiger wordt, raakt zijn das meer in de war. Een Maleisiër klampt zich vast aan een verfrommelde kopie.

'Niet luistervinken!' roept de beambte die zich met de sikh onledig houdt naar niemand in het bijzonder. Misschien naar mij. Het kantoortje is te klein voor drie klanten. De twee beambten werken schouder aan schouder. Ikzelf plak tegen een glazen wand, nog losvast bewaakt door de agent.

'Next!' roept de vrouwelijke beambte die eerder de Maleisiër tot wanhoop dreef. Haar collega heeft de sikh-familie tot het land toegelaten, maar doet nu moeilijk tegenover een ook in zondagspak reizende Koerd.

Mijn beambte is niet fluks en niet vrolijk. Haar grijze uniformbroek en witte hemd weten de extra kilo's niet te verhullen. Er is een verschil tussen vet beneden een broeksriem (ampel) en vet boven die riem (relatief beperkt), alsof ze er ook lijfelijk in is geslaagd een grens te trekken. De riem geeft spankracht aan vet dat zich anders over haar hele lijf zou verspreiden. Nu vormt het een bel die in onduidelijkheid eindigt, ergens halverwege haar snitloze broekspijpen. Ik schat haar om en nabij de veertig. Haar collega is jonger en nog dikker.

'Waar slaap je vannacht? Hoe bedoel je – je weet niet waar je slaapt? Je komt naar de VS met een visum voor een jaar en je weet niet waar je overnacht?'

Ik herhaal mijn verhaal: vroeg in de namiddag, duizenden kamers, weinig bagage, het lot laten beslissen, veel lezen, in boekhandels rondsnuffelen, de wind en mijn neus volgen. Ik voelde geen behoefte om op het inreisformulier een fictief adres in te vullen. Waarom liegen?

'Je beseft toch wel dat je nu verdacht bent. Je wordt geacht een gedetailleerd papier te kunnen voorleggen waarin je voor de komende maanden uitstippelt waar en hoe je reist, en vooral waar je nacht na nacht verblijft. Je denkt toch niet dat je zomaar een jaar in het niets kunt verdwijnen?'

Ik slik in dat ik nog helemaal niet weet waar ik na Philadelphia heen reis. Er staan minstens drie windrichtingen open.

'Wat zoek je trouwens in Philadelphia? Dat is ook verdacht. Mensen kiezen kleinere luchthavens uit in de hoop dat wij milder zullen zijn.'

Het antwoord is minder gewiekst. Ik kom naar Philadelphia, *The City of Brotherly Love*, omdat het land er in 1776 werd opgericht. Dat is een dubbel begin: reis en land.

Ik had misschien de datum niet moeten vermelden.

'Bemoei je niet met anderen.' De dikkere collega blijft me van luistervinken verdenken. Hij is intussen een Indiër aan het bewerken. De reiziger weet nauwelijks drie woorden in te brengen voordat hij wordt teruggestuurd naar Parijs, de plaats van herkomst van mijn en blijkbaar ook zijn vlucht.

Ik speel niet voor luistervink. Mijn blik wordt onherroepelijk naar het vet van de beambte gezogen. Bij hem zit het evengoed boven als onder de broeksriem. Een dieet moet hem tot de helft kunnen reduceren. Misschien oogt de helft nog als te veel. In vergelijking zijn mijn beambte en haar bel volslank.

'Wanneer is je terugreis gepland?'

Ik heb geen terugreis gepland. Aan mijn goedkope ticket is na twee weken een terugreis verbonden, maar ik ging ervan uit dat ik daar geen gebruik van zou maken.

'Ik kan je dan niet meer geven dan twee weken verblijf. Over twee weken moet je het land verlaten. Als je later terugkeert, kun je het best een gedetailleerd reisplan meebrengen.'

En het visum?

'Maakt niet uit. Ik vind niet dat je klaar bent om dit land een jaar te bezoeken. Je moet beseffen dat de Verenigde Staten na 11 september een ander land geworden zijn. Als je niet kunt bewijzen dat het je ernst is, kom je er niet in.'

Ik slik in dat me dit voor het eerst overkomt. In de meest afgelegen, totalitaire, corrupte landen ter wereld, zelfs zonder alle papieren, had ik minder last om te reizen dan in de United States of America, waar ik voorzien ben van een duur visum, een elektronisch paspoort en vooraf geregistreerde vingerafdrukken. In derderangslanden is het me nooit overkomen dat de grensbeambte het visum negeert.

Is er beroep mogelijk tegen haar besluit?

'Volgens mij niet. Maar je kunt het proberen. Kijk het na op onze website. *Have a nice day*.'

'*Have a nice day*,' knikt ook haar collega kouwelijk.

'*Next!*'

Ik probeer in drie plaatsen, Philadelphia zelf, Baltimore, en, zonder grote verwachtingen, het gokvagevuur Atlantic City, een herziening te krijgen, maar in de drie gevallen, na wisselende hoeveelheden metaaldetectors en wachtende rijen, luidt het antwoord van een beambte op de migratiedienst: de procedure duurt langer dan de twee weken die je gekregen hebt, je moet het land verlaten om de procedure af te wikkelen. De beroepsprocedure is bovendien duurder dan een nieuwe vliegreis terug naar Europa.

De onverzettelijkheid van de bureaucraten geneert andere Amerikanen.

'Het is nooit zo geweest,' zegt James, een zeventigjarige die in Schotland is geboren (familienaam Watt) en als tweeëntwintigjarige in dit land arriveerde, aan wiens tafeltje in een koffiehuis in hartje Philadelphia ik mijn ontbijt verorber. 'Ik werd met open armen ontvangen. Ik kwam destijds eigenlijk alleen maar mijn zus opzoeken, maar voor ik er echt over nadacht werkte ik en had ik de Amerikaanse nationaliteit verworven. Ik werkte als mecanicien. Na twee maanden had een concurrerende firma me een betere job aangeboden, mijn loon lag dubbel zo hoog. Na een paar jaar begon ik een eigen zaak. Niemand heeft me ooit gevraagd wat ik kwam zoeken, niemand heeft me ooit naar een diploma gevraagd, niemand heeft me ooit laten weten dat ik hier met mijn rare accent niet thuishoorde, en voor ik het besefte was ik het trouwens kwijt. Dat is voor mij Amerika. Je wordt naar waarde geschat, zonder vooroordeel. Veertig jaar geleden kwamen de eerste Cubanen naar Miami afgezakt. Tegenwoordig heeft Miami een Cubaanse burgemeester. Ik zie mijn geboortestad Glasgow nog niet zo gauw een Jamaicaan tot burgemeester verkiezen. Dergelijke openheid vind je waarschijnlijk alleen in dit land.'

Tussen de laatste hap van zijn omelet en de eerste slok van zijn bijgevulde kop koffie bedenkt hij zich. 'Ik moet misschien in de verleden tijd praten. Misschien zijn we met 11 september die openheid kwijtgeraakt. We zijn in een oorlog verwikkeld met een onzichtbare vijand. In het verleden waren mensen altijd bijzonder argwanend inzake paperassen. Wij houden niet van de overheid, je kent de omschrijving: de staat is een noodzakelijk kwaad. Maar tegenwoordig lijkt het er soms op dat paperassen onze voornaamste verdedigingslinie vormen tegen deze onzichtbare vijand. Met alle gevolgen van dien. Machtsmisbruik, onderbetaalde ambtenaren die proberen op een andere manier aan hun kick te geraken. Dat is misschien de ergste slag die Bin Laden ons heeft toegebracht: we schikken ons nu naar wat de overheid ons oplegt.

Mijn echtgenote had een hersentumor. Ze is zopas geopereerd. Ik moet bij elk bezoek langs een metaaldetector. Wat denken ze: dat een grijsaard als ik het ziekenhuis zal opblazen? Maar ik besef zoals iedereen dat je beter te voorzichtig kunt zijn dan dood. Dit is evenwel nooit een voorzichtig land geweest. Voorzichtigheid is tegennatuurlijk voor ons.'

Me terugsturen is tegennatuurlijk voor het land.

Iets meer dan twee weken na mijn eerste poging sta ik opnieuw op Charles De Gaulle. Aan de incheckbalie vraagt de receptioniste of ik per se aan deze reisdag ben gebonden. De Air France-vlucht naar New York is overboekt en ze biedt me vijfenzeventig euro aan als ik desnoods een dag later wil vertrekken. Plus in dat geval een gratis overnachting met maaltijden.

Nog voor ik het formulier voor mijn vijfenzeventig euro volledig heb ingevuld komt ze me vertellen dat ik gewoon meekan. Enkele geboekten zijn niet tijdig opgedaagd. 'Ik wou dat ik mijn geld zo makkelijk verdiende,' pruilt ze. 'Vijfenzeventig euro in ruil voor vijf minuten onzekerheid.'

Een ontroerende Frans-Canadese film over kanker later schuif ik op JFK, in soortgelijke omstandigheden als in Philadelphia, aan in een lange, nog redelijk fluks bewegende rij. Ik heb een fictief hotel op mijn douaneformulieren vermeld, ik heb over een jaar een fictieve terugreis geboekt.

De grensbeambte kan niet innemender zijn.

'Is een jaar wel voldoende?' vraagt hij. 'Ik bedoel, ik mag je officieel niet meer geven dan wat je visum toelaat, maar dit is een groot land, je kunt hier best drie of vier jaar rondreizen. Ik ben nu drieënzestig, ik reis elk jaar twee weken in eigen land rond, en ik zou niet durven beweren dat ik mijn land uitputtend heb bezocht. Wel integendeel. Deze zomer...'

Hij lonkt naar de lange rij wachtenden en onderbreekt zichzelf node, plaatst hoofdschuddend een stempel in mijn paspoort, en noteert de periode: zolang het visum strekt.

In New York neem ik de bus naar Philadelphia, en na enkele uren sneeuw en grauwheid, boven op de ruim twee weken administratief gedoe, beland ik opnieuw in de *City of Brotherly Love*, ditmaal voorzien van de geruststellende stempels.

I

De thermometer van Jefferson

Zijn onderkomen aan de hoek van Market en Seventh werd eerst afgebroken en veel later min of meer geloofwaardig heropgebouwd. Een vrij nietszeggend museum is in de reconstructie ondergebracht. Er was destijds een stal in de buurt, en Thomas Jefferson klaagde over de vliegenplaag die de paarden teweegbrachten. Het detail dat het meest tot mijn verbeelding spreekt is niet in het museum te vinden. Op de dag die in retrospect aan belang heeft gewonnen – de 4de juli 1776, de dag dat zijn geamendeerde, afgezwakte, ingekorte Onafhankelijkheidsverklaring door vertegenwoordigers van de Staten werd goedgekeurd en in druk verscheen, en dat het land zich zo symbolisch van onder het koloniale juk wegscheurde – kocht Jefferson een thermometer en zeven paar vrouwenhandschoenen. Daarnaast gaf hij een aalmoes weg, dat in verhouding tot de thermometer, zijn grootste uitgave van de dag, drie pond en vijftien shilling, onbeduidend was. Dat alles noteerde hij braafjes en verkort in zijn logboek, alwaar het ontstaan van het land geen vermelding verdiende. De geschiedenis heeft niet weerhouden wat hij met de vrouwenhandschoenen aanving, en of hij aan de hand van de nieuwe thermometer, of met behulp van een vroeger model, de ochtendlijke temperatuur vastlegde op achtenzestig graden Fahrenheit, zo'n twintig graden Celsius, en het dagmaximum op zesenzeventig Fahrenheit, een aangename vierentwintig Celsius. Jefferson hoopte ooit een netwerk van meteorologische gegevens voor zijn nieuwe land op te bouwen, en hij droeg – waar hij ook was – graag pro-actief zijn steentje bij. Zonnig en koel, met later wolken.

Het is makkelijk om van de huurwoning van Jefferson te wandelen naar de lokatie van het permanente, ook afgebroken huis van Benjamin Franklin, of naar de nog bestaande zaal waar de onafhankelijkheid werd uitgeroepen (dat deden de vertegenwoordigers van de deelnemende Staten eigenlijk al op 2 juli, over het algemeen gingen de toenmalige vooraanstaanden ervan uit dat, indien de nieuwe republiek zou overleven, 2 juli de feestdag zou worden), waar later – zonder Jeffersons hulp – de veel minder radicale grondwet werd ontworpen, besproken en goedgekeurd.

Philadelphia, nogal optimistisch door de oprichters de 'stad van broederliefde' genoemd, vertegenwoordigde destijds de openheid van het land, terwijl Boston, dat andere veredelde dorp, de kwezelpool was. Franklin was puriteins Boston ontvlucht om in Philadelphia (en Parijs) zijn draai te vinden, te ademen, buitenechtelijke en wetenschappelijke activiteiten te ontplooien.

Op deze plek van relatieve openheid kunnen we bijna op de voet volgen hoe een van de belangrijkste documenten uit de Amerikaanse geschiedenis tot stand is gekomen.

Op 11 juni 1776 werd uit de vertegenwoordigers van Staten een commissie samengesteld die de Onafhankelijkheidsverklaring zou opstellen. De leden, onder meer Franklin, schoven de verantwoordelijkheid af op de relatief jonge Jefferson, drieëndertig toen, een advocaat die bijna tegelijk aan een ontwerp van de grondwet voor zijn geboortestaat Virginia werkte. Een advocaat die niet welbespraakt was, die waarschijnlijk met de als niet essentieel beschouwde taak werd opgezadeld omdat hij, als jongste, er niet aan kon ontsnappen, en die dus kampte met opzittende vliegen, onvoldoende nauwkeurig beschreven temperaturen, en een behoefte aan vrouwenhandschoenen.

De Verklaring, in enkele dagen neergepend, is zelfs literair een pareltje, en in ieder geval een ontroerende samenvatting van politieke theorie, een opstelletje waarin de ziel van het land zich lijkt op te houden: '*We hold these truths to be self-evident*' (*sacred and undeniable*, had Jefferson eerst geschreven, maar Franklin, een uitgever met een afkeer voor gezwollen taalgebruik, haalde, dat is in een van de bewaarde versies te zien, een historische streep door het *heilige* en het *onmiskenbare* en verving de twee aanduidingen door het simpele maar in deze onwelvoeglijk afdoende zij het misschien weinig betekenende woordje *vanzelfsprekend*), '*that all men are created equal, that they are endowed by their Creator*' (het woord Creator kwam in Jeffersons oerversie niet voor, het is niet duidelijk wie het uiteindelijk heeft geïntroduceerd, die introductie wordt sindsdien door fundamentalisten aangegrepen om het land tot een christelijke natie uit te roepen) '*with certain unalienable Rights, that among these are Life, Liberty and the Pursuit of Happiness. – That to secure these Rights, Governments are instituted among Men, deriving their just powers from the consent of the governed. – That whenever any Form of Government becomes destructive of these ends, it is the Right of the People to alter or to abolish it, and to institute new Government, laying its foundation on such principles, and organising its powers in such form, as to them shall seem most likely to effect their Safety and Happiness.*'

Jefferson is verreweg de meest beschrevene van de *founding fathers*, al is er over hem, in tegenstelling tot Alexander Hamilton, Franklin of John Adams, recent geen omvattende biografie verschenen. Hij torste als geen ander de hoop en de benepenheid van zijn tijd op zijn schouders: hij was een quasi-ongelovige deïst, maar hij hield zich wel aan de traditie van het ter kerke gaan. Hij was eindeloos nieuwsgierig en in wetenschap geïnteresseerd (hij discussieerde met een Franse specialist over de karkassen die op het nieuwe continent waren ontdekt, en liet wetenschappers op onderzoek trekken in de hoop dat ze met grotere zoogdieren of fossielen op de proppen zouden komen dan de Europese), verlicht, bedenker van de Onafhankelijkheidsverklaring waarin de vrijheid van elke mens als een godgegeven vanzelfsprekendheid werd geponeerd, voorstander van een permanente revolutie, waarin de burgers om de zoveel jaren hun eigen grondwet zouden verwerpen of herschrijven, maar tegelijk de eigenaar van tweehonderd slaven, die in een briefwisseling met een zwarte wetenschapper uit Baltimore bleef verdedigen dat zwarten niet dezelfde verstandelijke vermogens hadden als blanken, en dat de twee rassen beter niet konden samenwonen (zijn clausule tegen slavernij werd door de vertegenwoordigers van de Staten uit de Onafhankelijkheidsverklaring verwijderd), later tot president verkozen met behulp van slavenstemmen (een slavenstem was tweederde waard van een 'vrije' stem, ze hoorde toe aan de eigenaar), vader van ten minste één slavenkind, wellicht van zes, en zelfs in zijn bevlogen Onafhankelijksverklaring niet in staat om ook maar een halfvriendelijk woord voor indianen te bedenken (de indianen stonden om evidente redenen eerder aan de kant van de Britten). Francofiel maar tegelijk heel negatief over de pre-revolutioniare Franse samenleving, die hij als totalitairder beschouwde dan de Britse. Een boekenwurm die bloedvergieten niet zo erg vond, maar zo mogelijk omkoping verkoos boven oorlog. Hij was, het werd ten tijde van de invasie in Irak vaak geciteerd, voorstander van een bescheiden buitenlandse politiek en kampioen van de zelfbeschikking, maar tegelijk was hij als president de architect van de aanhechting van groot Louisiana, waardoor hij het grondgebied van het land bijna verdubbelde, en honderdduizenden bewoners, zonder enige raadpleging, aan het land toevoegde. Hij bleef, ondanks een lange politieke carrière waarin hij onder andere gouverneur van Virginia werd, ambassadeur in Parijs en gedurende twee ambtstermijnen president, toch fundamenteel anti-politiek en anti-staats. Hij was een radicaal voorstander van onafhankelijkheid maar als gouverneur van Virginia wist hij nauwelijks troepen te mobiliseren voor de onafhankelijkheidsstrijd. Hij was zowel egalitair als elitair, voorstander van budgettaire voorzichtigheid die zelf eeuwig in groeiende schulden stak. Gaandeweg oud en wijs zowel als groeiend achterbaks.

In één aspect was hij constant: hij verwierp alle bevoogding van de menselijke geest, hetzij politiek of religieus. Hij laakte bijgeloof.

Jefferson is een van de redenen waarom ik graag naar dit land kom, al is het een element dat geen hout zal snijden bij de grensbewakers van Philadelphia. Hoe kan een land met zo'n *founding father* anders zijn dan complex en interessant?

Ik heb mijn seizoenen door elkaar gehaspeld. Ik zoek naar sporen van die vierde juli in het hartje van de winter. De sneeuw komt tot mijn kuiten. Ook zonder thermometer valt te observeren dat het stenen dik vriest, en de wind jaagt iedereen behalve arme daklozen en rijke rokers van straat. Ik kom bij boven een eindeloos bakje koffie en raak in gesprek met een Russische taxichauffeur die het grootste deel van zijn leven in de stad heeft doorgebracht en die vandaag bij gebrek aan klandizie of zin, en balend van de sneeuw, maar een extra uur verdoet. Hij is als tafeltennisser naar het land gekomen. Nog voor zijn toernooi begon heeft hij asiel gevraagd, en snel gekregen. Hij heeft zijn naam veramerikaanst van Lev naar Leo, en hoewel zijn accent zo dik als rook is gebleven, is hij de liefdes en de haat van zijn stadsgenoten gaan delen. Hij klaagt over het uitblijven van nationale sporttitels (op alle terreinen: basketball, hockey, football, baseball) sinds het oude concordaat dat stipuleerde dat het stadhuis het hoogste gebouw in de stad hoorde te zijn vanaf 1986 met voeten werd getreden. Philadelphia heeft zich met zijn wolkenkrabbers een sportvloek op de hals gehaald, denkt hij. De oude William Penn, oprichter van de stad en van de staat Pennsylvania, heeft zich in zijn graf omgedraaid, hij hangt nu met zijn vredelievende quaker-principes ongemerkt aan de shorts van de atleten en houdt zo elk sportexploot eigenhandig tegen.

Leo klaagt ook over de criminaliteit. 'Heb je gelezen over het meisjeslijk dat aan de rivier werd gevonden? We weten nog niet of ze is verkracht. Zo'n geval van vermoorde onschuld is op de een of andere manier veel gruwelijker dan lijken die na een bendeoorlog achterblijven.' Hij klaagt over de belastingen die de conferenties uit de stad houden (de oerconferentie waarin de Onafhankelijkheidsverklaring werd goedgekeurd had ook met onrechtvaardig geachte belastingen te maken, wat dat betreft is er continuïteit).

Maar dan vertelt hij dat hij in het voorbije weekend, vrij toevallig, het nieuwe Museum van de Grondwet heeft bezocht. Hij was onder de indruk. 'Ik ga zeker nog terug, ik kwam ogen en tijd tekort. Het was te druk om al het tentoongestelde te kunnen bekijken.' Hij haspelt de Onafhankelijkheidsverklaring en de Grondwet door elkaar, beseft hij zelf: 'Maar je kunt je toch niet indenken dat enkele ereboeren en wat ambachtslui destijds in staat waren zelf die teksten op te stellen. Die mensen waren achterlijker dan wij nu zijn, en wij zouden nog in geen twintig jaar in staat zijn een dergelijk werk tot een goed einde te brengen.'

Wat suggereert hij?

'Je hoort van fundamentalisten dat de Grondwet door God aan Amerika is gegeven. Ik ben zelf niet erg religieus, maar het is toch bizar hoe enkele amateurs, zakenlui, militairen en een drukker erin geslaagd zijn in enkele maanden een grondwet op te stellen die in de lijn van de geschiedenis lag. Velen van die mensen waren onvervalste racisten, maar toch kwamen ze tot de conclusie dat alle mensen gelijk zijn en evenveel recht hebben op vrijheid en geluk. Waar kwam hun inspiratie vandaan?'

'*Life, Liberty and the Pursuit of Happiness.*' Hij citeert nu weer uit de Onafhankelijkheidsverklaring. Toen hij voor het eerst in Philadelphia rondliep zou hij zijn verzuchtingen niet in die termen hebben omschreven, maar misschien was het achteraf beschouwd toch wat hem tot zijn vlucht uit Sovjet-Rusland bewoog. Weg van de schuldgevoelens en het voldoen aan allerhande betuttelende regels, weg van ingewikkelde idealen en evidente corruptie naar het onschuldige en schuldloze 'Leven, vrijheid, geluk'. Wie kan ertegen zijn naar leven, vrijheid en geluk te streven? De unanimiteit in het land begon met de Onafhankelijkheidsverklaring.

'Niemand wéét of het aan God ligt dat de VS de wereld domineren. Maar waarom overheersen Amerikanen de Russen of de Arabieren? Omdat ze een beter systeem hebben, een betere kijk op het leven, een krachtiger economie, betere wetten. En waar kwamen die wetten vandaan? Van boeren en slaveneigenaars die misschien niet goed wisten wat ze deden. Die dat allicht helemaal niet wisten.'

Hij heeft zichzelf weten te overtuigen: 'Een mirakel!' Hij slaat een halfernstig orthodox kruis. 'Goddelijke interventie.'

De meesten van de opstellers geloofden nauwelijks in God, ze geloofden in thermometers, bliksemafleiders en vrouwenhandschoenen. Ze voerden campagne tegen bijgeloof.

'Enkelen geloofden niet in God. De meesten waren goede christenen. En je moet niet in Hem geloven om onder Zijn invloed te komen. Ook wie niet gelooft vervult Zijn plan.'

Het doet er wat hem betreft niet toe dat hijzelf, mocht hij hier ten tijde van de eerste verkiezingen hebben gewoond, geen stemrecht zou hebben gehad. Of dat God blijkbaar behalve tot selectief kiesrecht ook oorspronkelijk tot goedkeuring of gedogen van slavernij had geïnspireerd. Er zou, negentig jaar na de oprichting van het land, een burgeroorlog uitgevochten worden over de rol van slavernij in het land. In andere delen van de wereld was slavernij veel vroeger gebannen. Zo progressief en voorzienend waren de oprichters van het land, althans de schrijvers van de grondwet, niet geweest.

Op de een of andere manier gomt hij dat aspect van het ontstaan van het land weg. Dat aspect staat het miraculeuze in de weg. De thermometer en het dagmaximum van die vierde juli vallen niet met dat mirakel te rijmen. De dag van het mirakel hoort niet door meteorologische waarneming te worden gedefinieerd.

Goed vijftig jaar geleden werden de VS door een vooraanstaand historicus, Henry Steele Commager, omschreven als de rationele republiek. Commager had onder meer Jefferson in gedachten, die volgens hem in de praktijk wist om te zetten wat de Europese verlichte geesten hadden bedacht.

Zowel de rationele uitleg als het mirakel kunnen de kwakkelweg van het land niet afdoend verklaren. En dus wordt de kwakkelweg vergeten. In het Museum van de Grondwet wordt de voordracht door een zwarte gegeven. De opstellers van 'We the People' zijn met terugwerkende kracht kleurenblind geworden.

De binnenstad is goed bewandelbaar en bijwijlen mooi, hij verwijst nog met borden en verenigingen (wetenschappelijk, historisch, filosofisch) naar het optimistische, verlichte, rationele ontstaan van het land. Maar je moet in dit winterse Philadelphia niet lang zoeken naar lelijke plekken die naderhand door de geschiedenis zullen worden genegeerd. Vermoeidheid is het sleutelwoord. Vermoeide mensen in vermoeide huizen, in buitenwijken waar je moe bent tegen de tijd dat je er geraakt. Vervallen industriële stroken langs de rivier of het kanaal, lugubere, graffitiloze tunnels, die inderdaad aan dat dode meisje doen denken. Blij dat de tunnel lijkloos is, en dat ik hem zonder kleerscheuren door kom.

De Philadelphia Enquirer, dat las ik nog boven mijn bodemloze kop, publiceert een interview met een werkloze vrouw die dagelijks een mijl of tien richting sollicitatiegesprekken loopt. Ze kan zich het busticket niet permitteren. Op vele plaatsen komt de bus niet eens, voor wie het tarief wel aankan.

Even voor de brug over de Schuylkill-rivier, die onder meer naar het treinstation leidt, op gehoorsafstand van een kerk waar verkleumden soep toebedeeld krijgen, worstelt een vrouw met meervoudige lasten.

'*Heck*,' protesteert ze mildjes. Ze balanceert een ingeduffelde baby op haar linkerarm en houdt twee tassen met slaapzakken aan haar rechterschouder. 'Dat is nu de vijfde taxi die me leeg voorbijrijdt. *Can you believe it*?'

Geloof is doorgaans niet mijn sterke kant.

Ze zwaait moeizaam met slaapzakken en arm naar de volgende taxichauffeur, die niet eens zijn snelheid mindert.

'*Heck*.' De beleefde vloek klinkt nu iets krachtdadiger.

Ik veronderstel terstond racisme, maar de chauffeur is zelf zwart.

'Niet dat zwart-tegen-zwart-racisme niet voorkomt, maar ik denk niet dat het in dit geval speelt. Ik weet niet hoe ik dit moet noemen: antistraatslaperisme?' De vrouw grinnikt even, eerder melancholisch. 'De chauffeurs denken dat ik een dakloze ben, vuil en blut, gedrogeerd, een ongehuwde moeder. Potentieel een overvaller.'

Ze ziet er als het tegenovergestelde uit: fris en monter achter een blitse bril, gebeeldhouwd gezicht, dure schoenen die niet helemaal door dikke broekspijpen aan het zicht worden onttrokken. Maar van op afstand moeten de slaapzakken de doorslag geven.

Ik stel voor dat ik om de volgende taxi roep, maar dat weigert ze – ze wil niemand voorliegen, zelfs niet op dit niveau, daar is haar God heel duidelijk in. 'Als ze me niet willen zoals ik ben, dan is dat maar zo. Het tragische is: ik ben op weg naar een plek waar zwervers vergaan van de kou. Ik ben de slaapzakken in een kerkmagazijn gaan ophalen. Hoe sneller ik bij de hulpbehoevenden geraak, hoe sneller iemand het warm krijgt.'

Ze bedenkt dat enkele honderden meters verder, aan het station, taxi's hun standplaats hebben. Daar kan ze wachtende chauffeurs proberen te overreden.

'Het kan iedereen overkomen.' Ze klinkt ineens didactisch. 'Dat weet ik nu, sinds ik zelf met daklozen werk. Baanverlies, een slecht verlopen echtscheiding... Misschien dat daarom vele mensen vies zijn van daklozen, ze zijn echt niet zo verschillend, dat maakt hun aanwezigheid bedreigend.

Weet je wat me het meest verwonderde? Hoe belezen ze zijn. De enige plek waar ze overdag gratis warm en droog kunnen blijven is de openbare bibliotheek. Daar pluizen ze kranten uit en bladeren ze in encyclopedieën. In zekere zin zijn ze beter op de hoogte van wat er in de wereld omgaat dan de rest van ons.'

Nog voor we de brug over zijn, en terwijl de baby zachtjes begint te pruilen, stopt er dan toch een chauffeur. 'Stap in,' gebaart hij nors. De vrouw helpt haar baby naar me wuiven.

Terug naar het oude hart van de stad. Ook aan het quaker-gebedshuis vormen kou en daklozen in combinatie het voornaamste gespreksonderwerp. Sandy gaat af en toe aan de deur kijken. Zij heeft zopas de temperatuur opgemeten. Het is tien graden Fahrenheit, of, omgerekend in Celsius, min twaalf, en de daklozen staan te stampvoeten van de kou. Maar ze vertikken het om de warmte van de gebedsruimte op te zoeken.

'We hebben enkele opvangcentra in de buurt, we sturen mensen op patrouille, nodigen elk individu zo vriendelijk mogelijk uit, maar toch blijven velen liever buiten.'

Waarom dan?

'Omdat ze ons betuttelend vinden, denk ik. We houden ons aan vaste uren, een sluitingsuur, we laten geen alcohol of drugs toe. Dat soort dingen.'

Sandy is pensioengerechtigd, haar echtgenoot is ziek. Ze zou zelf moeten rusten, maar enige tijd geleden heeft een visioen haar een nieuwe impuls gegeven.

'Ik sliep niet eens. Op klaarlichte dag zag ik voor me hoe duizenden hulpbehoevenden onder de Franklinbrug samentroepten. Het was alsof ik de nood van de wereld in beeld gebracht kreeg. Toen besefte ik: ik moet nu niet aan mezelf denken.

Nog een gekke ervaring: net na het overlijden van mijn moeder hing ik haar dekentje aan een wasdraad. Op een volslagen windloze dag bleef het minutenlang wapperen. Ik kon niet anders dan denken dat haar geest voor de beweging zorgde. Sindsdien is mijn ongeloof in een hiernamaals iets kleiner geworden.'

Geloven quakers dan niet in een hiernamaals?

Je moet Sandy, die hier eigenlijk toezicht houdt en bezoekers wegwijs moet maken, niet pramen om over de principes van haar godsdienst te beginnen.

'Dat hangt er maar van af. Wij quakers hebben geen echte leerstellingen, geen zonde, en geen opgelegd geloof in het hiernamaals. We geloven dat God in iedereen aanwezig is en dat het aanmatigend zou zijn een ander, of de God in de ander, regels op te leggen.' De geloofsgenoten duiden elkaar aan als *friends*, vrienden.

William Penn, zelf een rijke quaker, en door de Britse koning voor bewezen diensten en kwijtgescholden leningen beloond met ver land in de nieuwe wereld, stelde zijn nieuwverworven gebied open voor zijn vervolgde geloofsgenoten.

Volgens Sandy stonden haar geloofsgenoten op de eerste rij van de geschiedenis. Ze speelden een prominente, en heel vroege, bijna voortijdige rol in de 'strijd voor gelijkberechtiging, voor emancipatie van slaven, voor vrouwenrechten, voor vrijheid van religie. Quakers waren tegen het standensysteem, tegen oorlog, voor individuele verantwoordelijkheid. Ze waren voor een strikte economie met bijvoorbeeld vaste prijzen.'

Zo te horen waren ze politiek gesproken de voorlopers van de Democraten.

'Misschien wel. Ik geloof in elk geval dat de principes van de *friends* een blijvende bijdrage aan het land, zelfs aan het karakter van het land, geleverd hebben.' Ze voegt daar node aan toe dat de bekendste quaker uit de recente geschiedenis een oorlogvoerende Republikein was: Richard Nixon. Van hem haalt ze om religieuze redenen de handen af: 'Het is niet omdat je een *friend* bent dat je automatisch aan de goede kant staat. Het is niet omdat je geen quaker bent dat je automatisch aan de verkeerde kant uitkomt.' En Nixon zou zich uiteindelijk van het quakerdom hebben afgekeerd.

Met de quakers, zo belangrijk bij het ontstaan van het land, gaat het tegenwoordig niet zo goed. Het aantal ligt om en nabij de honderdduizend, schat ze, waarmee ze alleen de progressievere groepen in overweging neemt. Er zijn nog ongeveer evenveel quakers in conservatieve denominaties.

Maar het is hoe dan ook weinig, in een land met driehonderd miljoen inwoners, waar ooit een hele staat, Pennsylvania, voor quakers leek te zijn opzij gezet.

'Tijdens onze zondagsdienst zitten we gewoon een vol uur naast elkaar, stilzwijgend, elk afzonderlijk in meditatie. Jonge mensen worden ziek van stilte – die kunnen dat niet aan. Bovendien worden we geacht de handen uit de mouwen te steken. Je mag niet in onverschilligheid leven. Als God in elke mens is, kun je het niet maken om ook maar één mens in de steek te laten.'

Tenzij die mensen zelf in de steek gelaten willen worden. Ze kijkt oprecht bedroefd in de richting van de stampvoetenden. Er blijft, zegt ze even later, een gigantische kloof tussen de oerteksten, de Onafhankelijkheidsverklaring en de Grondwet, en de realiteit van de daklozen. In 1776 moet die kloof overbrugbaar hebben geleken. Ze corrigeert zichzelf: 'Voor slaven moet ze even onoverbrugbaar geweest zijn.'

In 1776 telde Philadelphia hooguit enkele tienduizenden inwoners (volgens de census van 1790 woonden er toen achtentwintigduizend), meer dan Boston, ongeveer evenveel als of iets minder dan New York. Op een pleintje naast het Museum van de Grondwet wordt nog aangeduid wie op welk plotje woonde. De huizen waren Europees klein, de straten doorgaans al Amerikaans recht.

Jefferson hield niet van steden. Hij vermoedde dat de toekomst van de mensheid op het platteland gezocht moest worden: verlichte, goed opgeleide burgers zouden er de landbouw verbeteren en hun geest cultiveren. De stad verlaagde mensen, vond hij, en beperkte hun verstandelijk perspectief. Voorzover ik dat kan inschatten, hebben de bewoners van Philadelphia geen boontje voor hun vroege bezoeker, in tegenstelling tot langdurige inwoner Franklin, die hier wel alomtegenwoordig is, en makkelijker over de tongen rolt.

Het kostte Jefferson in 1775 tien dagen om van Virginia in Philadelphia te geraken. Hij reisde in een koets, werd vergezeld door drie slaven, reed verkeerd en maakte ommetjes. Hij gedroeg zich als wat eens werd omschreven als 'een hoogmoedige sultan van het zuiden'.

Ik maak de tocht in tegenovergestelde richting. Hij kost me het beste deel van een dag, maar dat ligt eerder aan de buslijnen die Charlottesville, de universiteitsstad in de buurt van Jeffersons oude landhuis, niet genegen zijn, dan aan de afstand.

Het contrast tussen grotere stad en plattelandsstad (Charlottesville telt nu natuurlijk veel meer inwoners dan Philadelphia in 1776) is aanzienlijk gebleven. Charlottesville lijkt wel in een woud te zijn neergekwakt. De bomen langs de wegen zijn indrukwekkend groot, alom joggen studenten de muizenissen uit hun hoofd (de universiteit werd door Jefferson opgericht en gedeeltelijk ontworpen; hij richtte haar zo regelloos mogelijk in. Studenten werden niet geacht de lessen te volgen of zich te groeperen in jaargangen; ze volgden lessen al naargelang het hun schikte). Aziaten zijn hier talrijker aanwezig dan zwarten, de fastfood is eerder van Aziatische oorsprong dan van Amerikaanse. De chauffeur van een lokale bus keert naar een voorgaande halte terug om een laat gearriveerde reizigster op te pikken. 'Je wilt in dit soort kou toch geen halfuur op de volgende bus wachten, *ma'am. You're welcome.*' De chauffeur is zwart, de reizigster is wit. Dat verschil wordt in hoffelijkheid gehuld.

Virginia is for Lovers, zo luidt de toeristische lokroep van de staat (*Maryland is for Crabs*, repliceerde een bewoner van die buurstaat, waarbij hij eerder schaamluizen dan de aldaar nochtans ook volop aanwezige schaaldieren in gedachten moet hebben gehad) en hier is dat echt zo: minnende studenten delen onbaatzuchtig de supergrote fles cola, en, wat bij deze temperaturen belangrijker is, een paar handschoenen. De toeristische slogan is enigszins in tegenspraak met de eigen wet, die nog altijd overspel en seks buiten het huwelijk strafbaar stelt. Om de zoveel jaar wordt iemand op die grond voor de rechter gebracht, om de zoveel jaar beraadt het hooggerechtshof van de staat zich over de houdbaarheid van die ouwe wet, die Jefferson nog heeft meegemaakt. Volgens de lokale krant zou ze dit keer echt wel kunnen sneuvelen.

Monticello, het huis van Jefferson, ligt op een kilometer of tien van het stadje, en toont eerder de beminnelijke kanten van de man dan zijn kleine kantjes (de slavenkwartieren zijn verdwenen). Hij tekende, met enige hulp en inspiratie, zelf de plannen, hij heeft er ruim veertig jaar lang aan laten verbouwen en sleutelen. Hij vulde zijn woning met licht en met zelfverzonnen innovaties, zoals een roterende kapstok waaraan hij achtenveertig kledingstukken kon hangen, of een tweede pen verbonden aan zijn eigen pen, zodat hij automatisch een kopie produceerde van elke pennenvrucht, een bed dat tussen slaapkamer en werkkamer in zit, zodat hij 's ochtends al naargelang zijn ingeving twee kanten uit kon.

De indeling, met veel achthoekige structuren, en de opsmuk, leert ons ook wel wat omtrent de man. Zo liet hij bij de entree behalve zijn eigen portret ook het portret van zijn aartsrivaal Alexander Hamilton aanbrengen. Hamilton, pleitbezorger van verstedelijking, van een mercantiele, uiteindelijk kapitalistische economie, en van een sterke staat, liet in juli 1804 het leven in een duel met Jeffersons vice-president Burr, was toen verzonken in schandaal, en politiek gemarginaliseerd. Maar Jefferson bleef blijkbaar de bijdrage van zijn tegenstander naar waarde schatten – of hij deed in elk geval alsof.

Dwalend tussen de populieren en de ceders kun je moeilijk anders dan appreciëren wat het probleem was met deze plantage: esthetiek kreeg voorrang op de landbouwkundige aspecten. Jefferson had het mooiste, dus hoogstgelegen land gekocht, netjes over een heuvel gedrapeerd, maar dat land was droger, de grond was minder rijk dan de omringende gebieden. De oogsten bleven, ondanks innoverend werk, tegenvallen. Zijn uitgaven bleven, in weerwil van zijn schulden, stijgen. De laatste maanden van zijn leven waren, niet enkel om gezondheidsredenen, beklemmend. Hij kon zijn schulden (om en bij honderdduizend toenmalige dollars, wat gelijkstaat met miljoenen hedendaagse dollars) niet langer voor zich uitschuiven. Hij probeerde de wetgevers van de staat Virginia zo ver te krijgen dat ze hem toestemming gaven om een benefietloterij te organiseren, maar zijn verzoek werd geweigerd. Uiteindelijk kwam de toestemming voor de loterij er toch, en Jefferson stelde een testament op in de veronderstelling dat er nu ten minste iets van zijn landgoed zou overblijven. Maar hij had de wervende kracht van de loterij overschat, en na zijn overlijden konden zijn nabestaanden niet anders dan zijn hele bezit verkopen.

Enigszins opgepept door het nieuws dat er toch een loterij zou komen, en misschien door de nakende vijftigste verjaardag van zijn Onafhankelijkheidsverklaring, stuurde Jefferson een brief in die ter gelegenheid van de viering van de onafhankelijkheid zou worden voorgelezen.

'Alle ogen openen zich of zullen geopend worden voor de mensenrechten,' schreef hij. 'Het licht van de wetenschap heeft al voor ieder de tastbare waarheid geopenbaard, dat de meerderheid van de mensen niet geboren is met een zadel op de rug, en dat er evenmin een select kransje mensen bestaat, gelaarsd en gespoord, dat hen legitiem, bij de gratie Gods, kan berijden.'

Hij stierf, net als zijn oude rivaal en vriend John Adams, op die vijftigste verjaardag, ongeveer tijdens de voorlezing van die laatste woorden, armer dan hij aannam, maar hoopvoller dan hij in lange tijd was geweest. En halvelings tot helemaal vergetend dat hijzelf, gelaarsd en gespoord, op vele ruggen had gereden.

2

De kwalijke kanten van het goede

De busstations in deze regio zijn eerder luguber. In Washington DC bestaat het ongemak erin dat de bussen op het spitsuur wand aan wand geparkeerd zijn, zodat degene die bagage uit de buik van de bus wil halen in een gewoel van opzittende reizigers belandt die op een smal strookje station hun bezit zoeken, elkaar duwen en aan elkaar trekken, en bij succesvolle vangst met hun bagage de samengetroepte reizigers moeten wegduwen. In het gewoel voel ik iemand aan mijn achterzak wurmen. Ik sla een snelle hand op de zak en de vreemde hand is verdwenen, mijn paspoort is nog aanwezig. Ik voel nieuw gewurm, sla opnieuw en kan opnieuw opgelucht ademen. En nog enkele keren. Maar op het moment dat ik aan de beurt ben om mijn tas te grijpen en ik me buk, voel ik opnieuw iets aan mijn billen. Als ik rechtkrabbel, is mijn paspoort verdwenen.

Twee seconden later bezorgt de volgende passagier me hem terug. 'Kijk wat ik in de bagageruimte heb gevonden,' zegt hij droogjes, 'is het van jou?'

Naar alle waarschijnlijkheid heeft hijzelf het paspoort eerst verwijderd, ofwel omdat hij een portefeuille vermoedde, ofwel omdat hij dacht vindersgeld te kunnen krijgen (maar daar vraagt hij niet om), of misschien wel om zijn vingervlugheid voor zichzelf of voor een vriend te bewijzen, om te oefenen.

Hij drukt me op het hart dat ik de buurt van het station niet te voet mag exploreren. 'Je zou niet de eerste zijn die zijn eerste uur DC niet overleeft. Dit kan een gruwelijke stad zijn, man.' Grootste aantal moorden per inwoner en per vierkante kilometer in het land, beweert hij, 'ook wat dat betreft de hoofdstad.' In vorige stopplaatsen

Philadelphia en Baltimore vond ik ook bewoners die telkens hun stad als de gevaarlijkste in het land beschouwden, daar schijnt eer in te schuilen.

Misschien is hij te bedeesd om om geld te vragen. Niet te bedeesd om te stelen, weliswaar. Zwart en arm. Tussen grijnzend en ernstig, de daad zonder de zonde.

Het vriest nog altijd alsof een nieuwe ijstijd werd ingeluid, en wandelen in het niemandsland rond het station is niet meteen mijn grote wensdroom.

Ondanks de kou word ik naar The Mall gezogen, de grasvlakte waaromheen de hoofdstad is gebouwd.

Het is nog vroeg en ingeduffelde, wat oudere, slome joggers, worden ingehaald, later voorbijgestoken door jongere mannen in te dun pak – thermische beker koffie in de hand – die in de onmiddellijke omgeving hoogdringend een vergadering moeten bijwonen. Er is keuze te over. Het Witte Huis is vlakbij, het Capitool evenzeer, wat verder vind je de Wereldbank, de vakbond, het Hooggerechtshof en K Street met zijn duizenden lobbyisten. Voor het Pentagon, aan de overkant van de rivier, heb je een metrostel of een taxi nodig.

In dit spitsuur zijn er twee soorten mensen die niet zo fel bewegen: vroege toeristen, stadsplan in de ene hand, wegwerpfototoestel in de andere, die het Vietnam-monument zoeken, of de Van Goghs in het kunstmuseum, of het slobberhemd van Seinfeld in het Smithsonian; en dan tientallen daklozen, die op de een of andere manier altijd uit beeld verdwijnen als er een toeristenfoto wordt gemaakt, ook al slapen ze op enkele tientallen meters van de omheining van het Witte Huis.

'Hey man, you cold?' vraagt een in een deken gewikkelde, lachende zwerver. Hij heeft een sjaal om zijn hoofd geknoopt, en de gescheurde resten van een kartonnen doos onder zich geschoven. Zijn nacht is goed verlopen, legt hij uit. Vandaar zijn glimlach. Niet eens zo koud. En nu: '*A new day*.' Nergens een haan te bekennen.

Hij kijkt tevreden naar de mensenstroom. 'De machtigste, de rijkste mensen ter wereld komen hier voorbij.' Niet dat ze hem geld geven. 'Ze kijken meteen de andere kant op als ze me zien. Alsof ik pijn doe aan hun ogen. *Man*, ik begrijp het ook wel. Ik word ook een ander mens als ik geld in mijn zakken heb.'

Hij telt de centen in zijn zak. Alles samen minder dan een dollar.

Arm te zijn in de buurt van macht en rijkdom is voor hem geen extra last, maar eerder een stimulans. Niets van wat hem passeert lijkt hem onbereikbaar, niet de rijkdom, evenmin de macht. 'Eén gegrepen kans kan volstaan.' Hij heeft zijn naam al aangepast aan toekomstige weelde: John laat zich tegenwoordig Jonathan noemen. Klasrijk, in afwachting van gewoon rijk.

Een uur of twaalf later zie ik hem terug. Hij voelt opnieuw de kou, heeft plaatsgenomen boven een rioolgat waaruit stoom, of in ieder geval rook, opstijgt. De rook is warmer dan de wind, hij draait zich af en toe: wind boven rook onder, nu rug boven buik onder. De warmte van het verworpen water. Zijn optimisme, nog altijd aanwezig achter grimmige stoppels, lijkt nu volledig waan. Hij telt zijn geld opnieuw. Nog altijd geen dollar. Er wordt soms gevochten voor die rioolgaten, zegt hij, en eigenlijk is dat een gevecht op leven en dood. Wie geen deken, geen karton, geen geld en geen rioolgat heeft, is geen lang leven beschoren.

Hij heeft de politie-escortes zien voorbijrijden. Wat er precies aan de hand is weet hij niet, maar dat er iets te gebeuren staat is ook hem duidelijk.

State of the Union. Een jaarlijks ritueel van de republiek, waarbij de president de volksvertegenwoordiging en de bevolking toespreekt. Feest in het verlichte Capitool.

Er is, las ik in de *Post*, een anti-oorlogsmanifestatie voor het Capitool gepland. Ook dat gaat aan Jonathan voorbij. Hij is eerder prooorlog, zo te horen. Hij herkauwt de slogans: vrijheid brengen, een kwalijke dictator verwijderen, de elfde september wreken. Op die elfde september leefde hij ook al op straat in Washington, zij het nog niet op de Mall. Hij heeft de knal op het Pentagon gehoord. Hij was toen tijdelijk in paniek, want wat er ook gebeurt, welke crisis er ook uitbreekt: 'Goed nieuws is dat nooit voor mensen als ik. We verwachten altijd dat we zullen worden aangepakt.' Maar de crisis is gepasseerd en hij heeft zelfs zijn positie verbeterd. Hij is nu dakloos op de

Mall, dat is zowat het hoogste wat je als dakloze kunt bereiken. Altijd weer dat optimisme. *Gonna get better, man.* Al zou een sigaret hem nu wel opbeuren.

De manifestanten aan het Capitool zijn minder optimistisch. In tegenstelling tot de zwervers hebben zij de open ruimte bezet, waar de ijzige wind vrij spel heeft. De Mall kan miljoenen manifestanten aan, en daardoor wordt de lage opkomst van deze manifestatie nog schrijnender. De oproep is laat gekomen, hoor ik, hoewel zo'n State of the Union jaren op voorhand is vastgelegd.

Bedoeling was om elke manifestant de naam van een gesneuvelde Amerikaan of van een bekend geworden Irakese dode te laten voorlezen, voordien een kaars te laten ontsteken en na de voorlezing de kaars weer uit te blazen. Maar er zijn bij verre niet genoeg betogers om voor elke dode een andere levende te vinden. Er zijn hooguit tweehonderdvijftig levenden, wellicht niet eens zoveel. En de wind blaast de kaarsen voortijdig uit.

Twee bejaarde, religieuze *peaceniks*, John en Ann, quakers zowaar, stoppen me een bord in de hand met de naam van James Kiehl erop. En de precisering: 22, US Army.

De vrouw die na mij in de rij komt torst ook het leven van een tweeëntwintigjarige met zich mee, een marinier, 'even oud als ik', bibbert ze.

De manifestatie is naar de meeste maatstaven een flop, de opkomst ligt laag, de pers bijt niet, de presidentiële toespraak zal een avondlang de meeste tv-kanalen beheersen, maar Ann is niet zo snel depri. 'Slechts weinigen,' zegt ze, 'komen tegen de oorlog betogen, maar bijna niemand verdedigt hem nog.'

De president verdedigt hem nog.

'Het leger vindt geen rekruten meer – zoiets spreekt luider dan de blabla van de president. Ik ken geen oorlog die uiteindelijk geen slechte smaak heeft achtergelaten.'

Ze heeft de Vietnam-manifestaties nog meegemaakt, ook op de Mall. Toen kwam de massa wel op de been.

Ze weigert er nostalgisch over te doen. 'De tijden zijn niet vergelijkbaar. Maar uiteindelijk wint het gezond verstand het, de rede. Hopelijk maak ik het nog mee.'

Ik zoek het, terwijl Bush-uitspraken me vanaf de tv om de oren fluiten, via het internet op. James M. Kiehl, uit Comfort, Texas, maakte deel uit van een onderhoudsafdeling. Hij was in 2002 getrouwd en een jaar later naar Irak getrokken. Hij kwam op 23 maart 2003 om het leven bij schermutselingen in Nasariyah. Zijn eerste en enige kind werd twee maanden na zijn overlijden geboren.

Een volgende dag, nog altijd in de buurt van de Mall, nog altijd op een steenworp van het Witte Huis, nog altijd binnen gehoorsafstand van daklozen, treed ik aan D Street, om de hoek bij Seventeenth Street, binnen in een somptueus gebouw, hoge zolderingen met kroonluchters die al wel eens een bal hebben meegemaakt, muren waaraan schilderijen doen denken aan bestofte snorren en doelloze rapieren. Verder zacht betreden tapijten en zelden gelezen boeken, spiegels en zwaar bepoederde vrouwengezichten.

De Daughters of the American Revolution (DAR) ontlenen tegenwoordig hun prestige vooral aan hun nabijheid tot de president, die hier minstens één keer per jaar op bezoek komt en zich in relatieve intimiteit met de revolutionaire nazaten vermeit.

Ik was niet van het bestaan van de Dochters op de hoogte tot ik aan hun museumachtige onderkomen voorbijliep. Een kortstondig onderzoek wijst al gauw wat mankementen van de organisatie aan. Presidentsvrouw Eleanor Roosevelt nam in 1939 ontslag omdat DAR de zwarte contralto Marian Anderson uit haar jaarlijks concert weerde.

Voorzitster Linda Tinker Watkins heeft de kunst van het verdringen eigenhandig verfijnd. Van racisme binnen haar organisatie heeft ze geen weet, zegt ze. 'We vermelden het ras zelfs niet bij opsporingswerk.' Zo kleurenblind zijn ze.

Zijn er dan zwarte Dochters van de Revolutie?

'Jazeker. Vele patriotten hebben kinderen verwekt bij zwarte vrouwen.'

En worden de nakomelingen van die kinderen lid van haar organisatie?

Ze knikt heftig. Een van haar drie persverantwoordelijken vertelt me later dat er hooguit een handvol zwarten deel uitmaken van DAR, op een totaal ledenbestand van honderdzeventigduizend.

Het gesprek met Linda Tinker Watkins houdt het midden tussen een slecht ingestudeerde les en een te goed voorbereide schooluitstap. Ik had aan haar medewerkers gemaild dat ik de essentie van het land probeerde te achterhalen, en Tinker Watkins' medewerksters hebben haar blijkbaar gebriefd over de bedoeling van haar eigen organisatie. Ze raakt af en toe het spoor bijster in haar fiches en moet dan met behoud van waardigheid panikeren.

Ze begint nochtans vol goede moed.

DAR werd in 1890 opgericht, zegt ze, om de wonden die door de burgeroorlog waren geslagen te helpen helen. Enkel vrouwen die rechtstreekse afstamming van patriotten kunnen bewijzen – van mensen die gevochten hebben voor de onafhankelijkheid of die de onafhankelijkheidsstrijd daadwerkelijk hebben ondersteund – mogen toetreden. 'Als bloedverwanten waren we meer gemotiveerd om de idealen van de revolutie en de eenheid van het land te verdedigen.'

Ook die uitleg wordt even later door een van haar leden tegengesproken. Binnen de organisatie is de animositeit tussen noorderlingen en zuidelijken nog altijd tastbaar: het zuidelijke conservatisme domineert de organisatie. Tinker Watkins is zelf, in woord en gedrag, ook duidelijk uit het zuiden afkomstig. Ze is blijkens haar officiële biografie, die ze me overhandigt, ook lid van de Dochters van de Confederatie, de zuidelijken die zich ten tijde van de burgeroorlog wilden afscheuren. Ze is zelfs lid van de Koloniale Dames van de Zeventiende Eeuw. Ze is, volgens haar uitleg en haar biografie, niet meteen afkomstig van een bekend revolutionair, maar dat geldt voor het merendeel van de leden.

Haar uitzicht is mid-twintigste-eeuws. Ze heeft zoveel poeder op haar gezicht aangebracht dat ze sporen maakt als ze zich krabt (wat ze maar even doet). Haar haar is in een achterovergedraaide permanent gefixeerd. Het kapsel doet me denken aan een schans. Ik vraag me af of regendruppels op haar hoofd zouden schansspringen. Ongetwijfeld heeft ze nooit lijfelijk met regen te maken.

Moest ze zo fel over de essentie van haar land nadenken dat ze zich er schriftelijk op heeft voorbereid? 'Patriottisme' en 'het verspreiden van de Amerikaanse geest' zijn de zelfverklaarde hoofddoeleinden van DAR. Dan moet ze het toch gewoon zijn daarover te praten.

'Het zijn vluchtige begrippen,' pruttelt ze tegen – precies op dat moment verstoort ze haar gezichtspoeder: 'Moeilijk onder woorden te brengen. Ik heb liever een papier bij de hand.'

Ze leest een definitie voor: 'Patriottisme wordt in het woordenboek omschreven als "liefde voor je land".'

Kijkt nu even op van haar papieren.

'Maar in de Verenigde Staten betekent het misschien iets meer dan dat. Velen in dit land, zeker ook binnen onze organisatie, hebben een langdurige relatie met het land. We horen en vertellen binnen onze families verhalen over onze herkomst – ikzelf ben van Iers-Schotse origine –, over de vervolging die we in het moederland ondergingen, over de strijd om het nieuwe land te veroveren, vruchtbaar te maken, te verdedigen tegen de Britse kolonisator. Dat heeft bloed gekost, een opoffering die we ons heden ten dage nauwelijks nog kunnen voorstellen. We vormen dus een smeltkroes, een samenraapsel, van godsdiensten en volkeren – een eenheid in verscheidenheid, een verzameling van doorgaans ooit vervolgde mensen die zich tot doel stelden een politiek systeem te ontwikkelen waarin vervolging van het individu onmogelijk werd.'

Gedurende een hele paragraaf heeft ze niet gespiekt, maar nu pauzeert ze weer om de fiches te raadplegen.

'Meningsverschillen vormen een essentieel element van het land. Ik ben methodist. In mijn kerk verschillen we op politiek en religieus gebied vrij aanzienlijk van mening, maar toch komt iedereen 's zondags probleemloos samen. Dat behoort ook tot de definitie van dit land: meningsverschillen spreken vanzelf, maar de eenheid is even vanzelfsprekend.'

We kunnen voor of tegen de oorlog in Irak zijn, zegt ze, maar we zijn in beide gevallen pro-Amerika. 'Of je links of rechts bent, je komt samen om naar de voetbalwedstrijd op tv te kijken. Die samenhorigheid voelde je verscherpt na 11 september.'

Uiteindelijk geeft ze haar eigen versie van Jeffersons Onafhankelijkheidsverklaring.

'We geloven dat elke persoon individuele vrijheid geniet en via zijn talenten zijn levenssituatie kan verbeteren. De maatschappij moet erop gericht zijn die vrijheid volop te laten renderen, de regels en beperkingen tot een minimum te herleiden. En als je dan door je talent welvaart vergaart, word je geacht iets terug te doen voor de gemeenschap en de minder fortuinlijken te helpen. Dat is Amerikaans patriottisme.' Ze kijkt op een fiche na wat ze precies wil zeggen, en citeert de voorgeschotelde slagzinnen: 'individueel recht en individuele vrijheid, gecombineerd met gemeenschapszin, een natie onder God, gematigd en tolerant'.

Tinker Watkins is buiten adem en vraagt aan een medewerkster of het buitensporig warm is. De medewerkster knikt gedwee en belooft de thermostaat aan een onderzoek te onderwerpen.

Op vragen is ze eigenlijk niet voorzien, maar ze verbiedt ze niet.

De discussie omtrent de leuze 'een natie onder God', wat deel uitmaakt van de Pledge of Allegiance, de eed van trouw aan het land, die kinderen elke ochtend formuleren (de kinderen hebben volgens het Hooggerechtshof het recht tijdens de vermelding van God te zwijgen), is weer eens opgelaaid, en ik vraag of ze met haar natie onder God al niet meteen de *founding fathers* en de scheiding van Kerk en Staat schoffeert.

Het blijkt een gevoelige snaar te zijn.

'Mensen begrijpen verkeerd hoe de scheiding tussen Kerk en Staat werkt. We willen godsdienstvrijheid, maar dat betekent juist dat God essentieel is. Alles in dit land refereert aan God, we zijn godvrezende mensen, God staat op het geld vermeld, God is aanwezig in eedafleggingen.'

Tot grote ergernis van ongelovigen, die daar een probleem hebben.

'Welk probleem? Ze zijn vrij om hun standpunt in te nemen, om het even welk standpunt, maar niet vrij om hun gezichtspunt aan anderen op te dringen. Wij vinden dat wie in niets gelooft zijn maatschappelijke basis verliest. Zonder God is vrijheid chaos, wetteloosheid. Waarden als eerlijkheid, rechtschapenheid, billijkheid, verantwoordelijkheid kun je niet in de grondwet vatten, die zijn betekenisloos als ze niet onder God ressorteren. Kapitalisme werkt pas echt efficiënt als er billijkheid bij komt. Oneerlijkheid in zaken drijft de klanten weg.'

Ik slik opmerkingen in over de klantvriendelijkheid van haar God, en over haar assumptie dat moraal met God eindigt. Op een of andere manier belandt het gesprek bij optimisme. Optimisme en patriottisme schijnen in dit land samen te gaan, opper ik.

'*Absolutely.*' Tinker Watkins ontspant zichtbaar als ze over vermeende positieve aspecten van de VS kan praten.

Maar er is ook veel ellende, breng ik snel in, zelfs vanuit de ramen van haar organisatie te aanschouwen. Hoe verbindt ze haar optimistische beeld met de straatslapers?

'De vrijheid waarover ik sprak, geldt onverkort voor hen: als mensen op het trottoir willen slapen zullen we hen dat niet verhinderen. Ons hart bloedt, elke kerk heeft wel een hulpprogramma voor minder fortuinlijken, er zijn opvangtehuizen, er is een grandioos systeem van soepbedeling. Ik besef dat velen van de straatslapers oud-strijders zijn, patriotten, dat velen psychische problemen hebben, wat het moeilijker maakt hen te helpen. Idealiter zou er geen ellende mogen zijn, bij ons niet en in de rest van de wereld evenmin. Ik zeg altijd: zelfs het goede heeft slechte kanten.'

Dat is een conclusie waarmee ze kan leven, waarmee ze haar leven en de glorificatie van haar land staande kan houden. Ze herhaalt het voor effect: 'Zelfs het goede heeft slechte kanten.'

De Dochters zijn officieel apolitiek. 'Vroeger waren we een conservatieve organisatie. Dat is een beetje aan het veranderen.'

De voorzitster is zelf voorstander van de oorlog in Irak. Ze was in de jaren zestig voorstander van de oorlog in Vietnam en heeft sindsdien haar argumenten noch haar standpunt aangepast. 'De protesten tegen die oorlog waren afkomstig van jongeren die het te gemakkelijk hadden gehad en die egoïstisch waren geworden. Als je eigen huis niet in orde is, kun je geen oorlog winnen. Dat was het probleem met de oorlog in Vietnam. In principe wil Amerika voor de rest van de wereld doen wat Frankrijk en Holland in 1776 voor ons gedaan hebben: ze hebben ons geholpen om onszelf te bevrijden van onze ketenen.'

Dat gebeurde toen niet om onbaatzuchtige redenen.

'Dat kan best zijn, maar het resultaat was bevredigend. En wat Irak betreft: ik begrijp niet hoe iemand gekant kan zijn tegen het verwijderen van een wrede dictator, tegen een ingreep die een einde stelde aan massaslachtingen, en die maakt dat meisjes nu eindelijk naar school mogen.'

Dat mochten ze onder Saddam ook al, het onderwijsverbod voor vrouwen was in Afghanistan van kracht.

'Juist, maar er ging zoveel fout in dat land, en nu hebben ze e-mail en fax. Meer moet je er niet achter zoeken, wij zijn geen kolonisatoren. We verbreken de ketenen en verdwijnen vervolgens zo snel als we kunnen. Want als de ketenen eenmaal verbroken zijn, kunnen de bewoners zelf hun verantwoordelijkheid opnemen, net zoals onze voorouders het hebben gedaan.'

De afspraak is ten einde. Tinker Watkins heeft een medewerkster die ons dat duidelijk maakt. Ze bedankt me zonder illusie. Ik vraag me af of er ooit een organisatie zal komen die de dochters van de Amerikaanse bezetting zal groeperen.

Cath werkt in de Borders-boekhandel aan L Street. Ze schenkt er koffie en soep, chili en muffins, aan klanten die intussen de boeken en tijdschriften inkijken die ze wellicht nooit zullen kopen. Dat Cath beneden haar niveau werkt spreekt ze zelf tegen. Ze heeft de helft van haar leven in Europa en het Midden-Oosten doorgebracht. Ze studeerde politieke wetenschap in Frankfurt, hielp bij de opvang van Bosnische en Iraakse vluchtelingen. Na 11 september is ze naar haar land teruggekeerd, en de job deed er dan niet zoveel toe. 'Ik geniet van dit werk, zoals ik van mijn vorige werk genoot.'

Waarom wilde ze per se terugkeren?

'Dat begrijpen Europeanen vaak niet – Amerikanen vormen een clan. Je kunt nog zo fel tegen andere Amerikanen argumenteren, maar als puntje bij paaltje komt zijn zij meer je bondgenoten dan gelijkgestemde Europeanen. Duitsers uit mijn kennissenkring voelen zich in het algemeen ongemakkelijk als ze in het buitenland andere Duitsers ontmoeten. Amerikanen zijn blij met andere Amerikanen. Dat zijn in zekere zin de enige mensen die we echt vertrouwen. Wij hebben geen organisch gegroeide geschiedenis, geen organisch gevoel van een bepaalde cultuur. Amerikanen zijn een samenraapsel van grof gezegd vluchtelingen, wantrouwig. Dat is onze band.'

Ze heeft dat vluchtelingenaspect van haar land ontdekt, misschien geprojecteerd, tijdens haar periode in Bosnië. Zovelen van de vluchtelingen die ze ontmoette, wilden zichzelf aan haar land toevoegen.

Wie vlucht moet om te overleven ook dromen – anders loopt de vlucht fout af. De Amerikaanse droom is de overlevingsstrategie van de vluchteling. Een overlevingsstrategie.

'Wat je ook moet begrijpen: wij zijn de voorbije twee eeuwen niet op ons eigen grondgebied aangevallen, en toen was daar plots 11 september. We houden er niet van als schapen te wachten tot er opnieuw wat gebeurt. We nemen liever de zaak in eigen handen.'

Zoals in Irak.

'Ja. Ikzelf was voorstander van de oorlog. Ik geef graag toe dat de argumentatie voor verbetering vatbaar was, de massavernietigingswapens vormden wellicht een excuus voor iets wat al tien jaar op het programma stond. Maar hoe vaak gebeurt het dat een oorlog de levenssituatie van een land verbetert? Zelfs in mensenlevens gerekend: al die gruwelverhalen die ik van vluchtelingen hoorde, al die massagraven – is de wereld niet beter af omdat de VS bereid waren enkele honderden mensenlevens op te offeren? Zullen er uiteindelijk, bij de eindafrekening, geen levens zijn gespaard?

Je hebt slechte oorlogen, in Vietnam, en goede oorlogen, tegen nazi-Duitsland of imperialistisch Japan. Ik denk dat we met de oorlog in Irak vrij dicht in de buurt komen van de goede oorlog.'

Ook al schijnen de Iraki's daar niet van overtuigd?

'Bij de Iraakse vluchtelingen heb ik enkel enthousiasme gehoord over een buitenlands ingrijpen. Het zal decennia duren eer het land weer overeind krabbelt, maar nu kan daar in ieder geval een begin mee gemaakt worden.'

En waarom is ze precies naar haar land teruggekeerd?

'Ik wou bij mijn clan zijn. De job bij Borders is de kwaadste niet. Ik ontmoet mensen, ik voorzie in een behoefte. Ooit wil ik terug naar de internationale politiek en de hulpverlening, maar de clan was even belangrijker dan het geld, de carrière of het mededogen.'

Een nieuwe dag brengt een nieuwe betoging op de Mall, ditmaal beter bezocht dan de anti-oorlogsactie, maar nog altijd minder dan de organisatoren hadden gehoopt. Enkele duizenden zijn voornamelijk via bussen aangevoerd om op The Ellipse voor het Witte Huis de afschaffing van de nationale abortuswetgeving, Roe vs. Wade, te eisen, op de verjaardag van die uit 1972 stammende wet.

Washington is een van de zwartste steden in het land, maar op deze manifestatie, zoals op de vorige, zie je enkel wit vel betogen (de politie die de zaak in goede banen moet leiden is daarentegen bijna exclusief zwart).

Foto's van foetussen op borden, die gedragen worden door kinderen.

Een predikant beweent op het podium het lot van die foetussen. Hij schat dat er tienduizend manifestanten zijn samengekomen. Dan huilt hij weer.

Ik probeer de betogers over de oorlog in Irak uit te horen, maar dat lukt niet. Ze lijken er relatief onverschillig tegenover te staan, niet rabiaat voor, niet hardnekkig tegen. 'In vergelijking met het aantal doden door abortus, is het dodencijfer in die oorlog relatief verwaarloosbaar,' aldus Anita, lid van een studentendelegatie van de franciscaanse universiteit uit Steubenville, Ohio, die ongeveer duizend kilometer per bus achter de rug heeft. Ze gaat elke week betogen voor de deuren van een nabije abortuskliniek in Pittsburgh, Pennsylvania. 'Vreedzaam, want wie echt voor het leven is, kan niet doden of zelfs kwetsen om een leven te redden.'

Toegepast op Irak zou die houding kunnen leiden tot een antioorlogsstandpunt.

'Dat ligt moeilijk. Ik denk niet dat je hier vijf mensen vindt die niet op Bush stemmen. Wij katholieken, of misschien moet ik zeggen, conservatieve katholieken, zijn niet echt voor de oorlog, maar we vinden dat het abortusstandpunt van de president belangrijker is dan diens acties in Irak. De oorlog komt voor ons op het tweede plan.'

Ineens duikt de president zelf op. Niet in levenden lijve, want hij is momenteel op toer in New Mexico, maar via een telefoonlijn die over de geluidsinstallatie wordt weergegeven. Hij legt uit wat hij allemaal heeft gedaan om 'het leven' te beschermen.

'Het recht op leven,' zegt hij, in wat wellicht zijn interpretatie van de Onafhankelijkheidsverklaring van Jefferson is, 'komt niet van de regering, het komt van de Schepper van het leven. We weten allen dat er nog veel werk te verrichten valt.'

Ik vraag aan Anita of ze niet ongeduldig wordt. Bush steunt wel de beperking in tijd van abortus, maar hij maakt geen aanstalten om Roe vs. Wade zelf aan te pakken. En zijn echtgenote ondersteunt het recht op abortus.

Ze glimlacht enthousiast. Ooit zal Roe vs. Wade verdwijnen. En met Bush liggen de kansen dat dit snel gebeurt beter dan met om het even welke andere recente president. Zelfs Reagan was minder enthousiast anti-abortus dan deze Bush. Bush is haar steun en toeverlaat, ook al is hij dan geen katholiek.

Buitenstaanders zijn geneigd Washington DC te reduceren tot de functie van hoofdstad, ambtenaren, lobbyisten, politici. Maar ik tref relatief weinig mensen aan die tot die categorieën behoren, ik vind bijvoorbeeld Alem, ook weer achter koffie (het blijft maar tien graden vriezen, en het is nu ook begonnen te sneeuwen – buitengesprekken worden vliegensvlug beëindigd). Ze moet bijna een halfuur werken om haar *grande latte* in Starbucks te financieren.

Alem, lang en vooral mager, is zeven jaar geleden uit de Ethiopische hoofdstad Addis Abeba naar Washington verhuisd. In Addis werkte ze kortstondig als onderwijzeres, in DC schrobt ze de huizen van welgestelden, half zwart, half geregistreerd, maar in beide gevallen voor ongeveer zes dollar per uur plus een fooi her en der.

'*Lovin' it*,' zegt ze, met een enthousiasme dat een betere zaak verdient, en zelfs ronduit verdacht lijkt.

'Ik ben niet zo lang geleden Amerikaans staatsburger geworden. Ik kan nu deelnemen aan verkiezingen.' Ze is anti-Bush, zoals bijna alle Ethiopiërs, zegt ze, die van oudsher Democratische kandidaten ondersteunen. Ethiopië levert ongeveer de helft van de taxichauffeurs in DC, misschien meer, en ook de taxichauffeurs zijn pro-Democratisch.

Ze is op zoek naar een nieuwe naam en een nieuw uiterlijk om haar status van Amerikaan te onderstrepen.

Alem, wat in Amharic 'wereld' betekent, wordt in Amerikaanse monden gauw verbasterd tot Ellen, maar dat is haar te westers. Ze wil nog iets van haar herkomst in de naam laten doorklinken.

Maryam, suggereer ik.

'Mijn moeder heet zo. Kan ik niet maken.'

Het uiterlijk is een zwaardere opgaaf. Alem wil dikker worden, minder wegblaasbaar zijn, meetellen. Daartoe drinkt ze haar dagelijkse *latte*, al drinkt ze die ook omdat ze hoopt op sociale promotie, omdat ze wil proeven wat rijkeren drinken. Binnenkort zal ze een andere van haar dromen realiseren. Ze gaat, samen met haar vriend, naar de fitnessclub. 'Ik zal daar oefenen naast de groten der aarde. In Ethiopië ben je niks waard, of je nu boer bent of winkelier of lerares. Je bent min of meer doodarm en min of meer rechteloos. Hier behandelen mijn werkgevers me beter dan mijn familie in Ethiopië dat deed, hier ben ik vrij en geniet ik in principe evenveel rechten als de president. Bijna evenveel.'

Ze ziet er fris en monter uit, waarom wil ze zo nodig fitnessen?

'Om spieren te kweken. Om eruit te zien als een echte Amerikaan. En omdat ik zo kan komen waar de groten zijn. Want dat is voor mij Amerika: geen enkele deur is onherroepelijk gesloten.'

Welke groten der aarde hoopt ze zoal te ontmoeten?

'Weet ik niet. Maar ik fantaseer over senatoren en zakenlui.' Ze wil ooit een stijlvol Ethiopisch restaurant openen en in de gym hoopt ze klanten en financiers te vinden.

Ze beschouwt dit land als een heel groot huis, met bijgebouwen en allerlei buitenpoorten en binnendeuren. Ze heeft de indruk dat ze heel veel deuren door zal moeten voordat ze in het ware Amerika belandt, voordat ze de schatten vindt die daar verborgen zijn. Maar dat ze zich op het landgoed bevindt stemt haar al hogelijk tevreden.

Nog een vrolijke migrant. Nicole heet ze, en ze houdt vast aan een dubbele nationaliteit, Frans en Amerikaans. Ze is een jaar of vijfenzeventig en woont al tweeëntwintig jaar in dit land. Doorgaans hangt ze in de buurt van de nationale feestdagen zowel de Amerikaanse als de Franse vlag voor haar raam, maar de eerste jaren na 11 september heeft ze zich tot de Amerikaanse vlag beperkt. 'Tegenwoordig zijn de anti-Franse gevoelens alweer bijna weg. Ikzelf ben trouwens altijd heel hoffelijk behandeld, ook al hoor je van tien meter ver waar ik vandaan kom.'

Ze staat voor de deuren van het Safeway-warenhuis, waar vakbondslui en enkele sympathisanten met zachte aandrang, eigenlijk bijna zonder aandrang, proberen klanten buiten te houden. In Californië heeft de directie van Safeway de werknemers van het bedrijf ontslagen omdat ze weigerden in te stemmen met verlaagde voordelen, lager loon, minder ziekteverzekering voor nieuwe aanwervingen. De ouden dachten dat ze in dat geval al snel ontslagen zouden worden, omdat de nieuwen beduidend minder zouden kosten, maar dat ontslag kwam er uiteindelijk nog voor het voorstel van kracht werd. De concurrentiepositie van Safeway is misschien verzekerd, maar volgens de vakbondspamfletten lijden de ex-werknemers intussen honger.

Bernie, een vakbondsvertegenwoordiger, vraagt ons beleefd om elders een minder asociale supermarkt te zoeken. Hij weet zelfs te vertellen waar we er een kunnen vinden.

Nicole haalt haar neus op. Ze is niet zo best ter been, en in de sneeuw is ze niet op haar gemak. Ze schakelt over op Frans, alsof ze bang is dat de manifestanten haar zullen verstaan.

'Ik ben niet zo pro-vakbond. Toen ik in dit land aankwam – een man gevolgd die me later in de steek liet – was het juist de regelloosheid die me aantrok. In Frankrijk moet je tegenwoordig hemel en aarde bewegen om als vrouw na je zestigste nog te kunnen werken. Hier is het de normaalste zaak van de wereld om op je zeventigste nog actief te zijn. Ikzelf werk nog.' Ze heeft een slechtbetaalde job in een boekhandel van een museum. En tussen niet langer mogen werken en wel moeten werken omdat je anders verhongert, verkiest zij de werkoptie. 'In Europa worden ouderen afgeschreven. Hier tellen we nog mee.' Hier moet ze wel werken, geeft ze ook toe – ze zou anders niet overleven. Maar beter dat dan verplicht afgeschreven.

Ze verontschuldigt zich bij Bernie en stapt toch maar de supermarkt binnen.

Op dezelfde dag dat enkele duizenden tegen abortus betogen, trekt, opnieuw aan L Street, enkele straten verwijderd van de Borders, een vrouw de aandacht. Ze heeft de foto van een bebrild, tenger jongetje aan een stok gespijkerd. RED MIJN KLEINZOON, luidt het bijschrift.

'Ik ben ten einde raad,' zegt ze. 'Dat moet ik er misschien niet bij vermelden.' Lynnda is de grootmoeder van Brian. Hij lijdt aan een erfelijke ziekte die maakt dat zijn aders breken. Zijn lever is aangetast en hij heeft dringend een transplantatie nodig. Maar zijn familie verdient te veel voor gratis ziekenzorg en te weinig om zelf de kosten te kunnen dragen.

'We zijn niet arm. Mijn dochter werkt overdag in de vastgoedsector en 's avonds in een bar. We behoren tot de middenklasse, al is mijn schoonzoon dan tijdelijk werkzoekend.

We zijn verzekerd,' voegt ze eraan toe, 'maar alleen voor kosten van meer dan zestienhonderd dollar per maand. Brians ziekte kost tot dusver ongeveer driehonderd dollar per maand. Vanaf nu zal hij elke maand een kleine operatie moeten ondergaan om in leven te blijven.' Wat nog altijd minder zal kosten dan de vermaledijde zestienhonderd dollar. 'We hebben ons spaargeld opgesoupeerd, het ziekenhuis dreigt de behandeling af te breken omdat men ons niet financieel stabiel vindt. De banken weigeren ons geld te lenen. Zo ben ik bij de bedelstaf beland.' Lyndda wijst naar haar stok. 'Met wat geluk en koppigheid is Brians geval niet hopeloos. Zonder geld is hij over enkele weken dood.'

Ze staat op een plek die bij de heersende temperaturen bijna geen passanten trekt en deelt beschroomd pamfletjes uit. Ik zie hoe een schaarse wandelaar haar tekst ongelezen in een volgende afvalbak laat glijden.

Ze had misschien beter de abortusbetoging kunnen uitkiezen om fondsen te werven.

Een voorbijganger, die geneigd lijkt in zijn buidel te tasten, antwoordt in Lynnda's plaats: 'Dat betwijfel ik. Die lui noemen zichzelf pro-leven. Maar in feite zijn ze pro-geboorte. Als het kind geboren is, trekken ze er hun handen vanaf.'

Nog een coffeeshop/snackbar tegen de kou, nog een bezoekster die met behulp van cafeïne en een afgeleefde croissant door het raam de wereld aanschouwt. Laura bekijkt drie bedienden die voor de uitgang van de Suntrust Bank hun middagsigaret roken. Twee hebben hun jas aangetrokken, de derde trotseert in hemdsmouwen en rok de temperaturen en de wind.

'Ze wil zichzelf kastijden omwille van haar rookgedrag.'

Na een halve sigaret verdwijnt de luchtig geklede vrouw naar haar rookvrije werkruimte. Haar sigaretrestje wordt door een zwerver uit de goot gehaald en gereanimeerd.

'Haar aanpak werkt niet,' zegt Laura met overtuiging. 'Positieve stimuli werken altijd beter.'

Laura is hondentrainster, en ze is geneigd de kennis die ze via haar beroep heeft verkregen ook op andere terreinen toe te passen.

'Je kunt je hond in de tuin houden door er een elektrische draad omheen te spannen, maar zo maak je hem neurotisch – hij begrijpt zijn wereld niet langer, de draad maakt zijn wereld onlogisch en het gevolg kan zijn dat hij angstig reageert, ook wanneer daar geen enkele reden toe is.

Dat is,' vervolgt ze nogal onverwacht, 'het lot van de Amerikanen sinds 11 september. Onze wereld is onlogisch geworden. De regering legt ons de oranje of de gele code op, wat betekent dat het heel erg gevaarlijk is, of gewoon erg gevaarlijk. We moeten vliegtuigen mijden, letten op de buren – en dan gebeurt er niets. Zijn we natuurlijk blij dat er niets gebeurt, maar tegelijk zijn we onze logica kwijt. We veranderen ons gedrag zonder dat we heel goed weten waarom.'

Al Qaeda heeft een elektrische draad rond de Amerikaanse kennel aangebracht?

'Dat zou je kunnen zeggen. De aanslagen van 11 september vormden een aanfluiting van onze leeflogica. Maar sindsdien leg ik een grotere fout bij de regering, die misschien baat heeft bij onze schrik. Zolang we bang zijn stellen we ons niet te veel vragen over de oorlog en de uitholling van onze vrijheden.

Als hondentrainster zeg ik: we geven onszelf de verkeerde signalen. Als inwoonster van dit land geef ik toe: ik weet zelf niet hoe het anders kan.'

In K Street worden de politieke lobbyisten geacht zich op te houden. Hier wordt gesmeten met geld, hier worden snoepreisjes uitgestippeld, hier schrijven deze lobbyisten teksten en voorstellen die door bevriende of gesmeerde politici tot wet worden gemaakt.

Enkele verdiepingen hoog, en bijna aan K Street (aan een parkje dat aan K Street paalt), en langs dezelfde Seventeenth Street waar ook

DAR huis houdt, op twee blokken van het Witte Huis, is het Center for Public Integrity ondergebracht.

'Ooit leek dit de ideale lokatie,' ginnegapt directeur Charles ('Chuck') Lewis, maar sinds 11 september weten we dat elke seconde hier onze laatste kan zijn.'

Lewis en zijn medewerkers speuren naar de geldstromen in Washington, wie wat betaalt om welke wetgeving te realiseren of om welke wetgever te plezieren. Bij presidentsverkiezingen brengt het CPI de financiële situatie van de kandidaten in kaart, plus hun broodheren, welke belangen ze zoal gediend hebben en aan wie ze nog schatplichtig zijn.

Hoewel zijn instituut steevast informatie opdelft waar de burger wat aan heeft, en hoewel zijn vierjaarlijkse boek over de presidentskandidaten de bestsellerlijst van de *New York Times* haalt, is de overheersende stemming bij Lewis, die een carrière als producent bij tv-actualiteitenprogramma *60 Minutes* liet staan om dit instituut op te richten, ronduit somber. 'Met geld koop je de waarheid,' zegt hij, tegelijk zuchtend en schouderophalend.

Stel, ik ben een zakenman die een wet wil laten herschrijven, of een wetswijziging wil tegenhouden. Hoe ga ik te werk?

De eerste regel is: wil je een afspraak krijgen met mensen die ertoe doen, dan moet je eerst al een bijdrage leveren. Daarmee krijg je een voet tussen de deur. Zonder voorafgaandelijke bijdrage haalt de secretaresse haar agenda waarschijnlijk niet boven. Je verdere toegang hangt af van wat je voor de kandidaat doet. Idealiter werp je je op tot iemand die niet alleen zelf geld geeft, maar die ook gelijkgestemden binnen de industrie tot giften beweegt. Je organiseert geldinzamelfeestjes. Je nodigt het parlementslid uit voor een golfreis naar Hawaii. Je zorgt ervoor dat je ook het parallelle fonds van de politicus spijst.' Zo'n parallel fonds heeft officieel niets met de politicus te maken en kan als dusdanig vrijelijk diens tegenstanders aanvallen. 'Als je vervolgens zingt, zingt de politicus mee.' Lewis vergelijkt het met Tibetaanse klokken. Zijn de klokken gelijkgestemd, dan trillen ze alle, ook al wordt er maar een aangetikt.

Veranderen bewindslieden onder invloed van geld merkbaar van mening?

'Af en toe. Mijn favoriete voorbeeld betreft Robert Torricelli, de Democratische senator van New Jersey die altijd tegen het embargo tegen Cuba gekant was. Tot Amerikaans-Cubaanse verenigingen hem honderdtachtigduizend dollar gaven. Zonder enige overgang werd hij een voorstander van het embargo, niet alleen van de handhaving maar zelfs van de versterking ervan.

Maar gewoonlijk volgt het geld gewoon de macht. Bedrijven ondersteunen kandidaten die toch al aan hun kant staan.'

Geld heeft altijd een buitensporige rol gespeeld in het Amerikaans politiek leven, maar Lewis ziet verschuivingen die hem toch wel zorgen baren. Het lobbywerk wordt gepolitiseerd. Vroeger gaven de lobbyisten ongeveer aan iedereen die hen van nut kon zijn. Tegenwoordig laten de Republikeinse machthebbers weten dat ze er niet mee gediend zijn als ook hun tegenstrevers van geld voorzien worden. Lobbyisten die als Democraten, of pro-Democratisch, te boek staan, worden in toenemende mate gebroodroofd. De farmaceutische industrie, die in 1992 nog ongeveer evenveel gaf aan de twee partijen, geeft tegenwoordig 90 procent aan de Republikeinen. De politici worden steeds rijker.

'We hebben dat nagetrokken. De ministers in de regering-Bush zijn gemiddeld tien keer zo rijk als de ministers van Clinton. Die ook al niet arm waren. Dit is de meest met zakenlui gevulde regering van de afgelopen tachtig jaar. Het is tevens uniek dat zowel de president als zijn vice-president uit dezelfde industrietak afkomstig zijn: olie. Ook Condoleezza Rice heeft een verleden in de olie-industrie. Deze regering is het nirwana van de zakenwereld.'

Hijzelf is afkomstig uit een Republikeins nest, zegt hij, maar zelfs in gematigde Republikeinse kringen baart de greep van het zakenleven, de concentratie van de macht, zorgen.

'Het erge is: we groeien in dit land op met het naïeve, Disneyachtige idee dat iedereen ofwel rijk, ofwel president kan worden. Je begint bescheiden, maar je eindigt groots – dat is de basis van het Amerikaans optimisme, van de Amerikaanse droom. Wat het presidentschap betreft: vergeet het. Tenzij je je ziel verkoopt, maak je geen enkele kans. Normaal gesproken worden vanaf nu alleen nog bevoorrechten en superrijken president.'

Hij grinnikt droefjes.

'Waarmee ik maar wil zeggen dat ik een onverpoosde patriot ben.'

Hij voelt zich geroepen zijn eigen cynisme te nuanceren.

'Relatief gesproken kun je nog altijd beter hier geboren worden dan in vele andere landen. We zijn bevoorrecht, dat hoort ons nederig te stemmen. Het land is zonder meer mooi, de ideeën en idealen waarop dit land gebaseerd is zijn vaak de moeite waard. Mijn familie is in de zeventiende-achttiende eeuw de vervolging ontvlucht die quakers toen te beurt viel. Dat is iets wat ik met vele Amerikanen deel: we koesteren de vrijheid van meningsuiting, we zijn er trots op deel uit te maken van dat geheel. Maar de voorbije jaren ben ik ook beschaamd geweest Amerikaan te zijn. Niet alleen vanwege de corruptie in de politiek. Het dateert nog uit de tijd van Vietnam dat we internationaal zo gehaat geweest zijn. Vele Amerikanen denken dat God ons een bevoorrechte positie in de wereld gegeven heeft. Ik heb voldoende geschiedenisboeken gelezen om te beseffen dat andere landen met even weinig reden hetzelfde gedacht hebben. Maar er is iets veranderd in de VS, in die zin dat we niet alleen de machtigste natie ter wereld zijn maar dat sommigen hun bescheidenheid laten varen en iedereen met een arrogante schop willen laten vóélen dat we de machtigste natie ter wereld zijn.

Ik was laatst in Europa, en iemand vertelde me over de Cuba-crisis uit 1962. President Kennedy stuurde de vroegere minister van Buitenlandse Zaken, Dean Acheson, naar Parijs om president De Gaulle op de hoogte te stellen van de ontwikkelingen, van de aanwezigheid van raketten die Washington en grote delen van de oostkust van dit land konden bereiken, en van de geplande respons van Kennedy.' De gezant bood aan om bewijsmateriaal te tonen, luchtfoto's van de raketsites op Cuba. 'De Gaulle weigerde de bewijsstukken in te kijken. Hij zei dat het woord van Kennedy wat hem betreft volstond. Wat een verschil met nu! Zelfs met bewijsmateriaal zouden velen van onze bondgenoten ons niet langer geloven, laat staan onze vijanden. We zijn onze geloofwaardigheid kwijtgeraakt. Buitenlands, en ook binnenlands, met de betaalde waarheden van ons politiek bestel.'

De adjunct van Lewis, Bill Allison, is minder somber gestemd: 'Mijn echtgenote is een Bosnische moslim. Zij voelde zich al snel even Amerikaans als ik. Dat absorptievermogen, en de wervende kracht van ons systeem, zijn nog altijd intact. In het voorwoord bij de Grondwet staat: "*in order to form a more perfect union*". Ook al struikelen we soms en voldoen we niet altijd aan de verwachtingen, dat blijft voor mij het permanente doel: de situatie te verbeteren. Amerika is op zijn best als het boven de individuele belangen uitstijgt. De financiering van de politiek is natuurlijk een voorbeeld van het tegenovergestelde.'

De stad blijft te koud, de straten blijven te leeg en tegelijk te vol daklozen. In Washington is er voor elk probleem een lobbygroep en dus ook voor de daklozen. Ze is op drie blokken van het Witte Huis gevestigd, en binnen één blok van K Street, de straat der lobbygroepen.

Michael Stoops, voorzitter van de Nationale Coalitie van Daklozen, ziet er meteen toch minder officieel uit dan Tinker Watkins of Lewis. Tinker Watkins werd omringd door medewerkers en raadgeefsters, Lewis werd, zoals het een goede ziel in Washington betaamt, om de haverklap opgebeld door nieuwszenders die dringend commentaar behoefden. Stoops, met zijn rolkraag, zijn vermoeide ogen en zijn kalende hoofd, in zijn door daklozen als slaapplek gebruikte kantoren, zal eerder in een jeugdherberg passen dan in een luxehotel, en hij heeft al evenmin veel geld weg te geven.

Hij bedelft me eerst, voor hij het vergeet, onder de statistieken. Op elk moment van de dag zijn er in de VS achthonderdduizend mensen dakloos. Op jaarbasis zitten 3,4 miljoen Amerikanen ten minste tijdelijk zonder dak boven het hoofd. Een kwart van hen zijn kinderen of jongeren onder de achttien. De meerderheid is zwart. Een derde heeft werk. Een derde bekomt van een moeilijke legerdienst. Het aandeel vrouwen (nu 10 procent) groeit. Het totaal aantal daklozen neemt toe. En dat laatste is niet alleen het gevolg van een kwakkelende arbeidsmarkt, maar ook van het stelselmatig knabbelen aan uitkeringen en aan de zogenaamde sanering van de binnensteden die de goedkope huurmogelijkheden voor alleenstaanden of kleine families drastisch heeft verminderd.

En wat de Dochters van de Amerikaanse Revolutie ook beweren, 'het is onzin dat iedereen in een opvangcentrum terechtkan. Ongeveer een kwart van de kandidaten moet uit plaatsgebrek worden weggestuurd.'

Waarom leven werkenden op straat?

'Omdat het minimumloon voor alleenstaanden niet volstaat om een appartement te huren. We hebben eens uitgerekend dat iemand die vijf dollar per uur verdient, het minimumloon, negentig uur per week moet werken om zich behalve een bescheiden appartement ook maaltijden en enige verwarming te kunnen veroorloven. Ik heb een gehandicapte vriend die maandelijks vierhonderdvijftig dollar uitkering krijgt. Een niet zo best appartement kost in Washington gauw vijfhonderd dollar. Kun je kiezen: wonen of leven. In zijn geval zou ik ook leven verkiezen.'

Stoops werd met dakloosheid geconfronteerd toen zijn grootvader, een alcoholist, eerst zijn huis had verloren en later op straat doodvroor.

Hij heeft eigenlijk liever dat ik met de daklozen praat die zich in zijn kantoortje warm houden. Niet dat hij geen tijd voor me heeft, zegt hij, maar wellicht kun je van hen meer leren dan van mij. Ze praten graag, en terwijl ze met mij praten, praten ze niet met hem, en kan hij enkele telefoontjes plegen.

Hij stelt me voor aan de zevenenveertigjarige George Siletti.

George weigert alsnog enkele van zijn vele dikke lagen kleding af te leggen. Hij slaapt met vijf anderen in de kelder van een kerk. Maar om zes uur 's ochtends wordt hij daar uitgezet en pas rond zeven uur 's avonds mag hij weer binnen.

Stoops, die nog even meeluistert: 'Dat maakt deel uit van het puriteinse arbeidsethos. Het is een soort straf. Jaag de daklozen overdag de straat op, en zo verplicht je hen ertoe hun eigen verantwoordelijkheid op te nemen, werk te zoeken, of ten minste beschutting. Maar eigenlijk pest men hen gewoon. Probeer jezelf maar eens dertien uur bezig te houden, zonder geld, zonder job en zonder vaste stek.'

Siletti is minder kwaad. 'Het voedsel is er oké. Ofwel koken de kerkgangers ofwel halen ze voedsel voor ons. Gisteren haalden ze Kentucky Fried Chicken. Niet slecht. Drie Family Packs met friet en speciale saus.' Soms is dat avondmaal zijn enige maal van de dag.

George Siletti werd op zijn zestiende dakloos. Hij was in conflict geraakt met een leraar en het tehuis waar hij verbleef stelde hem voor de keuze: zich aanpassen of verdwijnen. Hij zette het op een lopen en dat verhaal herhaalt zich in varianten nu al eenendertig jaar.

'Af en toe vind ik werk. Ik heb geen enkel diploma, dus is het per definitie slechtbetaald werk. Na verloop van tijd gaat dat me op de zenuwen werken, dan voel ik me bekocht en maak ik mezelf wijs dat ik elders iets beters zal weten te vinden. En ik vertrek weer. Maar het wordt nooit beter, besef ik nu. Mijn techniek werkt niet.

Ik heb tien jaar in Baltimore geleefd. Na veel gemiste pogingen kon ik daar tegen het minimumloon in een ziekenhuis aan de slag. Ik verdiende tweehonderd dollar per week, had geen ziekteverzekering. In die job heb ik het vijf jaar uitgehouden.' Af en toe met maar doorgaans zonder vast dak boven zijn hoofd. Op een gegeven moment werd het hem te veel, hij verhuisde naar Washington, leefde, als dakloze, van een uitkering.

Op dit ogenblik heeft hij opnieuw de indruk dat hij zijn leven moet omgooien. 'Maar nu wil ik stapsgewijs te werk gaan, georganiseerd.'

Als eerste stap is hij in behandeling gegaan bij een psychiater. Stoops heeft daartoe bemiddeld. Siletti worstelt zijn leven lang met drugs, alcohol en depressie. 'Het is een half wonder dat ik nog leef. Vroeger trok ik in de winter liftend naar Florida. Ik ben daar twee keer in een leeg zwembad gedoken, in hetzelfde zwembad ook nog. Stomdronken. Stoned. Ik ben eens bijna onder een trein gelopen. Ik had de verkeerde vrienden in Florida. Dan ben ik beter af in de kou van Washington.'

Zijn psychiater schrijft hem pillen voor en legt hem uit dat hij niet mag weglopen van zijn problemen. 'Als ik overstuur ben, denk ik alleen maar daaraan: dat ik weg wil. Ik leer nu de realiteit in de ogen te kijken en ter plekke te blijven. Dat probeer ik. Ik kan moeilijk uitleggen hoe moeilijk ik dat vind. Soms lijkt elke vezel in mijn lijf erop aan te sturen dat ik moet vertrekken.'

Behalve een psychiater, en dat is de tweede stap in zijn zelfrehabilitatie, heeft hij ook een e-mailadres, het eerste echte adres in zijn leven. Hij volgt een voorbereidende cursus die hem ooit in staat moet stellen een diploma middelbaar onderwijs te behalen. '*It seems like a plan*,' zegt hij wat onzeker. Dat herhaalt hij enkele keren, telkens iets minder aarzelend.

Afwijzing en geldgebrek vormden tot dusver de constanten in zijn leven. 'Mijn ouders hebben me afgestaan omdat ze geen geld hadden om me in leven te houden. Het tehuis stuurde me weg omdat men geen complicaties wou. Er waren zoveel andere kinderen op zoek naar een bed, dan kon men beter kinderen kiezen die geen heibel veroorzaakten. Ik heb de indruk dat mensen al mijn hele leven bezig zijn me een kopje kleiner te maken. En ik voelde me al bijna niets. Dat wil ik nu veranderen. Iets worden in plaats van niets. Een kopje groter worden.'

Wat is het grootste probleem van de dakloze in Washington?

'Scholieren. Vanmorgen nog. Een groepje scholieren met niets omhanden kwam me jennen, in de hoop dat ik kwaad zou worden en dat ze op me zouden kunnen inslaan. Wat duwen en trekken, me uitlachen, in mijn zakken zitten. Voor hen is dat entertainment op weg naar school maar voor mij verpest het mijn dag. Ik wil niet laten blijken hoe klein ze me doen voelen. Niet dat het elke dag gebeurt, maar als je al geen te beste dag hebt, zijn die jongens in staat om je compleet in de vernieling te werken.

Je moet als dakloze vasthouden wat je hebt. Als je een plaats hebt op straat mag je die onder geen beding opgeven. Je sluit allianties. De ene houdt jouw plaats, jij houdt de zijne. Ik voel me veel kalmer sinds ik mijn bezittingen in de kerk kan laten. Ermee rondzeulen brengt stress. Er zijn altijd wel lui die van je willen jatten.'

Af en toe kruist een vrouw zijn pad, beweert hij. 'Geen vrouw van buitenaf, altijd een dakloze vrouw. En als je geluk hebt met haar, zeg je dat door aan je vrienden.

Als je wat artistiek bent kun je aardig wat geld bij elkaar bedelen. Maar ik kan niet zingen en ik houd er niet van om met een leeg kopje te staan zwaaien om de aandacht op mij te vestigen. Als ik een paar dollar bijeen bedel ben ik tevreden. Eigenlijk sprokkel ik geld in de hoop de soepbedeling te kunnen vermijden. Daar voel ik me echt arm. Als het enigszins kan koop ik zelf een bagel en een cola.'

Ik aarzel even om hem met de uitspraken van de DAR-voorzitster te confronteren, maar hij blijkt haar standpunten grotendeels te delen. 'Mijn leven is uiteindelijk mijn keuze.'

Hij prijst de vrijheid in het land. 'Al moet ik toegeven dat ik wel overal met regels word geconfronteerd. Politieagenten laten ons niet lang op dezelfde plaats rondhangen.

Ik ben Amerikaan in die zin dat ik geloof dat ik kan geraken waar ik wil geraken. Ik kan ervoor kiezen dakloos te blijven, maar als ik iets anders wil, is dat evenmin onbereikbaar, al moet ik er misschien heel hard mijn best voor doen. Je maakt je eigen keuzes, je bent verantwoordelijk voor je lot. Dat is Amerika.'

Waar ziet hij zichzelf over vijf jaar?

'Ik hoop dat ik dan in een ziekenhuis werk en dat ik daar mensen als mezelf, die met mijn soort problemen kampen, kan begeleiden. Ik bezit iets wat de meeste hulpverleners niet hebben: ik heb het zelf meegemaakt, ik heb tegen die tijd hopelijk zelf mijn demonen overwonnen.'

Hij wil zich ook politiek engageren, of in ieder geval, voor het eerst in zijn leven, gaan stemmen. De Nationale Coalitie van Daklozen ijvert voor stemrecht voor adreslozen. Siletti vindt dat politici de verkeerde prioriteiten stellen. 'Ze schroeven de bijstand terug omdat ze moeten besparen, maar tegelijk geven ze miljarden uit aan een expeditie naar Mars.'

Hij is eindelijk begonnen te zweten, maar hij houdt nog altijd al zijn kleren aan.

Voelt het anders om dakloos te zijn op een plaats waar miljarden van eigenaar veranderen?

'Ik vind van niet. Als ik al wat krijg is het doorgaans niet van de rijken en de goedgekleden. Ik krijg van mensen die het zelf niet breed hebben. Die zijn niet te beroerd om me te zien staan.'

Allan Jones (46) kwam vorig jaar vrij. Hij had na een bankoverval vierenhalf jaar in de gevangenis doorgebracht. Het was zijn tweede veroordeling. Hij wist: een derde veroordeling kan hem volgens de wet levenslang opleveren, en zal hem ook naar alle waarschijnlijkheid levenslang kosten. Maar niet alleen daarom was hij gemotiveerd om zijn leven om te gooien. Zijn rehabilitatie begon niet zoals gepland.

Allan logeerde bij zijn broer, maar hij werkte die – en vooral zijn schoonzus – zo op de zenuwen dat ze hem uit hun huis zetten. Of juister: ze lieten hem verstaan dat hij nog twee weken mocht blijven, maar dat hij daarna definitief uit hun leven moest verdwijnen.

'Ik neem hen niets kwalijk. Het is niet simpel om aan de vrijheid te wennen. Ik kwam lusteloos over. Ze maakten zich zorgen over mijn invloed op hun kinderen. Ze vreesden dat ik aan de dope was, maar eigenlijk was ik zo down omdat ik elk perspectief miste.'

Sindsdien leeft hij op straat, of in opvangcentra.

Hoe is het voor hem om dakloos te zijn?

'Zwaar. Mensen denken dat een dakloze geen verplichtingen heeft. Het tegendeel is waar. In zekere zin heb je juist meer verplichtingen dan andere mensen. Er is meer druk. Je moet op een bepaald uur je eten ophalen. Je moet je tassen in de gaten houden. Je moet op een bepaald uur aan het opvangcentrum staan. Je probeert altijd een goede eerste indruk te maken, want je moet ervan uitgaan dat er nooit een tweede indruk komt.'

Sinds enige weken verkoopt Allan *Street Sense*, het lokale blad van de daklozen, en die activiteit heeft hem naar eigen zeggen doen openbloeien.

'Ik verkoop voor dertig, veertig, vijftig dollar per dag, en ik mag daar driekwart van houden. Dat betekent dat ik niet langer naar de soepbedeling moet. Het blad levert me respect op. Passanten behandelen me beter. Ze vermijden mijn aanwezigheid minder. Ze zien progressie. En er is nog een andere factor. Als ik geen geld in mijn zakken heb, kan ik me niet goed voelen. En met dat geld en mijn nieuwe zelfrespect wordt het volgens mij ook makkelijker om echt werk te vinden. Ik ben minder nooddruftig, minder paniekerig als ik solliciteer. Dat denk ik nu: je doet wat nodig is om je doel te bereiken en aan de andere kant wacht het geluk. Ik ben op weg naar de regenboog, weet je wel. Je leert van je fouten en je wordt wijzer. De pioniers kwamen met niets naar dit land behalve hun hoop en ze creëerden iets. Dat wil ik ook, verantwoordelijk zijn voor mijn eigen lot.

Mensen klagen over migratie, ze zeggen dat de buitenlanders als mieren zijn die onze jobs stelen. Maar ik zeg: ze doen wat ze doen om te overleven. En ik denk: als zij dat kunnen, waarom wij dan niet? Waarom ik dan niet? Ik spreek de taal al.'

3

De goede kanten van slavernij

Je wordt geacht het verschil tussen noord en zuid onmiddellijk op te merken. Het verschil dat ik opmerk is vooral klimaatgebonden. De sneeuw verdwijnt, de zon verschijnt, eind januari wordt van polair ineens een lentemaand.

De Greyhound-chauffeur, Frasier, doet alsof het zijn job is de reizigers te entertainen. 'Bij het instappen heb ik iedereen op de overstapplaatsen gewezen. Wie mij nu nog vraagt of-ie in Danville moet overstappen, schiet ik gewoon dood.' Hij toont zijn pistool niet, maar hij beweert dat hij het binnen handbereik heeft. Hij zal het, zegt hij, ook gebruiken wanneer we tijdens de rit de gele lijn overschrijden die de chauffeur van de passagiers scheidt. En verder: geen drugs, geen lawaai, geen telefoons, geen gevloek. Achter in de bus zingt een oudere dronken man gospel, aangespoord door jong volk dat zelf via koptelefoons naar andere muziek luistert. Frasier schiet hem toch maar niet neer.

Mijn buur aarzelt een tijdje alvorens hij zijn naam bekendmaakt. 'Ik ben gewoon voorzichtig.'

Ik leer eerst dat hij uit Bamako, Mali, afkomstig is, en dat hij in Washington computerwetenschappen studeert.

'Mohammed,' zegt hij dan. 'Dat is de naam.'

Hij voelt zich als moslim niet echt gediscrimineerd, eerder onbegrepen. De religie van Bin Laden is de zijne niet, en hij neemt het mensen kwalijk dat ze het tegenovergestelde lijken te veronderstellen. Als hij groot vooroordeel verwacht gebruikt hij een alias, Charlie of zo. De naam is hier een camouflagevest.

Hij is op weg naar een Malinese vriend die in Greensboro, North Carolina, woont.

'Weet je wat gek is? In de VS zijn zoveel zwarten en toch voel ik me een buitenbeentje. Ik ben te klein en te mager, te zwart, te bedeesd, of in ieder geval niet luid genoeg. Mijn vriend beweert dat de zwarten in Greensboro net Afrikanen zijn. Dat zal me benieuwen.'

In Mali was Mohammed rijk. Hier knoopt hij ternauwernood de eindjes aan elkaar. 'Ik werk in cafetaria's. Als het sneeuwt fiets ik met een schop rond en bied ik aan voor wat zakgeld trottoirs sneeuwvrij te maken. Dit is een bikkelhard land. Als je centen hebt, ben je de koning, als je er geen hebt, lig je met een deken in de goot.'

Harder dan Mali?

'Mali is natuurlijk zoveel armer, maar ik heb de indruk dat mensen daar meer krediet krijgen. Tenzij je het zelf verbruit, kun je er op je familie rekenen. Hier moet je jezelf eerst uit de put werken voordat je kunt beginnen te leven, denk ik.'

Hij beklaagt zich over zijn keuze: 'Ik dacht: dit is het land van de mogelijkheden, het land van mijn dromen. Maar ik was al een jaar kwijt voordat ik het Engels onder de knie had. Mijn vrienden aan de ULB of in Parijs zijn nu ongeveer afgestudeerd. Ik heb nog meer dan een jaar te gaan.

Ik moet in verband met Amerika vaak denken aan de beroemde uitspraak van Mahatma Gandhi: "Westerse beschaving? Dat zou een goed idee zijn." Ik lees af en toe vreselijke dingen in de krant – bijvoorbeeld dat er in dit land zes keer zoveel dierenasielen zijn als opvangcentra voor daklozen. Mijn land is ook niet zo grandioos, maar we kunnen ons erop beroepen dat we geen geld hebben voor moraliteit. Dit land heeft meer geld dan moraliteit.'

Bij het vallen van de avond bereiken we Greensboro. Mohammed stapt reikhalzend uit. Zijn vriend laat nog even op zich wachten.

En? Hoe zit het met de zwarten die aan het busstation van Greensboro rondhangen?

'Amerikanen,' zucht hij, 'duidelijk geen Afrikanen. Te breed voor hun eigen welzijn.'

Op 2 februari 1960, in de late namiddag, publiceerde *The Greensboro Record* een foto die eerder op de dag was gemaakt. Op de foto zie je delen van het zich uitbreidende protest in het Woolworth-warenhuis. Een dag voordien waren, rond half vijf 's middags, vier eerstejaarsstudenten van de zwarte A&T Universiteit, nadat ze eerst aan gemengde kassa's tandpasta hadden gekocht, naar het restaurant van het warenhuis gestapt. Ze namen plaats op de krukjes aan het buffet en vroegen om bediend te worden. Dat werd volgens de geldende normen van de lokale horeca geweigerd en de jongeren bleven tot sluitingstijd op hun krukjes wachten. De volgende dag – de dag van de foto – kwamen vanaf de ochtend twintig zwarte studenten opdagen, onder wie de oorspronkelijke vier. Elk kochten ze iets kleins in het warenhuis om hun aanwezigheid te legitimeren, en nestelden zich vervolgens in het restaurant, waar ze vergeefs op bediening wachtten. En elke dag, voorspelden ze, zou hun aantal verdubbelen.

De krant, die uitvoerig melding maakt van de actie van de 'negers', noteert ook dat witte klanten gewoon bleven aanschuiven en inderdaad bediend werden. De zwarten ondernamen geen enkele poging om dat te verhinderen of zelfs maar te bemoeilijken. Ze riepen zelfs niet op tot een boycot van het warenhuis. 'We doen hier graag onze inkopen,' aldus een geïnterviewde. 'We zouden evenwel ook aan de restaurantkassa willen kopen, zoals we dat al aan de andere kassa doen.'

Het opmerkelijke aan de foto is dat je achter de toog een zwarte werknemer ziet, met een petje zoals dat in sommige fastfoodketens nog altijd wordt opgezet. Het is onduidelijk of de man afrekende, klanten bestelde of voedsel bereidde. Hij kijkt weg van de lens, als dubbel slachtoffer van een onmogelijke situatie.

De studenten van Woolworth introduceerden de sit-in in de Amerikaanse politiek. Ze zouden uiteindelijk, in dit geval na lange maanden van actie die zich verspreidde naar andere gebieden, het recht verwerven om in de horeca van Greensboro samen met blanken bediend te worden, volgens het vanzelfsprekende recht dat Jefferson bijna tweehonderd jaar eerder in de Onafhankelijkheidsverklaring had gezet.

Dag op dag, uur op uur, vierenveertig jaar na de eerste actie sta ik aan het Woolworth-warenhuis. Het gebouw staat er nog, de kentekenen van Woolworth zijn nog aanwezig, maar het warenhuis werd langgeleden gesloten. Aan de voordeur hangen één orchidee en een handbeschreven, uit een schriftje gescheurd papiertje: 'Bedankt voor jullie moed en sterkte.'

Binnenin zie ik, hoewel het zondag is, lichtjes fonkelen, en een (zwarte) vrouw bewegen. Wanneer ik aanklop, komt ze even de deur op een kier openen. Ze is de voorwacht van een groep die hier een museum wil uitbouwen. Maar er is geen geld, en niet veel medewerking. Ze overhandigt me een formulier met richtlijnen hoe ik een bijdrage kan storten.

Niet alleen Woolworth is verlaten, het hele stadje lijkt het te zijn. Zelfs de fastfoodketens zijn hier op zondag dicht, wat me tot het tijdelijke en domme inzicht brengt dat vierenveertig jaar later zwarten nog altijd niet bediend kunnen worden in de binnenstad.

Maar dan vind ik Café Europa, volgens eigenaar Rudy genoemd naar een beeld van de godin Europa dat naast zijn bar pronkt. Deze taverne is te chic voor het verval eromheen, er worden tentoonstellingen georganiseerd in een belendende ruimte, 's avonds eten de klanten nog altijd ontbijt en ze doen alsof dat culinaire sterren verdient. Er valt geen enkele gekleurde medemens in het etablissement te bespeuren.

De jaarlijkse Superbowl loopt op zijn laatste benen, maar de stamgasten hebben het al over de borst van Janet Jackson, tijdens de rustshow half onthuld. In de gelagzaal spuwen verschillende schermen verschillende tv-kanalen, en op ten minste twee van die kanalen wordt al gif gespoten rond het 'schandaal Jackson', zij het zonder de borst des aanstoots te tonen.

Enkelen van de klanten hebben de borstonthulling gezien. De meesten werden te laat gealarmeerd. De tv-commentatoren doen alsof ze gechoqueerd zijn, maar de klanten halen hun schouders op. 'Beter een blote borst dan een blauw oog,' zegt Maria, die op het punt staat haar *caesar salad* aan te vallen. 'Al in de eerste minuut van de wedstrijd werd een speler een afschuwelijke bloedneus geslagen – daaromtrent is niemand gechoqueerd.'

De volgende dag, opnieuw in Café Europa, legt eigenaar Rudy uit dat hij eraan denkt op te houden met werken. Hij is voor in de vijftig, uit Pennsylvania afkomstig waar hij zijn middelbaar nooit afmaakte. In Greensboro verwierf hij enige welvaart in de horeca. 'Ik heb nu voldoende geld om niet langer te hoeven werken.' Of hij inderdaad ophoudt is nog maar de vraag: 'Van hard werken is nog niemand gestorven, terwijl ik geregeld hoor over kennissen die hun eerste jaar pensioen niet overleven.

Ik ben vrij vaak in Europa geweest – ik voldoe absoluut niet aan het cliché dat daar over Amerikanen bestaat. Ik eet nooit fastfood, niemand in mijn kennissenkring eet hamburgers, behalve als ze gehaast zijn of als hun kinderen erom zeuren. Waarom zouden we? Het smaakt nergens naar en het is ongezond. Niemand van mijn vrienden kijkt neer op Europa. Ik geloof wel dat de Amerikaanse economie beter is dan de Europese. We zijn mobieler, inventiever, minder gebonden aan vaste categorieën als geboortestad en beroep. Ook hier gaan stemmen op om industrietakken te beschermen tegen competitie van lageloonlanden. Dat is gedoemd te mislukken. Laten we deemoedig die jobs verliezen en andere industrieën creëren. Met vallen en opstaan wordt de derde wereld daar beter van, en als wij ons niet staande kunnen houden vallen we maar – dan verdienen we het niet om overeind te blijven.

Wat me bij Europeanen ook altijd opvalt: ze schijnen te denken dat wij werkbeesten zijn, terwijl zijzelf volgens mij meer last hebben van stress dan wij. Ik zit met jou te praten hoewel ik geld zou kunnen verdienen. Tijd is misschien geld, maar vrije tijd is mij toch meer waard. Zoals de advertentie zegt: onbetaalbaar.'

Rijk is wie tijd te verliezen heeft?

'Precies. Ik heb een jaar of twintig geleden, in de tijd dat Amerikanen nog niet wereldwijd al te virulent werden gehaat, veel door Europa en Noord-Afrika gereisd: Frankrijk, Zwitserland, Marokko, Egypte. Dat was mijn leven, toen, ongepland reizen. Want als je plant wordt het gauw weer een klus, moet je je haasten omdat je gereserveerd en betaald hebt, of omdat er nog negen musea op het programma staan.

Ik wil binnenkort naar Asmara, in Eritrea. Dat is een gebied dat tot mijn verbeelding spreekt. Dicht bij de bakermat van alle menselijke beschaving. Uit de koloniale tijd hebben ze Italiaanse invloeden overgehouden, de cafeetjes, de kitscherige fascistische architectuur, de hand van Mussolini. En in hun bevrijdingsstrijd hebben de Eritreërs zich een pienter en koppig volkje getoond – het kleine Eritrea heeft immers het grote Ethiopië op de knieën gekregen. Ik hoor ook dat men daar Amerikanen niet verafschuwt. Wat voor mij ook wel eens mag.'

North Carolina wordt geacht al heel conservatief, heel zuidelijk te zijn, maar in toevallige contacten merk ik daar weinig van. Een lokaal, half satirisch blad in Greensboro verontschuldigt zich voor de foute berichtgeving inzake de gemeenteraad. Het gewraakte artikel was, gelet op de sluitingstijd van het blad, geschreven vóór de gemeenteraad had plaatsgevonden.

Asheville, een paar uur westelijk van Greensboro, in de Appalachen gelegen, houdt zelfs niet de schijn op van conservatisme. Dat heeft, in eerste instantie, met de familie Vanderbilt te maken, die in de buurt haar gigantisch landgoed Biltmore liet bouwen (de schrijver Henry James, een vroege logé, klaagde erover dat de bibliotheek van het landgoed bijna een kilometer van zijn bed verwijderd was – van dat soort afmetingen is in Biltmore sprake, vijftigduizend hectare land waarop voor vijftig kilometer aan asfaltweg is aangelegd). In de vroege twintigste eeuw kwamen figuren als Henry Ford, Scott Fitzgerald en Thomas Edison naar Biltmore en buiten gehoorsafstand kwam Asheville tot enige bloei. Het wierp zich op tot kuuroord van de elite, met bank- en theatergebouwen, een opera zelfs, huizen met mozaïeken op de gevel, die je zo ver van de grote bevolkingscentra niet zou verwachten, met een wat wilde en wulpse subcultuur die ronduit vloekte met de barse omgeving. Met de beurscrash van 1929 kwam een eind aan de glorietijden van Biltmore, en ook Asheville schrompelde weg. Het stadje had zich in schulden gestoken die pas in 1976 helemaal waren afbetaald. De langzame dood leek een zekerheid, tot kunstenaars in de jaren zestig, gelokt door de grandioze architectuur en de lage huurprijzen, Asheville tot hun tijdelijk, later permanent onderkomen begonnen uit te kiezen. Hippies volgden, en zij bepalen nog altijd, in samenhang met de architectuur, het straatbeeld. Rafelige truien, natuurvoedingswinkels (*feel free to browse*, heeft de natuurslager boven zijn kippenfilets aangebracht), helende zepen, helende massage, helende kerken (de Kerk van het Spirituele Licht), witte muzikanten die op een pleintje Afrikaanse ritmes improviseren, een bejaarde met duikersbril die onderwijl in diepe conversatie is gewikkeld met een breekbare jongen die een rastafarimuts over zijn dreadlocks heeft getrokken. Passanten maken vredestekens naar elkaar. Bijna geen zwarten in het straatbeeld.

'Intussen is de huur natuurlijk weer een stuk hoger geworden,' zegt Carolyn, in de onafhankelijke boekhandel Malaprop's. Zijzelf is ooit uit 'jachtig en streberig Massachusetts' naar Asheville afgezakt. 'Ik kwam hier toevallig op bezoek en de traagheid had me meteen in haar ban. Mensen begroeten je met "*howdie*" en dan ben je goed voor een halfuur gekeuvel. In Massachusetts hebben zelfs je vrienden geen tijd voor je – die zijn blij als je hen op straat niet staande houdt. Hier maken wildvreemden bijna vanzelfsprekend tijd vrij.'

'Kun je je voorstellen dat klanten me soms vragen of ze per abuis in een crèche zijn terechtgekomen?'

Mary's ogen glinsteren terwijl ze het vraagt. Wereldkaarten wedijveren in haar kantoor met aan touwtjes bungelende vliegtuigen. Foto's van stranden in Florida zitten half verborgen achter kiekjes van baby's.

'Ze zijn niet eens fout.'

Mary en haar twee zussen combineren een reisagentschap met de opvang van alles samen negen kleinkinderen. Tijdens hun weekends bouwen de zussen aan een boerderij waar al dat volk zal kunnen samenwonen met enkele longhorns.

'Eigenlijk zijn we gepensioneerde leraressen. Ikzelf doceerde literatuur en kunst. Maar toen we te oud geworden waren om nog les te geven, vonden we het sneu om helemaal niks meer te doen.'

Een van de zussen had al ervaring in de reisbranche, en de andere twee sprongen op de wagen. 'Een perfecte combinatie,' vindt Mary. 'Bijna niemand komt nog lijfelijk een reis boeken, en we hebben de telefoons zo laten afstellen dat ze de kinderen niet wekken – ze klinken als rammelaars. Ik heb altijd graag zelf gereisd. Nu stel ik andere mensen in staat te reizen.'

Mary heeft de vreemde samenstelling van de buurt in haar klassen meegemaakt. 'Als je een paar kilometer buiten Asheville kijkt, vind je een ruig, achtergebleven bergvolk. We hadden vaak kinderen in onze klassen van wie de ouders niet konden lezen.

Ach,' zegt ze na enig gemijmer over die niet-lezende ouders: 'Als je zo oud geworden bent als wij, heb je geen tijd voor pessimisme. Natuurlijk is de wereld nu beter dan vijftig jaar geleden. Jonge mensen zijn soms zo kortzichtig. Ze doen alsof de verdoemenis hen op de hielen zit, terwijl ze amper over een putje in de weg zijn gereden. De wereld is niet perfect. Er is nog nodeloos oorlog, maar we eten en we lezen – hoe kan dat slechter zijn dan honger lijden in onwetendheid?

Ik hoop dat mijn kleinkinderen les zullen geven. Een leraar kan deuren openen, en als je voelt dat enkele leerlingen erdoorheen stappen, verkeer je in de zevende hemel.'

Ze glundert, in retrospect. Ze is gelukkig, zegt ze ook. Altijd geweest, eigenlijk. Geboren voor het geluk, enkele putten in de weg niet te na gesproken.

In haar jeugd, zegt ze, maakte ze mee dat een familielid iemand neerschoot.

'Hij dacht dat hij een moord had begaan en sloeg op de vlucht. Bij nader inzien was het slachtoffer meteen buiten levensgevaar en niet eens zo ernstig verwond. Tientallen jaren heeft mijn vader dat familielid opgespoord om hem het heuglijke nieuws te melden. Toen hij zijn spoor vond, ergens in een kolenmijnstadje in Virginia, was het te laat. De voortvluchtige was kort tevoren gestorven. Ik kan me zijn nodeloze wroeging enkel maar inbeelden.

Dát is ongeluk. Als het even niet zo best gaat, weeg ik mijn eigen lot daaraan af. Dan weet ik: mijn leven is het tegenovergestelde.'

De rammelaar rinkelt tevreden.

Het duurt enkele dagen alvorens ik in Asheville iets anders opmerk dan geluk. Een man praat emotioneel in de hangtelefoon. Hij gesticuleert met de linkerhand als brengt hij een rapsong te berde. Aan de bar is Brad niet minder emotioneel.

'Ik praat er niet meer over,' moppert hij. Hij is overgeschakeld op Red Bull omdat bier hem te nerveus maakt. 'Ik heb zopas met mijn vader gebeld en diens advies was dat ik zonder advocaat niet hoorde te praten.'

Hij beantwoordt een oproep op zijn mobiele toestel, en legt, ondanks eerdere voornemens, luid zijn grieven bloot. 'Tot vanmorgen was ik een eerbare burger. Twintig jaar met een auto gereden en nooit bekeurd, nooit door de politie tegengehouden.'

Daar waar nog haar stond, is hij kaalgeschoren. Hij wrijft vertwijfeld over die gekozen kaalheid. Hij heeft behalve een Motley Cruetatoeage ook blond dons en sproeten op zijn spierballen.

'Vanmorgen werd ik opgepakt voor een overval. Toevallig rijd ik in dezelfde soort Dodge als de overvaller, en bovendien lijk ik op zijn robotfoto. In mijn koffer vond de politie mijn oude nummerplaten, van toen ik in Virginia woonde. Je kunt denken hoe dat overkwam – alsof ik mijn nummerplaten had veranderd om de overval te plegen.'

Hij stopt de telefoon in zijn borstzak en praat nu luid met zichzelf. 'De ene dag ben je een burger zonder geschiedenis, en de volgende dag een crimineel.'

Ging het om een gewapende overval?

'Weet ik niet. Ik weet evenmin wat er is overvallen, een bank of een winkel. De agenten die me ondervroegen wilden niets loslaten. Het enige wat ik wel weet is dat de overval in Hendersonville gebeurde. Toevallig heb ik daar een tweede job. Maar op het moment van de overval was ik in Asheville aan het werk. Dat trekt de politie nu na. Ik hoop dat ze het bevestigd krijgen.'

Dat is enigszins twijfelachtig. Hij weet niet wanneer de overval werd gepleegd, en in Asheville werkt hij soms urenlang alleen.

Hij wil weten waar ik vandaan kom.

'Iedereen haat ons, *right*? Ik ben daar niet tegen. Doe ik ook: iedereen haat de machtigste. Ik haat mijn bazen. Maar ik vind wel dat we er misbruik van moeten maken. Dat we jullie wat meer reden moeten geven tot haat, wat vaker onze zool moeten zetten in een gebied waar het ons niet zint.'

Waar is dat goed voor?

'Zo tonen we dat we niet met ons laten sollen. Het is niet omdat we de machtigste natie zijn dat we bescheiden moeten blijven. Wel integendeel. De machtigste heeft het recht op wat voordelen.'

Zijn telefoon gaat opnieuw, op de tonen van *Mission Impossible.*

'Nee ma,' zucht Brad, 'ik ben niet gearresteerd.'

Noem het de wet van Greyhound. Je kunt dagenlang in exclusief wit gebied rondlopen, maar je stapt een busstation binnen en ineens is zwart de overheersende huidskleur. Zo ook in Asheville, waar militairen en aspirant-militairen wachten op hun aansluiting, en met elkaar overleg plegen over de beste manier om de studies die het leger financiert te laten renderen.

Halverwege de bus, in een gemengde enclave, voert Dana het hoge woord. Dana wordt op de nationale feestdag twintig jaar. Haar tante, die haar opvoedde, noemde haar ofwel Monster ofwel Rooster, bijnamen die geschikt leken omdat ze altijd zo'n kabaal maakte. Kabaal maakt ze nog altijd. De halve bus kan meeluisteren naar haar wedervaren. Jongemannen verdringen zich om haar heen. Ze krijgt drank aangeboden, koekjes. De bleke vrouw die op de rij voor haar zit strijkt bij elke *fuck* of *shitting motherfucker* behoedzaam door haar kortgeknipte haar.

Dana, die af en toe rastastrengen over haar halfblote melkchocolade schouders slingert, vertelt over de voorbije drie maanden.

'Ten eerste was ik onophoudelijk dronken. Ik had nooit veel houvast in mijn leven. Mijn moeder was, is, verslaafd. Ik ben haar bij mijn geboorte ontnomen, ken haar nauwelijks. Mijn tante, een hippie, reisde rond. Zo rond mijn vijftiende arriveerden we in een stadje in Ohio. Ik werd verliefd op een jongen, de knapste, de wildste in de buurt, en hij op mij.

Ik dacht dat ik met hem voor het leven gesetteld zou zijn, ik dacht zelfs – *motherfucking idiot* die ik ben – aan trouwen en kinderen. Om wat bij te verdienen dealde hij drugs. In oktober vorig jaar heeft de politie hem neergeschoten. Mijn plan voor het leven, mijn hele plan, lag in duigen. Het enige wat ik kon verzinnen was zuipen: gin, rum, bier. Ik slikte pillen bovendien. En nu: vertrekken en naar Florida reizen, naar de zon.

Dat is nu mijn huis.' Ze wijst naar een fotoalbum, dat ze vervolgens ter inzage toont. Ze wijst haar overleden vriend aan en haar tante, de melk in haar chocolade. Dan draait ze de bladzij om. Uit de adembenomen, onderdrukte consternatie van haar mannelijke publiek valt af te leiden wat ze toont: naaktfoto's van zichzelf. 'Ze zijn nog vrij preuts, vind ik. In Ohio studeerde ik voetverzorging, maar ik weet nu wel zeker dat ik me de komende tijd niet met mismaakte voeten wil bezighouden. Ik wil proberen een modellencarrière op te bouwen, of als barmeisje te werken, desnoods wil ik als pornoactrice aan de slag. Hoe erg kan dat zijn? Neuken voor publiek. Wat is daar walgelijker aan dan aan mismaakte voeten?'

De bleke vrouw voor haar draait zich nietszeggend in haar richting, trekt zich recht en verplaatst zich drie rijen voorwaarts.

'Hoe vind je me?' vraagt Dana aan haar buur. 'Ben ik sexy genoeg voor de film? Of heb ik een operatie nodig?'

Hij bekijkt de foto's van naderbij en laat het in het midden.

Misschien is hij afgeleid door de luide onthullingen van Dana, misschien heeft hij gewoon een tijdelijke inzinking, maar de Greyhound-chauffeur weet het station in Greenville, South Carolina, niet terug te vinden. 'Ik ben er nooit in mijn eentje naartoe gereden. Ik had altijd een instructeur bij me. Kent iemand de weg?' Geen enkele passagier blijkt hem te kunnen helpen. De chauffeur houdt halt om aanduidingen te vragen. Na enkele ongeplande stops gaat een lichtje branden, we bereiken de bestemming.

Greenville heeft veel van een modern provinciestadje. De binnenstad is voorzien van gratis draadloos internet, als publiciteitsstunt ingericht door een lokaal bedrijf, en studenten of aspirant-zakenlui maken van snackbars en straatbanken gebruik om hun e-verkeer te regelen. De verkeersarme, schoongeschrobde straten lokken wandelaars, zij het niet heel veel.

Phil, eigenaar van een kruidenierszaak, is niet onder de indruk van technologie of reinheid. 'Ik zou me beter voelen als er klanten in mijn winkel zouden zijn.'

Er zijn er geen.

'Dat is nu al anderhalf jaar zo. In de staat South Carolina zijn er de afgelopen drie jaar zeventigduizend jobs verloren gegaan. De textielsector gaat teloor. Dat mensen intussen op hun kruideniersrekening beginnen te besparen geeft te denken. Ik heb mijn winkel al dertig jaar – en ik heb het nooit zo slecht gehad als nu.'

Phil wijst naar een bouwwerf aan de overkant van de straat. 'Ik houd dat in de gaten. Ik was nooit een kei in aardrijkskunde, maar volgens mij bevinden we ons een paar duizend kilometer van Mexico. Waarom zijn de bouwvakkers – opzichters inbegrepen – exclusief Spaanssprekend? Omdat de Mexicanen, al dan niet legaal, aan dumpingtarieven willen werken. Dat helpt de aannemer, maar het vernietigt onze markt. Mijn markt.'

De economische neergang is allicht maar een van de redenen voor de teruggang van zijn winkel. 'Want mijn klanten kopen nog wel voedsel, maar meer en meer in supermarkten.' Onlangs heeft het gemeentebestuur de inplanting van een nieuwe Wal-Mart goedgekeurd. Nog een gigawinkel erbij.

De accenten zijn nu onmiskenbaar zuidelijk. Alsof tabakssap permanent en collectief een spraakgebrek heeft veroorzaakt, met tongen en wangen die rekkelijker zijn geworden dan elders, en die een fractie van een seconde te lang blijven hangen bij de vorige klank en nogal wat medeklinkers vergeten, de traagheid van het leven vormgegeven in de traagheid van de taal, de taal als een orale versie van de Hawaiiaanse gitaar.

Sidney, die op de stadsarchieven van Greenville werkt, is trots op haar taaltje. Maar ze zit wat verveeld met mijn vraag: hoe het komt dat de zuidelijken tegenwoordig systematisch noordelijke presidentskandidaten wegstemmen.

'*Wei-eil, le-eit me thi-ijnk nai-ow.*'

Haar eerste verklaring geeft ze half ernstig: 'Dat is verlate gerechtigheid. We hebben in de negentiende eeuw de burgeroorlog verloren. Nu winnen we de macht.'

Ze weet dat ze beter moet vinden dan dat.

'We moeten eerlijk zijn over die zaken. We wantrouwen de noordelijken. Ze maken ons ook altijd belachelijk. Die indruk hebben we. Dat ze ons minachten. We zijn te traag naar hun zin, te dom – suggereren ze, te racistisch. Ik wil ons niet vergoelijken. We hebben natuurlijk ons deel van de schuld. Want velen zullen hier argumenteren dat de burgeroorlog niet rond slavernij draaide, maar rond noordelijk imperialisme, dat het een conflict was tussen de door het noorden gecontroleerde federale overheid en de staten die hun eigen rechten verdedigden – maar het is natuurlijk onloochenbaar dat de slaven eerder bij ons zaten dan in het noorden.

Weet je wat ik vreemd vind? Als ik in het noorden rondreis, vind ik bijna geen contact tussen blank en zwart. Hier is er overal een vrij gemoedelijk contact. We hebben misschien meer racisten, maar we kijken elkaar in de ogen, daar waar het noorden oogcontact vermijdt.'

Ze is zelf lid van de Democratische partij, die in het zuiden tegenwoordig bijna weggeblazen is door de Republikeinen. Daar zijn allerlei redenen voor, niet in het minst dat de Democraten in de jaren vijftig en zestig de rassenscheiding hebben helpen afschaffen. De rechtgelovigheid van de kandidaten wordt hier scherper onder de loep genomen. De beroering rond de seksperikelen van Clinton was hier groter dan elders.

Terwijl dit gebied sensueler lijkt dan het noorden.

'Dat is het ook. We zijn niet preuts. Tussen de lakens en elders gebeuren hier veel dingen waarvoor Jezus niet is gestorven. Maar we houden van vormelijkheid. Doe wat je nodig vindt, maar houd het binnenskamers.'

Respecteer de hypocrisie?

'Niet eens. We weten doorgaans wat er omgaat. Maar we hebben niet graag dat het in ons gezicht wordt gesmeten. Doe wat je wilt, maar onderhoud het decorum. *Nai-ow, thei-eit's ei-impoartei-jnt*.'

George humt. Hij eindigt zijn zinnen met *hum*. Hij heeft de hum nodig om overtollig speeksel weg te slikken. Als hij niet praat, neuriet hij door de stilte heen. Ook na een geneuriede frase humt hij zijn speeksel weg. De hum legt vreemde klemtonen in verder alledaagse zinnen. De hum stemt tot nadenken. De hum gaat in stijgende lijn, alsof er een vraag, een onzekerheid, is geïmpliceerd.

Hij is ouder dan leuk is en hij rijdt zo lang hij zich herinnert met een taxi. Of toch bijna. Hij herinnert zich wel degelijk de tijd dat hij niet met een taxi kón rijden.

Het racisme in Greenville was minder uitgesproken dan in andere zuidelijke steden, hum. Maar op een bepaald moment, vroeg in 1947, hebben blanke taxichauffeurs een zwarte gelyncht.

Dat was het laatst bekende geval van lynching in South Carolina, met de tweeëntwintigjarige Willie Earle als slachtoffer.

Earle, ziekelijk en vaak dronken, werd door de politie uit een taxi geplukt, en op verdenking van het neersteken van een blanke taxichauffeur, de achtenveertigjarige T.W. Brown, opgesloten. De chauffeur, die was beroofd, zou later aan zijn verwondingen overlijden.

Een groep woedende, opgezweepte taxichauffeurs haalde Earle uit het politiebureau weg (ogenschijnlijk zonder dat de politie weerwerk leverde), de chauffeurs lieten een van hun taxi's met een lekke band aan het politiebureau achter, ze ondernamen geen enkele poging om hun sporen te verdoezelen. Earle werd buiten de jurisdictie van de politie gevoerd, 'ondervraagd', waarna 'hij bekende', en dan neergestoken en met een kogel door zijn hoofd afgemaakt.

Op dat moment was er geen bewijs dat hij de dader was. Men had wel een jas met bloedsporen en een mes bij zijn moeder aangetroffen, maar daarop was geen onderzoek verricht (en het onderzoek zou nooit uitgevoerd worden). Volgens zijn moeder had hij op de dag van het eerste misdrijf met de bus gereisd, was hij van de bushalte recht naar haar huis gekomen en was hij bovendien fysiek niet in staat om wie dan ook aan te vallen.

De lynchpartij gebeurde in de week dat de witte taxichauffeurs de executie van een van hun collega's herdachten. Die chauffeur werd veroordeeld en uiteindelijk geëlectrocuteerd, wegens verkrachting van een twaalfjarig (blank) meisje. De taxichauffeurs verweten de rechter en de procureur dat ze tegenover de blanke jury 'raciale' argumenten hadden gebruikt, de procureur had tegen de jury geargumenteerd dat een zwarte in gelijksoortige omstandigheden in een oogopslag veroordeeld zou worden, en dat het niet meer dan billijk was een blanke beschuldigde op dezelfde wijze te behandelen. De chauffeurs van Greenville betreurden de executie. Hun collega had staande gehouden dat hij geprovoceerd was door het meisje, en dat er geen penetratie was geweest.

Ze deponeerden het lijk van Earle aan het buitenverblijf van de rechter in de eerdere zaak – als om het verband in de verf te zetten.

Het is niet te achterhalen of Earle de oorspronkelijke misdaad op zijn geweten had – de zwarten, George inbegrepen, denken van niet, de zogenaamde bekentenis van het lynchslachtoffer kreeg in de rechtszaak onbetamelijk groot gewicht – maar dat de witte taxichauffeurs verantwoordelijk waren voor de lynchpartij gaven ze zelf openlijk toe. Ze vierden naderhand. Een van de taxichauffeurs had collega's opgejut (dat weten we uit een ook weer dubieus getuigenis van diens echtgenoot, die besliste uit de school te klappen toen bleek dat de politie hem op de terugweg van een bezoek aan een vriendin had tegengehouden). Enkele maanden na hun daad sprak een witte jury hen vrij van alle blaam. Earle werd in een anoniem graf gegooid. Zijn moeder won na verloop van jaren wel een schadevergoeding, al betwistte de weduwe van Brown die langdurig.

Het was een onkiese geschiedenis in een gebied, George herhaalt het, dat er eigenlijk beter aan toe was dan vele andere. Hij heeft uiteindelijk, door een gruwelijke speling van het lot, zijn broodwinning aan de lynchpartij te danken. Na 1947 weigerden zwarte bewoners nog gebruik te maken van witte taxi's. Ze richtten hun eigen bedrijf op, en mettertijd werden de blanke taxi's uit bedrijf geconcurreerd. Tegenwoordig zijn alle taxichauffeurs in Greenville zwart.

Maar op een dieper niveau zijn de vooroordelen gebleven, hum. 'Vorige week werd een supermarkt overvallen. Er viel een dode onder het personeel. Mensen schrikken dan altijd als ze horen dat het geen zwarte was die de roofoverval heeft gepleegd, hum. De veronderstelling is dat een zwarte de dader was.'

George heeft de wettelijke rassenscheiding nog decennialang meegemaakt. Hij wijt het daaraan dat hij moeizaam leest en schrijft. In zijn school zaten de leerlingen op een hoopje. Als het regende werd hij nat. Op weg naar zijn school liep hij elke dag langs een betere school voor zijn blanke leeftijdsgenoten, een luxeschool leek het wel, 'al is hun comfort van toen nu de norm geworden. Het heeft geen zin daar nog haatdragend over te zijn, hum. Dit leven is zoveel beter dan het was. Ik verdien mijn brood, mijn kinderen hebben zoveel betere scholen gehad. Uiteindelijk viel het nog wel mee, hum.'

Zijn kinderen, zegt hij, zijn gek genoeg minder mild dan hij. 'Zij merken niet hoe groot de verschillen zijn die zich op korte termijn hebben voltrokken. Ze klagen – niet ten onrechte natuurlijk – over hun jobs die verloren gaan. We worden doodgeconcurreerd door de armeloonlanden, hum.'

De Bob Jones Universiteit ligt langs de Wade Hampton Boulevard. Hampton, ten tijde van de burgeroorlog een van de rijkste plantagehouders van het land, met duizenden slaven, verspreid over South Carolina en Mississippi, richtte een eigen legertje op en werd een held van het zuidelijke leger. Zonder enige militaire opleiding leidde hij de cavalarie. Hij was een gereputeerd racist die – toegegeven – op economische gronden de afschaffing van de slavernij in het vooruitzicht stelde en die, tot de oorlog losbarstte, tegen de afscheuring van het zuiden had geargumenteerd.

Stoort het George niet dat hij door een straat met die naam moet rijden?

Hij weet er het fijne niet van, zegt hij diplomatisch, van meneer Hampton, en hij vermoedt dat het te veel moeite zou kosten om de naam te veranderen. Die burgeroorlog wekt een vreemde koppigheid op bij de blanke meerderheid in het stadje.

Hij heeft er zelf aan gedacht zijn naam te veranderen. George. 'Da's pas een slavennaam.'

De president heet zo.

'Hum.'

Niet dat het een glorierijke boulevard is. De Wade Hampton Boulevard maakt kilometerslang een rommelige indruk met tweederangsmotels, die hun tarieven voor langdurig verblijf afficheren, met onbestemde Vietnamese winkels en andere winkelcentra die vooral leeg lijken te staan.

Wat denkt George van de universiteit en haar vijfduizend studenten?

'De mensen van Greenville houden er niet van,' beweert hij, 'althans niet de mensen die ik ken. Wat moet je ermee, met die perfect uitgedoste, bevoorrechte kindertjes die aan de kant van de weg staan te zingen hoe glorierijk onze toekomst is? Je moet niet zelf ontslagen zijn om te weten dat dit onzin is, zo niet erger, hum.'

Maar ze vormen wel een groot deel van zijn klandizie. *White folk*, hum. In die zin veranderen de tijden niet. Zwarten rijden nog altijd met de bus, uitzonderingen niet te na gesproken. De witten en zelfs hun kinderen hebben geld voor een taxi.

George zet me af voor de ingang van het universiteitsterrein. Hij doet er wel vijf minuten over om mijn onkostenbonnetje in te vullen, maar in tegenstelling tot de meeste chauffeurs staat hij erop dat zelf te doen. 'Blijven oefenen.'

Melancholisch neuriënd zet hij zijn weg verder.

Het verschil tussen de boulevard en de universiteit is treffend. Wachters slagen er blijkbaar in om alle rommel en afval te weren. Orde en netheid gaan aan tucht vooraf. Een geüniformeerde bediende overhandigt me een plannetje van de campus. Glimlachende studenten – de jongens in pak met das, de meisjes in lange rok – lopen over gebetonneerde paden naar hun lessen. Ik weet niet of ik een verkeerd pad neem, of een verkeerde kant van een juist pad, maar velen wijken uit voor mij, accentloze beleefdheden prevelend (het zuidelijk taaltje wordt blijkbaar, zoals het afval, aan de poort geweerd), me toch enigszins argwanend, zij het goedwillend bejegenend (samen met de bezoekster in broek ben ik de enige die binnen gezichtsbereik niet aan de kledingsvoorschriften voldoet, ik ben helemaal de enige voor wie wordt uitgeweken). Af en toe meen ik ook bij het net uitgedoste studentenvolk enige ondeugendheid vast te stellen, vooral bij de meisjes, maar dat zal wel inbeelding zijn. Wensdenken.

Sigaretten zijn hier, net als seks buiten het huwelijk, verboden en worden, mits ontdekt, bestraft met schorsing. Ook het onrechtmatig missen van lessen en het wegblijven van de dagelijkse kerkbijeenkomst leiden tot sancties.

Vroeger was de koffie niet te zuipen (ik parafraseer de omzwachtelde bewoordingen van het studentenblad, dat ik in de cafetaria oppik) maar tegenwoordig serveert Bob Jones Starbucks. De universiteit heeft blijkbaar een voordelig contract weten af te sluiten met die koffieketen, die misschien een gat in de markt heeft ontdekt.

Ik probeer enkele door koffie tot stilstand gebrachte studenten aan te spreken en uit te vragen over de filosofie van de universiteit. Ze verwijzen me vriendelijk maar kordaat door naar de campuswinkel, waar de betreffende literatuur onder de aanduiding Fundamentalisme kan worden aangetroffen en gekocht.

In die nette, ruime winkel is de afdeling Fundamentalisme tegenover de afdeling Sekten gepositioneerd. Bij de sekten hoort het katholicisme thuis, een leer, zo lees ik zonder te betalen, die dwaalt door macht te ontnemen aan de bijbel en toe te kennen aan de clerus. De Bob Jones Universiteit is gekant tegen kerkinstituten, tegen de mormonen, tegen de moslims, maar toch vooral tegen de katholieken.

Wat fundamentalistische literatuur die in de eigen uitgeverij van de universiteit werd gedrukt, koop ik wel: *Het christelijk onderwijs inzake wetenschap*, *Het christelijk onderwijs inzake kunst*, et cetera. In het eerste boekje lees ik, behalve dat Paulus en Kepler betrouwbaarder bronnen van wetenschap zijn dan Darwin: 'De christen is voorstander van redelijke maatregelen inzake leefmilieu, maar hij verzet zich tegen overhaaste en hysterische wetgeving die vaak niet alleen haar doel mist maar tegelijk ook uitzinnige, onredelijke lasten oplegt aan de industrie en de maatschappij in het algemeen.' Vervuiling van de geest, wordt daar nog aan toegevoegd, is een groter probleem dan pollutie van de aarde. In een eerdere paragraaf worden 'bulldozers, dammen, oliebronnen, kopermijnen, fluorescerende lampen, stoomboten en communicatiesatellieten' vervullingen genoemd, 'vaak onbewust', van Gods bevel om de aarde te onderwerpen.

'De milieubeweging heeft haar wortels in pantheïsme, materialisme en evolutionisme.' Drie strekkingen waar de christenen niets van willen weten, omdat ze uitgaan van de verkeerde veronderstelling dat we maar één aarde (en geen hiernamaals) hebben.

'Goede keuze,' knikt de zwarte studente terwijl ze mijn geld incasseert, toegeeflijke glimlach inbegrepen.

Jonathan Pait is de woordvoerder van de universiteit. Hij brengt me van zijn kantoor terug naar de Starbuckskoffie.

Paits job bestaat erin de branden te blussen die Bob Jones III sticht. Kleinzoon Jones ziet alom heidenen en ontkerstening, de antichrist of Satan, en Pait legt dan uit dat er een verschil is tussen wat Bob Jones als privépersoon zegt en waar diens universiteit voor staat.

Ten tijde van de presidentsverkiezingen in 2000 speelde de universiteit even een prominente rol. De toenmalige presidentskandidaat Bush had, zoals zovele presidentskandidaten voor hem, een meeting in de universiteit belegd.

Dat is, zegt Pait, 'echt nodig voor wie de conservatief-christelijke stemmen in deze staat wil winnen.'

De universiteit was toen nog voorbehouden aan blanken, met een expliciet verbod op interraciale relaties. En Bush voelde zich gedwongen, toen de kritiek over de rasgebonden regels losbarstte, zich enigszins van Bob Jones te distantiëren. De school, die dreigde omwille van de discriminatie haar belastingvoordelen te verliezen, doekte de rassenregels in de vroege eenentwintigste eeuw op.

Pait torst dezelfde eeuwige glimlach van de studenten (hij heeft hier zelf religieuze wetenschap gestudeerd) maar hij combineert die met pretoogjes die niet in het decor van ingetogen converserende koffiedrinkers lijken te passen. 'Ik ben zondig,' zegt hij na enige tijd. 'Ik lieg af en toe. Ik ben een roddeltante. Het is niet aan mij om anderen met de vinger na te wijzen.'

Hij heeft een paar grijze haren overgehouden aan het bezoek van Bush, en is nog altijd niet over diens desavouering van de universiteit heen. 'Wat had ik verwacht? Die man is in de eerste plaats een politicus. Wellicht moeten we al blij zijn dat hij ons tenminste begrijpt, hij is een echte christen.' Hij is ook niet te spreken over de pers als pitbull. 'Ik had een heel betoog afgestoken over de voordelen van deze universiteit: "Is het verkeerd als ouders hun kinderen sturen naar een plaats waar ze geen angst moeten hebben dat de opzichter in het trappenhuis doodgeschoten wordt, of dat hun dochter zwanger naar huis terugkeert, of dat hun zoon aan een overdosis overlijdt? Hier hebben ouders de keuze." Men heeft daarvan op tv, na een eigen betoog over het racisme, antikatholicisme en de homofobie aan de universiteit, enkel het laatste zinnetje overgehouden. Waarmee men suggereerde: als ouders hun kinderen als racistische, antikatholieke homofoben willen laten opgroeien kunnen ze hen naar Bob Jones sturen. We werden voorgesteld als de Taliban van Amerika, terwijl het er hier, dat moet je toch toegeven, heel ontspannen aan toegaat.'

Waarom werd de rassenscheiding zo lang gehandhaafd?

Dat had, zegt Pait, en hij distantieert zichzelf meteen, vrolijk en enigszins zelfgenoegzaam handenwassend, van het argument – 'ik vond dat nooit zo sterk' – te maken met de bijbelpassage rond de toren van Babel.

De theorie was dat God na de verwarring rond de toren duidelijke scheidingen had gecreëerd die de mens hoorde te respecteren. Intussen vindt men dat de scheidingen die God op het oog had eerder taalkundig dan raciaal waren, wat de theologische disputen niet uit de wereld helpt. Want hoe verkoop je een dergelijke theorie in een land waar de helft van de bewoners haar oorspronkelijke taal heeft opgegeven?

Pait tolereert in ieder geval mijn anderstalige aanwezigheid.

De niet-blanke studenten zijn hier nog altijd op de vingers van twee handen te tellen. 'Ja,' geeft Pait toe, 'maar dat kan ook moeilijk anders. Onze studenten zijn vooral afkomstig uit kerkgemeenschappen die dicht bij ons staan, en die zijn doorgaans blank, al worden ze gaandeweg multiraciaal en zijn er tegenwoordig ook enkele zwarte kerken die studenten leveren.'

'Waarom is het nodig een fundamentalistische universiteit op te richten?' Pait stelt zelf de vraag. 'De oude universiteiten van dit land, Princeton bijvoorbeeld, zijn begonnen als christelijke universiteiten. Tegen het eind van de negentiende, begin twintigste eeuw, lieten veel scholen de fundamentele christelijke doctrines, de goddelijke inspiratie van de bijbel, de maagdelijke geboorte van Jezus, los, en in plaats van het geloof te versterken werd het geridiculiseerd.'

Bob Jones, de oer-Jones, richtte in 1927 deze universiteit op 'om een christelijk alternatief te bieden'. Zijn zoon, gemakshalve Bob Jones II genoemd, was acteur en kunstverzamelaar, en onder zijn directie werd kunst de belangrijkste afdeling van de universiteit. Bob Jones III, zoon van de zoon, zet de politiek van zijn voorvaderen verder.

'De bedoeling was altijd om op een zo hoog mogelijk academisch niveau te werken, maar alle wetenschap vanuit christelijk perspectief te benaderen. We beginnen elke les met een gebed, we bezoeken elke dag de kerk, de professoren doceren de materie vanuit een conservatief christelijk standpunt. We doceren darwinisme en evolutie, maar we bieden tegelijk de tegenargumenten aan. Daardoor zijn we allicht diverser, completer, beter dan de openbare universiteiten.'

Als het boekje *Het christelijke onderwijs inzake wetenschap* een graadmeter is, zal het Darwinonderricht geen hoge toppen scheren. Is er wel eens een student die na zo'n les zegt: '*Tiens*, Darwin had het bij het rechte eind'?

'Dat niet. Ons standpunt is: wat de bijbel over wetenschap vertelt is evenzeer theorie als de evolutietheorie, en elke theorie vereist geloof. Als je gelooft dat God de wereld geschapen heeft, dan geloof je niet in de theorie van de evolutie. Onze studenten delen ons geloof – daar gaan we van uit. Ik ken het boekje niet waar je naar verwijst, maar we hebben er alle belang bij Darwin zo goed mogelijk te doceren. In de buitenwereld komen onze studenten hoe dan ook in discussies terecht. Kunnen ze maar beter naar beste vermogen gewapend zijn.

De invloed van deze universiteit is veel minder groot dan mensen willen geloven. Men doet soms alsof de halve regering uit onze hand eet. Wat een onzin. Er is slechts één lid van de regering bij ons gepasseerd, Asa Hutchinson, de onderminister voor Grens- en Transportveiligheid. Wijzelf meten ons succes eerder af in termen van missionarissen, en wat dat betreft zitten we redelijk goed. We hebben veertigduizend alumni, veel missionarissen en, schat ik, een achterban van ruwweg vijf miljoen Amerikanen die net als wij over de dingen denken. En tientallen miljoenen Amerikanen die min of meer als wij denken.'

'Er zijn drie groepen studenten.' Pait vertoont de niet onaangename neiging om ongevraagd van onderwerp te veranderen. 'Zij die van huis uit verplicht worden om hier te studeren en die – dat was in mijn tijd ook al zo – hun best doen om zo snel mogelijk weggestuurd te worden. Zij die op ons afkomen omdat hier studeren ongeveer half zoveel kost als studeren aan een andere universiteit (studie en verblijf kosten ongeveer twaalfduizend dollar per jaar). En zij die echt van hun en onze principes overtuigd zijn, wat de grote meerderheid is.' Meer dan in andere universiteiten voltooien de studenten hun programma. 'Ongeveer 90 procent blijft na het eerste jaar om verder te studeren. Wie om disciplinaire redenen wordt weggestuurd, kan na een semester of een jaar terugkeren. Wat vaak gebeurt. De schorsing verandert hun leven. Dat is de bedoeling en dat is het resultaat.'

Hoe komt het dat kunst zo'n belangrijke rol in het curriculum speelt?

Het gemakkelijke antwoord is: dat was de beslissing van Bob Jones II.

Pait probeert diens voorkeur ook theologisch te duiden.

'Dingen moeten niet bijbels zijn om goed te zijn. Shakespeare bevat behalve wat wij betwistbare elementen noemen ook moraliteit. En die betwistbare elementen kun je makkelijk verwijderen. De stukken van Shakespeare zijn trouwens toch te lang voor onze studenten, dan kun je evengoed de te erotische, de te gore passages schrappen. Het leven is vol van het kwade, en dat mag je best ook op het toneel tonen, zolang je dat kwade maar niet gaat verheerlijken.'

Je moet, in deze asielplaats van fundamentalisch denken, nooit heel lang wachten op bredere, maatschappelijk-politieke stellingen. Pait brengt ze graag te berde.

De universiteit, en bijna alle fundamentalistische christenen in de VS, zijn heel erg tegen de 'eenwereldtheorie' gekant.

'De bijbel stelt duidelijk dat God de naties heeft geschapen. We geloven dus in naties en soevereiniteit. We geloven daarnaast dat die naties op een dag zullen vervagen, tot één wereld zullen versmelten, en dat de antichrist aan het hoofd zal staan van die ene wereld. We weten niet of de Verenigde Naties het instrument zullen zijn waarvan de antichrist zich zal bedienen. Dat kan, maar het hoeft niet. De Verenigde Naties ondermijnen in ieder geval de soevereiniteit van de naties, die door God is gewild.

De ene wereld komt er hoe dan ook, dat staat in de bijbel. Maar we willen zo lang mogelijk Gods ideaal verdedigen. Voor sommigen – voor mij duidelijk niet – waren het bannen van interraciale relaties en voordien de segregatie aspecten van datzelfde ideaal.'

Is het toeval dat de VN de banvloeken van fundamentalisten opwekken daar waar andere internationale organisaties, zoals de Wereldbank, of de Wereldhandelsorganisatie, die vaker aan de kant van de VS uitkomen, ongemoeid blijven?

'We zijn doorgaans voor vrije handel. Dat heeft daar misschien mee te maken. Die organisaties staan meer op onze lijn.'

'Wat fundamentalisten,' zegt Pait, 'en mezelf, nog het meest zorgen baart, is hoe de overheid zich steeds meer met het individu bemoeit.

Ik was dus zelf tegen de rassenscheiding op de campus, maar was het nodig ons daarom met het intrekken van belastingsvoordelen te bedreigen? We verliezen aan vrijheid. Bijna elke week hoor ik over incidenten waarbij een verwijzing naar Jezus verboden wordt. Er is een rechtszaak aan de gang om uit de eed van trouw aan de vlag de notie "één natie onder God" te verwijderen.

Vind je nu echt dat we die formulering moeten weren omdat atheïsten zich beledigd voelen? In de grondwet staat nergens dat niemand beledigd mag worden. De vrijheid van meningsuiting geeft ons juist de mogelijkheid om te beledigen. Ik zou, om Voltaire te parafraseren, sterven voor het recht van de atheïst om een atheïst te zijn in Amerika. Want het recht van een atheïst of een moslim of een aanhanger van de bahái om hun eigen opinie te behouden en te belijden is mijn recht om christen te zijn, om geld in te zamelen en missionarissen uit te sturen. Ik vind niet dat we bij wet homoseksualiteit moeten verbieden. Het koninkrijk van God wordt niet gerealiseerd met wetsontwerpen. Maar als ik vind dat homofilie een zonde is en in mijn kerk geen plaats heeft, mag de staat mij niet verplichten een ander standpunt in te nemen, of anders via het belastingssysteem sancties treffen.'

Pait maakt nu de obligate rondgang naar de *founding fathers*.

'Die hebben hun inspiratie gevonden in judeo-christelijke, bijbelse idealen. In die zin zijn we echt één natie onder God, wat atheïsten daaromtrent ook mogen vinden. De *founding fathers* waren overigens geenszins voor het weren van God uit het publieke leven – dat is een misverstand. Er moest een scheiding komen tussen Kerk en Staat, vonden ze, niet tussen God en Staat. Ze waren tegen een staatsgodsdienst en voor godsdienstvrijheid, maar ze waren stuk voor stuk gelovige mensen.'

Jefferson...

'Zelfs die.'

Er klinkt toch enig misprijzen door in zijn stem.

'Door de houding van de *founding fathers* kon het christendom hier floreren en speelden de VS een rol in de verspreiding van het geloof in de wereld. Maar ik zou niet durven beweren dat God Zijn keurmerk aan dit land gegeven heeft. We hebben geen verbond met God zoals de joden dat hebben. Als we ons afkeren van God zal onze zegening verdwijnen.'

'Daarom beschermen we 's lands wetgeving zo fanatiek. Die is vervuld van christelijke idealen.'

Zoals?

'Ze stelt – in meneer Jeffersons Onafhankelijkheidsverklaring – dat we onze rechten van de Schepper krijgen en niet van de regering. Dat we zelf verantwoordelijk zijn voor ons welzijn en onze familie, dat eenieder het recht op leven heeft, het recht op een eigen geweten. Onze rechtspraak heeft haar basis in de tien geboden, ook al kunnen die niet in rechtbanken opgehangen worden.'

Op een van die punten wijst hij trouwens zijn president terecht.

'Wij fundamentalistische christenen zijn voor een minimale overheid. De overheid moet niet voor het welzijn van mensen instaan. We zijn tegen de welvaartsstaat omdat we vinden dat de verantwoordelijkheid voor het welzijn niet bij de staat ligt, maar bij de burgers, de kerken, de families vooral. De familie heeft de plicht voor de familie te zorgen.

George W. daarentegen blijft maar geld uitgeven, blijft de staat maar voeden door schulden aan te gaan.

Toen Jezus verklaarde dat we ons om de armen moeten bekommeren, vertelde hij er nooit bij dat we die bekommernis ook wel aan de overheid konden overlaten. De christelijke weg bestaat erin zelf de handen uit de mouwen te steken. Dat zou misbruik verhinderen. Ik beweer niet dat de overheid alle hulp moet afschaffen, maar ze moet die hulp wel beperken tot uitzonderlijke gevallen. Wie zichzelf kan helpen moet niet in staat gesteld worden van steun te leven. Soms moet je mensen ertoe verplichten op zichzelf terug te vallen. Dat klinkt misschien hard, maar op termijn worden ze er zelf ook beter van. Uitkeringen stimuleren de armoede, ze nemen de motivering weg om armoede te boven te komen. Mensen proberen niet langer het beste in zichzelf te ontdekken. Toen op de uitkeringen werd beknot, onder president Clinton trouwens, daalde het aantal armen zienderogen.'

Wat ten minste deels toegeschreven werd aan de hoogconjunctuur. In een gebied met tienduizenden ontslagen zal het afschaffen van de uitkeringen misschien niet zo vanzelfsprekend tot meer welvaart leiden.

'Dat is een kwestie van cyclussen. Je moet de tijd overbruggen tot de economie opnieuw onder stoom geraakt. Geef wat mij betreft gedurende een beperkte tijd een heel beperkte uitkering aan wie geen familie heeft die voor opvang kan zorgen. Laat werklozen werken voor hun uitkering. Dat principe passen we aan de universiteit toe: niemand ontvangt een beurs. We voorzien wel jobs voor studenten die hun studies niet kunnen betalen. Zo staat het trouwens in de bijbel, in Spreuken: "Als een mens niet werkt, laat hem dan ook niet eten."

Er zijn er die geloven dat de overheid een beest is dat uitgehongerd moet worden. Die juichen het begrotingstekort van Bush toe. Ik bezit een computerbedrijfje en zelf probeer ik niet uit te geven wat ik niet bezit. Terwijl andere computerbedrijven recentelijk over de kop gingen, bleef het mijne overeind. Zo zou volgens mij de staat beheerd moeten worden. Als we niet opletten zal het uitgehongerde beest ons opvreten, via verhoogde belastingen. Alsof die nog niet hoog genoeg zijn.'

Hoeveel belastingen betaalt hij dan?

'Mmm... Om eerlijk te zijn: ik betaal er geen. We hebben door de belastingmaatregelen van de regering Bush twee keer zeshonderd dollar van de overheid teruggekregen. En door het kinderbelastingkrediet betaal ik geen personenbelasting meer.'

Pait geeft me een rondleiding door de gebouwen. Hij blijft maar vrolijk zijn waarheden debiteren.

De zekerheden, de vrolijkheid, de ingehouden, ingetogen glimlach, het filosofisch pessimisme, het half verhuld gevoel van superioriteit: voelt hij zich verwant met moslimfundamentalisten?

'Absoluut niet. Het grote verschil is dat het christendom tegen geweld gekant is.'

Fundamentalistische christenen blazen abortuscentra op.

'Dat zijn geen fundamentalisten, want ze treden een van de fundamentele regels met voeten – gij zult niet doden.'

Dan is Bin Laden evenmin een fundamentalist, want hij overtreedt enkele regels van de islam.

'Mijn idee is dat Bin Laden juist erg goed in overeenstemming is met de regels van de islam, meer in overeenstemming dan de gematigde gesprekspartners binnen de islam.'

Is de islam sinds 11 september de grote vijand van fundamentalistische christenen?

'Nee. Wij proberen iedereen te bekeren. In dat opzicht zijn we duidelijk voor gelijkberechtiging.' Hij voert me vrolijk door de tuinen van zijn universiteit.

Als het met die bekeringen lukt, produceert hij zelf die eengemaakte wereld waar de antichrist op wacht.

'Ho, maar,' nog altijd die pessimistische zelfverzekering, 'het zal niet lukken. De bijbel leert dat naarmate de tijd vordert het aandeel van de christenen in de wereld zal verminderen. De islam kan daarin een rol spelen. Weet ik veel. Ons doel is evenwel niet van deze wereld. We zoeken geen macht in deze wereld. We zoeken bekeringen die in het volgende leven een effect hebben. Dat is een verschil tussen christenen en moslims. Fundamentalistische moslims zijn veroveraars, ze willen letterlijk de grenzen van hun godsdienst verleggen. Christenen worden geacht de wetten van de overheid te eerbiedigen. Daarom dat christenen die abortuscentra opblazen, ook al wordt er niemand bij zo'n aanslag verwond, toch in strijd ageren met hun eigen geloof. Zelfs als ze aan een niet-toegelaten betoging tegen zo'n centrum deelnemen overtreden ze een regel van hun eigen geloof. Maar in het algemeen heeft het christendom geen vijanden. Het onderscheidt hindernissen, maar geen vijanden. We zijn tegen het katholicisme, maar er zijn katholieken die gered zullen worden, omdat ze Jezus in hun hart hebben gesloten.'

Moslims zijn daarentegen gedoemd?

'Als het klopt wat wij geloven, moeten zij hun eigen religie afzweren om gered te worden. Er is slechts één heilsweg en dat is Jezus.'

Pait begeleidt me naar de uitgang. Hij heeft enkele uren met me doorgebracht. Zijn gezin en zijn computerbedrijf wenken.

Een laatste vraagje. Waarom glimlacht iedereen hier de hele tijd? Mijn kop eraf als hij daar geen uitleg voor heeft.

Hij verkondigt dat antwoord met onveranderde glimlach: 'Waarom zou je in dit tranendal niet vrolijk zijn? Paulus zegt: "Weest vreugdevol." Het eeuwig leven wacht je! In het slechtste geval martelt iemand je dood. Maar hoe erg is zelfs dat als je weet dat je vervolgens eeuwig bij God zult zijn? Is er dan reden tot depressie op aarde?'

Hij geeft me een schouderklop.

Wanneer ik de universitaire terreinen verlaat, en rondwaar langs de rommelige Wade Hampton Boulevard (Hampton was toevallig ook de derde, zoals de huidige Bob Jones), lijkt depressie ineens meer dan redelijk.

Zeven uur rijden van Greenville vandaan ligt, in een andere staat en in een andere tijdszone, Montgomery, de hoofdstad van Alabama. Al voor je de stad bereikt, neemt de armoede zienderogen toe, of neemt de rijkdom af. Zelfs de bossen zijn hier rommelig geworden, dor en ongeregeld, afstervend, zieltogend, afgewisseld met geelgrijs stoppelveld.

Montgomery wentelt zich ongegeneerd in de eigen contradicties. Het is zowel de eerste hoofdstad geweest van de Zuidelijke Confederatie, ten tijde van de burgeroorlog, als, vanaf de jaren vijftig, een broeiplaats in de strijd tegen rassenscheiding, het oord waar Martin Luther King zijn reputatie verwierf. Het ene veegt het andere niet weg. Aan het Confederaal Monument lees je over de afgebeelde soldaten dingen als: 'De meest edelen van het ridderras die sinds de oude tijden de vlam van de ridderlijkheid hooggehouden hebben in gouden harten.' Die zin zou in geen enkele parodie misstaan, maar hier slaat hij op de eigenaars van slaven die zowel de lokale democratie als de slavernij genegen waren. De Confederale vlag wappert nog aan dat monument, wappert trouwens ook aan het lokale Capitool, dat zijn schaduw werpt over het monument.

Je kunt je in Montgomery in een revisionistische bel bewegen. Ik bezoek het Witte Huis, de overigens bescheiden ambtswoning van de eerste zuidelijke president, Jefferson Davis. Gini, de bewaarster, werkt er als vrijwilligster. Ze wil graag kwijt dat de zuidelijken ten tijde van de burgeroorlog helemaal geen schuld trof. Wel integendeel. 'Wij werden door het noorden aangevallen en bezet. Het noorden wilde ons zijn regels en zijn belastingtarieven opleggen, terwijl wij vonden dat afzonderlijke staten over die dingen moesten kunnen beslissen. Wij wilden minder macht toekennen aan de centrale overheid. In zekere zin is dat nog altijd zo. We zijn niet tuk op tussenkomsten van de centrale overheid.'

Behalve dan inzake steun. Dit arme zuiden overleeft gedeeltelijk op basis van geldtransferts uit het noorden. In dit anti-staatsgebied leven meer mensen van uitkeringen dan elders.

'Hé,' zegt Gini vertoornd, 'ik ben daar geen voorstander van. Maar het is moeilijk geld te weigeren dat binnenkomt. We zijn geen heiligen.'

Ze keert terug naar haar eerdere betoog omtrent de burgeroorlog.

'Die oorlog had absoluut niets met slavernij vandoen. Waar kwamen onze slaven vandaan? Noordelijke schepen transporteerden hen. Het noorden kon geen gebruik van hen maken, maar dat was om economische redenen zo, niet om principiële redenen. Onze plantages hadden ongeschoolde werkkrachten nodig, hun industrieën niet. Trouwens: over die slavernij wordt doorgaans te negatief gesproken. Die slaven waren uit de jungle afkomstig, die hadden het hier beter dan voorheen. En mettertijd zou het zuiden wel op eigen houtje tot de afschaffing van de slavernij hebben beslist. Is slavernij nu trouwens echt afgeschaft? Zijn we niet nog altijd de slaaf van ons werk? Verslaafd aan tv? En hoeveel beter zijn de relaties tussen wit en zwart niet in het zuiden dan in het noorden.

Het zuiden had de mond vol over wat we nu mensenrechten zouden noemen, maar de noordelijke troepen hebben wel handenvol zuidelijke steden platgelegd, tienduizenden burgers gedood.'

Ze is niet helemaal negatief over de burgeroorlog. 'Het land, dat een samenraapsel van regio's was, is er één door geworden. Je kunt stellen dat ons land door die burgeroorlog echt is ontstaan.' Al is het wij-en-zij-gevoel in haar hoofd nog sterk aanwezig.

Ik moet niet lang zoeken naar een zwarte die soortgelijke theorieën oppert. Crest Tony heet hij, en hij werkt voor de gemeente. Zijn voorouders waren *freemen*. Het duurt ongeveer twee minuten voordat hij op dat gegeven uitkomt. Bezaten hun eigen kleine boerderijtje. Hij laat in het midden of ze hebben meegevochten aan de kant van de Confederalen, wekt de indruk van wel.

'Die oorlog ging niet in de eerste plaats over slavernij. Je moet hem bekijken als een economische oorlog. Het noorden vond dat het zuiden de concurrentie vervalste met niet-betaalde arbeidskrachten. Dat noorden is toen binnengevallen in het zuiden om een einde te maken aan die concurrentievervalsing.'

De andere pool in de contradictie vind je bijvoorbeeld in het Rosa Parks Museum. Het museum paalt aan de plaats waar volgens een slechts gedeeltelijk overdramatisch commentaar, dat in de introfilm van het museum wordt geleverd, 'de wereld werd veranderd'. Vervang 'wereld' door 'VS' en het commentaar klopt wel degelijk.

Het verhaal is bekend. Op 1 december 1955, iets na vijf uur 's middags, had Rosa Parks, een tweeënveertigjarige naaister, de stadsbus genomen. Naarmate de rit vorderde raakte de bus voller, en uiteindelijk was er geen zitje meer vrij voor een blanke die opstapte. De reglementering inzake rassenscheiding hield in dat een blanke enkel op een rij zonder zwarten kon zitten. Vier zwarten moesten dus hun plaats afstaan om die ene blanke in de mogelijkheid te stellen te zitten. Na enig aandringen van de witte chauffeur stonden drie van de vier zwarten op. De vierde, Parks, lid van de burgerrechtenorganisatie NAACP, weigerde.

De chauffeur belde de politie en Parks werd, naast de plaats waar nu het museum staat, gearresteerd. Later op de avond werd ze op borg vrijgelaten.

De busrit is in het museum, wel wat onhandig, maar des te ontroerender, gereconstrueerd, met Parks die kalmpjes en bijna op bijbelse wijze tegen de chauffeur zegt: 'Doe wat je moet doen.' Waarna ze wordt aangehouden.

Het was niet de eerste keer dat een protesterende zwarte werd gearresteerd. De rassenscheiding in de bussen en het balorig gedrag van de witte chauffeurs leidden wel vaker tot altercaties, maar de burgerrechtenorganisatie wachtte tot iemand van onbesproken levenswandel werd getroffen, welbespraakt en waardig. Parks vervulde die rol tot in de perfectie (er is ook wel gesuggereerd dat het incident werd uitgelokt omdat ze zo'n ideaal slachtoffer was, maar daar is geen bewijs van en het is door de betrokkenen altijd tegengesproken, en zelfs als de rel werd uitgelokt, was het omdat de discriminatie op het busnet hem mogelijk maakte). Ze stemde ermee in dat haar 'overtreding' als breekijzer zou worden gebruikt om de wetgeving op rassenscheiding aan te vechten. Op 5 december werd ze veroordeeld tot een boete van tien dollar, waartegen haar advocaat onmiddellijk hoger beroep aantekende.

De vijfde december zag de geboorte van de grootste ster van de burgerrechtenbeweging.

Martin Luther King, een zesentwintig jaar jonge, ongeteste predikant en volgeling van Mahatma Gandhi, kreeg de leiding van de zwarte boycot van het bussysteem. Die aanstelling van King, door mensen met veel grotere anciënniteit en ervaring, die zelf meer aanspraak konden maken op een leidersrol, is een van de opmerkelijkste gebeurtenissen uit de strijd voor burgerrechten.

De busboycot zou ruim een jaar duren. Met taxi's en carpooling raakten zwarten op hun bestemming.

De tocht door haar museum eindigt lang na de boycot, met een video waarin de huldiging van een glunderende, indrukwekkende, hoogbejaarde Parks wordt getoond. 'Ze zit nu naast de First Lady,' sprak toenmalig president Clinton. 'En ze maakt zelf uit of ze opstaat of blijft zitten. Ze kan doen wat ze wil.'

Met ongeveer dezelfde speling van het lot die maakte dat de taxi's in Greenville in zwarte handen zijn gekomen, blijken de bussen in Montgomery tegenwoordig quasi-exclusief zwart terrein te zijn geworden.

Bij de buitenwacht hebben de bewoners van Montgomery niet

zo'n goede reputatie. 'De blanken houden er niet van zwarten, en de zwarten houden er niet van buitenstaanders. Ze zijn onbeleefd en ze leven in onmin met de wereld.' Niet toevallig dan dat hier zoveel werd geprotesteerd. De man die me waarschuwde was zelf met een bewoonster van de stad getrouwd. Ze waren er zo snel mogelijk vertrokken, en zijn nu teruggekeerd om hun weerzin te hernieuwen.

Als ik, overigens samen met een autochtoon, op de verkeerde plaats de bus neem (dat wil zeggen, aan een halte die nog wel met een bord wordt aangeduid maar die uit bezuinigingsoverwegingen werd afgeschaft), worden we uitgescholden door een passagier. Wat een primeur voor me is: tot nu werd ik in het land ofwel op onverschilligheid ofwel op vriendelijkheid onthaald.

'*What a royal pain in the behind you people are!*' roept ze. 'Alsof we nog niet genoeg tijd verliezen.'

Daar valt wat voor te zeggen. De bus kronkelt door straten waarvan je anders het bestaan nooit zou vernemen. Ik vraag me onderhand af welke besparing de afschaffing van mijn halte kan hebben teweeggebracht. We stoppen nog altijd drie miljoen keer.

De boze vrouw schuift haar onderlip mopperend over haar bovenlip, en blijft zo minutenlang zitten.

De man naast wie ik heb plaatsgenomen, blijkt al evenmin gelukkig met mijn aanwezigheid.

'Blijf van mijn ajuinen!' maant hij.

Ben ik daar dan op gaan zitten?

'Daarom zeg ik het – kijk uit waar je zit.'

Ik kijk uit, er blijft ongeveer vijf centimeter leegte tussen mijn billen en zijn waar.

De volgende dag, op dezelfde lijn, terwijl ik overigens, in een eenmanscampagne ditmaal, aan dezelfde afgeschafte halte ben opgestapt, zit ik toevallig opnieuw tegenover de vrouw met de mopperende onderlip, haar ontkroesde lange haar in een onbewogen streng.

Ik groet haar enigszins meewarig.

'Ha,' groet ze terug, met toch een zweem van mildheid en een mogelijke frons van haar geëpileerde wenkbrauwen. '*Our royal pain in the behind.*'

Ik ben niet echt nog een vreemdeling. Ik verdien enige mildheid.

Ik ondervind eigenlijk nergens onvriendelijkheid, behalve in die bus. Niet in de lokale hotdogtent, waar de prijslijsten nauwelijks te lezen zijn, maar waar de frieten fier zijn omgedoopt tot *Freedom Fries*, kwestie van de Fransen een lesje te leren. Niet in de boekhandel die dan weer eerder tot de burgerrechtenfractie van de stad behoort. De oude scheiding lijkt een nieuwe te baren. Wie pro-Confederatie was is eerder pro-oorlog in Irak, zij het doorgaans in gematigde bewoordingen, niet zonder twijfel. Wie pro-burgerrechten ageerde is eerder tegen die oorlog gekant, en dat vaker radicaal dan behoedzaam.

John Figh behoort tot die eerste groep. Hij heeft geen twee minuten nodig om zijn levensverhaal te vertellen. Geboren in een kippenkwekerij, onteigend vanwege stadsverkaveling, hoofd van de plantsoendienst geworden en nu al een hele tijd gepensioneerd, waarbij hij een halve dag per week vrijwilligerswerk verricht in het stadsarchief.

Dan wrijft hij zich hijgend over zijn kale kop en gaat hij wat dieper op zijn verleden in.

'Toen ik al volwassen was, waren de rassen nog gescheiden. Achteraf beschouwd was dat onnozel, maar we stonden er niet bij stil. Ik was een voorstander van integratie, al was ik het niet eens met de acties van de zwarten.'

Die waren toch geweldloos?

'Ja, maar ze hebben het openbare leven enkele jaren overhoopgehaald. Dat was volgens mij nergens voor nodig. De integratie zou zich ook zonder dergelijke acties wel voltrokken hebben.

Ik ben een Republikein, eerder conservatief. De meesten zijn dat tegenwoordig in deze staat. Maar, dat zal je misschien verwonderen, ik ben voor belastingverhoging. Onlangs hebben we in Alabama een referendum gehouden over de verhoging van de eigendomsbelasting en een grote meerderheid was, vanzelfsprekend bijna, tegen. Maar het gevolg is dat de overheid geen geld heeft, geen deugdelijke scholen kan financieren. Dan word je, vind ik, medeverantwoordelijk als domme mensen domme dingen doen.

Ik was en ben het wel helemaal eens met de oorlog in Irak. Met idioten in het buitenland moet je geen geduld hebben. En ze hadden dan misschien geen massavernietigingswapens, ze haten ons en op termijn is haat even dodelijk als een massavernietigingswapen. Die les zouden we intussen moeten hebben geleerd. Ik herinner me nog hoe vele politici er absoluut tegen waren dat we betrokken raakten bij de Tweede Wereldoorlog. Zelfs na Pearl Harbor hoorden we nog vele tegenstemmen. Wat goed dat die vredesduiven toen niet hebben gewonnen.

Ten tijde van de oorlog in Korea heb ik vier jaar bij de luchtmacht gediend. Ik werd nooit uitgestuurd, maar was meer dan bereid en uiteindelijk ontgoocheld over het compromis dat die oorlog beëindigde. Als we toen generaal MacArthur de vrije hand hadden gelaten zouden we nu niet bang moeten zijn voor een Noord-Koreaanse atoombom.'

MacArthur werd toch van zijn bevel ontheven omdat hij verder ging dan de politieke overheid goeddunkte, en dat hij nog verder wilde gaan, zelfs de A-bom inzetten?

'Dat weet ik niet. Maar als je vecht gebruik je om het even wat om je doel te bereiken. Als je vecht, mag je niet proberen je tegenstander te sparen.'

De oude kerk en, wat verderop, het oude huis van Martin Luther King, liggen een wereld verwijderd van John Fighs universum. Ik kom er luttele dagen nadat het huis als museum werd geopend. Wanda is nog nieuw in de museumbusiness; aanstekelijk nerveus en verward loopt ze rond in het toch niet al te grote huis. De relatieve benepenheid van dat huis wordt nog in de verf gezet door haar eigen lengte.

Maar zodra ze praat, ebt de nervositeit wat weg. 'Ik heb zijn eerste dienst bijgewoond,' zegt ze – uiteraard doelend op MLK. 'Wonderbaarlijke man, kon tot je ziel doordringen. Typte zijn preken uit, maar ik heb hem nooit zijn blad zien raadplegen. Hij was goed vierentwintig toen hij hier in 1954 aankwam, drie maanden getrouwd.'

Wanda was ongeveer even oud, haar kinderen waren later even oud als de zijne.

'Ik studeerde economie, gaf een tijd les, werkte voor het stadsbestuur. We kunnen ons niet meer voorstellen hoe het hier toen toeging. Je moest je geld in het bakje van de bus laten vallen en dan automatisch achterin plaatsnemen of, wat vaker het geval was, gewoon blijven staan. We wisten niet beter. Een beetje verderop in deze straat was de enige plaats waar zwarten konden gaan dansen. Het grootste deel van de horeca was voor ons verboden terrein. Doctor King heeft ons de ogen helpen openen.'

Wanda wil nu graag het huis tonen. 'We hebben de inrichting ten tijde van doctor King zo dicht mogelijk benaderd. We hebben zelfs een tweede toilet afgebroken dat een van zijn opvolgers heeft laten bouwen.'

Ze wijst naar de open haard. 'Ik ben al op de vingers getikt. Voor die haard stond de piano waarop mevrouw King speelde. We hebben die in de verkeerde kamer geplaatst. De kleur van de muren is wel correct, lichtgroen, grijzig. Hier hielden we vergaderingen en dronken we thee.'

In het bureau van King was, toen hij leider van de burgerrechtenbeweging werd, een extra telefoontoestel geïnstalleerd. 'Dat maakte toen indruk op mij. Niemand had destijds twee telefoontoestellen. Hij onderhield contacten met politici en zelfs met de president. Dat kon niet via de gewone lijn op de gang.'

Ze haalt haar notitieboekje boven. 'Heb je misschien vragen? Als ik het antwoord niet weet, kan ik het later opzoeken.'

Vragen genoeg, maar de enige die ze niet weet te beantwoorden is de financiële: had de predikant een behoorlijk inkomen?

'Ik denk dat hij behoorlijk zijn kost verdiende. Zijn vrouw en hij zagen er altijd chic uit. Maar rijk waren ze niet. Mevrouw King moest zelf wassen en plassen. Je kon de hemden van doctor King van op grote afstand aan de lijn zien wapperen.'

Op de culturele dienst vind ik de dualiteit van de stad, onder één dak, in een dubbele ontmoeting terug, met Mike en Cynthia. Mike is het hoofd van de dienst, vijfenzestig, recent uit Maryland naar het zuiden afgezakt. De staat Maryland was ten tijde van de burgeroorlog verdeeld, half voor half tegen, zichzelf bevechtend. Mike is opgetogen over zijn nieuwe thuis, en hij heeft de argumenten van de zuidelijken zonder morren overgenomen. 'Die burgeroorlog had niets met slavenhandel te maken. Mijn voorouders hebben aan de zuidelijke kant meegevochten, en die hadden geen slaven. Ze waren keuterboeren. Voor hen kwam het er opaan de nationale staat te bekampen, de buitengewoon grote invloed ervan, de overdadige greep op het leven.'

Cynthia: 'Natuurlijk had die oorlog ook met slavernij te maken, en natuurlijk heeft het noorden ons een dienst bewezen.'

Mike zingt de lofzang van de Confederale burger op de rassenverhoudingen in het zuiden. 'Als ik vergelijk zijn die veel beter in het zuiden dan in het noorden. De sfeer is gemoedelijker, hoffelijker, beleefder. Warmer. Je hoort hier geen onvertogen woord, van blanken of van zwarten. Mensen zijn hier veel geloviger dan in het noorden. Op elke straathoek staat een kerk. De religiositeit is niet slechts vorm, mensen beleven hun religie echt. We gingen, de eerste zondag dat we hier woonden, naar de kerk, niet eens naar mijn eigen kerk, want ik ben katholiek. De volgende dag brachten gelovigen ons een zelfgebakken appeltaart om ons te verwelkomen. De gemeenschap is hier veel hechter dan in het noorden. Vorige week woonde ik voor mijn werk een receptie bij. Binnen het uur had ik vijf mensen leren kennen die ik nu kan bellen als ik iets nodig heb. In Maryland duurt het weken voordat je iemand leert kennen die je kunt bellen voor hulp.'

Cynthia wacht tot Mike, haar nieuwe baas, de deur uit is, alvorens voluit haar eigen versie te geven: 'We zijn trager, gemoedelijker – dat zal wel kloppen. We willen verleid worden. Het noorden is wat dat betreft te bot voor ons. Dat is volgens mij ook de voornaamste reden waarom noordelijke politici zo weinig succes kennen in dit deel van het land. Ze verleiden niet. Ze doen voorstellen die veel te concreet zijn, en die ze – dat beseffen we in dit achtergebleven gebied misschien beter dan anderen – nooit zullen realiseren. We hadden hier ooit een politicus die beweerde: "Nagel je bezittingen aan de grond, want als ik verkozen word, pik ik alles wat losstaat." Die man is verkozen en herkozen. Het onverwachte, de eerlijkheid, dat spreekt ons aan. Soms ook het grandioze. Droom maar, droom maar, we houden van dromen.'

Cynthia is, in tegenstelling tot vele blanken, eerder pessimistisch over de raciale verhoudingen. 'Het racisme is absoluut niet overwonnen. Ik beschouw het als een vies gezwel dat per generatie doorgegeven wordt, maar hopelijk telkens in een licht gekrompen versie opduikt. Ik ben in 1955 geboren, het jaar waarin Rosa Parks werd gearresteerd. Mijn ouders waren vrij liberaal, vooruitstrevend. Ze waren in principe voor gelijkberechtiging en hadden er niet te veel op tegen dat ik zwarte vrienden had – als ze maar niet bij ons thuis kwamen. Want dat was onbetamelijk, niet omdat ze dat zelf echt vonden, maar omdat ze bang waren door de buren met de vinger te worden nagewezen.

Mijn witte generatiegenoten hebben gedeeltelijk gemengd onderwijs gevolgd. Ze hebben een laagje integratie meegekregen, maar af en toe maken ze een uitschuiver. Bij het minste incident, of zelfs zonder incident, komt het racisme toch weer boven. Dan spreken ze in termen van "zij" en "wij". Wij de blanke zuiderlingen, en zij de zwarten of de noordelijken.

Mijn dochter gaat af en toe uit met een zwarte jongeman. In haar milieu – artistiek, yuppieachtig – is dat niet langer een probleem. Maar haar opa, de vader van mijn ex, een Italiaan trouwens, niet zo'n typische *redneck*, werd ziedend toen hij het hoorde. Het is nog niet in dat stadium, ik wil er niet te veel over speculeren, maar ik vraag me af of ik echt gelukkig zou zijn mocht ze met haar *beau* trouwen. Niet dat ik iets tegen hem heb. Ik zou haar willen beschermen tegen de gruwelijke reacties van andere blanken. Aan de andere kant: als je de liefde vindt, moet je haar met beide handen grijpen. Zo wijs ben ik intussen, dat heb ik uit eigen ervaring, met veel vallen en opstaan, geleerd.

Ik organiseer soms theatervoorstellingen. Bij *Guys and Dolls* had de regisseur de beste acteurs geselecteerd en toevallig gingen de hoofdrollen naar een zwarte man en een witte vrouw. Bij elke voorstelling zijn er mensen woedend opgestaan en weggelopen. Niet zoveel, gemiddeld misschien vier per keer, maar toch – betalende toeschouwers die een vertoning boycotten omdat ze niet tegen een gemengde liefde kunnen aankijken. Naderhand ontvingen we boze brieven. Ook niet overdonderend veel, maar toch genoeg. Ongeveer evenveel als na een vertoning van Shakespeare in moderne decors.'

'*Without Jesus, I'm worth shit*,' zucht de man. Hij is kort van stuk zij het stevig gebouwd. Terwijl ik over een vertaling nadenk, en me bedenk dat hij mét Jezus al evenmin een glorieus leven lijkt te leiden, geeft hij een tweede, makkelijker te vertalen aanzet. 'Zonder Jezus ben ik zelfs geen uitschot.'

Trash no more – met Jezus is hij een burger als alle andere geworden, een ziel die het waard is gered te worden, en die evenveel kans op redding heeft als andere christenzielen.

Hij blaast uit van zijn werkzaamheden. Hij verzamelt de karretjes aan een Winn-Dixie supermarkt.

Aan zijn hals is een uitstulping van witrozig vlees te zien, zo'n vijftien centimeter lang, nog opvallender tegen de achtergrond van zwarte huid. 'Een messteek,' legt hij uit. 'Slecht verzorgd. Ik was te stoned om me te verzorgen.'

Hij loert nog altijd wat wazig over de parkeerplaats, beweert al maanden drugsvrij te leven. 'De drugs hebben me niks gebracht waar ik trots op ben.'

Hoe werd hij gestoken?

'Weet ik echt niet. Jezus weet dat ik een goed hart heb, maar ik ben nogal traag. Te traag om me uit de voeten te maken als ik in slecht gezelschap verkeer.' Later kwam hij in de gevangenis terecht, wegens drugsbezit. De gevangenis viel hem mee, zegt hij.

Wat dan?

'De medische verzorging, de discipline, de angst zelfs. De drugs hadden me mijn angst ontnomen. Sindsdien droom ik ervan in het leger te gaan. Ik heb daar misschien de verkeerde voorstelling van maar ik beschouw dat als een gevangenis zonder tralies. Probleem is: ik ben niet zo'n bolleboos. Ik kan wel rekenen, maar ik ben te traag voor examens en zo. En ik ben al zevenendertig, ik zit tegen de maximumleeftijd aan.'

Toen hij uit de gevangenis in Florida werd vrijgelaten, vertrok hij zo ver zijn geld hem kon voeren, zo ver mogelijk van zijn slechte vrienden. Nu, in Montgomery, is hij vooral alleen. Deugdelijk werk vinden bleek hopeloos. Hij wist niet waar te zoeken, en als hij om assistentie vroeg gedroeg hij zich te bot. Ten einde raad is hij op het parkeerterrein van Winn-Dixie gewoon begonnen met winkelkarretjes terug te rijden. Na verloop van tijd ontdekte de manager dat hij dat naar behoren deed. Hij krijgt nu wat geld, gratis koopwaar (verbeurd of beschadigd, maar bruikbaar) en het recht om ander uitschot dat ook wagentjes wil terugrijden weg te pesten.

'Het is beter dan niets. Het is zelfs niet slecht. Vind je het ook zo koud?'

Op zijn linkerjasmouw prijkt de Amerikaanse vlag. Hij knijpt de jas dicht rondom zijn litteken. 'Ik moet me misschien even in de winkel gaan opwarmen.'

Hij besluit toch maar buiten te blijven. Daar moet hij volgens de manager zijn. Zijn rauwe uiterlijk past niet bij het imago dat Winn-Dixie wil verspreiden.

'Ik zou er niet tegenop zien mijn land in Irak te dienen. Al is de oorlog waarschijnlijk afgelopen voor ik mijn opleiding heb afgemaakt.'

Waar slaapt hij?

'Hier en daar.'

En waar kan hij zo'n opleiding volgen?

'Ik moet dat dringend navragen.'

Mijn vragen stemmen hem niet vrolijker. 'Herinner je,' zegt hij, alvorens zijn aandacht opnieuw op zijn karretjes te richten, 'Jezus redt iedereen.' Die gedachte houdt hem op de been. Van de ene kant van het parkeerterrein naar het andere, en terug.

Ook onderweg tussen Montgomery en Birmingham vormt Jezus het voornaamste gespreksonderwerp. Linda is zesenvijftig, ze woont eigenlijk in een buitenwijk van Houston, Texas, en ze is op weg naar haar zwangere kleindochter in Birmingham. Ze hoopt over enkele weken overgrootmoeder te worden. 'Het zit blijkbaar in de familie om er jong aan te beginnen.'

Linda is geboren in een familie van arme muzikanten. Haar vader was zowel jazzpianist als automecanicien, het ene als passie, het andere als broodwinning. Zijzelf zong country-and-western, nam enkele plaatjes op maar was te wispelturig voor een muzikale carrière. Althans, die wispelturigheid is wat ze nu als reden opgeeft. Er zijn wel duizend redenen, beseft ze ook, waarom een muziekleven kan mislukken.

Tijdens een toer werd ze zwanger van een bouwvakker, die later ook een alcoholist bleek te zijn. 'Hij verdiende geld als water – in Texas kun je als handarbeider grote sommen geld verdienen – maar hij gaf zijn geld nog sneller uit. Ik moest kantoren gaan schoonmaken om de kinderen te kunnen voeden. Later nam ik een tweede job – ik werkte ook nog bij een poelier. Ik weet niet hoe vaak ik mijn echtgenoot dood heb gewenst, maar toen hij een jaar of vijf geleden stierf, ging ik beseffen hoe speciaal hij wel was. Nu mis ik hem. Hij vond gewoon zijn draai niet in het leven.' Hij liet haar een pensioentje na, wat haar verwonderde, want ze ging ervan uit dat hij alles had opgezopen.

Na zijn dood heeft ze God teruggevonden. Dat is tegenwoordig haar voornaamste taak. Ze zorgt voor kinderopvang in haar kerk. Ze behoort tot wat ze een Drievuldigheidsgemeenschap noemt. Groot is haar pensioen niet, maar een van haar kinderen past af en toe wat bij en uiteindelijk kan een mens toch met weinig overleven. Daar ligt toch niet de essentie.

'Heb je ons nog niet op tv gezien? Het Drievuldigheidskanaal zit in vele steden op de kabel.' Op andere plaatsen huurt de Drievuldigheidsgemeenschap uitzendtijd op bestaande kanalen. 'We zijn, vind ik, minder negatief dan vele andere christenen. We zijn tegen het homohuwelijk gekant, natuurlijk, maar mijn neef is homofiel en ongelukkig en dan kun je toch niet anders dan hem geluk toewensen, in welke vorm dan ook.

Of ik zelf mijn geluk heb gevonden weet ik zo niet. Ik voel me vredig, rustig. In de tijd dat ik twee jobs moest combineren met de opvoeding van vier kinderen had ik geen idee wat vrede was.'

Zij, en de meesten in haar gemeenschap, ondersteunen president Bush. 'Mijn familie was Democratisch, maar de predikant zegt dat het geen toeval is dat deze president in deze tijd van beproeving aan de macht is gekomen. Dat was voorbestemd. Er is een tijd van vrede, en er is een tijd van oorlog, en voor deze tijd van oorlog is Bush de man die dit land nodig heeft.'

Aan het busstation van Birmingham komt Linda's dochter haar ophalen. De gelijkenis tussen moeder en dochter is verbluffend, ze zijn allebei even vorm- en leeftijdsloos, gaan vergelijkbaar gekapt, zijn vergelijkbaar geblondeerd.

'Heeft ze je al bekeerd?' vraagt de dochter gegeneerd.

Ze heeft zelfs geen poging ondernomen.

'*Lucky you.* Ik wou dat mijn moeder af en toe over andere dingen kon praten.'

Birmingham is de tegenpool van Montgomery. Hier niet langer de houten veranda's en de schommels. Hier verkeersdrukte, verkeerslichten, trams en echte hotels in het centrum. De armoede is schrijnender omdat ze ongepaster lijkt, te midden van de nieuwbouw. En – ha! – vrij centraal, merk ik een beeld op van een geheel blote man.

Dit beeld, dat een schets van Leonardo da Vinci benadert, staat half verscholen voor de deuren van een ziekenhuis, of het onderzoeksinstituut van dat ziekenhuis, aan de achterzijde van het Sheraton. Bewoners maken mij duidelijk dat niet zozeer de blote man mijn aandacht verdient, als wel een ander beeld, dat van de Romeinse god Vulcanus, ruim honderd jaar oud, ruim zestien meter groot, dat vanaf een heuvel de stad domineert, als symbool van een (intussen teloorgegane) metaalindustrie.

Breek bewoners van Birmingham de bek niet open omtrent dat beeld. Het werd zopas, in tegenstelling tot de staalindustrie, gerestaureerd. De restauratie kostte te veel en verliep te traag, en sinds het beeld vernieuwd is, is de fakkel van de god gedoofd. Blijkbaar hadden de organisatoren van de restauratie miljoenen over voor een opgepoetste god, maar was het geld op toen ze zijn fakkel moesten laten branden. De brandende fakkel, eigenlijk een fonkelende lamp, was wat het beeld overheersend maakte – je kon je 's nachts op die fakkel oriënteren. Helaas, niet langer.

Een blote man, een Romeinse god – is dit wel het centrum van aftands christendom en rauwe rassenhaat?

Een chauffeur van een gratis tram door de binnenstad, met eindhalte aan het Sheraton, en dus op een steenworp van het blootbeeld, vindt het wel grappig. De billen van Vulcanus zijn ook al bloot, grinnikt ze. 'Tussen Vulcanus en de blote man aan het medisch centrum hebben vrouwen alles wat ze voor hun voorlichting nodig hebben. En dan durft men nog te suggereren dat zuiderlingen preuts zijn.'

De vrouw is zwart, haar passagiers zijn echt gemengd, niet – zoals elders nog altijd, zij het tegenwoordig zonder wettelijke verplichting – de witten voor- en de zwarten achterin.

Birmingham, dat zichzelf heeft uitgeroepen tot 'de magische stad', heeft zijn welvaart rechtstreeks aan de oude burgeroorlog te danken. Het noorden had de wapenindustrie in handen, en in allerijl werd in Birmingham, dat in de directe omgeving de nodige grondstoffen ter beschikking had, een alternatief uitgebouwd. Dat alternatief overleefde die oorlog. De staalindustrie bloeide zelfs op na de burgeroorlog, maar eerst de crash van 1929 met de daaropvolgende crisis, en later de concurrentie van Japan doofden de hoogovens, de ene na de andere.

Het is, vijftig jaar na datum, moeilijk hitparades van rassenhaat samen te stellen, maar dat Birmingham ten tijde van de burgerrechtenstrijd erg hoog uitkwam staat buiten kijf.

De witte bovenlaag zag haar kans schoon om de oude vormen in beton te gieten, de zwarte onderklasse was zwaar getroffen door werkloosheid en zo goed als monddood, terwijl een zwarte middenstand zonder veel succes probeerde aan de privileges van de blanken te krabben. Het blanke bestuur van Birmingham kon tot de meest hardvochtige in het land worden gerekend.

De zwarten leefden onder blanke terreur, met als dieptepunt een brandstichting in een kerk waarbij vier zwarte kinderen om het leven kwamen.

Mede als reactie op die moordaanslag kwamen manifestaties op gang. De beruchte politiecommissaris Bull Connor liet manifesterende zwarte kinderen met waterkanonnen en bijtende honden achternazitten en arresteren. De beelden van de honden met kinderen, en van de waterkanonnen, werden even wereldnieuws.

In het Instituut voor Burgerrechten, een vrij recent museum, wordt permanent een CBS-documentaire getoond die in 1961 werd gedraaid. Blank Birmingham legt daarin uit waarom rassenscheiding een goede zaak is. De meest racistische praat wordt als de meest redelijke naar voor geschoven. 'Als je kippen kweekt,' aldus een witte rechter, 'en de bruine leggen beter dan de witte, dan weet toch elke boer dat hij zichzelf geen dienst bewijst door de twee rassen te vermengen.' 'Ik heb veel bewondering voor het negerras,' legt een andere gesprekspartner uit. 'Zij leefden in de jungle als beesten en zie waar ze op dusdanig korte tijd geraakt zijn.' Gek hoeveel moderner, redelijker en gematigder de zwarte activisten in retrospect klinken, ontnuchterend hoe belachelijk de toenmalige heersers van het universum met enkele decennia *recul* gaan lijken, de blanke schooljuffrouw, de voorzitster van de vrouwenvereniging, de industriebons en zelfs de progressieve studenten, ridicuul qua uitzicht en qua uitspraken.

Hier werd Martin Luther King in de gevangenis gegooid (en schreef hij zijn beroemde brief uit de gevangenis), hier lapten honderden, duizenden, zwarte scholieren de smeekbedes van hun ouders aan hun laars, en trotseerden dag na dag de honden, de knuppels, het water en de arrestaties. Hier werd de burgerrechtenstrijd allicht beslecht.

Waar je je in Montgomery kunt afvragen wat die burgerrechten precies hebben veranderd, is er in Birmingham weinig ruimte voor twijfel. Goed vijftien jaar na de afschaffing van de rassenscheiding had de stad een zwarte burgemeester. In de binnenstad vind je een florerende zwarte middenstand.

In de binnenstad is zwart vel overheersend, en is er, anders dan in Montgomery alweer, een gemoedelijk, zelfs joviaal contact tussen de kleuren.

'Natuurlijk zijn de dingen veranderd,' zegt een zwarte vrouw, die de burgerrechtenstrijd zelf heeft meegemaakt. '*Hell yes*. Ik heb jaren elders gewoond. Ik ben toch niet masochistisch. Ik zou nooit terugkeren naar een stad die me kwalijk behandelt.'

Haar vader, vertelt ze, heette Piper Davis, en hij was de eerste zwarte honkbalspeler die door de Boston Red Sox werd gescout. Dat wil wat zeggen. Hij was wellicht de eerste zwarte honkbalspeler die door een profclub werd gescout. Hij kon in 1950 met de club trainen en zelfs spelen, maar toen hij zijn contract moest krijgen, werd hij te elfder ure bedankt, hoewel hij het beste slaggemiddelde had van de ploeg. 'De officiële reden was dat hij met drieëndertig jaar te oud was voor topcompetitie. Maar wij wisten wel beter. De Red Sox vreesden voor averse reacties bij de fans.'

Ze mogen dan tevreden zijn over veranderingen in de binnenstad, over wat de weggetrokken blanken uitrichten zijn ze minder enthousiast. Ze praten over de lui op de heuvel, de lui over de heuvel, de rijkere witte bewoners die in buitenwijken hun eigen enclaves hebben ingericht.

Cookie, import in Birmingham, heeft zich daar, als zwarte, ook gevestigd zonder te beseffen waar ze precies terechtkwam.

Cookie is geboren en getogen in Florida, maar toen haar echtgenoot negen jaar geleden door zijn telecombedrijf naar Birmingham werd getransfereerd, zat er niet anders op dan de hele familie te verkassen. Cookie rijdt rond met patiënten in het reusachtige medisch complex van de stad (na de teloorgang van de staalindustrie is dit ziekenhuis de grootste werkgever van de stad geworden).

'Doorgaans,' zegt ze, 'zijn mijn buren afstandelijk maar correct. Dat is niet alleen een eigenschap van de blanken, maar van alle bewoners van Birmingham: iedereen is afstandelijker dan in Florida. Maar mijn overbuurvrouw weigerde negen jaar lang elk contact met mij. Ze liep me straal voorbij, zelfs geen knikje kon ervan af, alsof ik in haar ogen de buurt bezoedelde.

Tot ik de voorbije maand aan mijn brievenbus een affiche hing voor een optreden van het Juilliard-dansensemble. Mijn zoon danst daar. Ze had dat blijkbaar gehoord, en toen hij langskwam belde ze aan. Ik was zelf niet thuis, maar mijn zoon ontving haar. Ze zei dat ze hem aan het werk wou zien. Ze wist blijkbaar wel wat van dans, ze had zelf van een danscarrière gedroomd.

Sindsdien ziet ze me staan, en spreekt ze me aan alsof ik een wereldwonder heb gebaard. Wat ik aanvoel als: "Kijk, kijk, er bestaan zwarte mensen met een getalenteerd kind dat tot zo'n prestigieuze instelling toegelaten wordt, wie had dat voor mogelijk gehouden?" Mijn zoon, die ongeveer sedert wijzelf in Alabama wonen, in New York heeft geleefd, en die mijn verhouding met haar niet kent, zei dat hij eraan dacht haar vrijkaarten te schenken. Ik dacht: wat moet ik hier nu op zeggen? Ik heb de situatie uitgelegd en hem gesuggereerd dat de vrijkaarten elders misschien meer vrucht kunnen opleveren.

Na zijn optreden heeft hij aangekondigd dat hij wil stoppen met dansen. Hij is achtentwintig, en zijn pezen zijn zo toegetakeld dat elk optreden zonder pijnstillers een marteling wordt. Ik vind alles prima. Hij is zo briljant dat hij hoe dan ook zijn weg wel vindt. Maar gedurende een moment dacht ik aan die buurvrouw, en hoe zij zou reageren. Vreemd. Alsof zij die me al die jaren heeft genegeerd, toch enige vat op mijn leven heeft.'

'Dat heb ik me ook al vaak afgevraagd,' zegt John Reed gewillig. 'Hoe is het mogelijk?' Reed, witte eigenaar van de naar hem genoemde boekhandel in de binnenstad, en een levenslange inwoner van Alabama, heeft zich sinds de jaren zestig verwonderd over de snelle ommezwaai in de verhouding tussen de rassen. De stad die hij leerde kennen als 'Bombingham', omdat witte terroristen er voortdurend aanslagen pleegden, is plots bijna welvoeglijk geworden.

De aanslag die vier kinderen doodde had daar volgens hem zeker mee te maken. 'Dat schokte de blanken danig. Er waren bij al die bommen voorheen nooit slachtoffers gevallen. En nu ineens vier, kinderen nog wel. Alsof we voor het eerst ons ware gelaat in de spiegel zagen.'

De ergste blanken zijn vertrokken, de oudste racisten sterven uit, de anderen hebben tenminste hun taalgebruik aangepast.

'Voor mij is dat al iets. Ik weet dat ze wellicht hun ideeën niet veranderd hebben, mensen veranderen enkel als ze dat zelf willen, maar ze nemen de vieze termen tenminste niet langer ten overstaan van wildvreemden in de mond. Het is misschien geen glorieuze evolutie, maar een evolutie is het wel.'

4

Van arme werklui en rijke bejaarden

De zon heeft de modder snel in stof veranderd. Mussen wentelen zich in dat stof. Ik veronderstel eerst dat er zich een genetisch incident heeft voorgedaan waardoor de lokale vogels pootloos door het leven moeten, maar af en toe veert een besmeurd diertje op en huppelt het enkele passen alvorens zich opnieuw, wellustig neem ik aan, in het stof te draaien.

Op geen twee meter van de mussen leunt een man met zijn linkervuist tegen muur terwijl hij in zijn rechtervuist praat. 'Man, ik ben doodsbenauwd.' Het klinkt eerder feitelijk dan schreeuwerig of pathetisch. Hij heeft nog drie weken training te goed en dan vertrekt hij naar Irak, naar de Soenni-driehoek, het gevaarlijkste deel van het land.

'Houd in ieder geval contact,' zegt hij tegen zijn vuist. 'Stuur me mailtjes.'

What's up? vraag ik, nadat hij zijn telefoon heeft weggeborgen. Vreemd genoeg worden de buitelende mussen opgeschrikt door mijn vraag.

De man is veel gestileerder dan de soldaten die ik tot nu heb gezien: hij draagt burgerkleren, een gestroomlijnde zonnebril, een fijn baardje in combinatie met een kaalgeschoren kruin – hij ziet er onbewogen en onbeweegbaar uit.

'Ik volg een opleiding communicatietechniek. In principe is dat niet het ergste werk. Ik zal voornamelijk op bases ingezet worden, maar je moet nog altijd van het ene kamp naar het andere reizen. Gevaar is er altijd.

Ik heb gekozen voor een militaire carrière. Na 11 september leek me dat een eervolle en zinvolle optie. En als militair ga je ervan uit dat je in gevaarlijke situaties kunt belanden. Op zich ben ik trouwens niet zo gauw bang. Maar ik heb enkele slechte maanden achter de rug. Mijn vriendin heeft me aan de deur gezet, mijn moeder kampt met vrij ernstige maagproblemen. Sommigen leggen er nogal de nadruk op dat er winnaars en verliezers zijn in het leven, of in de wereld. Voor mezelf denk ik eerder dat er perioden zijn dat je wint, en perioden dat alles mislukt. Dit is voor mij zo'n verliesperiode – niet de geschikte tijd, vermoedelijk, om naar Irak te vertrekken.'

Kan hij eronderuit?

'Niet echt, tenzij mijn moeder plots zieker wordt. En daar tob ik dan ook over, dat zoiets zelfs maar in mijn hoofd opkomt.

Ik las gisteren in een magazine over de gewonden die uit Irak zijn teruggekeerd, geamputeerden. Ze krijgen nog geen vijftienhonderd dollar per maand, ze zijn gedeprimeerd, ze bezatten zich avond na avond. Is dat het leven dat ik vanaf mijn zevenentwintigste zal leiden?'

Hij kijkt met onzichtbare ogen naar de mussen en hun stofbad.

'De lente komt vroeg, dit jaar.'

Florida, afhankelijk van vertrek- en eindpunt, ongeveer duizend kilometer ten zuiden van Alabama, lijkt af en toe een ander continent. Het dorre land is groen geworden, de bijbelse leuzen langs de snelweg zijn vervangen door gewone reclameboodschappen. De reis van doffe ellende naar palmbomen is vreemd genoeg geen eenrichtingsverkeer.

Voor het eerst maak ik een busreis met een redelijk aandeel blanken aan boord. Bejaarden en studenten, dat valt te verwachten, en daarnaast: witten met een bus-excuus. Hartproblemen, rijbewijs kwijt, auto gestolen.

Linda heeft zichzelf over twee zitjes gedrapeerd. Ik neem achter haar plaats, naast een zwarte jongeman die nog niet beslist heeft of hij boos is dan wel geïnteresseerd.

Linda heeft een muts over haar bruine, vrij korte haar getrokken en probeert vergeefs te slapen.

Na korte tijd krabbelt ze overeind, vist de muts van voor haar ogen en sputtert: 'Ken jij de idioot die de bus heeft uitgevonden? Niets zo on-Amerikaans als bussen.'

Ze is vergeten waar ze is opgestapt. In Philadelphia, beseft ze dan, anderhalve dag geleden.

Tot twee jaar geleden was ze de eigenares van een luchtvrachtbedrijf in Denver, Colorado. Maar haar onderneming wist de nadagen van 11 september niet te overleven. 'De normen werden strenger, de tarieven gingen omhoog, er bestond een groot wantrouwen tegen luchtverkeer. Een bedrijf dat ik uit de grond had gestampt en dat in veertien jaar zodanig was uitgebreid dat ik tien voltijds werknemers in dienst had, ging voor mijn ogen ten onder. Niet alleen het bedrijf, al mijn plannen, mijn pensioenregeling kon ik vergeten.'

Toen ze haar spaarcenten had opgegeten, moest ze wel naar een alternatief op zoek. Ze heeft het een maand of vijf geleden gevonden. Ze rijdt nu de auto's van rijke bejaarden af en aan naar Florida. Doorgaans rijden bejaarden zelf naar hun winterverblijf, gepakt en gezakt, maar zien ze er later tegenop om ook de terugrit zelf te maken.

Linda reist met de Greyhound van de ene klant naar de andere. De afgelopen maanden heeft ze meer nachten in een auto of een bus geslapen dan in een bed, schat ze.

'Daar moet je zestig voor geworden zijn, om je echtgenoot en je familie achter te laten en in een auto te leven.'

Haar nieuwe leven, en dat is onverwacht, zegt ze, bevalt haar eigenlijk wel. Hoewel de bussen een klus zijn, en haar echtgenoot haar naar haar zin te vaak belt – alsof hij haar maar enkele straten ver vertrouwt.

'Ik wist niet hoe graag ik door dit land zwerf – heb ik voorheen nooit gedaan. Ik eet de fastfood die ik toch altijd al verkoos. Ik reis met de beste, de duurste, de modernste auto's.'

Op een dag vond ze geen parkeerterrein waar ze zich veilig genoeg voelde voor de overnachting, en dus trok ze naar een vestiging van de Motel 6-keten. Enkel de kamer voor gehandicapten was nog vrij. Ze parkeerde haar auto voor de deur van die kamer.

Ze werd die nacht door de lokale politie voor tweehonderdvijftig dollar beboet omdat voor haar auto geen gehandicaptenvergunning was toegekend.

'Dat was, als je mijn verzekering en vaste kosten ervan aftrekt, bijna een weekloon, en in principe moet ik mijn boetes zelf betalen – dat staat zo in de overeenkomst. Maar de eenennegentigjarige eigenaar van de auto pikte de rekening zonder blikken of blozen op.

Mijn eigen zorgeloze oude dag ben ik kwijt, maar met dit werk kan ik toch nog min of meer van nabij meemaken hoe mijn leven in Florida zou zijn geweest, met welke auto ik zou hebben gereden, in welke flat ik zou hebben gewoond.'

Op de bejaarden, de studenten en de excuuspassagiers na schijnen de meeste busreizigers in dit deel van het land zonder groot doel op weg, van hot naar her, en niet heel vrolijk zwervend: zichzelf langzaam maar zeker van de kaart vegend.

Susan past tot op zekere hoogte in die categorie. Ze heeft tijdelijk nog wel een doel – ze is op weg naar Argentinië, waar ze een week of twee zal rondtrekken. Vier jaar geleden heeft ze vrijaf genomen van haar werk. Ze doceerde literatuur aan de Universiteit van Cincinnati. 'Ooit wil ik terug aan de slag, zo tegen de tijd dat ik in een rolstoel zit en niets vrolijkers kan bedenken dan werk. Maar tot dan wil ik bewegen, rondtrekken, dingen ervaren.'

Of ook niet. Het bewegen zit haar niet lekker. 'Ik leef al vier jaar oeverloos, wortelloos. Vier jaar geleden zijn in korte tijd enkele vrienden gestorven. Ik zag ineens de zin van mijn vroegere bestaan niet meer in. Echt niet. Studenten literatuur inpeperen terwijl de geïnteresseerden op eigen houtje hun weg naar goede boeken vinden, en de niet-geïnteresseerden met geen hamer tot boekenliefhebbers omgevormd kunnen worden.

Op de een of andere manier verwachtte ik vuurwerk en donderslagen, overdonderende inzichten van mijn werkloze tijd. Ik dacht: met zoveel tijd omhanden moet ik zonder probleem tot pieken van inzicht komen. De donderslagen zijn er niet gekomen. Ik leef overal en nergens. Ik heb mijn huis in Cincinnati onderverhuurd. Gisteren heb ik mijn ouders bezocht die in Florida overwinteren, en morgen zit ik op het vliegtuig naar Argentinië, waar ik met een wandelgroep zal meestappen. Zonder mijn werk vertoont mijn leven geen samenhang meer. Ik klots. Nu ik voor mezelf heb toegegeven dat mijn werk er niet toe doet, lijkt niets ertoe te doen.'

Ze schildert een beetje. Dat helpt soms.

'Ik heb onlangs iets gelezen wat me bezighoudt, hoewel ik niet weet of het feitelijk klopt: 90 procent van alle mensen die ooit geleefd hebben, in de ik-weet-niet-hoeveel miljoenen jaren sinds het ontstaan van onze soort, leeft of leefde tijdens onze levensloop. Wat betekent: wij verkeren in de mogelijkheid om 90 procent van de mensheid te ontmoeten, te leren kennen. En toch lijkt de 10 procent die we niet kunnen ontmoeten zoveel interessanter, de oude Grieken, Shakespeare, Jezus en Mohammed en Dzjengis Khan zelfs... Die 90 procent van de mensheid lijkt me in vergelijking zo onbeduidend. Waar houden wij ons eigenlijk mee bezig? Houden we ons wel ergens mee bezig? Die 10 procent leefde echt. Wij doen maar alsof. Ik doe maar alsof.'

John is een werkreiziger. Tijdens de lunchstop, aan een Arby's burgertent, zit hij voedselloos in de zon. Over zijn T-shirt hangt een houten kruis. Zijn witte, desolaat behaarde spillebeentjes steken uit een veel te ruime, grijze short. De benen zijn overdekt met littekens.

'Ik heb mijn leven lang bomen omgehakt,' legt hij uit, terwijl hij moeizaam en doorgaans vergeefs probeert speeksel binnen te houden, 'of ben in bomen geklommen om ze tot reglementaire afmetingen terug te brengen. Zoiets laat sporen na. Mijn gewrichten hebben het begeven. Mijn longen zijn verknoeid, wat ik wijt aan de insecticiden waarmee vele bomen besproeid zijn. Ik ben jaren te oud voor dat soort werk en dus ben ik op zoek naar een alternatief.'

Er is meer aan de hand. Bomen omhakken deed hij in de buurt van Pittsburgh, Pennsylvania, tegen vijftien dollar per uur. Na verloop van tijd voorzag de werkgever niet langer in de ziekteverzekering, en ging de verzekeringspremie van het loon af, net als – altijd al – de vakbondspremie, zodat hij in reële termen was teruggevallen tot twaalf dollar per uur. De vakbond had de nauwelijks verholen loonsverlaging ('probeer in een dermate gevaarlijke sector maar eens onverzekerd te werken') niet kunnen tegenhouden. De oorspronkelijke eigenaar van het bedrijf had de zaak doorverkocht en de nieuwe eigenaar stelde zijn personeel voor de keus: inleveren of oprotten.

De loonsverlaging viel ongeveer samen met nog twee crisismomenten. Zijn beste vriend liet een motorzaag uit zijn rechterhand glippen en voor Johns ogen werden in één valbeweging diens linkerhand en -voet afgesneden. En Johns huwelijk werd, toen zijn zoon achttien werd, in der minne ontbonden.

'Sinds het ongeval ging ik elke dag met tegenzin, misschien zelfs met schrik, werken. Ik heb het nog een jaar of wat volgehouden, maar nu besef ik dat ik afstand moet creëren om een nieuw leven te kunnen beginnen. In de mate dat dit nog mogelijk is voor een man van vierenvijftig, zonder geld, en zonder duidelijk bruikbare opleiding.'

De lonen liggen in Florida lager dan in Pittsburgh, heeft hij al begrepen, en de huishuur is er hoger. De Spaanstalige immigranten drijven de lonen omlaag, de rijke bejaarden drijven de huishuren hoger. Hij zal al blij zijn als hij tien dollar per uur krijgt, zegt hij, want hij wil in geen geval nog gevaarlijk werk accepteren.

Hij zal in eerste instantie onderdak vinden bij zijn zus. Maar haar echtgenoot is een mopperaar, en John zal zo min mogelijk van diens gastvrijheid gebruik maken. Hij zal zijn nieuwe leven vrij snel moeten organiseren, want een spaarpot heeft hij niet. Hij weet niet hoe. Hij graait naar zijn kruisje. 'Niet dat ik zo gelovig ben.' Hij ruikt eraan.

'Niets mooier dan hout, nochtans. Sensueel, levend, geurig. Ik heb mijn oude baan nog maar zes weken geleden opgegeven en ik mis het hout al bijna.'

Nog altijd op bussen. Mijn buurvrouw smukt zichzelf op. Ze begint met haar teennagels, die ze knipt, vijlt en schildert, en baant zich vervolgens een weg naar haar hoofd, dat ze plamuurt en schildert, waarna ze haar haar in strengetjes draait. Bij de overgang van het ene geschilderde lichaamsdeel naar het andere wappert ze met haar handen, alsof ze een te hete aardappel in de mond heeft. Zodra de verf is gedroogd houdt ze uitgeput op met wapperen en leegt ze een deel van haar knapzak. Ze kan vijftig zijn of twintig, al naargelang de verf een ouder lijf jonger doet lijken of een jong lijf ouder.

Enkele rijen achter ons probeert een yuppie met rijverbod – een van de excuusreizigers, rijbewijs kwijtgeraakt wegens dronkenschap achter het stuur – zijn moeder (die een sleutel van zijn appartement bezit) en zijn dochter (die weet hoe dat moet) over te halen tien T-shirts en enkele gerechtsdocumenten per expresse op te sturen naar zijn nieuwe, onverwachts toebedeelde werkadres.

'Ik geef je twintig dollar als je het doet,' roept hij tegen zijn dochter. 'Wat?'

De dochter vraagt eveneens twintig dollar ten behoeve van de grootmoeder.

'Wat?'

De vader/zoon stemt in met de dubbele twintig dollar, plus port.

Er stapt een gehandicapte vrouw op, met bult en defecte knieën, die vrijwel meteen het toilet aan het eind van de bus wil opzoeken. Mijn geschilderde buurvrouw onderbreekt haar knapzakactiviteiten en haast zich om de vrouw naar het toilet te begeleiden.

Bij haar terugkeer verontschuldigt ze zich bijna. 'Ik was altijd graag verpleegster geworden.'

Ze heet Helena, ze is in Guatemala geboren maar in Tampa, Florida, opgegroeid. Er was nooit geld voor een opleiding. Zodra ze van school kon is ze gaan werken in winkels of als poetsvrouw.

'*I'm a flirt*,' geeft ze toe. Bij elke tussenstop laat ze zich door de chauffeur van het uitstaptrapje helpen. 'Maar ik heb nog nooit een echt goede relatie gehad.'

Ze heeft zopas met haar recentste liefje gebroken. 'Hij zei: "Laten we iets afspreken." Waarop ik repliceerde: "Wanneer?" En hij dan weer: "We zien wel." Dan liet hij dagen niets van zich horen en leek het alsof ik wanhopig was – terwijl hij eerst had voorgesteld iets af te spreken. Zo ging het keer op keer. Hij zette een stap en trok zich vervolgens terug. Hij liet me sudderen.'

Ze trekt nu naar haar zus, die onlangs getrouwd is en blijkbaar in tevredenheid leeft. 'Hopelijk is geluk even besmettelijk als slechte venten.' Het plamuursel komt haar glimlach niet ten goede.

Gainesville is bij uitstek, en al sinds de burgeroorlog, de universiteitsstad van Florida. Ontypisch links, ontypisch jong, zij het dat ik er tijdens een *speedcar*-evenement beland dat voor alle leeftijden tot oorverdoving en overexcitatie leidt.

De binnenstad is alweer voorzien van gratis, draadloos, gesponsord internet, en de universiteit slaat me met verstomming. Ik ben wellicht langs een verkeerde kant door de lokale bus uitgespuwd, maar het deel waar ik eerst beland houdt het midden tussen woud en parkeergarage. Bij mijn tweede poging om een toegang te vinden, blijk ik me op het universitaire golfterrein te bevinden.

Via een soort wildernis kom ik bij de vrij beroemde graffitimuur, waar studenten, aan muursegmenten die elk zouden volstaan om een fikse Rubens te hangen, hun diepste zielenroerselen vorm mogen geven. Er wordt hier lokaal, vooral door ouderen, wat geklaagd over de verrechtsing van de studenten, maar aan deze muur is het al *Give Peace a Chance* wat de klok slaat. Het origineelste fragment is niet eens frappant geschilderd en zeker niet de Rubensiaanse proporties waard: 'Elaine, voel je de vlinders nog?' Werd ondertekend met: 'Moth Power.'

Ik waad door joggers, op zoek naar lesgebouwen. Onderweg hoor ik een gekreun opstijgen uit een op haar buik rustende studente. 'Grmpf.' Het is verre van een noodkreet, maar lustvol klinkt anders.

'Grmpf,' repliceer ik.

Ze draait zich om en toont een blote navel en een T-shirt met als opschrift: LIFE IS WHAT YOU MAKE OF IT. Een opbellende buik.

Wat scheelt er?

'Ach.' Diepe zucht. 'Ik ben net teruggekeerd uit Ohio. Het vroor daar nog min of meer. Hier lig ik in de zon, heb ik net mijn vriendje gezoend en naar de les gestuurd.'

Klinkt niet slecht.

'Nee, inderdaad. Dit zou het ware leven moeten zijn, de bloemetjes, de bijtjes, weet je wel?'

En?

'We hebben een kuisheidspact gesloten: geen seks voor het huwelijk.'

Ik heb gelezen dat de meesten zo'n pact vroeg of laat schenden.

'Ik weet waarom. Volgens mij is geen enkele van Gods regels zo lastig als deze. Hier toch. Al wat ik lees, elk tv-programma dat ik bekijk, elke soap, elke aflevering van Oprah lijkt me naar seks te verwijzen. Alsof dat het belangrijkste in het leven is. En ik doe er vrijwillig afstand van.

We horen de regel niet ter discussie te stellen, maar ik kan mij perfect voorstellen hoe het anders zou kunnen. Ik heb geen enkele vriendin van mijn leeftijd – tweeëntwintig – die nog maagd is. Mijn vriendje is fel in de leer, en ik wil hem niet afvallen. Als hij het uitlegt lijkt het ook wel logisch. Door geen seks te hebben bewijzen we dat het ons niet enkel om de seks te doen is, we verdiepen onze relatie, we hebben nog iets om naar uit te kijken. We voldoen aan Gods regel, dat is voor hem de essentie, maar ergens voel ik dat het ook verkeerd is. We doen Zijn natuur geweld aan. En als er zoveel mensen de regel overtreden kan het toch niet zo een overdonderende zonde zijn. Het is toch niet alsof dat allemaal moordenaars zijn. Grmpf.'

Betty is met kuisheid minder begaan. In Europa zou ze al lang met pensioen zijn, maar hier floreert ze als receptioniste/secretaresse op de dienst gerontologie. 'Ik ben klein en ik ben dik,' verklaart ze, gespeeld boos. 'Mezelf ook nog oud noemen zou te veel oneer betekenen.'

En dus werkt ze, alsof de tijd niet bestaat, op een afdeling die dat soort initiatieven stimuleert.

We worden verrast door enkele studenten, van Aziatische komaf trouwens, die personeelsleden een Saint Patrick's Day-geschenk overhandigen – enkele groene chocolaatjes en een sticker met een groene glimlach, gesponsord door een kopieercentrum.

'Voilà.' Betty glundert nu. 'Dat probeer ik mijn omgeving al jaren uit te leggen. Kleine attenties maken de wereld beter. Ik zou willen dat Amerika het land was van de kleine attenties, wereldwijd. Dan zouden we minder bang moeten zijn voor terroristen.'

Ze heeft haar stem aan de huidige president gegeven.

Is diens filosofie niet eerder: granaten in plaats van geschenken, zij het nog niet wereldwijd?

'Ik besef het.' De gedachte brengt haar echter niet tot inkeer. 'De geschenken moeten niet noodzakelijkerwijs van de regering komen. Liever niet eigenlijk.

Een tijdje geleden hebben we hier een referendum gehouden over de subsidiëring van het onderwijs. Ik heb nog in de staat New York gewoond. Daar liggen de belastingen hoger en is het onderwijs beter.

In principe ben ik daar voorstander van – niks belangrijkers dan goed onderwijs. Maar Florida heeft tegen de verhoging van de belastingen gestemd, en dat begrijp ik ook. De bejaarden hebben vaak elders, voor ze naar Florida verhuisden, voor onderwijs betaald, ze overleven ternauwernood en kunnen zich geen extra lasten veroorloven. Weet je? Dat is misschien de belangrijkste overweging in dit land: we hebben geen geduld met belastingen. Het land is opgericht uit onmin over de koloniale belastingen, en sindsdien is dat eigenlijk alleen maar erger geworden. We geloven dat de overheid bijna per definitie het geld verkwanselt. Het liefst zouden we de overheid, met uitzondering van het leger en de politie, afschaffen. Mijn zoon heeft nog in het Peace Corps gediend, in Afrika. Dat was zinvol, maar intussen is het Peace Corps afgebouwd. We zijn niet chagrijnig, we houden ervan mensen te helpen, zolang het maar niet met overheidsgeld gebeurt.'

Ze stopt een privéchocolaatje van Saint Patrick in haar wat gebelgde mond.

Op de Plaza of the Americas, het centrale plein van de campus, verzamelen zich voornamelijk Palestijnse vrouwen voor een anti-oorlogsmeeting. De opkomst, op de eerste verjaardag van de oorlog in Irak, is bedroevend: vijfentwintig mensen, minder volk dan voor de belendende voedselbedeling van Hare Krishna. De vrouwen vrezen voor een tegenbetoging, maar die blijft uit.

'Wie voor de oorlog is, is doorgaans minder uitgesproken dan wie ertegen is,' oordeelt Amira, die sociale wetenschappen studeert in de hoop ooit een hulpgroep in de derde wereld te kunnen oprichten. Ze draagt een hoofddoek boven een nauwsluitend T-shirt met de boodschap: FREE PALESTINE.

'Aan de andere kant: de stemming is heel wispelturig. Momenteel is de oorlog blijkbaar wat uit de gedachten van de studenten verdwenen.' Eerdere betogingen kenden meer succes, beweert ze. Ze schat dat de helft van de studenten tegen de oorlog in Irak gekant is. De meesten die tot de andere helft behoren zijn volgens haar 'onuitgesproken', ze vinden dat er zowel argumenten voor als tegen zijn.

Is het moeilijk aan deze universiteit moslim te zijn?

'Helemaal niet. Ik denk dat elders in de VS moslims het moeilijk hebben, maar wij hebben na 11 september een pro-Palestijnse groep opgericht en er is ons nooit een strobreed in de weg gelegd. We zeggen wat we willen zeggen, sommigen luisteren, anderen niet, maar er is geen agressie tegen ons. Ik krijg tot dusver geen opmerkingen over mijn hoofddoek.'

Gil, fiets in de ene hand en bord in de andere, een wat oudere technische arbeider van de universiteit, heeft de oorlog in Vietnam nog meegemaakt, zowel de gevechten als naderhand de protesten ertegen. Hier voegt hij zijn eigen pacifisme toe aan het Palestijns activisme. Hij gelooft nog altijd dat de verbeelding aan de macht kan komen. Op de ene kant van zijn bord heeft hij genoteerd: VERVOEG DE RESERVISTEN. DOOD NAAR BELIEVEN IRAKI'S EN KEER IN EEN BODY BAG TERUG NAAR HUIS. En op de achterkant: VROUWEN, DIEN BIJ HET LEGER. WORD VERKRACHT DOOR MANNELIJKE COLLEGA'S. KEER IN EEN BODY BAG TERUG NAAR HUIS.

Gil is, misschien vanwege Vietnam, halfdoof. Vragen dringen niet tot hem door. 'Ik wil positief zijn,' zegt hij over zijn bord. 'Men heeft me al vaak verweten dat ik zo negatief doe over oorlog. Vandaar mijn huidige boodschap: in het leger reis je gratis, je mag naar hartelust schieten.

Amerikanen zijn niet geïnformeerd. Ikzelf kijk naar de BBC. Onze eigen nieuwsuitzendingen zijn als actualiteit verpakte showbizz. Ten tijde van Vietnam protesteerden de bevoorrechten – dat is voor mij het grote verschil met deze oorlog. Nu zwijgen de succesrijken, de rijkeluiskinderen. Amerikanen willen toch altijd vooral aan de kant van de succesrijken staan.'

Kort na het ontbinden van de betoging wandelt Maryam, studente Engels van Egyptische komaf, voorbij het standje waar Zak, student lichamelijke opvoeding met antecedenten in Israël, brochures aanbiedt die de joodse zaak bepleiten.

Ik heb tijdens de betoging wat met Maryam gepraat, vraag nu Zak uit en Maryam vervoegt het gesprek.

'Heb je familie verloren in Israël?' vraagt ze nadat ze hem – dat klinkt wat onverwacht voor een vrouw met hoofddoek – vanwege zijn spieren heeft gecomplimenteerd. 'Ik heb je in het zwembad gezien. Wat een *work-out*!'

Hij toont haar een medaillon met de naam Apfelbaum erop. Zijn neef is bij een bomaanslag in Jeruzalem om het leven gekomen.

'Dat spijt me zo,' zegt ze. 'Ik ben tegen alle geweld – dat hoeft toch geen betoog. Zolang extremisten de agenda bepalen is de wereld te beklagen.'

Hun discussie draait in kringetjes rond, met verwijten over Palestijnse corruptie, die gepareerd worden met verwijten over het Israëlische verzuim om bezet gebied te ontruimen. Allebei zouden ze een verdeling volgens de grenzen van 1967 wel acceptabel vinden. Allebei zouden ze een gezamenlijke democratische staat niet uitsluiten.

Ik ben geneigd de discussie als hoopvol te bestempelen: hier worden geen strotten afgebeten; misschien laten de gesprekspartners het achterste van de tong niet zien, maar ze praten tenminste, hoffelijk, flirterig.

Zijzelf zijn minder optimistisch. 'Voor ons,' zegt Maryam, 'is het wel makkelijk hoffelijk te zijn. Wij zijn Amerikaanse staatsburgers. Ons leven staat niet onmiddellijk op het spel. We zijn misschien evenwichtiger geïnformeerd dan de mensen in het Midden-Oosten.'

Zij heeft als moslim na 11 september wel een averse reactie ondervonden. Dat wil zeggen: enkele jongeren hebben geprobeerd haar hoofddoek af te rukken. Daar is het bij gebleven.

In het algemeen beschouwen ze zichzelf als zondagskinderen. De moeder van Maryam is helemaal alleen uit Egypte naar de VS gemigreerd om voor arts te studeren. Zij had de emancipatie al afgedwongen die Maryam nu als normaal beschouwt. Zak heeft het bloedvergieten alleen tijdens zijn vakanties meegemaakt, en dan nog vanaf een vrij veilige afstand.

Zijn ze blij met hun Amerikaans staatsburgerschap?

Zak is daarover wat enthousiaster dan Maryam. Maar ook zij, die nog wat oningevulde heimwee naar Egypte voelt en wat meer in oppositie leeft met wat de regering van haar land beslist, ligt evenmin dwars. 'Dit is het beste land van de wereld,' zegt ze, 'in die zin dat je hier zelf de mogelijkheid hebt iets van je leven te maken.'

Zoals zovele motelgeranten en -bezitters is ook de eigenaar van de Gainesville Lodge uit Gujurat afkomstig, en zijn is naam Patel.

Waarom steevast uit Gujurat?

'*Because the job sucks.*' Hij lacht ietwat bitter. Hij lacht eigenlijk altijd. Niet de genotsvolle, uitbundige lach van Amerika, maar de toegeeflijke glimlach uit zijn geboorteland India. 'Dit is zo'n slechte investering. Je denkt dat je een fortuin binnenhaalt, maar in feite zorg je ervoor dat je driehonderdvijfenzestig dagen per jaar op je post moet zijn. Je koopt je eigen gevangenis.' En niet zo'n goed functionerende gevangenis. Meneer Patel moet zijn echtgenote optrommelen om mijn afstandsbediening te programmeren of mijn sleutel te vinden, een lamp in te schroeven, de waterkraan open te draaien. Maar ondertussen word ik, bij elk, overigens minuscuul, mankement, een beetje wijzer. Meneer Patel zwijgt niet nodeloos. Over mijn afstandsbediening. 'Ik schat dat van elke vijfentwintig klanten er één de afstandsbediening steelt.' Niet dat de dief daar veel aan heeft. Meneer Patel houdt ze toestelgebonden, met een code die ook het apparaat in andere omstandigheden onwerkbaar moet maken. Maar de dieven weten blijkbaar niet dat hun vergrijp zinloos is.

Af en toe laat meneer Patel ook een glimp van on-Amerikaanse filosofie blijken. Over de aftandse auto waarin hij rijdt, en over de glorieuze auto waar hij af en toe van droomt, en later over bezit in het algemeen. 'Als je het niet kunt betalen, wil je het waarschijnlijk ook niet hebben.'

In de loop van mijn laatste nacht in de Gainesville Lodge, zo rond vier uur, word ik wakker van de stilte, maar niet wakker genoeg om me af te vragen waarom het zo stil is. Stilte heeft hier een oorzaak, in tegenstelling tot lawaai, dat onbewogen beweegt (dit zou een uitspraak van meneer Patel kunnen zijn). Ik heb zelden zo zalig geslapen als in stil Amerika.

Bij het uitchecken heeft de eigenaar nog altijd zijn glimlach om.

'Heb je gemerkt dat de elektriciteit is uitgevallen?' Zijn tevredenheid heeft ermee te maken dat de panne zich niet tot zijn motel beperkt, zoals nochtans gebruikelijk. De hele buurt zit zonder stroom.

'Ik ben meteen uit mijn bed geklopt door een man in paniek. Hij zei dat hij niet kon slapen zonder tv. Een halfuur later volgde iemand die zijn airconditioning miste. Iemand anders wilde dringend bellen, wat natuurlijk onmogelijk is zonder elektriciteit.'

Een man in ondergoed strompelt de receptieruimte binnen, zijn onderhemdje over zijn buik gespannen. 'Mijn afstandsbediening doet het weer niet,' klaagt hij, 'ik heb mijn tv nodig om wakker te worden.' Zelfs nadat hem twee keer is uitgelegd dat de elektriciteit is uitgevallen, lijkt de man niet te beseffen dat de zapper niet het probleem is.

Vervolgens stapt hij, nog altijd slaapdronken en nog altijd in zijn ondergoed, in zijn auto, in de hoop dat de radio hem kan wekken.

Meneer Patel schudt verweesd het hoofd. 'Dit land is zowel grandioos als lichtelijk kinderachtig. Grandioos omdat bij zo'n situatie meteen maatregelen worden getroffen. Vannacht heeft de politie de kruispunten bezet om het verkeer te regelen. Maar ook kinderachtig omdat zo'n panne toch geen vier paniekaanvallen waard is.'

De tussenkomst van de politie blijkt toch niet alle problemen te hebben opgelost. Niet aan alle kruispunten met lichten is een patrouille beschikbaar. Een korte wandeling levert me twee ongevallen op.

'Als er geen rood licht is, rijd je door,' aldus een betrokkene die enigszins beduusd de schade aan zijn eigen voertuig monstert. Geen Indiër.

Een kleine driehonderd kilometer bezuiden Gainesville ligt het bejaardenparadijsje Sarasota. Op de afdeling Gerontologie van de universiteit van Gainesville had diensthoofd Patricia Kricos een vrij positief beeld van de bejaardenmigratie in Florida geschetst. 'Over het algemeen heb ik de indruk dat de bejaarden het best naar hun zin hebben. Voor de rijken is er een schitterende infrastructuur en ook trailerparken voor armen vallen vaak nog wel mee: mensen organiseren barbecues, of ze golfen samen. Ze ontwikkelen een bevredigend sociaal leven.' Uit haar onderzoek blijkt ook dat nationaal de meeste bejaarden uiteindelijk toch verkiezen in hun eigen streek te blijven, dichter bij de kinderen.

De influx van bejaarden, dat leerde ik aan de Universiteit van Zuid-Florida in Tampa, heeft het politieke landschap van de staat hertekend.

Susan MacManus, professor politieke wetenschappen, werd in 2002 door een lokaal blad uitgeroepen tot 'beste politieke commentator ter rechterzijde'. Ten tijde van de betwistingen rond de presidentsverkiezingen van 2000 was ze een tijdlang niet van de tv-schermen te branden – zij was de verkiezingsspecialiste bij uitstek in een periode dat zenders probeerden enig houvast te vinden. Tegenwoordig reserveert ze haar nationale commentaren voor de rechtse zender Fox, waarmee ze een verbintenis heeft gesloten.

MacManus betwist overigens dat ze onverbloemd rechts is. 'Ik heb bij verkiezingen nog nooit al mijn stemmen op dezelfde partij uitgebracht. Mijn ouders, citruskwekers, stemden steevast voor verschillende partijen.'

Haar boeken zijn ook niet zonder meer rechts. Tenminste in de ingevoegde statistieken kun je af en toe wat kritiek lezen op het huidige beleid van de broer van de president, Jeb, gouverneur van Florida. Bijvoorbeeld dat de staat onder zijn bestuur meer uitgeeft aan de zesenvijftigduizend gevangenen dan aan zijn driehonderdduizend universitairen.

'Ook dat is alweer terug te brengen tot de invloed van bejaarden: die zijn meer geïnteresseerd in veiligheid dan in onderwijs.'

Florida is voor MacManus 'de toekomst van het land'. De staat heeft het grootste aandeel aan bejaarden in het land, maar tegenwoordig is de toevoer van jonge, voornamelijk Spaanssprekende migranten ook groter dan elders. De ouderen vormen het belangrijkste kiezersblok, en ze drukken in toenemende mate hun voorkeuren door. 'In sommige kleinere steden is het jongste raadslid een eind in de zeventig. De bejaarden hebben tijd, geld en stemmen.' Dingen als jeugdwerking en onderwijs krijgen bijgevolg geen prioriteit.

Bij de bejaarden is er een leeftijdskloof (hoe ouder hoe progressiever), en een geografisch verschil. De behoudende bejaarden kiezen eerder de westkust, de progressievere het oosten, wat volgens MacManus met niets anders te maken heeft dan met de snelwegen. De lui uit het conservatieve binnenland arriveren in het westen van de staat, de bejaarden uit progressievere steden als New York en Washington rijden zonder van weg te veranderen het oosten van de staat binnen. In enkele gebieden komen de twee migratiestromen samen en daar gooien politici in tijden van kiesnood dan bakken geld tegenaan.

Er is nog een onderscheid: zij die eerder arriveerden en zij die pas aankomen. 'Zodra je hier komt wil je de deur achter je sluiten en niemand nog toelaten – dat wordt hier toch gezegd.' De nieuwe nieuwkomers zijn te rijk of te vulgair, te luid of te gesloten. Ze maken de gronden en de huurprijzen duurder, ze zijn er de oorzaak van dat onaangeroerde plekjes verkaveld worden.

Gewapend met al die universitaire kennis valt mij in Sarasota eerst de Save-a-Lot op, een armemensenversie van de Aldi. Alles wat er meer dan een dollar kost, neemt gigantische proporties aan – maaltijdsoepblikken waar een kroostrijk gezin makkelijk een dag mee doorkomt, melkkartonnen waarmee je een kaasfabriek kunt beginnen, pakken boter waarmee je jezelf langdurig kunt braden. De verpakkingen zijn vaak net niet fris, gescheurd, geblutst, geroest, en de houdbaardheidsdata zijn soms weggeschuurd, overplakt of gewoon onleesbaar. De Save-a-Lot lokt niet zozeer bejaarde klanten. Op de stoep zitten zeven Mexicanen, strohoeden boven de verbrande gezichten, bagage voor zich uitgespreid, een lokaal Spaanstalig advertentieblaadje uitpluizend, onderwijl tonijn oplepelend uit een gigantisch blik dat wordt doorgegeven.

Op de achterpagina van het blaadje maant een advocaat hen aan om bij elk ongeval contact op te nemen met hem en met zijn hulp een zo ruim mogelijke schadevergoeding op te strijken. Ook op de achterpagina kunnen ze een gratis telefoonnummer vinden via welk een christelijke groep haar op band vastgelegde standpunt geeft over gemengde huwelijken (gemengd in de zin van religieus gemengd, joods-christelijke, moslim-christelijk – ik bel het nummer voor de lol op en oh wonder: de groep is tegen dergelijke huwelijken).

Maar dat is niet wat de Mexicanen interesseert. Zij zijn dringend op zoek naar werk. Ze zien er een beetje afgestompt uit, moegereisd, en hoe dan ook dakloos, maar ook wel opgemonterd – alsof deze stoep van de Save-a-Lot Sint Pieter en de toegang tot het paradijs verbergt.

Op een paar honderd meter van de Save-a-Lot bestaat ook een ander paradijs, de pleisterplek van de welgestelde bejaarde. Sarasota wordt geacht een elitair oord te zijn. De lokale bejaarden en immigranten stemden wél, in tegenstelling tot de bewoners in bijna alle andere bejaardencentra in Florida, voor de verhoging van het onderwijsbudget. De bejaarde nieuwkomers zijn hier veelal zelf universitair geschoold en scharrelen rond in betere, onafhankelijke boekhandels. Maar de bejaarde leefstijl verschilt allicht niet wezenlijk van het vaste stramien. Ook hier eet je 15 tot 20 procent goedkoper als je – als *early bird* – vóór vier of vijf uur 's middags je avondmaal nuttigt. Of je middagmaal eerder dan om 11 uur bestelt. De restaurants zitten voller voor de vroege vogels dan op de klassieke spitsuren. Het publiek is rijk maar krenterig, of in ieder geval op de korting belust, en – hoor ik van een zeventiger die ooit in Chicago fortuin gemaakt heeft – wat doet het ertoe wanneer je eet? 'Op onze leeftijd heb je minder slaap nodig. Ofwel ontbijten we voor dag en dauw, ofwel ontbijten we niet en beperken we ons tot twee maaltijden, een vroeg middagmaal en een vroeg avondmaal. Zijn we klaar tegen het avondnieuws. Kunnen we naderhand nog een ijsje of een stukje taart eten.'

Anna is wat men noemt *semi retired*, half met pensioen. Ooit was ze het helemaal. In haar jonge jaren werkte ze op het secretariaat van de vroegere astronaut en latere senator John Glenn, en een jaar of vijftien geleden dacht ze dat de buit binnen was. Ze haalde dat vertrouwen uit een pak beleggingen. Dat is, ongeveer ten tijde van 11 september, en volgens Anna dóór 11 september, evenwel dramatisch in waarde gezakt. 'Ik ben niet alleen. Ik heb geluk gehad. Ik ken oudjes van tegen de honderd die ineens vaststellen dat ze geen geld meer hebben. Die er nooit rekening mee gehouden hebben dat ze zo oud konden worden. Hun uitkering loopt langzaam af of is ook weer aan de beurs gebonden. Wat moeten die dan?'

Zij is zelf eigenlijk wel blij dat ze nu weer werkt; ze draagt schotels rond in een restaurant, al heeft ze de pest aan rijke bejaarden, die ze arrogant vindt en racistisch (ze heeft zwart bloed in haar aderen, zegt ze, al is dat volgens mij met het blote oog niet langer te detecteren). 'Je moet hen snel op hun plaats zetten – dan respecteren ze je. Anders zien ze je als het hulpje met wie gedold mag worden.'

Gilbert, de *early bird* uit Chicago, wil eigenlijk het liefst van al terug naar de plaats waar hij zijn geld heeft verdiend. Hier leeft hij in een condominium met bewaking en een fontein, dat aan een golfterrein paalt. Hij houdt niet zo van golf, hij houdt nog minder van bejaarden.

Hij is de voorbije tijd op de beurs een half fortuin kwijtgeraakt, maar dat stoort hem minder. 'Er is nog geld genoeg.' Eigenlijk wil hij dat geld ontvluchten. Geld associeert hij met luxe en verveling. 'Misschien ligt het aan mijn leeftijd, maar ik heb nog nooit zoveel begrafenisondernemingen opgemerkt. Bankfilialen en begrafenisondernemers. Dat is zo deprimerend – al die luxekisten. Bovendien voorzien de begrafenisondernemingen in reispakketten, want veel bejaarden willen in hun plaats van herkomst begraven worden. Zelfs als lijk wil men ons laten reizen. In luxe. Vroege boekers krijgen korting. Je kunt maar beter je dood plannen.'

Nog iets waar ik hem de bek niet over moet openbreken: botox. Een tijdje geleden werd dat de rage. Ineens werd iedereen met antirimpelinspuitingen behandeld. Het neveneffect is dat de gelaatsuitdrukkingen ongeveer vastliggen. 'Ik zeg altijd: ik ken mijn tijdsgenoten niet langer, ik leef tussen mensen die als enige uitdrukking de sombere grijns hebben.'

Met permissie: zijn gelaat vertoont ook een sombere grijns.

Hij knikt gelaten. 'Ik ben zelf ook zo'n idioot.'

Ron Suskind is naar Sarasota afgezakt om zijn boek, *The Price of Loyalty*, te promoten. Promotie is niet echt nog nodig. Het boek staat al weken aan de top van de bestsellerlijsten. Suskind laat in zijn boek gewezen medestanders van de president aan het woord. De meest prominente van die oude medestanders/nieuwe critici is Paul O'Neill, gedurende enkele jaren de 'economische tsaar' van Bush, die diens houding tijdens kabinetbijeenkomsten omschreef als die van 'een blinde in een kamer vol doven'.

In deze stad met overwegend Republikeinse bejaarden is het publiek toch eerder pro-Democratisch, en de kritiek van Suskind op Bush gaat erin als zoete koek. ('Hij leidt de meest wraakzuchtige regering sinds mensenheugenis, als je iets schrijft dat ook maar lichtelijk kritisch is volgen er meteen represailles en dreigementen.')

Na goed anderhalf uur infotainment en Bush-kritiek eindigt Suskind, die zijn moeder in het publiek weet – ook zij is in Sarasota komen wonen – zijn sessie met een verhaaltje uit zijn jeugd.

Op de beroemde avond van de eerste maanlanding, in juli 1969, viel, iets meer dan twee minuten voor de landing, de elektriciteit in zijn dorp uit. 'Mijn vader, die in de Tweede Wereldoorlog had gevochten, vertoonde de neiging om kalm te worden in onmogelijke omstandigheden. Hij dreef de familie naar de auto en begon veel te snel te rijden, op zoek naar licht. Het leek een eeuwigheid te duren, in ieder geval langer dan twee minuten, maar uiteindelijk zagen we licht. We stopten, mijn vader belde aan, en de vrouw des huizes vroeg niets. Ze zei gewoon: "Haast jullie." Bleek dat er al ongeveer dertig mensen in de woonkamer waren samengetroept, in pyjama of aangekleed. In mijn herinnering lijkt het alsof Neil Armstrong net op dat moment zijn eerste stap zette. Iedereen omhelsde iedereen, en elke ouder zei tegen elk kind dat geen ogenblik in hun leven belangrijker zou blijken dan dit, en dat ze zich de rest van hun leven de geschiedenis zouden herinneren die hier werd geschreven.

Hoewel dat huis mijlenver lag van het onze, wisten we meteen het toilet en de tv-kamer te vinden – dat huis had dezelfde indeling als het onze – alle huizen in onze buurt zagen er trouwens hetzelfde uit.

Dat was Amerika, wat naïef, solidair, met mensen die allemaal in hetzelfde schuitje zaten, een land dat ervan uitging dat de waarheid haar rechten had. Misschien heeft het met opgroeien te maken, maar in dit tijdsgewricht, in mijn huidige job als journalist, ontmoet ik nog weinig mensen voor wie de waarheid een evident goed is.'

Ik loop een paar dagen met Suskinds analyse rond. De huidige gepensioneerden moeten de wat naïeve consensus die hij beschrijft nog hebben meegemaakt. Maar ook zij schijnen dat vermogen tot onverklaarde en vanzelfsprekende verbroedering kwijtgeraakt te zijn. Ik hoor voornamelijk – excusez le mot – gekanker, bitterheid.

De vrouw is nog te jong om bejaard te zijn. Ik schat haar een jaar of vijftig. Behalve de weg is ze ook de kluts kwijt. 'Sinds ik uit mijn huis ben gezet herken ik niets meer,' zucht ze. 'Waar zijn we?'

Ze is op zoek naar het Leger des Heils, haar nieuwe onderkomen.

Ze is niet geneigd meer te vertellen, ze is te net gekleed voor dakloosheid, rusteloos en ronduit bang.

Ze weet dat het Leger in Tenth Street gevestigd is. Ik stel voor haar te vergezellen, maar ze denkt terstond dat ik iets van haar wil. Ik draag bij tot haar rusteloosheid. Ze stapt alleen verder, met aarzelende pas.

Een halfuur later wandel ik toch langs de vestiging van het Leger.

'Hey,' vraagt Holly, 'heb je een sigaret?'

Ze is kortgeschoren, rond de veertig, klein en breed, een breedte die nog wordt beklemtoond door een loshangend hemd met Hawaiiaanse motieven. Ook zonder sigaret wil ze graag praten, wat in haar geval hetzelfde is als roepen.

Ze spaart voor de huur en het onderpand van een woonwagen. Over goed een maand, schat ze, kan het zover zijn. Ze werkt in een benzinestation. Ze houdt van motoren. Het is de eerste baan in tijden die ze enkele maanden weet te behouden.

Zonder overgang begint ze in haar mobieltje te roepen: 'Wat is het dat je me wilt vertellen? Is het seksueel? Waarom zou ik je niet langer graag zien? Heb je een vriend? Ben je zwanger? Weet je familie nog niet dat je ook vriendinnen hebt? Je bent zeventien? Wordt zeventien of wordt achttien? Zolang ik niet in de gevangenis beland, kan het me niet schelen. Als je me aan je ouders voorstelt, kan ik gerust voor twintig of zo doorgaan (ze grijnst in mijn richting). Zullen we bij je ouders slapen of in een motel? Vergeet niet: ik kan je zo rood laten worden als een tomaat.'

Ze grinnikt nog even na. Rood als een tomaat: '*You'd better believe it, girl.*'

'Praat ik te luid?' vraagt ze me even later. Intussen luisteren vijf medebewoners van het Leger mee, zonder al te evidente ontsteltenis. 'Je moet weten: ik kom uit een diepchristelijke familie. Ik was vijfendertig toen ik eindelijk durfde te bekennen dat ik lesbisch ben. Ik werd verstoten en heb me tegelijk voorgenomen nooit nog voor iets of iemand mijn mond te houden.'

Wat is er met haar telefoonpartner aan de hand?

'*Dunno for sure*. Ik heb haar via het internet leren kennen. Ga haar morgen voor het eerst opzoeken. Klaarblijkelijk is ze vijf jaar jonger dan ze had gemaild. Waarschijnlijk heeft ze zich ook moediger getoond dan ze is. Nu de ontmoeting dichterbij komt, begint het te kriebelen. Misschien is ze nog niet openlijk lesbisch. Ik heb haar gewaarschuwd: ik ben een orkaan. Als ze niet klaar is, moet ze van me wegblijven. Ik hoop dat ze klaar is, *you betcha*.'

Naples, nog enkele graden chiquer dan Sarasota, wil liever niet als bejaardenslaapstad bekendstaan. Slechts een kwart van de bewoners, dat staat zo prominent in de brochures die de stad verspreidt, is ouder dan vijfenzestig. Volgens die brochures wonen er tegenwoordig in Naples meer babyboomers – net niet gepensioneerden, vaak gevlucht uit de grotere steden en hun al dan niet vermeend geweld of hun al dan niet vermeende terreurdreiging – dan personen op rust.

Die babyboomers zijn, in vergelijking met de bejaarde bewoners van Sarasota, opvallend ongemanierd, gestrest. Ze kijven op trage roltrappen en vergeetachtige diensters, ze kijven op het nochtans vlotte verkeer.

Gelukkig domineren de ouderen het stadsbeeld (de relatief jongeren werken nog, valt uit hun stressgedrag af te leiden).

Op een bank in de autoarme hoofdstraat zitten twee vriendinnen, de ene met een walkman op het hoofd, de andere met een make-upset in de linkerhand en een stift in de rechterhand waarmee ze haar gezicht hertekent. Ze hebben allebei jongere contouren, jonge haardossen, maar de huid verraadt een gevorderde leeftijd. Een paar tellen nadat ik naast hen heb plaatsgenomen wordt eerst de make-upvrouw opgebeld, en dan haar vriendin, die de Jupitersymfonie laat doorlopen tijdens het gesprek.

'He schat,' ik vermoed dat ze met haar lief belt, 'ik heb een tip gehoord van een vriend van mijn zoon. Die is doorgaans heel voorzichtig met zijn geld, maar een bepaald aandeel vindt hij onweerstaanbaar. Ben je geïnteresseerd?'

De make-upvrouw legt intussen aan haar dochter een bereiding uit. 'Eerst het wit, dan pas het geel, niet tegelijk, en niet omgekeerd.'

Ik wil hun net vragen waarom mobiele telefoons zoveel meer verspreid zijn in Florida dan in de vorige delen van mijn reis, wanneer de make-upvrouw opnieuw opgebeld wordt. Haar vriendin telefoneert nu met haar zoon.

'Schat, hoe noemde je die aandelen ook alweer? Ach zo, dat zal ik hem vertellen. Nee nee, eet je frieten maar rustig op.'

De make-upvrouw: 'Dan liever rode paprika's, rood voor de kleur, niet voor de smaak. Nee, in geen geval wortels.'

De Mozart-luisteraarster belt opnieuw met haar vriend en brengt hem de boodschap van haar zoon over. 'Ik maak je rijk,' pocht ze in haar toestel, 'nog rijker.' Pruilmond.

De make-upvrouw, nu telefoongesprekloos, doet haar beklag, eerder in het ongewisse dan tegenover mij. 'Vroeger zeiden we: de beste echtgenoot is een dode echtgenoot. Maar nu we zover zijn, voelt ze opnieuw de kriebels.'

De Mozartfan, die al dan niet het vorige heeft gehoord, wijst naar haar telefoon. 'Nu we in Florida wonen is de telefoon onze vorm van familiebezoek. Als je niet welkom bent bij je kinderen, leggen zij of jij de hoorn neer en ben je zo weer uit hun leven. Dit is zo praktisch.'

Voor een slaperig plaatsje kent Naples wel heel veel opschudding. In de paar dagen dat ik er verblijf is er een vestiging van McDonald's overvallen (zevenhonderd dollar buit, zevenhonderd politieauto's met zevenhonderd sirenes die de overvallers achtervolgen) en heeft een twaalfjarige enkele hectare struikgewas, vlak bij woningen, in brand gestoken (zevenhonderd brandweerauto's met zevenhonderd sirenes die proberen te blussen, plus tweehonderd politieauto's om de twaalfjarige te arresteren).

'Ik droom van wat ophef,' zegt Amanda, terwijl ze eerst, wat meewarig, de twaalfjarige heeft zien passeren, en nog altijd, gefascineerd, de brand observeert. 'Het leven is hier zo saai. Geen nachtleven, geen clubs, geen muziek.'

Over haar borst leest de passant de wat dubbelzinnige boodschap: IF YOU GOT IT, FLAUNT IT.

'Goed hè,' vindt ze. 'Ik ben zo plat als een pannenkoek. Ik heb helemaal niets om mee te pronken. Geef me andere kleren en ik kan voor een man doorgaan.'

Ze is uit Arkansas afkomstig, uit een dorp in de Ozark Mountains, waar ze tweehonderd dollar huishuur betaalde. 'Hier betaal je zoveel huur voor een garageplaats. We bewonen een oud appartement en dat kost ons nog zevenhonderd dollar per maand.'

Ze is met haar verloofde en haar kind uit een vorige relatie naar Naples afgezakt omdat het geld er aan de bomen zou groeien. Het plan was om een jaar hard te werken en dan een eigen huis te kopen en op huwelijksreis te gaan. Het rijk worden wil maar matig lukken. Haar verloofde vindt zijn draai niet, en zij werkte eerst in een kruidenierszaak en heeft daar recent een dagjob als poetsvrouw in een luxehotel aan zee aan toegevoegd. Met een derde baan zou ze op het einde van de maand misschien een beetje kunnen sparen.

Haar werk in het hotel is nog onaangenamer dan het werk in de winkel, vindt ze. 'De rijkdom van de toeristen kan me niet schelen, maar hun onvriendelijkheid schrikt me af. Ze steken de draak met mijn zuidelijk accent, en niet op een leuke manier. Ik ben nooit afgeblaft tot ik voor rijke mensen begon te werken.'

Wat misschien nog erger is: ze is haar muziek en haar God kwijt. In Arkansas speelde ze bas en fluit in het kerkorkest. 'Hier heb ik nog geen kerk gevonden die me zint. Er is te veel spektakel, te veel gepronk, te weinig religie. Ook in de kerk voel ik me uitschot. In Arkansas kun je religieus zijn zonder in een kwezel te veranderen. Ik was als ongehuwde moeder even welkom in mijn kerk als voordien.

Ik lees graag over religie. Ik heb ooit het zinnetje opgevangen: "open boek betekent open geest". Arkansas is op vele gebieden achterlijk en arm, maar de geesten zijn er meer geopend dan in Naples, vind ik.'

Ze wil naar Nederland op huwelijksreis, zegt ze ineens.

Waarom?

'Ik denk dat mijn voorouders uit Nederland afkomstig zijn. Ze hebben lange tijd in Pennsylvania gewoond. Mijn naam is Holland – dat moet toch een reden hebben. Hoe ziet het land eruit? Bergachtig?'

Plat als een pannenkoek.

Ze zegt het na in het Nederlands.

'Wauw, ik spreek een vreemde taal.'

De volgende dag, aan de rand van de luxe van de binnenstad. Julia vraagt of ik met haar op de bus wil wachten – stadsbussen zijn schaars en vaak laat. Als ze alleen is, twijfelt ze aan hun komst, wordt ze ongedurig en vertoont ze de neiging om van de halte weg te lopen.

'Je lijkt op mijn oudste,' zegt ze, maar dat heeft niet zoveel te betekenen. Ze toont even later de buil op haar hoofd. Die heeft ze opgelopen toen ze zich eerder op de dag aan haar kast stootte – ze is slechtziend. De gedachte aan haar zoon is niet gelukkig. 'Hij weigert me op te zoeken als ik niet eerst geld toezeg, of hem een nieuwe auto beloof. Hij zou willen dat ik meer geld aan hem besteed dan aan mezelf.

God,' moppert ze, 'heeft de mannen in mijn leven met twee schoonheidsfouten op de wereld gezet: ze drinken en ze denken verder alleen maar aan seks.'

Nu ze toch bezig is, klaagt ze nog even door. Ze heeft net het ziekenhuis verlaten, waar een gezwel aan haar darm is onderzocht. 'De dokter wil niets definitiefs zeggen, maar ik weet net zo goed als hij dat ik kanker heb. De gouden leeftijd noemen ze dit.' Ze verbijt even een glimlach. 'Goud in de mond, zilver op het hoofd en lood in de kont.

Ik heb mijn leven lang twee diensten gedraaid in een restaurant in Alabama, heb vier kinderen gebaard, twee nietsnutten van jongens en twee schatten van meisjes. Ik heb zelfs enkele kleinkinderen bij mijn dochters. Mijn man wou na zijn pensionering vissen, en dus verhuisden we naar een woonwagen in Naples. Drie maanden geleden is hij dood neergevallen. Ik wil na zijn dood niet dweperig doen. Ik heb afgezien met die man. Maar nu mis ik ook zijn gezelschap.

Ik weiger naar Alabama terug te keren, al ken ik hier geen ziel. Zondag ben ik heel alleen vijfenzeventig geworden. Uit ellende ben ik in het bejaardentehuis op bezoek gegaan, heb gekaart met een negentigjarige die wel wist dat ik hem liet winnen, en heb de nagels van een vijfentachtigjarige gelakt. Die vrouw was al even eenzaam als ik. Ze stelde voor dat we zouden gaan samenwonen.'

Julia denkt opnieuw aan haar zoons, en met name aan haar oudste: 'Die begrijpt niet dat ik zelf in de problemen kom als ik voor kanker behandeld moet worden. Dat kost handenvol geld, Misschien wil hij wel dat ik doodga en hem zo snel mogelijk al mijn centen overmaak. Vorige week belde ik hem en dat was het enige wat uit zijn mond kwam: "Mams, ik heb geld nodig, een auto..." Ik heb hier het allerlelijkste woord leren gebruiken, een woord dat ik voordien nooit heb gebezigd: nee. Nee!' Ze onderdrukt opnieuw een glimlach: 'Rara... Het is alleen en het zegt neen.'

De bus van de oranje lijn draait leeg voor.

Het begint, behalve bij gebrek aan bus, als een uitdaging. De exploitant van een apotheek in de binnenstad beweert dat niemand zo ver kan wandelen. Ik zoek huisnummer 5377, van de hoofdweg, de Tamiami Trail. Wat min of meer betekent dat ik 53 straten zal moeten kruisen alvorens ik vanuit de binnenstad mijn bestemming bereik.

Edoch. Niet veel meer dan anderhalf uur later, aan nummer 5113, houden de huizen op en begint een golfterrein. Ik vraag aan nummer 5113, waar enkele winkels samenklitten tot een kleine shoppingmall, hoe ik alsnog nummer 5377 bereik. 'Dit is het zuiden van de weg,' legt een winkelier uit. 'Wat je zoekt is allicht aan de noordkant gelegen. Dat wil zeggen: ongeveer even ver van het centrum, maar aan de andere kant.'

De apotheker had me naar het zuiden gestuurd, moedwillig of uit onwetendheid. Voorzover ik me herinner had de boekhandel met nummer 5377 geen windrichting bij de lokatie vermeld. Opnieuw goed anderhalf uur later sta ik alweer aan de apotheek, die intussen gesloten is – zodat ik nooit zal weten of moedwil mijn wandelpoging heeft genekt.

Het was niet helemaal een onzinnige onderneming. (Wat niet onmiddellijk duidelijk werd, de zonnesteek was wel degelijk onzinnig.) Ze leerde iets over de uitgestrektheid van Amerikaanse nederzettingen. Naples is weliswaar een snel groeiende maar al bij al toch een kleine stad. Zo'n stadje van niemendal veroorzaakt toch vijftien kilometer (in de twee richtingen gerekend) bebouwing.

De wandeltocht leert iets over de natuur. Zelfs lanterfantend langs een verkeersader, weg nummer 41, vrij druk, vond ik meer soorten vogels (pelikanen!), hagedissen en eekhoorntjes dan tijdens de gemiddelde schoolexcursie door het Verdronken Land van Saeftinghe.

Ik leerde iets over de autoloze weggebruikers. Dat zijn namelijk de niet-witte bewoners. Jaime is er een van, een Mexicaan die zittend op zijn fietszadel aan een publiek telefoontoestel hangt. Hij belt met zijn familie. Zijn dochtertje is ziek en hij maakt zich zorgen. 'Wellicht is haar maag gewoon wat van streek, maar het duurt nu al een week.' Elke cent die hij optelefoneert, kan hij niet versturen. Dat is de afweging: contact kost geld dat zijn familie nodig heeft om te leven.

Jaime woont al acht jaar in Florida. Eerst probeerde hij als taxichauffeur aan de kost te komen, maar hij slaagde er nooit in om zijn taximelker te betalen, laat staan om geld te verdienen. Tegenwoordig werkt hij als zelfstandig klusjesman annex tuinier. 'Ik onderhandel niet langer over het loon. De bejaarden denken al gauw dat ik een fortuin vraag, en ze haken af. Nee. Tegenwoordig werk ik voor wat mensen me willen betalen en hoop dat ze achteraf een fooi aan mijn loon zullen toevoegen. Soms valt dat tegen, en werk ik ongeveer gratis. Soms valt het mee. Deze fiets was een fooi.'

Hij woont samen met enkele vrienden in een soort caravan. 'Daar probeer ik niet bij stil te staan – mijn werkgevers draaien hun hand niet om voor honderdduizend dollar min of meer, maar mij betalen ze peanuts.

Van het moment dat ik je zag wandelen, wist ik dat je geen Amerikaan kon zijn. Als Amerikanen zich verplaatsen gebeurt dat met een auto. Als ze willen vermageren kopen ze eerst een trainingspak of een wielrennersbroek, zodat ze er niet langer als wandelaars of gewone fietsers uitzien. Met het pak eindigt vaak de motivatie, vandaar dat ik deze fiets heb gekregen. Maar oefening zonder pak is uitgesloten.'

Weinig plaatsen kunnen wedijveren met Ocean Drive in Miami Beach. De bewoners of bezoekers zijn in alle opzichten te: te actief, te gespierd, te rijk, te veel met slangen bezig, te welriekend, te stoned, te onvoorzichtig bij het zwemmen. In het duister, op een plek waar een paar uur later een wurgslang (een python uit Birma?) doelloos het kopje zal heffen, en enige interesse zal tonen voor een gevulde kinderwagen, probeert een zwarte man me de voordelen van godsdienst bij te brengen.

'Hoezo geen geloof?' gnuift hij. 'Weet je wat je probleem is? Je ziet God niet. Voel je de wind?'

De zoute, zanderige wind waait strak en onmiskenbaar in het gezicht.

'Maar zie je hem ook?'

Hij antwoordt zelf al: 'Natuurlijk niet. Zo is het ook met God. Je ziet hem niet, maar hij is er wel. Ik hoor soms wetenschappers bezig over de *big bang* – ben je zelf een wetenschapper misschien? Ik zeg dan: niets zonder oorzaak.' Hij knijpt me in de arm. 'Is er geen oorzaak voor die pijn? Is je shirt niet door iemand gemaakt? Uit welke *big bang* is al een T-shirt tevoorschijn gekomen?'

De bijna onzichtbare man wordt ineens onderbroken door een te rijke, zwarte vrouw die ter hoogte van ons gesprek haar geld verliest – briefjes waaien in het duister. Een bundeltje biljetten klapt tegen de grond – meer lawaai dan ik briefjes ooit heb horen maken.

De predikant verandert in een geldgraaier. De vrouw, niet sober valt te veronderstellen, lijkt ternauwernood te beseffen wat ze heeft verloren en neemt haar bijeengescharrelde eigendom wat verbouwereerd, verbeten glimlachend, aan.

De man krabbelt tevreden overeind. 'Ik heb een briefje achtergehouden.'

Hij telt zijn winst na: tien dollar. 'Ze was te suf om aan een fooi te denken. Ik had wel honderd dollar verdiend, vind ik. Dat is nu God. Je ziet hem niet, maar ineens waait het geld je toe, zo letterlijk als dat maar kan.'

Een makker komt hem een mobiel telefoontoestel aanbieden en bedelt tegelijk om wat muntjes.

Miami, de jongerenstad, de uitgaansstad bij uitstek, de stad van gekte, disco, gebronsde lijven en gevulde krab, de stad van Cubaanse dissidenten, en hoge criminaliteit (meer moorden in Miami dan in Canada), van peptalk en speed en cocktails, is een wat vreemde metropool voor deze staat van licht- en hoogbejaarden.

Het landsdeel ten zuiden van de stad is uitgevonden om toeristen te plezieren. Alligators in rust bekijken vrij moedeloos onverschrokken reigers, en duiken dan onder, in de hoop dat een jonge schildpad onvoorzichtig wordt. Na de Everglades volgen de koralen van de

Keys, een lange weg, die de koraaleilanden verbindt, met langs weerszijden zee en attracties, boten met doorzichtige bodems die de kleurenweelde van de vissen tonen, plus aan alle kanten zonsondergangen, of zonsweerspiegelingen, in postkaartblauw water, waartussen bejaarde Hells Angels behoedzaam en enigszins onzeker, maar nog altijd getatoeëerd en in shirtloos leer verpakt, op duidelijk dure motoren razen. Vanaf Miami wordt de smeltkroes Amerika weer voluit blank, op het personeel na. De prijzen zijn exclusief en hoog, de natuur is onvolprezen en onstandvastig (in het juiste seizoen kun je van het werelddeel worden geblazen), het entertainment... wel, onderhoudend.

'Hoe meer jullie drinken, hoe beter ik klink,' stelt zangeres Lee, in restaurant De Koperen Ketel in Tavernier. Ze is lijvig, ze maakt reclame voor zichzelf op de lokale radiozender, ze heeft wel tweeduizend liedjes op haar karaokemachine staan die ze, tenzij ze wordt tegengehouden, ook alle zingt, hoewel ze graag de machine afstaat aan klanten die zich evenmin van deuntjes kunnen weerhouden.

Maar de grappen die Lee tussen de bedrijven door vertelt maken haar zangprestaties verteerbaar. Zoals deze: 'Een man valt na een wilde namiddag met zijn minnares in slaap en wordt te laat wakker. Hij vraagt zijn minnares om zijn schoenen in het vuil te draaien. Daarna rijdt hij naar huis. Zijn echtgenote wijst hem op zijn laattijdigheid. Hij vertelt: "Ik bracht een wilde namiddag met mijn minnares door en versliep me, waarna mijn minnares mijn schoenen vuilmaakte." Waarop de vrouw repliceert: "Vertel geen onzin. Moet je dan altijd op het golfterrein je tijd verdoen?"'

Op negentien mijl van Key West (bewoners maken aan de hand van de mijlpalen langs de enige doorgaande weg duidelijk waar ze ongeveer wonen; aan de mijlpaal beland, kun je bellen voor verdere instructies) staat, verdekt opgesteld, het huis van Barbara Ehrenreich. Ehrenreich is nog net niet bejaard – ze werd in 1941 geboren – maar ze is onbetwistbaar welvarend.

'Ik passeerde hier negen jaar geleden en wist meteen dat ik hier wilde wonen,' vertelt ze over haar al bij al, gelet op de omgeving, nog bescheiden huis, dat via een loopbrug over mangrovestruiken met de zee verbonden is. Aan weerszijden van de loopbrug schieten naaldvissen door het water en tussen de struiken. 'Over een maand of twee worden die vissen nog talrijker en springen ze op uit het water.'

Ehrenreich kajakt van hieruit naar onbewoonde eilanden die een mijl of zo zeeinwaarts liggen. Een sessie voor de middag en een sessie later om haar conditie op peil te houden. Op zwemmen is ze niet zo tuk. Het water is te ondiep en: 'Ik heb vanochtend nog haaien opgemerkt.'

Ze wijst naar de zoutneerslag op de mangroveblaadjes. 'Die struiken halen het zout uit het zeewater.' Mangrove, zout, haaien en in de hemelen meer vogels dan een stadsmens kan onderscheiden: deze woning garandeert haar, zo dicht bij de drukte van toeristisch, bijwijlen liederlijk Key West (uitspattingen voor bejaarden, in de – dronken – geest van Hemingway), een paradijselijke, bijna kommervrije rust.

Ehrenreich is er het type niet naar om die rust altijd te koesteren. Ze begon haar schrijversloopbaan als linkse, naar Amerikaanse normen uiterst linkse, maoïstische activiste, maakte deel uit van een journalistiek collectief, schreef gaandeweg iets minder linkse boeken over vrouwenrechten, over vrouwelijke genezers, over man-vrouw-verhoudingen, over oorlog, maakte columns voor *Time* en meer recentelijk voor *The New York Times*, *Mother Jones* en *The Progressive*. In 2000 ondersteunde ze voluit de derde presidentskandidaat Ralph Nader – waar ze zich achteraf, na de overwinning van Bush, publiekelijk voor kastijdde.

Nog voor die verkiezingen, in volle hoogconjunctuur, aandelen-*boom*, e-*boom*, onder president Clinton, heeft ze de rust van haar woning in de Keys drie keer een maand verlaten om zich te verdiepen in het leven van de minder gegoeden in de Amerikaanse samenleving, 25 tot 30 procent van de bevolking, al bij al misschien negentig miljoen mensen die met moeite de eindjes aan elkaar knopen, en zich rond de armoedegrens ophouden.

Ze zocht in drie lokaties naar ongeschoold werk. Ze begon in naburig Key West, waar ze als dienster in een restaurant werkte of als poetsvrouw hotelkamers schrobde, ging vervolgens in de noordelijke staat Maine werken in een instelling voor bejaarden, en als lid van een reinigingsploeg, om tot slot een maand bij de warenhuisgigant Wal-Mart in Minneapolis te belanden.

Het idee om in de wereld van de slechtbetaalden onder te duiken (overigens soms voor jobs en sectoren die in Europa niet tot de slechtbetaalde zouden behoren) kwam slechts gedeeltelijk van haarzelf. In haar verleden keek ze altijd neer op mederadicalen die hun opleiding – duur en betaald door dubbele shifts werkende ouders – aan de haak hingen om zich bij de arbeidersklasse te voegen.

Ze had zich tijdens een lunch, tegenover de hoofdredacteur van *Harper's*, laten ontvallen dat iemand eens die onderbetaalde jobs van binnenuit hoorde te beschrijven. Waarom jij niet? luidde de repliek, en na enig douwwerk liet Ehrenreich zich overhalen om haar woning en kajak, haar lief en vrienden, haar naaldvissen te verlaten en te proberen zonder hulp van buitenaf en zonder gebruik te maken van haar schrijftalenten of diploma's rond te komen.

Dat is haar in geen van de drie lokaties helemaal gelukt, maar toch bijna, zegt ze met enige trots: 'Het was nipt.'

Waarom precies die drie lokaties?

'Daar lag geen wetenschappelijk plan aan ten grondslag. Ik begon in Key West omdat het dichtbij is. Ik wilde naar Maine omdat die staat overwegend wit is, wat me het rasvoordeel ontnam dat ik als blanke op Key West voelde. En van Minneapolis dacht ik dat het me er gemakkelijk zou vallen, dat een arbeidersstad minder moeilijkheden zou opleveren. Wist ik veel. Ik wilde in ieder geval Los Angeles en New York vermijden, omdat de laaggeschoolde banen daar ingenomen worden door latino's en zwarten. Daar ben je als blanke verdacht als je zo'n plek ambieert.'

Ze hanteerde de smoes dat ze na een echtscheiding ineens voor zichzelf moest zorgen. Daar werden niet al te veel vragen over gesteld – het komt vaak genoeg voor.

Het vinden van een job was in die periode niet zo lastig. Nog altijd wemelt het doorheen het land van de werkaanbiedingen. *Cool job*, *We hire*, *Come in for Job*, borden die een zekere dynamiek en een zeker optimisme suggereren.

'Wat ik toen niet besefte, was dat die borden vaak niet zozeer betekenen dat de bedrijven in kwestie mensen nodig hebben, als wel dat men verwacht dat het huidige personeel snel zal ophoepelen.' Dat, met andere woorden, de werkomstandigheden er niet zo schitterend zijn. In dergelijke jobs wordt wie niet voldoet onmiddellijk ontslagen, en de werknemer die iets beters vindt, kan ook van de ene dag op de andere opstappen.

De lonen schommelden rond zes dollar per uur, een fractie boven het nationale minimum, of zelfs amper twee dollar voor banen waarin fooien te verdienen zijn. Er was altijd wel een opzichter die machtsspelletjes speelde ('Ik kan niet uitleggen wat daar precies gebeurt,' zegt Ehrenreich, 'die opzichters worden zelf niet vet betaald, ze krijgen een promotie en ze spelen spelletjes'), een huisjes- of trailermelker die het beste deel van het inkomen naar zich toe haalde (minstens 40 procent van het loon), om nog te zwijgen van de Europese toeristen, die neerkeken op het fooisysteem of niet beseften hoe levensnoodzakelijk die fooien wel waren (zodat kelners zich genoodzaakt zagen op eigen houtje de fooien aan de rekening toe te voegen).

Eén inkomen volstond nooit om rond te komen, en Ehrenreich probeerde steeds weer verschillende jobs te combineren, een weekjob en een weekendjob, een ochtendjob en een avondjob. De vermoeidheid was bijna niet te harden en de verdubbelde dagtaak werd vaak bemoeilijkt door werkgevers die het vertikken om hun uurregeling op voorhand vast te leggen. De wisselende uren van de ene baan wegen op de prestaties of de aanwezigheden in de andere.

Naarmate de weken vorderden voelde Ehrenreich zichzelf veranderen. Ze werd kribbig. 'Probeer maar eens je goede humeur te bewaren als je negen uur aaneensluitend op je benen moet staan en niet anders moet doen dan de chaos die anderen aanrichten opnieuw ordentelijk maken.'

Ze vermagerde vrij aanzienlijk, twee à drie kilo per maand. 'Voor ik eraan begon, dacht ik: dit lukt me wel. Ik besefte niet afdoende dat je geld nodig hebt om efficiënt arm te zijn en goedkoop te leven.'

Voor een goedkope woning moet je een onderpand geven. Om goedkoop zelf te kunnen koken heb je een fornuis, pannen, Tupperware en een koelkast nodig. Met haar inkomen slaagde ze er nooit in die op termijn tot besparingen leidende gebruiksvoorwerpen te kopen. Ze kon zich ook nooit een ziektekostenverzekering veroorloven. 'In mijn beste maand heb ik twaalfhonderd dollar verdiend. Na aftrek van belastingen bleef daarvan duizend dollar over. Als je daar nog honderdvijftig dollar van moet afpeuteren om jezelf te verzekeren, blijft er niet voldoende over om te eten.' En al helemaal niet als blijkt dat je goedkoopste verblijfsmogelijkheid, een trailer of een motelkamer met een defecte deur, zeshonderdvijftig dollar per maand kost.

Haar dieet bestond al gauw voornamelijk uit fastfood, vetter dan ze onder haar normale omstandigheden zou accepteren, maar in haar laagbetaalde banen 'brandde ik het vet snel op. De meesten van mijn collega's waren mager. De opzichters, de mensen die op een stoel kunnen zitten, zijn vaak wat dikker.'

Ehrenreich, de linkse schrijfster, ogenschijnlijk onthecht, die geen groot gewicht toekent aan geld en ander materieel bezit, veranderde in een mum van tijd in een soort universele rekenmachine. De Engelse titel van haar boek, *Nickel and Dimed*, verwijst daarnaar. Nickels en Dimes zijn de kleinere muntjes onder de dollar, respectievelijk vijf en tien cent waard, en de uitdrukking *Nickel and Dimed* 'betekent niet zozeer leeggezogen worden als wel jezelf het hoofd moeten breken over wat na de dollarkomma komt. Dat is arm zijn. En elk incident, een kortstondige, niet-betaalde afwezigheid wegens ziekte, kan een financiële catastrofe veroorzaken, die je misschien niet te boven komt.' (De titel van het boek is, zoals blijkt, onvertaalbaar, de Nederlandse vertaling, uitgegeven bij Atlas, verscheen onder de titel: *De achterkant van de Amerikaanse droom*.)

De samenloop van Ehrenreichs eigen, luxueuze levensomstandigheden en het onderwerp van het boek blijft bizar. We verhuizen naar een openluchtvisrestaurant waar gefrituurde garnalen of gebakken krabben en gedroogde oesters zullen leiden tot een rekening die haar in haar armemensenmaanden enkele dagen arbeid zou hebben gekost.

Nu praat ze erover hoe anderen de eindjes aan elkaar knoopten, wat ze zelf nooit helemaal kon (ze gunde zichzelf bijvoorbeeld een huurauto, die ze zich met haar loon niet kon veroorloven).

Het komt eropaan de kosten te delen. 'De meesten leven samen met anderen. En met bijvoorbeeld twee lage lonen heb je toch wat meer speelruimte. De huur ligt niet zoveel hoger voor twee dan voor een alleenstaande. Daar staat tegenover dat er ook alleenstaanden zijn met kinderen. Ik kan me nu nog altijd niet inbeelden hoe die het redden. In sommige gevallen zorgt de overheid voor een tegemoetkoming. Ikzelf verdiende te veel om voor overheidssteun in aanmerking te komen.'

Ze kon af en toe wel een voedselpakket van een liefdadigheidsinstelling oppikken, dat dan voornamelijk uit koeken en snoep bleek te bestaan, met de zelfgekochte fastfood een redelijk afgrijselijke combinatie.

'Die instellingen geven wat ze zelf krijgen. Vers voedsel is daar zo goed als nooit bij.'

Vooral in de derde etappe van haar werkreis werd Ehrenreich zowel murw (ze verloor ten dele haar vermogen om voor zichzelf op te komen) als opstandig. De gigant Wal-Mart, de grootste privéwerkgever in het land (en wordt gezegd: in de wereld), strikt zijn personeel op geraffineerde en vernederende wijze. 'Je begint met een drugstest. Als je die doorstaat, komt er een soort hoeraboodschap: bofkont! En dan begin je met je opleiding. Voor je weet hoeveel je verdient, ben je al aan het werk in een ploegenschema.'

Op die manier is er nooit gelegenheid om over voorwaarden te onderhandelen. Mensen worden niet echt aangeworven. Ze schuiven in de klaarstaande baan en voelen het aan alsof ze blij mogen zijn dat ze de testprocedure hebben doorstaan. Overuren worden niet uitbetaald – werknemers worden na de reglementaire uren geacht af te klokken en daarna onmiddellijk opnieuw in te klokken, alsof er een nieuwe werkdag begint.

'Er wordt tijdens de opleiding een taalgebruik geïntroduceerd dat erop gericht is te verdoezelen dat het in de hypermarkt om economische transacties gaat. Klanten worden cliënten, werknemers worden geassocieerden.' En geassocieerden, hoe onderbetaald en onverzekerd ook, worden af en toe, bijvoorbeeld aan het begin van hun werkdag, geacht ritueel hoera te roepen voor hun bedrijf, en de rest van de dag geen tijd te stelen van hun werkgever. In de koffieruimte staat de tv altijd hard om geassocieerden te beletten een gesprek te voeren. Tijdens het werken mogen geassocieerden onderling geen gesprekken voeren, en evenmin over niet aan het werk gerelateerde onderwerpen converseren met cliënten. Daar wordt door etters van toezichters op gelet.

Werknemers wordt ook belet hun salaris bekend te maken. Daarop staat ontslag als sanctie, 'hoewel dat bij wet verboden is. Werkgevers vinden altijd wel een excuus voor het ontslag.'

Ehrenreich beschrijft hoe ze na bijvoorbeeld zes uur ononderbroken rangschikken van vrouwenkledij haar break van vijftien minuten zo inrichtte dat ze zo efficiënt mogelijk kon plassen, drinken, buitenlucht inademen, en bovendien de tijd vond om een sigaret te roken terwijl ze er ook nog naar streefde even ergens te gaan zitten om uit te blazen.

'Onlangs las ik dat het management van een Wal-Mart-vestiging het personeel om middernacht had opgesloten. Men wilde het personeel pas vrijlaten als de winkel pico bello in orde gemaakt was. De werknemers zouden niet voor de extra uren worden uitbetaald. Bij een inventaris had men ook weer het personeel opgesloten. Dat bleek toen een van de werknemers een hartaanval kreeg en niet kon worden afgevoerd. En los van Wal-Mart vind je, bijvoorbeeld in assemblagebedrijven en aan kassa's, steeds meer werknemers die luiers dragen omdat ze de plaspauze niet halen. Had je me tien jaar geleden gevraagd of ik dat voor mogelijk hield: nee, absoluut niet. Ik dacht toen nog dat werkgevers er baat bij hadden hun werknemers in comfort te laten leven.'

'Toen ik mijn onderzoek deed, was iedereen vol lof over de ononderbroken bloeiende economie onder Clinton. En tot op zekere hoogte viel daar iets van te merken – in de huidige conjunctuur zou ik er allicht niet in geslaagd zijn drie volle maanden te werken.'

Maar de hoogconjunctuur ten tijde van president Clinton leek de werkomstandigheden of de lonen niet ten goede te komen. 'Terwijl ik altijd had gedacht dat dit een basiswet van de economie was – dat schaarste op de arbeidsmarkt de lonen opdrijft. Blijkbaar geldt zoiets niet in de slechter betalende sectoren.'

Een andere, bevreemdende vaststelling: de werknemers in dit systeem zijn zelden opstandig en krijgen weinig tot geen aandacht van media of auteurs, maar van Ehrenreichs boek zijn in de VS alleen ruim achthonderduizend exemplaren verkocht.

'De verkoop werd onder meer vooruitgeholpen door de werknemers van de boekhandels, die zelf onderbetaald worden en veel van hun eigen situatie in het boek herkennen. Zij hebben het boek alom aanbevolen of op prominente plekken gezet.'

Ehrenreich is het er overigens niet helemaal mee eens dat het de werknemers aan opstandigheid ontbreekt. 'We hebben in dit land geen traditie van collectieve actie. Wat kun je als individu beginnen? In de periode dat ik bij Wal-Mart werkte, begon er een staking in negen hotels in Minneapolis. Daarover werd bericht op tv en in kranten, en die berichtgeving stimuleerde ook bij Wal-Mart-personeel het debat. Sinds mijn boek in 2001 verscheen hoor ik van allerlei campagnes die toch ondernomen worden. We proberen studenten tot solidariteit te bewegen met het onderbetaalde onderhoudspersoneel op hun campus. Dat soort dingen.' Er is ook een poging aan de gang om bij Wal-Mart een vakbondswerking mogelijk te maken – het bedrijf verzet zich met hand en tand. 'Ik denk dat de toevloed van latino's het bewustzijn verscherpt. Zij hebben blijkbaar een grotere traditie van collectieve actie.

Men vraagt me vaak: waarom kiezen mensen in dergelijke onderbetaalde, ronduit gruwelijke jobs dan geen betere baan? En het klopt zelfs dat je, als je zoekt, her en der een dollar per uur meer kunt verdienen, wat veel is. Maar de meesten hebben de luxe niet om te zoeken, of om zich te verplaatsen. Daar heb je een auto voor nodig die ze wellicht niet hebben. En als ze een auto hebben, moet je voor een andere job je traject veranderen, omdat je hoe dan ook de kinderen bij hun grootmoeder moet afzetten, en dan dagelijks een uur extra in de file staan. Dat soort overwegingen speelt vaak mee in de keuze van een werkplaats.'

In haar periode bij Wal-Mart kende Ehrenreich een euforische bevlieging. Ze had haar werk onder de knie en ondervond enige werkvreugde (over het algemeen, schrijft ze, was het personeel ontzettend plichtsbewust en al bij al vrij vrolijk). Ze begint in haar boek te filosoferen over de maatschappelijke rol van warenhuizen, waar moeders, die zelf een hele dag de chaos of wanorde in hun familie opruimen, eindelijk de gelegenheid krijgen om zelf chaos aan te richten, producten van rekken te trekken, opsmuk te verstoren, gevouwen of gehangen textiel in propjes te draaiden. Waarna geassocieerden, in een rol van universele moeder, de orde herstellen die de winkelende moeders hebben verstoord.

Hoe zou Barb-Mart verschillen van Wal-Mart?

'Aan dergelijke mastodonten valt niet veel te veranderen, vrees ik. Die halen de omzet van een middelgroot land, hoe zou je daartegen in kunnen gaan? Doorgaans hoor ik van vrienden en kennissen twee soorten opmerkingen. Ofwel: die werknemers nemen de verkeerde beslissingen, daarom zijn ze zo arm. Of deze: je haalt hen uit hun miserie door hun een betere opleiding te geven. Wat dat laatste betreft: hoe groot mijn liefde voor het onderwijs ook is, tegenwoordig is er een aanzienlijke groep van hoogopgeleide langdurig werklozen. Een opleiding biedt geen garantie tot meer welvaart. En foute beslissingen neemt iedereen. Mensen met een laag inkomen worden bovendien bijna structureel verplicht foute beslissingen te nemen.'

Ze bedoelt: slecht eten, besparen op het essentiële, ziekteverzekering, onderwijs.

'Voor mij is de enige maatregel die onmiddellijk effect sorteert een loonsverhoging. De lonen zijn er de voorbije dertig tot vijfendertig jaar niet of nauwelijks op vooruitgegaan. Enkele staten, onder meer Florida, overwegen om het minimumloon op te trekken van 5,15 dollar naar zeven dollar. Dat zou al een begin zijn.

Bij Wal-Mart probeerde men ons in te peperen dat hogere lonen zouden leiden tot hogere prijzen voor de producten, en dus tot een lagere omzet. Ik heb nu in een commentaar van een manager gelezen dat dit niet zo hoeft te zijn. De winsten zijn hoog genoeg om een loonsverhoging te dekken. Maar het management heeft liever lagere lonen omdat meer winst voor een bedrijf beter is dan minder winst.

De slechtbetaalden, hier en in de derde wereld, subsidiëren uiteindelijk de welvarenden. Ze verwaarlozen hun eigen kinderen om voor de kinderen van de rijken te zorgen. Zij verwaarlozen hun eigen gezondheid om anderen gezond te kunnen houden.'

Hebben haar maanden als arme werkneemster Ehrenreichs leven veranderd?

'Ik gaf altijd al behoorlijke fooien, maar nu geef ik luxueuze fooien.'

Van het restaurant verdwijnt Ehrenreich in de auto van een vriendin. Ik moet terugdenken aan de Mexicanen op de stoep van de Save-a-Lot in Sarasota. Ehrenreichs helletje is hun paradijs. Zij dromen er misschien van, in haar terminologie, de rijken te mogen subsidiëren. Dromen van uitbuiting. Dat is mogelijkerwijs zo ver als hun Amerikaanse droom reikt. Want nog erger dan uitbuiting is onaangeroerd blijven.

In Key West, aan het einde van de weg, zijn ellende en uitbuiting geen gespreksonderwerpen meer. De zonsondergang is hier een industrie geworden, met tijdig uitvarende restaurantschepen, met op de kade samentroepende toeristen die Key Lime Pie oplepelen, met handlezers en acrobaten die zoveel drukte verkopen dat de bezoekers uiteindelijk uit het oog verliezen dat een nevelband de ondergaande zon aan het zicht onttrekt.

'Hé,' jent de acrobaat op zijn fietswiel, die onderwijl met drie brandende toortsen jongleert, 'ik heb een goedbetaalde carrière in de financiële wereld opgegeven om jullie te kunnen entertainen. Toon wat enthousiasme.'

Het publiek is matig enthousiast.

5

The Greyhound Experience, cross-country in e mineur

Als je aan de tv wilt ontsnappen, moet je ofwel heel rijk zijn ofwel heel arm. Luxe-logies in Key West voorziet gasten die vermoedelijk althans van new age gehoord hebben geen tv op de kamer. En de arme reizigers kunnen zich doorgaans video- en tv-loos met de bus verplaatsen, hoewel je op sommige stations nog altijd voor een kwartje enkele minuten van een miezerig, met je zetel verbonden, besneeuwd beeld verspreidend, tv-toestel gebruik kunt maken. En hoewel de meer geavanceerde reizigers niet alleen een koptelefoontje dragen om zich van de buitenwereld te isoleren, maar ook, in toenemende mate, hun installatie om films te bekijken, biedt elke wat langere busrit me toch de gelegenheid om even het gecultiveerd geschreeuw van de tv, en de laatste hype, het laatste opgeklopte schuim, achter te laten. Het bussegment van de samenleving is geen welgesteld segment, het is een segment met niet veel andere opties dan tragedies, groot en klein.

In Miami, Florida, stap ik op, en na enkele tussenstops en buswisselingen zal ik enkele dagen later in Denver, Colorado, staan, wat voor wie rechtstreeks reist (wat de bussen niet doen, je reist van groot station naar groot station) ruim tweeduizendtweehonderd mijl, of drieduizendvijfhonderd kilometer, ver is.

We beginnen met vertraging en met een quasi-lege bus, aan een rit richting noordnoordwest. Naarmate de rit vordert, en vooral na een lunchbreak in Tallahassee, verandert quasi-leeg in quasi-vol.

George is misschien twee meter langt, hij weegt wellicht meer dan honderdtwintig kilo, en hij is zo dronken dat hij zich niet kan herinneren tot welke indianenstam hij behoort. (Wat me er niet van weerhoudt het te vragen. Hij herhaalt enkele keren, zwaar lispelend: '*My name is George, George. I'm George.*')

Dan dommelt hij weg. Ergens in zijn slaap heft hij zijn armen dramatisch boven zijn hoofd en laat hij ze ook weer vallen – zijn rechterelleboog port hierbij mijn linkerribben aan. De pijn is groter dan naderhand de blauwe plek zal zijn. George beseft niet dat er iets is gebeurd. Hij sluimert en draait, met vervaarlijk beweeglijke handen.

Ik verhuis naar de enige andere vrije plaats en kom zo naast een jonge Paul van Himst te zitten. De gelijkenis gaat niet verder dan het gelaat. Hij heet Allan, en hij heeft zopas een sollicitatie voor trucker achter de rug. 'Mijn urine vertoonde sporen van drugs,' zegt hij, met oprispingen verbolgen maar doorgaans berustend, alsof hij nog altijd wat stoned is. Hoewel hij precies dat ontkent. 'Op weg naar het sollicitatiegesprek kreeg ik een lift en de chauffeur rookte. Ik zweer dat ikzelf niet geïnhaleerd heb – niet dat ik iets tegen drugs heb.'

Betrapt op secondhand smoke, of secondhand dope?

'R-r-right.' Dat herhaalt hij om de drie woorden. Hij laat het woordje denderen als een drilboor. 'R-r-right.'

Zijn ouders zijn gescheiden, zijn moeder heeft zopas zijn geboortehuis moeten verkopen, hij is nu op weg naar Detroit, waar hij assemblagewerk zal zoeken.

Hij heeft drie jaar als trucker gewerkt, daarbij een keer iemand omvergereden. Dood. 'Ik voelde niets – daar maakte ik dan grapjes over. Hoe zou ik iets hebben kunnen voelen? Vanuit zo'n mastodont.'

Was hij toen stoned?

'Nee. Ik was dus doorgereden, maar hoorde op de radio over het ongeval, met een beschrijving van mijn voertuig. Ben me braafjes gaan aangeven bij de politie. Ben getest en nuchter bevonden. Het slachtoffer was wel in de wind. Dronken. Niemand weet of hij zelfmoord wou plegen of niet had opgelet. Mij viel niets te verwijten. Ik denk soms dat ik ook zo zal eindigen.' In de schemerzone tussen zelfmoord en onoplettendheid.

Bij de tussenstop in Ozark, Alabama, onderzoekt Allan het onderruim van de bus en merkt dat zijn bagage niet meegekomen is. 'Misschien vriest het nog in Detroit – weet ik veel. Ik heb alleen een short aan en een T-shirt.'

Blijkt dat hij zijn tas zonder naam of bestemmingsticket in Miami heeft achtergelaten.

Hij vraagt de chauffeur om advies. Ze geeft hem weinig hoop. 'Je mag heel blij zijn als je tas wordt teruggevonden.' Laat staan dat hij, zoals Allan verwacht, zal worden achternagestuurd. De chauffeur drukt die verwachting resoluut de kop in: 'Er is veel kans dat de veiligheidsdiensten de tas hebben opgeblazen – dat gebeurt tegenwoordig met ongeïdentificeerde, niet-begeleide bagage.'

'Het verhaal van mijn leven,' knort Allan. 'Reis het halve land af voor een baan, die je niet krijgt omdat je betrapt wordt op drugs die je niet hebt gerookt. Verlies onderweg je bagage, die meteen wordt opgeblazen. Beland in short en blut in een streek waar het vriest. R-r-right. Fuck. R-r-right.'

Volgende segment, volgende tristesse. Brad is achttien en een gediplomeerd lasser. Niet toevallig een lasser – hij is wild van Griekse mythologie, hij last omdat vuur hem fascineert. Hij droomt ervan een nieuw soort lastechniek te ontwikkelen dan wel een roman te schrijven – om het even wat eerst komt.

Veertien dagen geleden is hij naar zijn vriendin in Miami vertrokken, met het oog op een langdurige relatie. 'Maar gisterochtend ging ik zes blikjes cola kopen. Op de terugweg heb ik een dakloze zes dollar gegeven.' Zes is, naar hij veronderstelt, zijn geluksgetal. 'Toen ik bij haar appartement aankwam stond er een taxi klaar. Ze wil ruimte, zegt ze. Haar grootmoeder is de eigenares van de taximaatschappij. Ze hebben me een busticket naar huis gegeven. Naar Decatur, Alabama. Een uur tevoren hadden we nog langetermijnplannen zitten maken. En nu is het niet meer gebleken dan een *spring break*, een voorjaarsvakantie.' Een *spring break-up*, voegt hij eraan toe, mijmerend. De terugkeer valt hem des te moeilijker omdat hem eigenlijk geen uitleg is verschaft. Wat zat er fout? Waarom werd de grootmoeder ingeschakeld? Zag haar welvarende familie een simpele lasser niet zitten? Brad is droef noch boos. Hij is moe. Hij vermoedt nog het meest een complot van de grootmoeder. Hij zoekt vergeefs naar een Griekse mythe die hem zal troosten. Zijn ouders zijn een paar jaar geleden gescheiden, zijn vader monteert Honda's, zijn moeder is ernstig verslaafd.

Dat laatste vormde een raakpunt met zijn vriendin, wier moeder aan een overdosis overleden is.

Brad zoekt heroïek in zijn leven. Hij overweegt zich in het leger in te schrijven. Hij overweegt een cursus onderwaterlassen te volgen. Hij bestudeert het heelal, is gefascineerd door een website van iemand die beweert uit het jaar 2030 terug te zijn gereisd naar het heden.

Hij is een vurig aanhanger van de president. 'Op 11 september zat ik op school. Even voor de tweede inslag zette de lerares Engels de tv aan. We wisten toen dat we iets meemaakten waarover onze kleinkinderen vragen zullen stellen. De doos van Pandora. Sindsdien voel ik me machteloos en de enige manier om me minder machteloos te voelen is actie, militaire actie. Ik weet dat velen vinden dat het in Irak voor ons om de olie draait – en dat zal ook wel – en dat soms de verkeerde doelwitten worden uitgekozen. Maar zelfs al is het doelwit verkeerd: actie is beter dan passiviteit. Actie is de enige remedie voor verdomde onmacht.'

Naast die actiebereidheid neemt nog iets hem voor president Bush in. Die wil een expeditie naar Mars financieren. 'Daar is iets troostends aan, te midden van het nieuws over de oorlog tegen terreur: het idee dat binnenkort Mars binnen bereik komt.'

Mars leidt hem af van zijn liefdesverdriet – dat heeft toch ook nog iets mythologisch.

Ineens wordt de achterbank gevuld met vier gelijksoortige verhalen, bijna gescheiden mannen die zopas beroofd zijn, van hun auto en hun kredietkaarten ontdaan, door een dievegge die hun, in een setting die te mooi was om waar te zijn, seks had aangeboden. Ze zijn op weg terug naar een plaats waar ze niet van houden, waar ze werken, en waar ze nu op korte termijn de maandelijkse alimentatie/kinderbijdrage van ongeveer vierhonderdvijftig dollar moeten zien te vergaren. Ze stemmen allen voor Bush (als ze al zouden stemmen, wat ze in het midden laten), en ze buigen de drankvoorschriften van de Greyhound tot de limieten (officieel is er geen alcohol in de bus toegestaan, de mannen brengen hun halflege superblik Budweiser mee aan boord), worden berispt maar niet uitgezet.

Barry, de meest welbespraakte van de vier, en de enige die me niet om geld vraagt (een van de vier klaagt, een blik in de hand, een sigaret in de mond, over een gevoel van honger: '*Will you buy me a burger?*'), legt uit dat het hem niet eens zoveel kan schelen dat zijn auto weg is. 'Het was een wrak. Eigenlijk is hij zelfs niet gestolen. Ik had gewoon geen geld meer om te tanken. Dit busticket is door mijn vader betaald en gefaxt.'

Hij had, op weg naar een vakantie in Florida, in Knoxville, Tennessee, bij een nachtclub een vrouw leren kennen die hem in zijn auto *blowjobs* gaf, en de indruk wekte dat ze echt op hem viel. Hij nam haar uit naar een *all you can eat steak diner*, ze dronken samen. Om geld uit te sparen sliepen ze in zijn auto. Ze gaf hem nog een *blowjob*, hij betaalde haar ontbijt, hij kocht voor haar wat kleren, een middagmaal, en dan pintelierden ze in de nachtclub, die blijkbaar in de vroege namiddag al de deuren opende, tot hij door zijn geld geraakte. Geen nood, dacht hij, ik tank enkele briefjes aan de automaat. Ze vergezelde hem naar die automaat. Verder feesten, nieuwe *blowjob*, nog beter dan de vorige, nieuwe nacht, zij het nu in een motel (ze wou een echte nacht met hem doorbrengen, had ze gezegd). Toen hij wakker werd, was alles weg: de vriendin, zijn portefeuille met creditcards en foto's van zijn dochters en het restant aan cash, de auto, zijn telefoon, zelfs zijn trouwring, die hij discreet in zijn jaszak had gestopt. Hij deed aangifte bij de politie.

'De agent zei me: "Begin met *dikke vette idioot* op je voorhoofd te schrijven." Hij had groot gelijk, natuurlijk, al ben ik dan niet dik.' Ego, mijmert Barry. Hij vond dat het wel tot de mogelijkheden behoorde dat een eenzame vrouw in een nachtclub zomaar verzot op hem raakte, *coup de foudre* voor de *coup de grâce*. Hij is niet oud of lelijk, zijn geloof is misschien niet helemaal misplaatst, voor wie gelooft in de charme van de bierdrinkende ruwe bolster. 'Ik vraag me nu al af of ik de volgende keer even dom zal blijken. Wellicht wel. Wat is het alternatief? Niet met zo'n vrouw meegaan?'

De auto werd vrij snel teruggevonden, zonder een druppel benzine in de tank, en meervoudig beboet wegens te hard rijden. 'Ik zei tegen de agent dat ik de auto niet terug hoefde als hij mij de boetes zou kwijtschelden. Het een had niets met het ander te maken. Ik was niet verantwoordelijk voor de boetes, en dus moest ik die hoe dan ook niet betalen...

Ik moet mijn oudste dochter bellen,' bedenkt hij opeens. Hij belt eerst zijn echtgenote, collect vanuit het eerstvolgende station, waar zijn drinkebroers naar gelegenheden zoeken om hun drankvoorraad te hernieuwen. Wat later geeft Barry een relaas van het gesprek. '*Daddy loves you and thinks of you all the time.*'

Ze had hem gevraagd of hij nog van haar moeder hield.

'*Sure.*' Hij overweegt terug bij haar in te trekken. Stelt zich de vraag niet of dat nog altijd tot de mogelijkheden behoort. Het strekt misschien niet tot aanbeveling dat hij zopas door een andere vrouw werd beroofd.

'Ik verzin wel wat. Die vrouw is dol op mij. Ik zou me met haar tevreden moeten leren stellen.' Maar ze geeft hem geen *blowjobs*, althans niet zonder lang aandringen. Ze was het er niet zonder meer mee eens toen hij voorstelde de alimentatie met een maand vertraging te betalen. Volgens zijn dochter heeft ze nog geen nieuwe man in haar leven, maar misschien laat die niet lang op zich wachten.

'*I'm going home,*' besluit hij, om even later, onder invloed van zijn metgezellen, weer van mening te veranderen. 'Ik geloof niet echt in tweede kansen. God vergeeft ons, de hemel weet dat ik vergeving nodig heb – maar mensen zijn geen God, die kunnen niet echt vergeven. De enige tweede kansen die we krijgen, komen van God.'

En er is nog tijd genoeg om die tweede kans van God aan te vragen.

Ergens in Kentucky vraagt een jongeman me naar mijn herkomst.

'Wat is de hoofdstad van België?'

Brussel.

'Nee, dat klopt niet. Noem eens een andere stad.'

Antwerpen.

'Dat kan hem zijn. Noem er nog een paar.'

Gent, Luik.

'Mmm. Maar het is in geen geval Brussel.'

Doet me denken aan een taxirit, hier niet zo ver uit de buurt, enkele maanden geleden. 'In hoeveel tijd rijd je naar België?' wilde de chauffeur weten. 'En zijn de wegen goed?'

Zijn bereidheid om te geloven dat België een van de hem onbekende staten in zijn land was, was groot. Hij geraakte bij zijn opsomming nooit aan vijftig, blijkbaar. Voortaan zou hij na Alabama, Arkansas en Alaska aan België denken, alfabetisch beschouwd de vierde staat. De vijfde, eigenlijk – hij vergeet Arizona.

Twee grappige advertenties langs de kant van de weg. NAKED GIRLS. ONLY THREE UGLY ONES. En een pleidooi voor oldtimers: EEN GROOTOUDER IS MAKKELIJK. ZELFS EEN KIND KAN ERMEE OVERWEG.

Voor het overige valt het landschap niet echt mee: warrige wildernis, in de stortregen glimmend heuvelland, gestroomlijnde ketenhotels of ketenwinkels. Je moet op details letten om langs de Interstate een verschil op te merken tussen Alabama, Tennessee of Kentucky. In de bus zelf is de versmelting niet minder groot. Om het even waar in het land zouden evenveel *losers* in hetzelfde soort bus van de ene nederlaag naar de andere rijden.

Ik heb eindelijk een dubbelzit voor mij alleen. Na een dutje blijkt de bank naast me gevuld met twee vrouwen. De ene leest in de bijbel en de andere luistert naar hiphop.

Ineens gaan enkele banken achter ons twee zwarte vrouwen op de vuist. De ene beweert dat de andere vijftig dollar van haar heeft gestolen. Althans, op het ene moment was het briefje nog in haar bezit, en nu niet meer, terwijl haar buurvrouw wel nog vijftig dollar overheeft. Die ontkent, beweert dat de boze buurvrouw probeert haar haar geld afhandig te maken. De bijbellezeres suggereert een passage waar de ruziemakers beter en vooral rustiger van kunnen worden, maar na enkele lijnen bijbellectuur hervindt de beschuldigde haar toorn. Voor de christen opnieuw kan interrumperen sleuren de vrouwen aan elkaars haar. De chauffeur zet zijn bus aan de kant, en bedreigt de vrouwen met uitzetting.

De beschuldigde zegt bedaard dat er van haar kant geen stemverheffing of lijfelijk contact meer zal komen. Waarmee de vrouw zonder geld grimmig instemt.

De busstations blinken niet uit door telegenie: een afgedankte deur achter een halvegare snackbar, een bank in een benzinestation, een hokje tussen twee motels door. Maar het station van St. Louis, Missouri, duikt, zelfs op een onbetamelijk uur, op met de grandeur van een kathedraal: een groot art-deco-achtig gebouw wordt geschraagd door marmeren zuilen en korintische kapitelen, aan de zoldering hangen schroeven en bladderend pleisterwerk. In een hoekje van die grandioze, stilistisch enigszins verwarde combinatie, houdt een Chinees het kleinst denkbare restauratiehoekje open, met alles wat de reiziger nodig heeft in de aanbieding, van pizza's tot aanstekers.

Betsy, een goedlachse vrouw uit Californië van rond de zestig met geblondeerd haar en een nauw aansluitende broek uit namaakluipaard, stapt met een bont gezelschap over op mijn bus. Ze heeft alles opgekocht wat de Chinees aan chips in voorraad had. Uit frustratie, zegt ze. Ze had de bus genomen omdat ze het vliegtuiggependel tussen New York en LA beu is – de eeuwige controles – maar ze kwam midden in een groep zeurkousen terecht. Ze heeft al vierendertig keren horen berekenen hoeveel de bus kost en hoeveel het vliegticket. Dat er zo weinig verschil in zit voor zoveel verschil in tijd, zoveel verschil in comfort. Ze stopt haar gezellen nu vol met chips, zodat ze even zwijgen. Ze stoot iets te vaak de zwarte jongen naast haar aan. Hij is iets minder dan half haar leeftijd, lacht haar af en toe gegeneerd toe.

'Persoonlijk vind ik de bus niet zo erg,' zegt ze. 'Je ziet meer. Maar het is wel vreemd. Ik reis tussen twee steden die relatief ontspannen zijn over gemengde relaties. Maar tussendoor is het een en al verstarring. Een vrouw van mijn leeftijd heeft me al voor *niggerfucker* uitgescholden. Christenvrouw natuurlijk. Moest naderhand haar mond spoelen.'

Ze sluit met haar zwarte reisgenoot een weddenschap af. Wat het het eerst zal begeven: haar voorraad chips of de imitatiebroek?

Anthony is op weg naar een jacht op wilde kalkoenen. Ik zeg hem dat hij de eerste jager is die ik in een Amerikaanse bus ontmoet.

'Ja,' zegt hij, niet onder de indruk van mijn observatievermogen.

Hij is in Jackson, Mississippi, op een bus gestapt. Een dag te laat, want die bus komt rond vier uur in de ochtend aan en zijn oorspronkelijke bus had hij net gemist.

Anthony is een elektricien die na een mislukt huwelijk en een burn-out als gehandicapt is opgegeven. Die handicap levert hem een weliswaar karige uitkering op, een vijfde van zijn vroegere nettoloon schat hij, maar daar stelt hij het al bij al vrij behoorlijk mee.

'Zelfs in Mississippi kan een elektricien een mooie som verdienen, maar ik bedacht dat als ik er ziek van werd ik het geld maar moest leren missen.'

Werd hij er ziek van?

'Misschien niet. Als ik ooit tot de conclusie kom dat mijn mentale troebelen niets met mijn werk te maken hebben, kan ik weer aan de slag. Want op zich werk ik graag. Ik heb nog tijd.' Hij is achtendertig.

Hij denkt er even over na. 'Ik werd ziek van mijn leven. Ziek dat ik zoveel fouten maakte. Met de verkeerde vrouw trouwde. Haar slecht behandelde. Dronk. We hadden gelukkig geen kinderen. Nu ja, gelukkig... Ik ben dol op kinderen.'

Hij heeft hun huis behouden, aan de rand van Jackson, en aan de rand van een woud, en daar heeft hij zich toegelegd op de jacht. 'Ik leef van de jacht, eigenlijk. Met mijn uitkering regel ik mijn vaste kosten, maar wat ik eet, heb ik geschoten, of geruild.

Dat komt mijn hersenen ten goede: voor dag en dauw zitten wachten op herten. Of stil zitten tot vogels teken van leven geven. Soms ben ik zo onder de indruk dat ik vergeet te schieten. Of droom ik weg, krijg ik visioenen.'

Hij is geen jachtfanaat, zegt hij, of tenminste: 'Ik ben voorstander van een strikte reglementering van de jacht. De voorbije jaren zijn de voorwaarden in Mississippi aangescherpt, en ik ben voorstander van alle nieuwe maatregelen: geen geladen wapens op de openbare weg, niet schieten binnen het bereik van een weg.' Maar de jacht zelf komt op hem over als het meest natuurlijke ter wereld. Schieten om te eten, deel uitmaken van een bijna eeuwige natuur waar wie niet eet zelf opgegeten wordt.

In de bossen heeft hij God herontdekt. Hij is deel gaan uitmaken van een kerkje dat gelooft in individuele inspiratie. 'God kiest een vehikel om Zijn boodschap te verspreiden. En dat vehikel is Hem nooit waard. God weet dat ik het niet waard ben – hemeltje, ik ben de meest foute mens van allemaal om Zijn boodschap te dragen. Ik heb al Zijn geboden overtreden, en ik kom niet uit mijn woorden.

Elke woensdag komen we samen om over de bijbel of over onze belevenissen te praten.' Gaandeweg is hij over zijn visioenen begonnen te praten, en de predikant stimuleert hem nu. Dat hij tot de kerk is toegetreden wijt hij aan zo'n visioen. Hij voelt ook dat God hem wil laten weten dat het de verkeerde kant uitgaat met de wereld, en dat er binnenkort iets van hem gevraagd zal worden.

'Vorige week zei de predikant: "Zeg jij nu maar wat, Tony." En de woorden kwamen vanzelf. Ik was een spraakwaterval. God sprak door mij.'

En wat hij zei sneed nog hout ook, volgens de predikant. Hij verweet de christenen dat ze hun ware leer niet ernstig meer nemen. 'In het vroege christendom leed niemand honger. De gelovigen droegen zorg voor elkaar. Wij daarentegen gebruiken onze kerken als doekje voor het bloeden, als een pleister op ons geweten, terwijl we als geboren egoïsten van al onze pleziertjes blijven genieten.

Ik weet weer niet waar dat vandaan komt,' zegt hij, 'normaal praat ik niet zo: een pleister op het geweten. Dit is mijn stem weer niet.'

Hij zet zijn redenering wat onthutst verder: 'Als de christenen niet tot inkeer komen zal God hen straffen. Misschien ben ik iemand die hen daarop moet wijzen.'

We zijn intussen in de staat Kansas, waar de jacht op kalkoenen al is geopend. Anthony stapt uit.

De Interstate 70 trekt een lange lijn door het niets. Langs weerszijden van de weg wachten lege velden tot het graan of de bonen opschieten. Elders staan koeien doelloos op braakland. Her en der pompt een jaknikkertje minimaal olie op. De dag is verwelkt geel, de nacht is overweldigend zwart.

In Colby wordt het niets ongedaan gemaakt door een McDonald's, een benzinestation, een toeristische dienst (gesloten, wegens verkeerde seizoen) en enkele hotels.

In de McDonald's buigt Eddy zich met gevouwen handen en dichtgeknepen ogen over zijn verorberde maal.

'Ik bid,' zegt hij, alsof iemand dat kan betwijfelen. 'Ik spreek met God.' Dat laatste voegt hij allicht toe omdat hij niet weet of ik het woord bidden wel begrijp.

Op zijn omgekeerde onderlegger lees ik publiciteit voor de keten. 'We zijn klant nummer 1 van de Amerikaanse boeren.' Die stelling wordt gevolgd door enkele verbijsterende statistieken. McDonald's zou jaarlijks 'bijna' één miljoen pond rundvlees aankopen, nog eens half zoveel kip en ruim honderd miljoen kilo varkensvlees.

Eddy onderbreekt mijn poging tot hoofdrekenen, net op het moment dat ik ponden en kilo's wil vermenigvuldigen met de *gallons* milkshakes. 'Hij vertelt me dat je een goed mens bent.'

Dat had ik zelf ook kunnen vertellen. Of het tegendeel.

'Neenee. Maak daar geen grappen over. Alsjeblieft.'

In tegenstelling tot Anthony lijkt Eddy er al vrijwel zeker van te zijn dat God tot hem spreekt, en hem een uitleg verschaft, of opdrachten geeft. Zo is hij gisteren halsoverkop uit Indiana vertrokken omdat hij gelezen had dat er in Denver een conferentie zou plaatsvinden van 'christelijke muzikanten en christelijke muziek'. De Heer liet hem weten dat christelijke muziek een verdeler nodig heeft in Indiana, en dus haast Eddy zich naar Denver.

Eddy merkt op dat ik een boek over de familie Bush lees.

'Ik houd niet van die man.'

En God evenmin? Altijd belust op een primeur.

'Dat weet ik niet. God spreekt niet over politiek met mij. Ikzelf ben verscheurd over hem. Als goede christen ben ik tegen gelegaliseerde abortus en tegen het homohuwelijk, wat me dichter bij de Republikeinen en de president brengt. Maar als zwarte gruw ik van hun zelfgenoegzaamheid – alsof ze iedereen de les kunnen lezen. En ik weet uit ervaring: ze lezen de les om je in hun macht te houden. Ik had een zwak voor Clinton. Die was menselijk. Zoals wij allemaal faalde hij geregeld, maar hij maalde, in tegenstelling tot de huidige president, tenminste echt om wat mensen overkwam. Als God perfecte leiders had gewild, had hij wel engelen afgevaardigd om de wereld te leiden, denk ik.'

Ik stel voor dat hij het bij een volgend gebed eens vraagt, en wens hem veel geluk met zijn intrede in de wereld van de christelijke, overwegend witte, muziek.

'Misschien dat God die wereld eindelijk wat meer multiraciaal wil maken.'

De rit zou eindeloos kunnen doorgaan, maar eindigt in het station van Denver, waar ik – is de duivel ermee gemoeid? – opnieuw met het Opperwezen word geconfronteerd. Jimmy hangt rond in het station. Hij merkt dat ik een paar boeken te veel meesleur. 'Kan ik helpen bij het dragen? Waar moet je heen?'

Hij ziet er onschuldig uit, en zelfs liefdevol. Hij is jong gepensioneerd, eind vijftig. Hij stelt zich wat formeel voor en neemt de helft van mijn lasten over.

In het begin van de jaren zeventig is hij drie dagen in België geweest, zegt hij, na een week Parijs. Hij had met zijn huurauto de betaalweg genomen en onderweg een Algerijnse lifter opgepikt, die zijn brood en kaas met hem deelde. 'Die drie dagen in Brussel was ik zo ziek als een hond, kon mijn hotelkamer niet verlaten. En naderhand moest ik me naar Amsterdam spoeden om mijn auto in te leveren. Ik kan naar eer en geweten bekennen dat ik niks van het land heb gezien. Ik heb zelfs geen vermoeden hoe het eruitziet.'

Jimmy heeft een dubbele opleiding gevolgd: sport en business. Hij heeft voornamelijk als basketcoach gewerkt, voor universiteitsploegen. Hij wijst naar zijn pet. JUST BELIEVE staat daarop, en op de keerzijde: ALL THINGS ARE POSSIBLE. Dat waren zijn motiverende slogans. Jimmy heeft, nogal zeldzaam in dit land, een voorkeur voor voetbal. Tijdens de wereldbeker in Frankrijk zat hij aan zijn scherm gekluisterd. 'Toen ik de Braziliaanse coach hoorde vertellen dat zijn team uiteraard zou winnen, omdat Brazilië nu eenmaal het best voetballende land is, wist ik dat Frankrijk het zou halen. Althans een heel goede kans had. Hoogmoed komt voor de val.'

Hij denkt ook in die termen over zijn eigen land na.

'Ik hoorde vorige week op tv een professor van Yale aan het woord, die een boek geschreven heeft over de haat tegenover ons land. Ze noemde drie factoren, karaktertrekken van Amerikanen, die de haat opwekken: trots, hebzucht en drang tot overheersing. We willen overal iedereen de les lezen, we denken dat we beter zijn dan anderen en we willen onderweg zonder veel moeite te doen rijk worden – kun je dan verwachten dat anderen je sympathiek vinden? Een sportploeg met die eigenschappen zal misschien wel winnen, maar nooit populair worden, en eigenlijk denk ik niet dat ze zal winnen.

Amerika is trouwens meer dan die drie eigenschappen. Er zijn zoveel Amerikanen die andere waarden hanteren.'

Jimmy is een verwoed brievenschrijver. Na zijn ziekmakende reis door Europa richtte hij een brief aan de toenmalige burgemeester van Parijs, Jacques Chirac. In de brief beklaagde hij zich over de onbeleefdheid van de Fransen.

Maar hij wil niet enkel kritisch zijn. 'Het leven is een gezamenlijk gebeuren, geen egotrip.' Ook dat heeft hij in de sport geleerd, al geeft hij er tegenwoordig een vrij mild christelijk tintje aan.

Op mijn bestemming overhandigt hij me enkele teksten, waarin hij zijn godservaringen beschrijft, en zijn drang om een niet zo doctrinair christendom te verspreiden. Als ik geïnteresseerd ben kan ik via het internet reageren, zegt hij. 'Mysticjimmy' is zijn internetnaam.

6

De charme van een oude ziel

De bus heeft me op een onchristelijk uur in Albuquerque, New Mexico, gedropt. Ik loop wat rond, in afwachting tot het uur christelijk genoeg wordt voor koffie. Rijmelarij troef in en om het busstation, maar tenminste niet de gladgestreken rijmelarij van vijfhonderd voorgaande plaatsen.

'*For all events, Albuquerque tents*.'

Wie niet rijmt, allitereert: '*No pissing, no puking, no panhandling, no perversion*', lees ik naast een bank in een parkje/plantsoentje.

Twee vrouwen verdwijnen achter een struik met de evidente bedoeling dat eerste gebod te overtreden. Mogelijkerwijs ook het tweede en het vierde.

'Niet kijken,' maant een man die enige afstand bewaart.

'Vooral niet kijken naar mijn dikke reet,' roept een van de vrouwen vanachter haar struik. 'Sorry voor het woord.'

'Je moet je nooit verontschuldigen voor een dikke reet,' oppert de man. 'Ik ben er nooit rouwig om dat er wat pak aan een vrouw zit.'

Het trio wacht op de eerste stadsbus. De man, broer van de vrouw met kontzorgen, getrouwd met de andere, keert zijn broekzak binnenstebuiten. Hij vindt twee briefjes. Twee dollarbiljetten. Dat rest hem na de uitgaansnacht.

Het is net voldoende voor de bus omdat hij gehandicapt is, en voor zijn lamme been korting krijgt. Hij toont me zijn kortingkaart. 'Dat is mijn identiteit: eenenvijftig jaar en mismaakt.'

De echtgenote is zowat een kop kleiner dan de zus. De schoonzus heeft duidelijk indiaans/Mexicaanse trekken. De schoonzus is eerder Kaukasisch en sproetrijk, maar dan wel met gitzwart haar. De zus omhelst de echtgenote, gedeeltelijk omdat ze zo elkaar in evenwicht houden. 'Ik wil een zoen,' zegt de zus, en ze krijgt er een – daarmee in zekere zin ook het verbod op *panhandling* (bietsen) overtredend. 'Ik wil een zoen van een man,' preciseert ze, en ze keert zich naar een andere wachtende, type zakenman of leraar. Na een paar tellen draaien ze tongen. Naderhand wrijven ze met de rug van de hand hun monden schoon. Ze grijnzen. '*Never seen him before*', de zus rolt met de ogen. '*Not a bad kisser.*' De monden hervinden elkaar. Er arriveert een bejaarde aan de halte, die met afkeer de zoenenden bespiedt.

De bus arriveert. De monden scheiden. Iedereen stapt op. De meesmuilende leraar/zakenman neemt op zoveel mogelijk rijen afstand van de zus plaats.

De chauffeur moppert luid over een collega die niet is komen opdagen, zodat hij, na de avondshift, uit bed is gebeld om ook de ochtendshift te werken. Had niet eens tijd voor ontbijt.

'Zal ik even aan je lampje komen draaien,' suggereert de zus, 'zodat je je wat beter gaat voelen? Als je bij de hoek stopt, voer ik een paaldans voor je uit. Vergeet je dat ontbijt meteen.'

Ze slaat een been rond een van de buspalen en zinkt gratieloos op de grond.

'*Fuck.*'

'Je mag niet vloeken op de bus,' waarschuwt haar broer.

'Ben je getrouwd?' vraagt de zus aan de chauffeur.

Hij knikt, enigszins opgevrolijkt.

'Alles wat jij haar niet vertelt, is nooit gebeurd. Stop bij de hoek. Ik ben dol op die paal.'

De chauffeur rijdt glimlachend door.

Sommige dagen kom ik nauwelijks van die stadsbussen af. Ik koop een dagpas, en reis in eindeloze circuits naar de uithoeken van de economische hoofdstad van de staat, wat niet veel kan betekenen want de overheersende indruk is er een van verloedering en onderontwikkelling, zij het tegen een achtergrond van besneeuwde bergruggen.

Ik weet niet wat mijn opluchting in New Mexico veroorzaakt. De Amerikaanse anesthesie is hier nog niet in werking getreden. De warenhuizen, de farmaceutische ketens, die elders bijna planmatige kopieën van elkaar zijn, waarbij ik in een nooit eerder betreden CVS-vestiging bijna blindelings weet waar de colakast staat, en waar de Cadbury met noten en rozijnen ligt, zijn nog niet al te krachtig naar dit deel van het land gekomen. Je moet zelfs wat moeite doen om een McDonald's te vinden. Meeneem-Mexicanen daarentegen zijn er op elke straathoek.

De stad is een paar stappen armoediger dan bijvoorbeeld Denver. Gebouwen blijven bescheiden en laag. De dronkenschap wordt op straat geëtaleerd. Het verloederde, goedmoedige katholicisme steekt af bij de bedilzucht elders, de mengelmoes van wit met indiaans en Spaans-Mexicaans doet vreemd genoeg meer Europees aan dan Amerikaans. De mensen reageren nog niet volgens geplogenheden. Liefde en lust worden hier openlijk beleden of vermeden.

Ik apprecieer ook dat na het bijna overdonderende patriottisme dat ik elders kon gadeslaan geen enkele nuchtere persoon deze plaats lijkt te verdedigen.

Libby al evenmin. Ze twist publiekelijk met haar vriendje over de termen 'tremolo' en 'vibrato'. Hij speelt piano, zij cello, en wat is dan het verschil tussen haar vibrato en zijn tremolo? Waarom noemen ze het niet in beide gevallen 'trillen'?

De twee waren gewoon op zoek naar een aanleiding om aangenaam van mening te kunnen verschillen. Ze tikken elkaar aan om de domheid van een opmerking te beklemtonen, en dan blijft een hand hangen, wordt de tik een steelse streling.

Zijn ze beroepsmuzikanten? vraag ik, wanneer de fut en de handtastelijkheid wat uit de trildiscussie is verdwenen.

'God nee,' zegt Libby. 'We zijn slechte amateurs. We missen de hartstocht van de muzikant. Je raadt nooit wat ik doe: ik trek bloedstalen bij patiënten. Zo financier ik mijn studie.'

Ze studeert chemie, biologie en medische wetenschap. Ze wil later onderzoek verrichten en nieuwe medicijnen helpen ontwikkelen, zegt ze.

'Uit eigenbelang. Ik ben zwaar suikerziek, moet mezelf elke dag vier spuiten met insuline toedienen, ondervind daar neveneffecten van. Men zegt dat betere middelen, op basis van stamcelonderzoek, binnen handbereik zijn. Ik zou niets liever dan deel hebben aan dat onderzoek.'

De conservatieven zijn fel tegen stamcelonderzoek gekant.

'Ik heb daar maar één verklaring voor: ze zijn zelf niet ziek.'

Wordt dergelijk onderzoek in Albuquerque georganiseerd?

'Ver hier vandaan. In Florida of Californië.'

Maar om financiële redenen studeert ze in haar thuisstaat. In een andere staat betaal je, tenzij je een speciale beurs toegekend krijgt, een veelvoud aan collegegeld. En ze is niet dermate briljant dat ze al voor beurzen in aanmerking komt. '*I'm a work in progress.*'

Na de middelbare school dacht ze vooral aan fuiven en reizen. Tot twee keer toe heeft ze geprobeerd een leven op de Caraïben op te bouwen. Maar telkens gooide de suikerziekte haar plannen overhoop. Ze begon te beseffen dat ze in het buitenland nog meer de dupe van haar ziekte zou zijn, en kwam tot de vaststelling dat ze maar beter zelf iets aan haar situatie kon proberen te veranderen. Vandaar de studie. 'Ooit hoop ik goed genoeg te zijn voor een dikke vette beurs zodat ik hier weg kan gaan.'

Wat is er zo erg aan Albuquerque?

'Weet je wat? Je hebt hier tegelijk een onwaarschijnlijk hoge criminaliteit – tot moorden toe – en een onwaarschijnlijk hoge vervelingsgraad. Dit moet de enige plaats ter wereld zijn waar criminaliteit en verveling samengaan. We hebben domme criminaliteit, van dronkelappen of drugsverslaafden die zo hard hun *fix* nodig hebben dat ze tot alles in staat zijn. En ik moet altijd maar tegen dronkaards aankijken terwijl ik zelf, als suikerzieke, nooit echt kan doorzakken. Nee, dezelfde dag dat ik mijn diploma behaal, vertrek ik nog.'

Ze zoent de pianist vrolijk op de lippen.

'En hij gaat mee. Móét mee.'

Een nieuw bord met dezelfde slogan: FOR ALL EVENTS, ALBUQUERQUE TENTS. Nu in een vrij gegoede buurt.

Bijna overal waar ik al geweest ben, wordt me gewezen op criminaliteit, en bijna overal merk ik daar niks van. Ik loop dag en nacht rond, af en toe passeer ik een luguber heerschap, of een groepje lugubere heerschappen, maar tot dusver ben ik krasvrij door het land gereisd.

Maar na de alarmberichten van de bewoners van Albuquerque begin ik te vermoeden dat deze plaats anders moet zijn. De twee stadskranten spuien over een moord in een garage, die uiteindelijk zichzelf oplost en meer wijst op ellende en treurnis alom dan op criminele drift. Dan is er een andere moord, en nog een, en een overdosis of twee.

Ik bezoek het paleis van justitie, dat er modern en vrolijk en vrijwel grandioos bijligt.

'Als ik die schoenen niet had, zou ik huilen.' Gary wijst naar zijn nieuwe tennisschoenen.

Hij zit op de treden van de rechtbank.

Voor het paleis van justitie is een uit de kluiten gewassen, metalen balans geïnstalleerd die al naargelang de windstoten naar de ene of andere kant tuimelt.

Gary, die gebiologeerd de beweging van de weegschaal volgt, niet dieper ingaand op de symboliek van windgebonden justitie, heeft zojuist op een nabijgelegen politiebureau aangifte van diefstal gedaan.

'Ik had een week van nachtshifts achter de rug. Dacht: Ik heb zin in een pizza en een biertje. Ontmoette een vrouw. Niet echt mooi maar *so what*? Ze ging met me mee. De volgende dag – dat wil zeggen eergisteren – vond ik een briefje. Dat ze mijn auto even had geleend. Ik had vrij en dus sliep ik uit. Toen ik echt wakker werd, bleek ze al mijn geld, mijn creditcards, mijn cd-speler en mijn auto meegenomen te hebben. Ik dacht dat ik wist waar ze woonde. Ze had me verteld over haar woonplaats, dus ik ging op zoek naar haar. Alles gelogen.

Ik ben vandaag naar de politie gegaan, heb geprobeerd haar te omschrijven. De agenten hebben me weinig hoop gegeven. Ben dan met mijn laatste centen, wat ik in mijn andere broek had zitten, de schoenen gaan kopen. Afgeprijsd, een koopje, lichtpuntje in een duistere week.'

Hij haalt zijn wenkbrauwen op en schuift zijn honkbalpet over en weer. Doet dat telkens als de balans omslaat.

'Jij hebt tenminste seks gehad.'

Maria zit anderhalve meter verderop, even uitgeteld. Ze snakt naar een sigaret, zegt ze, al is ze al zes jaar met roken gestopt. 'Ik wil hier niet aan opbod doen maar ik ben gisteren door mijn vent het huis uitgezet. Hij kondigde aan dat hij een jongere vriendin heeft. Ik reageerde nogal hevig. Hij heeft me de huid volgescholden. Vreselijk. Hoe lelijk ik ben, over mijn hangtieten en hangkont, hoe chagrijnig ik ben, hoe erg ik stink. Wat een verschrikkelijk wijf ik ben, hoe ik hem onophoudelijk aan de oren zeur. Na een uur of zo heeft hij me vastgepakt en naar buiten geduwd.'

Ze lacht droef. 'De hele santenkraam. Huilen en roepen op straat, de buren buiten.' Ze is bij een vriendin gaan overnachten, heeft een ochtend lang gezocht naar een pro-Deo-advocaat en een verdedigingsstrategie.

Het huis komt aan haar toe, weet ze nu welhaast zeker. Dat wil zeggen: als ze haar rechten afdwingt, moet hij de woning afstaan. Maar ze rekent er min of meer op dat hij tot inkeer komt, de achttien gezamenlijke jaren niet zomaar wegspoelt in een vuil toilet.

'Je denkt dat je samen iets hebt dat misschien niet zo bijzonder is, maar toch enigszins betrouwbaar, vertrouwd.' Zijn verwijten hebben haar vertrouwen geschokt. 'Hij leek me wel te haten. Ik weet niet eens of ik wel terug wil. Zou jij terugkeren?'

Ze kijkt me gretig en hoopvol aan, alsof ze een ja zou appreciëren.

De volgende ochtend onderbreken tv-stations hun uitzendingen om een lijk te signaleren. Het slachtoffer werd doodgeslagen onder de min of meer toeziende ogen van dronken vrienden. De ruzie betrof een drugstransactie. Het misdrijf speelde zich af voor de deur van een bar.

Wanneer ik even later opnieuw het paleis van justitie voorbijloop – het ligt tussen mijn motel en de stadskern – blijkt daar een ceremonie tegen drugs en dronkenschap gehouden te worden.

De ceremonie heeft niet rechtstreeks te maken met de moord waarover de tv-zenders berichtten. Overlijdens wegens dronkenschap of ten gevolge van drugs zijn hier geen zeldzaam verschijnsel.

De ceremonie begeleidt de oprichting van een drugsrechtbank voor indianen, de eerste speciale rechtbank buiten de reservaten.

Het initiatief is al sinds 1997 aan het proefdraaien en heeft, volgens een rechter in een van talloze toespraken, veelbelovende resultaten opgeleverd. Slechts 10 procent van degenen die door de speciale rechtbank worden veroordeeld, komt opnieuw met het gerecht in aanraking, wat bij veroordelingen door klassieke rechtbanken 60 procent zou zijn.

De Funny Boys, een indianenmuziekgroep, roffelen en zingen. De voorzanger is kaal, wat des te meer opvalt omdat al zijn collega's dik, lang, loshangend of gevlochten haar tentoonspreiden. Voor en na elke toespraak roffelen de Funny Boys ongeveer hetzelfde deuntje, of toch niet helemaal, want bij sommige roffels staan de toeschouwers respectvol recht, bij andere roffels blijven ze zitten, met een even onnavolgbare logica als tijdens de katholieke mis. We bedanken de voorouders en bezweren de geesten.

Anita, een rechtbankklerk die zelf half Spaans, half Kaukasisch is, kan haar enthousiasme over het initiatief moeilijk de baas. 'Het zit goed in elkaar,' zegt ze. 'In plaats van een jaar gevangenis volgen de veroordeelden gedurende een jaar een streng programma. Bijna elke avond moeten ze naar een vergadering. Een avond AA, een andere avond les over de eigen tradities, een avond in de zweettent om het eigen lichaam te reinigen enzovoort. Daarnaast zijn ze ook verplicht overdag te werken. Het programma voorziet in een baan, maar de veroordeelde moet de discipline opbrengen om de taak naar behoren te vervullen. Wie ophoudt met werken weet dat de gevangenis volgt.'

De beschuldigden kunnen kiezen tussen de klassieke rechtbank en de speciale, maar de meesten schijnen het nieuwe alternatief te verkiezen.

Als het toch zo wonderbaarlijke resultaten oplevert, moet het project misschien naar andere bevolkingsgroepen veralgemeend worden.

Anita knikt enthousiast. 'Niets zo inefficiënt tegen drugs als gevangenissen.'

Ik heb dan toch een nuchtere bewoonster gevonden die van haar gebied houdt. Ik vind een nieuwe onderverdeling: academici en toeristen houden ervan, ook in nuchtere toestand, terwijl de havelozen er doorgaans op spuwen.

Het was in haar geval geen liefde op het eerste gezicht. Dawn heet ze. Ze doceert Engels aan anderstalige studenten van de lokale universiteit. Ze is zelf uit Montana afkomstig, en na een intermezzo in Californië in Albuquerque beland.

'Toen ik mijn bankrekening opende, zei de bediende: "Als je hier twee jaar blijft, heb je zoveel stof in je schoenen dat je nooit meer weg kunt."'

Die opmerking werd halflachend, tussen twee handtekeningen door, gemaakt, maar zo is het haar inderdaad vergaan. Ooit vond ze Albuquerque een saai nest, maar intussen is de traagheid van het bestaan haar dierbaar.

'Toen ik opgroeide in Bozeman, Montana, waren de enige nietblanken de basketbalspelers die de universiteit had aangetrokken.' De culturele mix van New Mexico lijkt haar in vergelijking veel interessanter.

Ik probeer enkele vragen naar politieke voorkeur te stellen en dat verbaast Dawn.

'Krijg je nooit een klap in je gezicht als je naar meningen over politiek vraagt? Da's nogal privé. Je laat dat in het publieke leven, tenzij onder goede vrienden, in het midden want je weet nooit met wie je te maken krijgt. De verkeerde opinie kan je carrière hinderen.'

Ze laat zich niet weerhouden om toch te antwoorden. Ze is links lid van de Democratische Partij, die in New Mexico wel de gouverneur levert maar die verder wat op de terugweg is. Wat vreemd is, want de Mexicanen, indianen en Spaanstaligen vormden ooit een solide basis voor haar partij. Vooral de nieuwe migranten prefereren tegenwoordig de Republikeinen van Bush.

'Hoe lamentabel hun leven ook is, ze denken dat ze deel gaan uitmaken van de grote Amerikaanse droom, dat de mogelijkheid om schandalig rijk te worden ook voor hen zal openliggen.' Het oude verhaal van die droom: je kijkt niet naar wie of waar je bent, je kijkt naar wie of wat je wilt worden, en waar. En wie ver vooruitkijkt vindt het heden soms minder ondraaglijk. Wie omhoogkijkt is blind voor de goot.

'Ik weet ook niet waarom Bush en de zijnen bij uitstek die droom vertegenwoordigen. Een droom die voor de overgrote meerderheid van Amerikanen en zeker van migranten een illusie blijkt te zijn.'

Er is nog iets wat haar in de recente gebeurtenissen frappeert.

'Uit mijn geschiedenislessen herinner ik me dat dit land perioden van isolationisme afwisselt met perioden van expansionisme. Tegenwoordig lijken die twee tendensen gezamenlijk voor te komen. Mijn landgenoten willen zo min mogelijk met de rest van de wereld te maken hebben, maar tegelijkertijd willen ze zoveel mogelijk bepalen hoe de rest van de wereld zich gedraagt. Ook dat kan ik niet goed verklaren.'

Ik blijf nog altijd van misdaden gespaard, maar hier moet ik toch echt mijn best doen om het gekrakeel te vermijden. Volgens de kranten heeft zich in de McDonald's tegenover de universiteit, een van de relatief schaarse hamburgertenten in de stad, op het moment dat ik met studenten praatte, een incident voorgedaan. Een tandeloze klant ging er met een hockeystick een bediende te lijf – de bediende zou moedwillig het kunstgebit, dat de klant om onduidelijke reden uit de mond had genomen en na het verorberen van zijn maal was vergeten weer in te zetten, in de vuilniszak hebben gegooid. Een verlies van enkele duizenden dollars. De politie was tussenbeide gekomen en de klant zal nu behalve een nieuw gebit ook een fikse boete moeten betalen, plus medische kosten – de bediende werd aan de arm gewond.

Opnieuw aan de universiteit zorgen de studenten zelf voor enig tumult. Op het centrale plein van hun campus hebben tegenstanders van abortus een welhaast onbekijkbaar bloedige fototentoonstelling van foetussen en dode baby's georganiseerd, met als leitmotiv 'de foetus is een mens', alle abortussen zijn moord. Tijdens het afgelopen weekend hebben in Washington naar schatting vijfhonderdduizend mensen betoogd voor het behoud van de abortuswetgeving, een veelvoud van het aantal anti's dat daar in januari betoogde. En deze anti's vinden dat het tijd is dat hun waarheid nog eens wordt gehoord. 'Ik zeg toch niet tegen jou,' aldus een opgewonden studente biologie: 'je bent geen mens want je bent een volwassene. Zo kun je ook niet tegen een foetus zeggen: je bent geen mens want je bent een foetus.'

De argumenten zijn niet nieuw. Na korte tijd duiken ook anti-anti's op die zelf pamfletten beginnen uit te delen, 'baas in eigen buik'-achtige slogans scanderen of T-shirts verkopen, en die later met een foto uit de jaren dertig op de proppen komen waarop een vrouw is afgebeeld die bloedt na een illegale abortus. Bloed tegen bloed. De oude misverstanden (dat mensen die voor een abortuswetgeving zijn 'dol zijn' op abortussen, dat mensen die tegen legalisering zijn per definitie op een perfide manier vrouwen willen fnuiken) worden afgestoft en opgefrist. Die wederzijdse demonisering, bedenk ik, te midden van een om zich heen grijpende scheldpartij, is misschien nodig om stelling te kunnen nemen in een onwaarschijnlijk moeilijk debat. De beide partijen zijn duidelijk tot in hun vezels beroerd. Leden van de anti-abortuscampagne worden tot tranen toe bewogen door hun eigen zaak. Ze vragen zich met opgeheven handen af hoe het komt dat relatief gesproken meer Amerikaanse vrouwen een abortus laten uitvoeren dan andere vrouwen. Ze zien dat als verloedering, het afdoen van menselijk leven als hinderlijk en het ontbreken van een morele of religieuze rem die ze belet de hinder weg te snijden.

Op deze hypergemengde campus zijn zowel de actievoerders als de tegenbetogers overwegend wit. De anti-abortusgroep bestaat voor een groter deel uit mannen en uit welvarende studenten. Uiteindelijk scheiden de kampen zich geografisch. Wie overtuigt is van het een luistert naar de argumenten waarmee zij of hij het eens is. Nadat de meesten zichzelf hebben weten te overtuigen worden de acties opgedoekt.

Ik begin aan een rondreis door de staat. Dat ik niet gewend ben met een auto te rijden is een understatement. Tot deze reis was het vijftien jaar geleden dat ik achter een stuur had gezeten (botsautootjes uitgezonderd). Het is met een zondig plezier dat ik inga op de 'superaanbieding' van verhuurbedrijf Enterprise, en voor 'slechts dertien dollar per dag' een Toyota Echo huur (die dertien dollar vormt, zoals wel vaker, een beneveld deel van de waarheid, ik betaal zesentwintig dollar per dag extra aan verzekering en belasting).

Ik heb, bedenk ik, nog nooit alleen in een rijdende auto gezeten. Maar ik lees informatiesnippers als: een kwart van alle Amerikanen heeft ooit in haar of zijn auto gewoond. Of: Amerikanen brengen meer tijd door in hun auto dan in een sportarena (ik concludeer uit dat bericht dat ze veel tijd in die arena's doorbrengen). Volledige radioprogramma's zijn gericht op de markt van de automobilisten. Als busreizigers in meerderheid op de Democraten stemmen, stemmen automobisten in meerderheid Republikeins. Dit gebruik van een auto is (ahum) niet zozeer een toegeving aan het comfort, het is een duik in het volle en ware Amerikaanse leven. Ik wil vooral op plaatsen geraken waar geen bus komt.

Nadat ik bij het uitrijden van de parkeergarage al bijna een ongeval heb veroorzaakt (de verkeerde kant opgekeken, er abusievelijk van uitgaand dat men hier links rijdt), raak ik, mede omdat de wegen zo goed als verlaten zijn, in een soort trance van onbekommerdheid. Zij het niet meteen.

Mijn eerste stop ligt op een uur moeizaam rijden van Albuquerque, gedeeltelijk langs stoffige en me verwarrende wegen.

Orlando Antonio verwijst voor zijn naam naar zijn moeder, die vaak reisde en die een voorliefde had voor de stad Orlando in Florida, en voor San Antonio in Texas. Hij laat in het midden of hij zelf gelooft wat hij vertelt. Zijn indiaanse naam spreekt hij snel en redelijk onverstaanbaar uit. Hij spreekt overigens de hele tijd snel, en begeleidt de klanken met gebaren. Zo gaat het in zijn eigen taal, het Keresan, en hij behoudt die gebaren als hij Engels spreekt. Hij praat gejaagd, zegt hij zelf, omdat hij niet al te goed begrepen wil worden. Hij wil niet vastgepind worden op zijn woorden, hij wil niet dat zijn stam vastgepind wordt op die woorden.

Een zekere vaagheid, een gewisse tolerantie voor dubbelzinnigheid, creativiteit met de waarheid, heeft in de loop van de geschiedenis van zijn stam levens gered. En bovendien: hoe zou je met precisie kunnen spreken over ontstaansmythen en lang vervlogen histories?

Maar praten doet hij wel. 'Toen ik in de jaren vijftig naar school ging, was het nog bijna een schande een indiaan te zijn. Telkens wanneer ik contact zocht, scholden de andere kinderen, om het even of ze Anglo of Spaans waren, me uit, sloegen ze me, of negeerden ze me op een manier die nog pijnlijker was dan een dagelijks pak slaag. Het kwam erop neer dat ik ophield met praten en de mogelijkheid tot contact opgaf. Op een dag werd ik geacht een spreekbeurt te geven. Ik was er als de dood voor, ik wist niet wat als onderwerp te kiezen.

Maar toen ik voor de klas stond, dacht ik: wat zou het? Ik weet niet of dat onverschilligheid was, berusting of moed. Misschien alledrie. Ik besloot te vertellen over mijn eigen leven, over mijn achtergrond. Na het uur werd er traag geapplaudisseerd. Op de speelplaats bleken de kinderen ineens contact met mij te zoeken. Ze stelden voor om na de les een pizza te delen. Ik heb daar vrienden voor het leven gemaakt. Sindsdien ben ik niet meer opgehouden met praten.'

Hij hoest slijm uit zijn hese keel. Orlando heeft van praten en, ondergeschikt, van taal, zijn beroep gemaakt. Aan de universiteit van Albuquerque werkt hij mee aan een woordenlijst van het Keresan, en in zijn geboorteplaats, de pueblo van Acoma, is hij gids en leidt hij belangstellenden rond langs 'de oudste nederzetting van New Mexico die ononderbroken in gebruik is geweest. Minstens zevenhonderd jaar oud.' Van oudsher waren de pueblo's een doorn in het oog van de nomadische indianen, de Navajo's, de traditionele rivalen, vijanden, maar in noodgeval ook wel bondgenoten en vaker handelspartners.

Orlando is een van de paar indianen die zelf nog in de pueblo wonen. De meesten van zijn zesduizend stamgenoten hebben deze stad op hoge, verdedigbare rotsgrond, zonder waterleiding en elektriciteit, verlaten voor lager gelegen comfort.

Orlando is de tradities genegen. Hij legt ze graag, zij het altijd bij benadering, uit. Hijzelf maakt deel uit van de *roadrunner*-clan, terwijl de macht in zijn pueblo in handen is van de *antilope*-clan. De Acoma-indianen leven in een matriarchaal systeem. 'Dank God voor de vrouwen,' zegt Orlando bij herhaling, en niet altijd ter compensatie van het kwade dat hij over hen vertelt. Hij wijst geregeld naar zijn pijnlijke knieën. 'Als vrouwen zeggen: "Spring!", dan springen we.' Dat voegt hij aan het medisch bulletin over zijn knieën toe. Zijn zo al gekneusde knieën kennen nooit rust in zijn eindeloze dienstbaarheid aan het vrouwelijk geslacht.

'Men zegt: de politieke en religieuze macht komt uiteindelijk toch altijd aan mannen toe. Maar de mannen zijn in beide gevallen slechts de gezant van de feitelijke machthebsters. De politicus onderhandelt en legt het resultaat voor aan zijn vrouw. Die accepteert het resultaat of stuurt hem opnieuw naar de onderhandelingstafel.'

De jongste dochter erft het ouderlijk huis, in de veronderstelling dat zij het langst voor de ouders zal zorgen. Mannen gaan bij hun echtgenote wonen. Althans, in zestien van de negentien pueblo's is dat zo. In de andere drie, onder meer in Taos, verloopt de erfenis via mannen. 'Een huwelijk tussen een man uit Acoma en een vrouw uit Taos is problematisch. Zij hebben geen van beiden een huis en zijn welhaast verplicht om in Albuquerque te gaan wonen.'

En een vrouw uit Acoma die valt voor een man uit Taos?

'Die hebben het gemakkelijk. Zij kunnen kiezen waar ze wonen, en naargelang hun keuze bepalen ze wie het voor het zeggen krijgt.'

Terwijl hij de afgrond toont waarin zijn voorouders op ongeregelde tijdstippen een franciscaan hebben gegooid, geeft Orlando een beknopte geschiedenis van zijn stam, of zelfs van de mensheid – dat onderscheid wordt niet nadrukkelijk gemaakt. Hij vertelt over twee zussen die uit de grond gekropen zijn met een korf vol zaad en lekkers, en die de planten en de dieren op aarde hebben geïntroduceerd. 'Onze moeder is de aarde, onze vader is de zon.' Orlando ratelt het af als is het een mantra van zijn stam.

De bleke zus had het niet naar haar zin in deze omgeving. Ze vertrok naar het oosten. De donkere zus werd de oermoeder van de Acoma. Haar oudste kind werd het eerste lid van de antilope-clan. 'We geloven dus niet dat de blanken ons hebben ontdekt. We geloven dat de blanke zus van ons is weggetrokken, en dat haar kinderen later zijn teruggekeerd.'

De terugkeer van die verloren dochter (of haar nazaten) verliep problematisch. De Spanjaarden probeerden de pueblo-indianen politiek, economisch en religieus te overweldigen. Toen de Acoma-indianen een groepje Spanjaarden doodden die een maagd hadden verkracht, en bovendien kalkoenen hadden gestolen (de kalkoen was een heilig dier) liet de conquistador Don Juan de Oñate een wraakexpeditie uitrukken. Zeventig goedbewapende soldaten schoten en hakten Acoma aan flarden. Achthonderd mannen, vrouwen en kinderen zouden in 1599 zijn gedood. 'Van alle overlevende mannen ouder dan vijfentwintig jaar werd een voet afgehakt. Zij werden lijfeigenen.'

Orlando trekt met twee linkervingers ingebeelde strepen over zijn wang. 'Blanken denken dikwijls dat wij oorlogskleuren op ons gezicht smeren. Dat zijn geen oorlogskleuren. Het zijn kleuren van koppigheid. Ze betekenen wat ons betreft: nooit opgeven.'

Hij herhaalt dat enkele keren, telkens vergezeld van de strepentrekkende vingers: *never quit.*

Maar omdat ze niet opgaven werden de mannen van de stam bijna uitgeroeid. Orlando wrijft opnieuw met de vingers langs zijn wang, maar zijn gezichtsuitdrukking is veranderd. 'Dank God voor de vrouwen. Die waren wijzer dan wij, en zij gaven wel op.' Ze bogen, maar braken niet. Ze gooiden af en toe een pater de afgrond in, bijvoorbeeld een pater die zich aan kinderen vergreep.

Orlando wijst naar zijn dunne snor. 'Dat is mijn Spaans-Mexicaanse erfenis. Zuivere Acoma-indianen kenden geen baardgroei. In de Spaanse tijd zijn nogal wat vrouwen verkracht. Later waren er vrijwillige verbintenissen. Mijn snor dank ik aan mijn overgrootmoeder. Tegenwoordig vind je bijna geen Acoma-jongens meer zonder baardgroei.'

De vrouwen hebben kort na het bloedbad van 1599 de beroemde kerk van Acoma gebouwd, San Esteban del Rey. Die werd gebouwd, daar drongen de paters op aan, op de plek waar de oude, in hun ogen heidense, rituelen plaatsvonden, met grondstoffen, bomen en stenen, die van heel ver moesten worden aangesleept. 'Een tijdje geleden kon ik Hillary Clinton rondgidsen, en ze vroeg me hoe dat zat, waarom we al die jaren de kerk hebben onderhouden die toch een symbool was van onze onderdrukking. Welnu, zonder dat de paters het wisten, hebben de vrouwen de heilige afmetingen van de traditionele religie in het gebouw geïntroduceerd, evenals de vier symbolische kleuren, aan de vier zijden van de kerk. Zo kregen we twee religies, en beleden we onze religie terwijl de paters dachten dat ze ons hadden bekeerd.'

Het was een van de punten waar vaagheid nuttig bleek. De kerk heet dan wel San Esteban del Rey, de indianen beschouwen haar als een oude tempel.

Een ander voorbeeld was de doop. Traditioneel werden kinderen op de vierde dag na hun geboorte aan de zon getoond, benoemd, en van een kolf maïs voorzien. Het was vrij eenvoudig, en vanuit traditioneel gezichtspunt ongevaarlijk, om daar een handvol water aan toe te voegen voor een christelijke doop, terwijl de pater dacht dat die arme indianen na een doop niet meer hadden weg te schenken dan een maïskolf, of zelfs als hij beter wist veronderstelde dat zijn sacrament het uiteindelijk zou winnen van het heidens gedoe.

Orlando keert nog even terug naar Clintons bezoek. Dat was niet onbelangrijk voor de stam. Ze zorgde er (mede) voor dat er overheidstoelagen kwamen om het kerkgebouw op te knappen. Ze toonde zich een sterke vrouw die niet zou misstaan tussen Acoma-vrouwen.

Sinds enige tijd wordt Acoma ook gefinancierd met de opbrengsten van een eigen casino. 'Zou ik nog mensen rondgidsen als ik zelf een fiks deel van die opbrengsen zou ontvangen?'

De winsten worden dus niet onder de bewoners verdeeld. Wat gebeurt er dan wel?

'We hebben besloten met de casinowinsten land te kopen. Eerst tot de grens met Mexico en daarna kopen we Mexico op. We willen bewijzen dat we geen nietsnutten zijn, dat we behoorlijk voor onszelf kunnen zorgen, dat we pienter genoeg zijn om een plek in het moderne Amerika op te eisen.'

In de verte, in een ontstellend dorre vlakte, zien we stamgenoten te paard die hun kudde tussen de jeneverbessen sturen. Orlando kijkt goedkeurend naar laaghangende wolken, die nabije *mesa's* likken. Hij proeft zelfs enkele regendruppels. 'We hebben al zes jaar zo goed als geen regen gehad.' Voor een landbouwersvolk als de Acoma is dat rampzalig. 'Maar deze winter waren de voortekenen gunstig.'

Zoals veel bewoners van deze halfwoestijn beschouwt hij de droogte als tijdelijk, en wordt hij aangespoord door een irrationele verwachting van regen. Zoals het in een andere context werd genoemd: de overwinning van hoop op ervaring.

Aan de andere kant van de Betoverde Mesa, een ver oriëntatiepunt waarvan Orlando de betovering niet wil verklappen ('in dit deel van de wereld is alles nogal betoverd') ligt de weg die voert naar de honderd meter lager liggende vlakte. Tegenwoordig, en dat dankt of wijt men aan John Wayne, die in Acoma een film wilde draaien en ten behoeve daarvan een deel van de rots liet opblazen en een weg liet aanleggen, is de Acoma-Mesa voor auto's, en dus voor zwaardere toeristen toegankelijk. Een weinig spraakzame vrouw verkoopt in een cafetaria in de vlakte toegangskaarten, waarna een busje reizigers naar Orlando brengt.

Waar komt de naam Acoma vandaan?

Dat ging volgens Orlando ongeveer als volgt. De twee oerzussen trokken met hun manden over de aarde, en toen ze in dit gebied rondtrokken riepen ze naar iemand, Haku, misschien Ako. Er kwam een echo terug, wat er volgens de zussen op wees dat er nog volk in de omgeving woonde, en ze besloten er een woonplaats van te maken. Acoma betekent ook: mensen van de witte rots. Of: plaats waar de echo het zuiverst weerklinkt.

In het cafetaria lees ik, boven een bord soep dat geserveerd wordt met een maïskoek, in mijn nieuwe aankoop, *When Jesus Came, The Corn Mothers Went Away*, van Roman A. Gutièrrez. Op de eerste pagina's van dat boek (uitgegeven in 1991 bij Stanford University Press) wordt het verhaal dat Orlando vertelt over de ontstaansmythe handig en nog altijd enigszins wazig gecompleteerd.

In den beginne werden twee meisjes geboren op een volledig duistere plaats onder de aarde, die Shipapu werd genoemd. In totale duisternis voedde Tsichtinako de zussen op, leerde hun de taal, en overhandigde hun de manden met zaden en de fetisjen van alle dieren die hun vader Uchtsiti voor hen had bestemd. Ze raadde de kinderen aan vier pijnboompitten te planten om het licht te bereiken. En inderdaad, een van de vier pijnbomen boorde een gat door de aardbodem, en door dat gat kropen de zussen uit hun duistere verblijf richting de zonovergoten wereld.

Tsichtinako, 'gedachtevrouw', noemde de ene dochter Iatiku, moeder van de maïsclan, en de andere Nautsiti, moeder van de zonneclan.

'Waarom werden we geschapen?' vroegen de dochters. (Guttièrez legt niet uit hoe hij aan citaten kwam van deze mythologische wezens.)

Tsichtinako: 'Jullie vader Uchtsiti heeft wat geronnen bloed in de ruimte gegooid, en uit zijn bloed is de aarde ontstaan. Hij heeft jullie in die aarde geplant zodat jullie al de dingen in jullie manden tot leven zouden kunnen brengen, zodat de wereld compleet zou worden en jullie erover zouden kunnen regeren.'

Na hun eerste nacht buiten toonde Tsichtinako de kinderen hoe ze zaad konden planten, hoe ze maïs konden oogsten en tot meel maken, en hoe ze dagelijks maïsmeel aan hun vader moesten offeren. De volgende nacht viel een schicht uit de lucht die tot brand leidde. 'Uw vader, de zon, schenkt jullie vuur, om het eten te koken en om jullie warm te houden,' aldus Tsichtinako. 'De vuurtongen zullen in leven blijven als je ze voedt met takken van de pijnboom die de opening naar het aardoppervlak heeft gemaakt.'

De zussen roosterden hun maïs op het vuur, voegden zout toe dat ook in hun mand was voorzien en aten naar hartelust.

Daarna construeerden ze de wereld, ze leerden van Tsichtinako hoe ze hun fetisjen tot echte dieren konden maken, hoe ze met keitjes *mesa's* konden creëren. Tsichtinako gaf hun de opdracht een van de dieren te doden, en het vlees samen met maïs te roosteren (en telkens een deeltje aan hun vader te offeren).

Hoewel ze oorspronkelijk, volgens de aanduidingen van Tsichtinako, behoedzaam met hun manden omgingen, werden de zussen gaandeweg iets onvoorzichtiger. Op een dag viel een fetisj uit een van de manden en hij kwam op eigen kracht tot leven als de slang Pishuni.

Pishuni stimuleerde de jaloezie tussen de zussen, hun zelfzuchtigheid, en al gauw weigerde Nautsiti verder contact met haar zus. 'Waarom ben je eenzaam en ongelukkig?' vroeg de slang haar. 'Als je datgene wilt wat je gelukkig maakt, kan ik je zeggen wat te doen. Als je iemand als jezelf baart, zou je niet langer eenzaam zijn. Tsichtinako wil je dat geluk onthouden.'

Nautsiti geloofde hem en sprak met hem af in de buurt van een regenboog. Op een rots bij de regenboog ging ze op haar rug liggen, en terwijl ze rustte drongen regendruppels bij haar naar binnen. En van de druppels werd ze zwanger en ze baarde een tweeling. Hun vader had uitdrukkelijk verboden dat ze kinderen zouden krijgen, en toen hij besefte dat ze zijn gebod hadden overtreden ontnam hij zijn kinderen Tsichtinako, de gedachtevrouw.

Nautsiti trok met haar favoriete zoon weg naar het westen. Iatiku bleef achter met Tiamuni, de verstoten zoon van Nautsiti. Uit de verbintenis tussen Iatiku en Tiamuni ontstonden vele kinderen die elk een clan stichtten, genoemd naar wat er in de oorspronkelijke mand had gezeten. Vervolgens creëerde Iatiku uit aarde die ze in haar mand vond de geesten van de vier seizoenen, en de *katsina*, de wolkgeesten van de voorouders, voor wie ze ook een verblijf voorzag. Ze smeedde een verbond tussen die twee werelden. 'Jullie,' sprak ze tot de geesten, 'zullen ons van voedsel uit jullie wereld voorzien, en wij zullen jullie voeden met voedsel uit onze wereld.' De wolkgeesten werden ook geacht regen te brengen. Iatiku richtte vervolgens haar maatschappij in. Ze liet de vrouwen huizen bouwen en die samenvoegen tot een stad. Ze legde de oudste man in de eik-clan op een heilige plaats te bouwen. Om de ziekte te bestrijden die de slang had gebracht, benoemde ze een medicijnman die ze ook bekleedde met de macht van beren om heksen en tovenaars te herkennen.

Na verloop van tijd verloren de bewoners hun respect voor Iatiku en ze besloot terug te keren naar Shipapu, haar kinderen half verweesd achterlatend, zoals hun moeder ook ooit half verweesd was achtergebleven.

Geschenken vormen volgens Gutièrrez het bindmiddel van de samenleving. Kinderen staan in het krijt bij hun ouders en worden geacht terug te geven wat ze hebben ontvangen, ongeveer op gelijkwaardige wijze staan mensen bij de geesten in het krijt, bij de zon en de aarde, bij de dieren, waaraan geofferd wordt alvorens ze gejaagd of gevist of anderzijds gedood en gegeten worden. Welvaart en doem hangen af van de correcte offerandes en geschenken. Wie niet schenkt, zal niet krijgen. Calamiteiten als aanhoudende droogte wijzen op een verstoring van de banden met de geesten.

Na die halve dag in de pueblo komt mijn avond in het casino als een anticlimax. Voornamelijk witte en overvoede Amerikanen verdelen hun aandacht tussen een *all-you-can-eat*-buffet en eenarmige bandieten. Zijzelf, en het soms indiaans personeel, lijkt in een staat van permanente verveling te verkeren die aan rigor mortis grenst (waar is de slang Pishuni als je hem nodig hebt?). De bezoekers lijken hier voornamelijk te zijn omdat ze de gokparadijzen van Nevada of New Jersey te ver weg vinden. De werkneemsters van het restaurant (geen indianen) zijn niet te beroerd om nieuwe klanten toe te fluisteren dat ze, hoewel er geen bediening is, toch op een fooi rekenen. Dat buffet ontstaat niet vanzelf.

De gokkers hanteren min of meer dezelfde, on-indiaanse denkwijze dat iets voor niets tot de mogelijkheden behoort.

Als het de Acoma-indianen in staat stelt hun landen terug te kopen ben ik helemaal voor zo'n casino, maar lol trappen is er doordeweeks niet bij (in het weekend daarentegen treedt een humorist op). Ik maak me zo snel mogelijk uit de voeten, en logeer in een ander casino, even humorloos, maar tenminste niet van de Acoma.

Na Acoma rijd ik min of meer noordwaarts door Navajo-gebied, reservaat, zo verlaten dat zelfs de jeneverbessen ophouden met groeien. Ik kan de verlatenheid, en ik prijs me gelukkig dat ik de tank heb volgegooid, meten met mijn autoradio. Een voor een vallen de zenders weg tot ik alleen nog de keuze heb tussen een christelijke muziekzender ('*Jesus is my brother, and my father and my friend*' wordt gevolgd door het theologisch minder betwistbare '*Thank God for Jesus*') en een indianenzender die me voorlicht over tienerzwangerschappen en alcohol. Na enige tijd valt ook de christelijke optie weg en blijft het traditioneel cultuuruurtje van de indianen over. Het verwondert me niet dat de gezangen van de gefêteerde groep nooit een hitparade hebben gehaald.

Ik speel spelletjes met de afstanden. Tel aan de hand van mijlpalen of de mijlteller op het dashboard dat ik acht kilometer lang rechtdoor kan rijden, zonder de minste bijsturing. Dan rijd ik over een kronkelend bergpasje. Tussen de sneeuwvlokken galopperen vereenzaamde paarden.

Af en toe valt langs de kant van de weg een bord met een ecologische boodschap te lezen – dat de gemeenschap zich zal verzetten tegen de inplanting van mijnen, of tegen een verkaveling. Ik denk dat ik al wel vijftig kilometer geen teken van bewoning heb gezien. Je vraagt je af wie dit land – hoe mooi ook – verdedigt tegen zijn belagers.

Een merrie denkt dat ik (of de auto) haar veulen bedreig en ze rent onverwachts over de weg. Een onverhoeds eekhoorntje verplicht me tot een ongecontroleerde manœuvre. Ik stap uit bij een harig kadaver, een vos denk ik, en merk dat er vocht uit de auto druppelt. Binnenin blijkt er ook een blauw lampje op te lichten – lage koelvloeistof, lees ik in de bijgeleverde brochure. Hetzelfde lampje met rood licht zou op hoge koelvloeistof duiden, wat veel erger schijnt te zijn.

Dat kost me mijn trance van onbekommerdheid. De dichtstbijzijnde kans op een garage of telefoonbereik ligt weer tientallen kilometer verderop.

Ten lange leste bereik ik Cuba, waar een hippieachtige garagehouder me aanraadt geen acht te slaan op blauw licht. '*As a rule of thumb*,' legt hij uit: 'Wat niet rood is, niet deert. Waar was je toen je het lek zag? Net na de bergpas?' Wat ik beschouwde als een lek was wellicht sneeuw of ijs dat onder invloed van de opgewarmde motor en het lager wegniveau sneller smolt dan je zou verwachten.

Mmm.

'*Don't worry*,' zegt hij. 'Wat kan je gebeuren?'

Ik plan nog verder te rijden over wegen die tientallen kilometers lang verlaten zijn.

'*Don't worry*. Blauw is goed. Niet slecht.'

Wat valt hier te beleven? vraag ik aan de gerante van het Frontier Motel, die al evenmin problemen ziet in een blauw lampje.

'Wel,' zegt ze peinzend, 'vanmorgen motregende het en leek een bui tot de mogelijkheden te behoren. Toen klaarde het op.'

En dat was het verhaal van haar dag?

'*Pretty much*.'

De volgende dag zit de auto onder een dikke laag sneeuw, maar het blauw van de koelvloeistof licht niet langer op.

Enkele tientallen kilometers voorbij het beroemde onderzoeksstadje Los Alamos, waar ooit de atoombom werd uitgedokterd, ligt Española. Española is zelfbewust het tegendeel van Los Alamos, onopgevoed, arm, gekleurd, eerder Spaanstalig, vol van dubieus, snel voedsel, en boos. De jaarlijkse ontmoeting tussen de basketbalteams van de steden leidt tot verhoogde paraatheid van de politie, die er toch nooit in slaagt vechtpartijen te verhinderen. Die van Los Alamos winnen doorgaans op het veld, die van Española ernaast. In beide gevallen wekt het tegenovergestelde resultaat verwondering.

Een indiaanse vrouw komt, op haar dochter steunend, de *diner* binnengestapt. Haar haarvlecht hangt tot een eind over haar rok, het haar is jonger dan het zwaar gegroefde gezicht. Terwijl haar dochter in het toilet verdwijnt en de eigenaar met een knik aangeeft dat hij weet wat ze zal bestellen, ook al zegt ze niks, begint de vrouw halfmonds te zingen. '*I want to ride my bicycle, I want to ride...*' Queen in het reservaat, of toch aan de rand van het reservaat.

Ikzelf zit eerst naast Calvin, niet alleen zwart (wat hier opvalt), maar bovendien netjes uitgedost in pak en met das (wat nog meer opvalt). Hij is door zijn bank uit Oklahoma naar Española overgeplaatst. 'Ik ben uit een besloten gemeenschap in de *bible belt* afkomstig. Hier schijnt niemand veel aan Gods gebod gelegen te laten. Ik voel me daar niet gemakkelijk bij, maar ik wil niet te snel oordelen. Ik beschouw dit als een deel van mijn opvoeding. Als je God wilt vinden, moet je je ogen durven te openen. En intussen probeer ik om niet zelf van het rechte pad af te dwalen.'

Calvins plek wordt, wanneer hij met spoed naar zijn bank terug moet, welhaast onmiddellijk ingenomen door Tony, die niet meteen verlangt naar rechte paden. Hij is, legt hij uit, half Siciliaan en telkens een kwart Castilliaan en Arapaho. Hij heeft zijn indiaanse grootmoeder nog gekend, 'maar destijds was ik zo dom geen vragen te stellen, zodat ik zelfs niet weet hoe ze met mijn Spaanse voorouder in contact gekomen is'.

'Gek genoeg,' zegt hij, 'voel ik me naarmate de tijd vordert steeds indiaanser. Ik geloof steeds sterker in reïncarnatie, voel aanwezigheden die ik niet noodzakelijkerwijs zie.'

Dat wijt hij aan zijn indiaanse wortels. 'Ik zou willen weten hoe mijn grootmoeder daar precies over dacht. Ik vind dat ik een tweede kans verdien, misschien ontmoet ik haar opnieuw in mijn volgende leven.'

Tony is van slag. Hij heeft van jongsaf aan als loodgieter zijn geld verdiend, maar twee jaar geleden is zijn enige kind verongelukt, is hij – mede door die calamiteit – vervreemd geraakt van zijn echtgenote, en heeft hij binnen een korte periode zijn moeder en een favoriete oom aan kanker verloren.

Hij besloot dat loodgieten te weinig was om zijn hersenen bezig te houden en hij begon op zijn zesenvijftigste opnieuw te studeren. Voor elektricien. Daartoe – en om de boze herinneringen te ontvluchten – verhuisde hij van Colorado naar dit middelkleine stadje. 'Ik beschouw mijn studie als detectivewerk. Men legt mij een defecte koelkast voor en als Sherlock Holmes ga ik na wat er loos is. Dat men me vroeger nooit heeft uitgelegd dat studeren spannend kan zijn! Ik geniet ervan, ook al zijn mijn medestudenten veertig jaar jonger, en steken ze wel de draak met mij.

Ook vreemd. Sinds ik geen putten meer graaf, of geen muren meer kap, doet mijn rug pijn. *If you don't use it, you lose it*, veronderstel ik.

Dit vraag ik me af: zou je ziel zelf kunnen kiezen hoe ze terugkeert?'

Wat zou hij in dat geval kiezen?

'Detectivewerk.'

Ik rijd terug naar Taos, waar ik eerder in een bus passeerde. Binnen handbereik van die stad, en nog dichter bij de diepe kloof van de Rio Grande, ligt de nederzetting van de aardschepen. Als je even niet oplet mis je die helemaal. Vanuit de bus leek het er eerst op alsof er iets heel fouts was gebeurd. De huizen zitten namelijk grotendeels in de grond, en de raamkant die boven die grond uitsteekt, plooit zich niet naar rechte hoeken, en vertoont een groot afvalquotiënt, rommelig, gescheurd. Buiten het dorp kun je je zo al vergapen aan afval, uitgebrande Cadillacs, ruitloze woonwagens, fornuizen en roestige restanten van andere gebruiksvoorwerpen. Min of meer dat wat er zou resten van de beschaving na een atoomramp, min of meer het terzijde geschoven decor van een Mad Max-film.

Bij de toeristische dienst van Taos had ik nagevraagd wat dat verzakte dorp te betekenen had, en de gepensioneerde vrijwilligster bleek er zelf te wonen. 'Dat zijn aardschepen,' legde ze uit, 'en als je wilt kun je ze bezoeken. We hebben een permanente tentoonstellingsruimte.' Ze gaf me ook de naam van de website, die luidt: www.earthship.com.

Het verhaal van de aardschepen gaat ongeveer als volgt. In de late jaren zestig zakte de jonge architect Michael Reynolds af naar het hippievriendelijke Taos. Hij probeerde er zijn leven vorm te geven, zijn vorm te vinden, werd in willekeurige volgorde professioneel motorcrosser, hardloper en muzikant. Hij raakte gefascineerd door piramides, ontdekte hun meditatieve waarde, begon ook zonder de bemiddeling van drugs visioenen te hebben, bezoek te krijgen van geesten, en kwam tot de algehele en onomstotelijke conclusie dat de aarde heel snel dreigde om zeep geholpen te worden. Het is, beseft hij ook zelf, wat vreemd dat dit soort conclusies zich op het relatief ongerepte platteland aan hem opdrongen, daar waar hij relatief zorgeloos in steden had verbleven. En ook weer niet. New Mexico, dor en hooggelegen, is misschien qua regenval en warmte op de rest van de wereld vooruit. Waterschaarste is hier van oudsher een probleem.

Reynolds dacht er over na, in kleermakerszit mediterend, altijd onder een piramide. Hij kwam bij zijn oude vaardigheid uit, de architectuur. Hoe kon hij huizen bouwen die niet zouden bijdragen tot het verval van de wereld? Hoe vielen die huizen te groeperen tot leefbare, milieuvriendelijke steden of dorpen? Onbewust nam hij de taak op zich waarvan de maïszus Iatiku zich ooit had gekweten: hij zou zijn nakomelingen leren bouwen. Hij zou zichzelf leren bouwen. Hij zou een droom realiseren om zijn nachtmerrie te bestrijden.

Bijna veertig jaar later ontvangt Reynolds me in een kantoortje met een op zonne-energie draaiende computer. Hij is nog altijd zwaar behaard en bebaard, maar in zijn gebouwen zijn tegenwoordig geen piramides meer te ontwaren.

Haalde hij de mosterd bij de indianen, die al eeuwen in deze halfwoestijn hun pueblo's in stand weten te houden?

Hij schudt ontkennend het hoofd. 'Mijn grootste inspiratiebron,' zegt hij, terwijl hij door zijn haargroei woelt, 'was de boom. De boom haalt zijn energie uit de zon, zijn water uit de lucht of de grond. De boom leeft niet in conflict met de planeet, in tegenstelling tot vele mensen, hij wordt één met de planeet. De boom is geen uitbuiter, hij geeft meer terug dan hij neemt. Hij voegt aan de aarde toe.'

Of zoals Hillary, tegelbakster, bewoonster, en jonge medewerkster van Reynolds, het kinderlijk formuleert: 'De aarde lijdt. We moeten nu proberen lief voor haar te zijn.'

Reynolds voegde nog twee grote regels aan de boomanalogie toe. Hij zou, binnen de grenzen van het mogelijke, bouwen met afval dat andere mensen produceren. Beton en hout komen niet aan zijn huizen te pas, oude autobanden en blikjes des te meer. En het was voor hem essentieel dat zijn huizen los zouden staan van de bestaande netwerken. In zijn huizen geen aansluiting op een waterleiding of een elektriciteitsnet.

Wat is daarop tegen?

'De evidente reden is: het is goedkoper. Je spaart jaarlijks minstens voor enkele honderden dollars uit. Daarnaast ben ik er rotsvast van overtuigd dat die algemene netten bijdragen tot de vernietiging van de planeet. Ze vervuilen het uitzicht, met kabels en pijpen. En wat erger is: ze vervuilen de aarde. Voor het elektriciteitsnet worden kerncentrales gebouwd die kernafval en andere gevaren opleveren. Het water wordt gezuiverd en via riolen weer afgevoerd, wat op zijn beurt gif en afval oplevert. Bovendien halen de watermaatschappijen soms de grondwaterspiegel overhoop. De huizen die ik ontwerp, de aardschepen, willen precies dat zijn: schepen, machines die zich onafhankelijk in de aarde bevinden en die ons naar de toekomst voeren.'

Reynolds bouwt zijn huizen door met zand gevulde autobanden op elkaar te stapelen. Dat worden de muren, die liefst nog verdwijnen in de grond (of eigenlijk gebouwd worden in een uitgegraafde ruimte). Omdat de wanden zo dik zijn, en eventueel door zand bedekt worden, isoleren ze zowel tegen warmte als tegen kou, wat in dit woestijnklimaat nuttig is. De muren die niet in het zand verborgen zitten, worden versierd met blikjes en flessenafval. Op het dak wordt regen opgevangen en naar reservoirs geleid die per wooneenheid ongeveer achtduizend liter kunnen bevatten. Dat water wordt, door een ingenieus systeem, vier keer gebruikt. Via zonnepanelen wordt elektriciteit opgewekt.

Bijna in weerwil van de afval- en functionaliteitsfilosofie zijn sommige aardschepen redelijk gezellig. Sommige lijken op oude Egyptische tempels, andere lijken nergens op. Ze kosten niet meer dan een gewoon huis, ongeveer honderddertigduizend dollar voor een ruime, afgewerkte woning.

Linette, de vrijwilligster op de toeristische dienst, die bij haar pensionering door een multinational haar klassieke woning heeft omgeruild voor een aardschip (haar bedrijf suggereerde psychiatrische behandeling alvorens ze die stap zou zetten), heeft voorgerekend dat haar algemene kosten op jaarbasis zevenenveertig dollar bedragen. Dat bedrag spendeert ze aan gas voor haar kookfornuis. Water en verlichting worden door haar eigen reservoir en zonnepanelen geleverd.

Hillary heeft wel eens water moeten laten aanrukken door vrienden uit Taos, omdat het een jaar lang niet had geregend, maar over het algemeen lukt het inderdaad om met tweehonderd millimeter neerslag de behoeften van de bewoners te dekken, kook- en eventueel drinkwater, water voor persoonlijke hygiëne, toilet, wasmachine, en dat alles voor enkele tientallen aardschepen verspreid over luttele vierkante kilometers.

De eigen uitwerpselen en het ultieme afvalwater (na vier vormen van gebruik) gaan naar de bemesting van de woestijn die inderdaad her en der tekenen van groene groei begint te vertonen. Binnenskamers ontwikkelen vele bewoners een serre, waarin vooral de bananenboom populair lijkt te zijn. Op termijn, al is dat misschien een termijn van generaties, willen de bewoners zichzelf voeden. Van hun restproducten maken ze zeep, Reynolds probeert ook biobenzine te produceren (hij is nog altijd dol op motoren).

Het systeem is niet helemaal sluitend. Bij langdurige droogte krijgen de bewoners dus bevoorradingsproblemen met hun water. In beginsel hebben de huizen binnenin een min of meer constante temperatuur, schommelt de temperatuur er hooguit twee of drie graden, 'en dat zonder kachels', terwijl de buitentemperatuur schommelt tussen dikke vorst en veertig graden in de schaduw. Maar dan houdt men geen rekening met deuren die openen en sluiten. Een trui is in de winter dan ook aanbevolen. Je moet vaak genoeg een bad nemen wil je het toilet blijven bevoorraden.

'Maar in principe,' zegt Reynolds, 'staan we na ruim dertig jaar experimenteren klaar om zowel in het bevroren Alaska als in het bloedhete Phoenix te bouwen.' In België, Strombeek, hebben medewerkers al een gebouw neergezet. 'Ik wil niet beweren dat je in België al je energie uit de zon kunt halen, wellicht moet je ook de wind benutten, of zelfs toegeven dat je er met een combinatie van die twee niet komt. Elke plek heeft haar sterke en haar zwakke kanten. Wij wonen in halfwoestijn, hier is water het heikele punt. Maar toch lukt het ons meestal om met het schaarse water rond te komen. De natuur kan bijna altijd perfect voor ons zorgen.'

Realiseert hij met zijn groep de ultieme en militante Amerikaanse droom, van één tegen allen? Zijn medestanders worden zo onafhankelijk van de overheid dat ze zelfs geen elektriciteit meer hoeven te kopen.

'Ik zie het verband wel, maar dat was zeker niet mijn uitgangspunt. De planeet is zo klein dat het er wat mij betreft niet toe doet of je Amerikaan bent of Irakees. Dromen moeten voortaan universeel zijn. Alle landen zijn politiek of economisch naar de haaien aan het gaan. De vorige jaren was er in Californië en elders stroomuitval. Men voorziet aanzienlijke tekorten. Wij wonen veiliger dan de rijkste Amerikaan omdat wij ook tijdens de grootste storingen gewoon verder kunnen leven. De armste mens die zijn eigen energie produceert, is mijns inziens veiliger dan de rijkste die van het net afhankelijk is. Ik maak nog eens de vergelijking met de boom. De boom is onafhankelijk. Die heeft geen opvang nodig, of geen regeringsinterventie.'

In de afgelopen dertig jaar betekende regeringsinterventie in het geval van de aardschepen doorgaans obstructie. De staat New Mexico ontnam Reynolds zijn vergunning als architect omdat hij opgelegde regels brak: afval verwerkte in nieuwbouw, en bijvoorbeeld de afvoer onder de woonruimte liet lopen.

'Ik noem mezelf nu *biotect*. Dat is een beroep waarvoor de overheid nog geen regels heeft vastgelegd. Op zich is het natuurlijk gek. Deze staat heeft grote lappen grond voorbestemd voor atoomexperimenten. Alsof daar geen regels met voeten getreden worden. Hoeveel dieren zijn daar gedood, hoeveel vervuiling is daar veroorzaakt?'

Tegenwoordig, geeft hij toe, laat de overheid hem voornamelijk met rust.

Waarom zijn zijn gebouwen niet populairder?

'Ik denk dat we al met al, over de wereld verspreid, tweeduizend aardschepen hebben gebouwd. Jaarlijks beleggen we drie expedities om ergens in de wereld prototypes te presenteren. We zijn pas uit Valencia teruggekeerd. Het is voor iedereen altijd wel duidelijk dat onze bouwwerken voordelen hebben, maar het is niet simpel om onze huizen aantrekkelijk te maken voor een groot publiek. Klassieke architecten denken dat ongeveer alles mogelijk is. Ze trekken het gebouw van hun dromen op en maken het dan via pijpen en leidingen leefbaar. Met onze bouwtechniek zijn er beperkingen. Onder andere omdat onze muren dik moeten zijn, hebben onze huizen een ander aanzicht. Dat stigma van het aanzicht hindert ons. We gingen in Schotland een project presenteren en daar was de grote eis dat we zo dicht mogelijk de traditionele gebouwen zouden benaderen. Mijn reactie was heel diplomatisch geformuleeerd: *bullshit*. Historische gebouwen zijn weliswaar mooi maar ze vereisen tegenwoordig kernenergie, airconditioning, centrale verwarming en weet ik veel. Wij willen niet aan onze basisconcepten tornen. Dat is net zoals met een auto: die kan allerlei ontwerpen verdragen maar hij kan er nooit functioneel hetzelfde uitzien als een boot. Een boot moet drijven, een auto moet rijden.' Hij haalt even adem, en komt dan tot een wat hoogdravende conclusie: 'Onze gebouwen moeten drijven in de omstandigheden die de toekomst ons oplegt.'

Toen hij tot het inzicht kwam dat de wereld naar de verdoemenis aan het gaan was, stond Reynolds naar eigen zeggen voor een dilemma. 'Ik kon dan wel op een berg gaan wonen en ervoor zorgen dat ik zelf zo weinig mogelijk hinder zou ondervinden van wat er plaatsvond, maar op langere termijn zou me dat niet redden. Dus zocht ik naar ideeën die de vernietiging van de planeet tegengaan. En de beste manier om de planeet te verdedigen is mijn ideeën te veralgemenen, iedereen alles te geven wat ik voor mezelf zo nodig acht. Momenteel wordt er oorlog gevoerd over petroleum. Velen voorspellen dat de volgende wereldoorlog over water zal worden uitgevochten. In beide gevallen wordt oorlog overbodig als we de jongelui leren hoe ze water en verwarming uit de lucht kunnen halen.' Het dilemma was altijd: isolatie of veralgemening? Na de ontwikkeling van zijn ideeën in isolatie probeert hij nu invloed te krijgen, grotere steden volgens zijn principes te bouwen.

Hij speurt ook verder naar de verfijning van zijn concepten. Hij heeft zijn interesse voor piramides nooit helemaal opgegeven, hij filosofeert over manieren om nog niet aangesproken natuurfenomenen te benutten. 'Waarom niet de regenboog? Ik ben er zeker van dat de regenboog een invloed heeft op mensen, misschien wel helend werkt.'

Dat soort overdenkingen is in Taos niet ongewoon. Taos is een plaats waar de nevelen van de geest geapprecieerd worden, en langer dan elders blijven hangen. Taos is de pleisterplaats van enkele onverwachte bewoners, in het bijzonder van actrice Julia Roberts en eerder kunstenares Georgia O'Keeffe. Mijn eerste indruk van het stadje, in de avondschemering, was er een van een net Afrikaans dorp, opgetrokken uit leem. Dat bleek een dubbele vergissing. Op de tast blijkt het leem eigenlijk beschilderd beton – de stadsarchitecten willen de sfeer van een pueblo imiteren, niet van Afrika, zonder de ongemakken van echt leem.

In de negentiende eeuw maakte Taos deel uit van het wildste westen. Roemruchte figuren, avonturiers, misdadigers, *trappers* als Kit Carson (hij paste in alle categorieën, droeg als 'indianenvriend' onder meer bij tot een bloedbad onder de indianen) kwamen hier hun fortuin zoeken.

Het valt moeilijk het rauwe verleden van dit plaatsje te verzoenen met het licht psychotische, etherische, supertoeristische heden met kort in de buurt skistations. Maar de overwegende tendens is toch verkoopbare zweverigheid. In het lokale weekblad stellen enkele bewoners hun cursus dagdromen voor ('breng schrijfgerief mee'), in de Brodsky boekhandel is de sectie over geestesverruimende middelen groter dan de sectie diëten, maar de relatief zorgeloze weelde is niet afgescheiden van de armoede en de verloedering die op het platteland zo evident zijn. De antiekwinkel met schitterende houten deuren ligt naast een schroothoop. Technologisch geavanceerde auto's staan in de relatief smalle straten in de file tussen halve wrakken.

De hippies zelf, vrouwen met dik, lang, grijs haar en kale mannen met quasi-lege vlecht en psychedelische kledij, horen blijkbaar in alle inkomenscategorieën thuis. Een kunstenares loopt rond in vodden. Een vervuilde man met rastafarihaar sloft, verdwaasd liftend, langs de hoofdstraat. Hij krijgt zijn duim niet hoger dan zijn heup, hij heeft zijn rug naar het verkeer gekeerd.

Aan het irrigatiesysteem van een hotel besluit hij een luie zonnegroet te brengen. Terwijl hij zich moeizaam van de grond hijst, dankt hij de geesten voor de nepregen die zijn gezicht koelt. Het water verandert het vuil op zijn huid in modder. 'Ik ben niet stoned, man,' zegt hij, nadat hij zich naast de sproeier in het gras heeft geïnstalleerd. 'Ik ben moe. Da's bijna net zo goed. Vermoeidheid is een gratis drug. Een paddestoel onder mijn hersenpan.'

Ik denk dat hij niet veel zou opsteken in de cursus dagdromen. Misschien doceert hij hem wel.

Ik ben in het holst van de nacht wakker gemaakt door zowel lawaai als een nachtmerrie. Ik besluit een wandelingetje te maken.

De omgeving is van aard om de verstoorde rust snel weer te herstellen. Af en toe komt uit een ver benzinestation een flard rockmuziek aangewaaid. Aan de oostkant wekken de bergruggen een vermoeden van dageraad – de sneeuw valt nog niet te onderscheiden van de blote rots, maar het lichtend luchtprofiel steekt al af tegen het duister van berg. De vogels zwijgen nog, met uitzondering van een hese haan, die blijkbaar meer ergernis kwijt wil dan zijn bek kan verdragen. De auto's zijn nog niet van stal gehaald, de sterren schitteren, tussen de verdorde graszoden rommelt een ongeïdentificeerd beest.

Dan wijkt abrupt het duister, en verdrinken de flarden rockmuziek in het ontsnappende verkeer.

Ik wandel een kilometer of zo tot aan het benzinestation, waar de bodemloze koffie de geur van pasgeloosde detergent niet kan verdrijven. Ralph zit mokkend boven zijn kop. Zijn bedrijf in Denver heeft hem uitgestuurd om enkele machines te repareren. Zijn werkmakkers blijven nog enkele dagen aan de slag, en Ralphs werkgever vertikte het om een extra auto mee te geven voor Ralphs terugrit. Over enkele uren moet hij de bus naar Denver nemen.

'Ik ben een meter negentig lang. Ik ben jaren geleden opgehouden me te wegen. Ik pas niet in de bus. Geen enkele Amerikaan past in de bus – de bus is collectief gedoe, on-Amerikaans. Vroeger zouden we gezegd hebben: communistisch.'

Hij foetert niet al te erg op zijn baas. 'Ik werk graag.' Al ergert hij zich aan de besparingen die hem tot de busreis verplichten. 'Tien jaar geleden had mijn baas nog voor die extra auto betaald.'

Werken, hoe aangenaam ook, is niet langer de as waar zijn leven om draait. 'Mijn kinderen zijn de deur uit, het huis is afbetaald. Ik heb een afspraak met mijn baas dat ik de hele zomer vakantie neem.

Men spreekt wel van vrije ondernemingen, maar ik heb nooit een eigen bedrijf gewild. Ik ben, denk ik, vrijer dan mijn baas. Die kan dan wel overdag vreemd gaan met zijn vriendin, en zijn secretaresse de opdracht geven te liegen tegen zijn echtgenote, maar uiteindelijk is hij de dupe van zijn eigen bedrijf, er dag en nacht mee bezig. Hij beweert dat hij jaloers is op mijn vakanties.'

Wat doet Ralph tijdens zijn zomervakanties?

'Ik rijd rond met mijn Harley Davidson. Da's pas leven. Langs verlaten wegen scheuren door de natuur, ongefilterd, in het mooiste land van de wereld.'

Heeft hij dan al vele landen bezocht?

'Geen enkel. Maar ik kan me niet voorstellen dat er een mooier land bestaat dan dit.' Hij wijst naar de nu zichtbare sneeuw op de bergen. 'Soms krijg ik er tranen van in mijn ogen. Dit is de mooiste plek ter wereld.'

'We hebben het veiligste voedsel ter wereld,' voegt hij hier even later aan toe, terwijl hij een verjaarde sandwich uit zijn plastic verpakking scheurt. '*Lo-o-ove my country.*'

Volgende week reist hij naar Mexico – zijn eerste buitenland in tweeënvijftig jaar. 'Ik wil in Acapulco een week in de zon liggen. Ik kijk ernaar uit, maar ik ben er ook beducht voor. Dit land is mijn wereld, mijn nest. Ik ben bang dat ik in Mexico mijn draai niet zal vinden.'

Het is niet de eerste keer dat ik merk dat nogal wat Amerikanen verkiezen dat buitenlanders naar hun land komen, liever dan dat ze zelf hun vaderland verlaten. Hebben er weinig op tegen dat buitenlanders zich in hun land vestigen – dat wordt beschouwd als de natuurlijke gang van zaken. Wie zou dat per slot van rekening niet wensen: dromen realiseren in het mooiste land ter wereld?

In het laatste deel van mijn autotocht laat ik me leiden door namen. Ik rijd, en daar is een behoorlijke omweg voor nodig door feeëriek landschap over bijwijlen onverharde, in stofwolken gehulde ranchweg, naar Pie Town. De schaarse inwoners rollen met hun ogen bij de vraag naar hun plaatsnaam. Ooit heette het gehucht Norman's Place, naar Clyde Norman, die er een benzinepomp en een snackbar had ingeplant. Toen de posterijen de benzinepomp met een postbus wilden vervolledigen, zocht men een wat meer officiële naam, of een naam die meer tot de verbeelding zou spreken als bestemming van brieven. Iemand suggereerde dat Clyde wel heel lekkere taart serveerde, en die suggestie gaf de doorslag. Pie Town was geboren. En onder die naam werd het plaatsje vanaf 1934 verkaveld.

In de opvolger van Norman's Place, de Daily Pie Cafe, wuift de serveerster de geschiedenis weg. 'Dat is uit de tijd van de cowboys.'

Op de website van het plaatsje wordt 'cowboying' nog altijd als een van de hoofdattracties gesuggereerd.

'*I guess*,' zegt ze, ten dode verveeld, maar zelfs in dode vorm haar air van vriendelijkheid ophoudend.

Ze kent wel de slogan van het plaatsje: 'Van hier af aan gaat het alleen maar bergaf.' 'Yep,' voegt ze er passieloos aan toe. 'Dit is het hoogtepunt van je reis, negenenzeventighonderd voet om precies te zijn.'

Ik bestel soep en een stuk appeltaart.

'Goede combinatie,' looft ze, alvorens ze tot leven komt en wat met de vader van twee boerenzoons gaat flirten. 'Je komt vanavond toch wel naar de vergadering?'

Boven de toog hangt een portret van wijlen president Thomas Jefferson. Op de Pie Town-website wordt hij geciteerd: dat eenieder het recht heeft op 'leven, vrijheid en het nastreven van geluk'. 'En we zijn bereid heel hard te werken om dat te realiseren,' aldus de anonieme schrijver van de webinformatie over het gehucht.

Persoonlijk zie ik alleen bewoners die enkele versnellingen trager bewegen dan elders. Hard werk hoeft niet snel te verlopen. De appeltaart is rijk aan kaneel en zo uit de diepvries gehaald, de soep heeft een mild vergeetbare smaak. Maar ik voel een grote sympathie voor de leuze, en herhaal hem kilometerslang binnensmonds, terwijl ik inderdaad zonder gas te geven de snelheidslimiet bereik: 'Van hier af aan gaat het alleen maar bergaf.'

Mijn volgende overnachtingsplaats heet Truth or Consequences. In tegenstelling tot Pie Town is dit geen gehucht maar een stadje, met winkels, motels en festiviteiten. Ook hier geen groot enthousiasme om over de naam te spreken.

'Filosofisch?' De boekenverkoopster komt niet bij als ik die suggestie maak. 'Een handvol zand bevat meer filosofie dan dit stadje.'

Zoals de helft van alle plaatsen in dit deel van de wereld heette Truth or Consequences ooit gewoon Hot Springs (niet alle plaatsen met die naam hebben inderdaad natuurlijk warm water, maar Truth or Consequences beschikt wel degelijk binnen luttele mijlen over een dergelijke bron).

De naamsverandering heeft te maken met een radioquiz. De quizmaster had bij de tiende verjaardag van zijn quiz, in de vroege jaren vijftig, de hoop uitgesproken dat ergens een nederzetting de naam ervan zou overnemen. De bewoners van het toenmalige Hot Springs zagen hun kans schoon op makkelijke roem (ze koesterden toeristische ambities, die, naar later bleek, grotendeels ijdel zouden blijven). De naamswijziging werd bezegeld in een referendum (en later nog twee keer bekrachtigd door middel van een referendum). Elk jaar herdenkt Truth or Consequences haar naamsverandering met een fiësta, waarop tot niet zo lang geleden de quizmaster als eregast fungeerde.

Niet dat iemand nog warm wordt van de toch intrigerende naam. Er wordt zelfs hardop nagedacht over een nieuwe naamswijziging – iets wat echt toeristen zal lokken.

'*Fall-out*,' suggereer ik, maar dat wordt net iets te realistisch bevonden.

Truth or Consequences ligt op enkele tientallen kilometers van Trinity Site. Daar ontplofte op 16 juli 1945 's werelds eerste atoombom, luttele weken voor gelijkaardige bommen op Hiroshima en Nagasaki zouden worden gedropt. De site ligt op militair domein en is, behoudens uitzonderingen en speciale toelatingen, niet toegankelijk voor onbevoegden. Maar langs een aanpalende weg staat een bord voor atoomtoeristen. Het woestijnzand is er met een vreemd, groen dons bekleed, het groen van Engelse erwtjes, dat bij nader inzien toch wel gras is. Ik weet niet of er een verband bestaat tussen de onnatuurlijke kleur en de fall-out, maar de meeste bezoekers vinden de combinatie intrigerend.

Een echtpaar stopt. De vrouw fotografeert haar echtgenoot tegen de achtergrond van het bord. 'Nog enkele bommen,' suggereert ze, terwijl ze zich in hun motorhome hijst, 'en de woestijn is vruchtbaar gemaakt.'

Terug in Albuquerque probeer ik van andere mensen te vernemen waarom ik New Mexico zoveel aangenamer vind dan wat ik tot dusver van het land heb gezien. Op de een of andere manier beland ik vaker wel dan niet bij antropologen, in hoofdberoep of als neveninteresse. Dat hoeft niet te verwonderen, want als je eenmaal uitgepraat bent over de schoonheid van het gebied, de bergen, de woestijn, de sneeuw, de onderbevolkte vlaktes en de telegenieke uitstulpingen boven het plateau, kun je nog altijd een leven lang geboeid blijven door de smeltkroes van menselijke culturen. Een tiende van de bijna twee miljoen inwoners is indiaans; 17 procent is, volgens officiële statistieken, deels indiaans; goed 60 procent is wit, wat ongeveer even vaak Spaans- als Engelstalig betekent.

Ossy Werner, een gepensioneerde antropoloog die in Slovakije is geboren, herinnert zich dat hij op een bepaalde dag een restaurant in het plaatsje Cuba binnenstapte, en dat je er duidelijk vijf groepen kon onderscheiden: Anglo's, Spaans-Mexicanen, Apachen, Navajo's en hippies. Op een ander tijdstip woonde hij een traditionele dans bij in een pueblo en sommige indianen zagen er witter uit dan hijzelf – en hij is behoorlijk wit. De hele, verbijsterende warboel is aanwezig: indianen met sproeten die een debat bijwonen tussen hun Spaanstalige gouverneur Richardson en diens Engelstalige uitdager Sanchez.

Een van Ossy's studenten onderzocht de sociale verhoudingen in Cuba. Tot een paar jaar geleden zwaaiden vier Spaanstalige families er de scepter en met z'n vieren hielden ze multinationals als McDonald's buiten. Dat was niet omdat ze tegen fastfood gekant waren maar omdat ze hun eigen ondernemingen geen concurrentie lieten aandoen. 'Veel van die Spaanse families zijn omstreeks 1500 of iets later naar dit gebied gekomen. Ze zijn heel katholiek, maar op een bepaald moment merkte iemand op dat ze ook een vrijdagritueel onderhielden. Bleek dat ze als verplicht bekeerde joden uit Spanje waren vertrokken. Dat joodse element was helemaal in de vergetelheid geraakt.' De families waren onwennig toen die origine werd blootgelegd.

Het is, zegt docente antropologie Sylvia Rodriguez (Spaanstalig met een flinke scheut indiaans bloed), gemakkelijk om lyrisch te worden over die smeltkroes. 'We zijn hier allen min of meer ten prooi gevallen aan de betoveringsindustrie. De toeristische dienst heeft bij wijze van spreken ook de lokale bewoners ervan overtuigd dat ze iets speciaals hebben.' Haar verdict is minder lyrisch: dit is een gebied 'zonder macht, wellicht de armste staat van het land, we hebben gigantische problemen met drugs en alcohol, de nationale regering dumpt hier het afval dat ze elders niet kwijtraakt.'

Ze onderhoudt zelf een band met Española, het verloederde stadje naast florerend Los Alamos. De ene plek met het hoogste aantal universitaire doctoraten per duizend inwoners, de andere plek met een piek in ongeletterdheid. Die steden leven volgens haar in 'permanente, wederzijdse, agressieve afwijzing, waarbij de ene de bewoners van de andere als potentieel dievenvolk beschouwt, en de andere de bewoners van Los Alamos als onwezenlijk en bekakt'.

Het leven, zegt de reislustige politicoloog Joseph Stewart (52), is hier zoveel trager dan elders. 'Ik nam onlangs het pendelbusje naar de luchthaven. De chauffeur bleek afkomstig uit Houston, Texas. Hij vertelde: "Als je in Houston stilstaat in de file, verlies je geld. Hier verlies je niets want er is geen geld. Je kunt dus al evengoed stilstaan." Dat is volgens mij de definitie van de lokale economie: stilstaand, tenzij het niet anders kan. Bevriende werkgevers hoor ik steevast over hun personeelsleden klagen, omdat die werken tot ze voldoende geld hebben om hun rekeningen te betalen. De rest van de maand, of tot hun geld op is, blijven ze thuis. Dat is verdedigbaar, natuurlijk, en zelfs gezellig, maar het is niet heel Amerikaans.

Mensen zijn hier erg tolerant voor ellende. Toen ik hier pas was komen wonen, ging ik op bezoek in Farmington. Ettelijke mensen drukten mij op het hart niet na het vallen van de avond terug te keren omdat ik ofwel zou worden aangereden door een dronken of gedrogeerde chauffeur, dan wel omdat ik zelf een uit dronkenschap op de weg neergestorte bewoner zou doodrijden. In andere delen van het land zou men denken: dit is zo erg dat we iets moeten ondernemen. Hier hoort het erbij, de roes van het leven.'

De mengelmoes van mensen is voor hem nooit zonder meer gemengd. 'De onderscheidingen worden zelden helemaal uit het oog verloren. Noem hier nooit een Spanjaard een Mexicaan. Een Spaanse Amerikaan behoort tot een familie die vóór 1700 naar dit gebied is gekomen. Al wie later arriveerde en Spaans sprak, wordt beschouwd als Mexicaans-Amerikaans. Dat onderscheid wordt gecultiveerd, al zullen de meesten niet zuiver tot de ene of de andere categorie behoren.'

De etnische verschillen leiden vaak tot politieke verschillen. Het noorden van de staat is eerder Democratisch, het zuiden, dat ook qua mentaliteit dicht bij Texas aansluit, Republikeins. De pueblo-indianen, die voornamelijk in het noorden wonen, horen tegenwoordig eerder in het Republikeinse kamp (de Republikeinen maakten hun casino's mogelijk), terwijl de Navajo's geneigd zijn Democraten te ondersteunen. Bij geen van de stammen wordt veel gestemd, maar hun invloed groeit, mede omdat ze met hun casinogeld campagnes helpen financieren. Zelfs Democraten zijn hier nog vrij vaak pro-oorlog. 'Dit is,' zegt Stewart, 'een heel patriottisch deel van het land. Dat is altijd zo geweest. De Spaanstaligen willen, allicht omdat ze nationaal gesproken een minderheid vormen, extra benadrukken dat ze 's lands belang willen behartigen.'

Er is wel meer wat hem verwondert. Stewart heeft de beroemde uitspraak van Hermann Göring aan zijn deur gespijkerd, genoteerd ten tijde van het proces in Nürnberg.

Vanzelfsprekend willen mensen geen oorlog. Waarom zou een armeluis op een hoeve zijn leven in een oorlog willen riskeren wanneer het beste resultaat daarvan voor hem kan zijn dat hij heelhuids terugkeert? Uiteraard willen gewone mensen geen oorlog, niet in Rusland, niet in Engeland, en overigens evenmin in Duitsland. Dat is evident. Maar, uiteindelijk bepalen de leiders van het land de politiek en het is altijd eenvoudig om het volk mee te slepen, of het nu in een democratie is, of een dictatuur, of een parlement, of een communistische dictatuur. Stem of geen stem, het volk kan altijd zover gekregen worden dat het zich aan de kant van de leiders schaart. Dat is makkelijk. Het volstaat de mensen te zeggen dat ze aangevallen worden, en de vredesduiven aan te klagen wegens gebrek aan vaderslandsliefde, en omdat ze de veiligheid van het land in gevaar brengen. Dat werkt in elk land.

'Ik laat dat fragment soms lezen zonder te vermelden dat Göring het heeft bedacht. Op dat moment zijn de meesten het ermee eens en denken ze dat het over de huidige oorlog in Irak handelt.'

Stewart, die makkelijker de staten kan opnoemen waar hij niet heeft gewerkt dan de staten waar dat wel het geval is, verkeert met de oorlog in Irak in een permanente staat van verbazing. Zo verwondert het hem hoe weinig aandacht de Amerikaanse oorlogsdoden krijgen – twee seconden op het avondnieuws en het is voorbij. 'De media staan er niet bij stil.' Het verwondert hem tot hoe weinig rebellie de (naar Amerikaanse normen) hoge benzineprijzen leiden. 'In het verleden was er dan wel grote misnoegdheid.' Het verbijstert hem dat grote groepen Amerikanen, misschien een meerderheid, maar blijft denken dat de VS in Irak Bin Laden bestrijden, hoewel zelfs de president toegeeft dat dit niet het geval is.

Tijdens het nagekeuvel van het gesprek oppert hij voorzichtig een dissident standpunt omtrent 11 september. 'Ik bekijk het misschien verkeerd maar de terroristen hadden wat mij betreft een te kosmopolitische visie op het land. Bij ons, in een ver gebied als New Mexico, zou het meer indruk gemaakt hebben als de aanslagen wat dichter bij het "hartland" zouden hebben plaatsgevonden. Of als ze iets hadden aangepakt met grotere symbolische waarde dan de WTC-torens. Als je vóór 11 september over die torens had verteld, ben ik zeker dat zo goed als niemand in New Mexico wist waar ze zich bevonden, of zelfs maar waar WTC voor stond. Dat New York werd uitgekozen maakte hier evenmin indruk. Het vooroordeel is dat wie naar New York reist, hoe dan ook een gerede kans maakt om daar het hachje bij in te schieten. Bommen ontploffen nu eenmaal in New York, misdaden zijn daar schering en inslag. De terroristen hadden het nationale zelfvertrouwen volgens mij meer gedeukt door een echt symbool van het volk aan te pakken. Het Vrijheidsbeeld desnoods, al staat dat ook in New York, of de beeltenissen van de presidenten op Mount Rushmore. Hier was de reactie toch vooral: aan ons komen ze nog lang niet.'

Miguel Gandert doceert journalistiek aan de universiteit van Albuquerque, fotografeert de pueblo-indianen, werkt mee aan antropologische onderzoeksprojecten en organiseert reizende tentoonstellingen. Hij is voornamelijk van Spaanstalige komaf, al werd er tijdens zijn jeugd (hij werd in 1956 geboren) naar gestreeft van het Engels de dominante taal te maken. Zijn ouders probeerden Engels met hem te spreken, in een gebied waar eigenlijk niemand Engels sprak. 'Dat heeft voor mij echt een handicap betekend – mijn moeder sprak geen moedertaal.'

Waarom, vraag ik hem, lijkt de situatie van de indianen hier beter, of tenminste minder slecht dan elders?

Hij antwoordt met een omweg. Hij herformuleert de vraag: 'Wat maakt New Mexico zo verschillend? Dit deel van het land heeft een unieke geschiedenis doorgemaakt. We hebben twee grote migratiegolven beleefd. De eerste, Spaanse golf kwam uit het zuiden. New Mexico was toen de noordgrens van Mexico. Later kwamen de Anglo's uit het oosten. Elders hebben de Anglo's de oorspronkelijke bevolking ofwel uitgeroeid, ofwel verdreven. Hier zijn de indianen altijd gebleven. Ze zijn gedeeltelijk in dezelfde dorpen blijven wonen. Hun pueblo's zijn in zekere zin nooit veroverd.

Het tweede verschil: dit is woestijngebied. Toen de Spanjaarden arriveerden hadden ze de indianen nodig om te kunnen overleven. Het riviergebied rond de Rio Grande werd automatisch betwist gebied. Aan een rivier in een woestijn bestaan slechts twee mogelijkheden: oorlog voeren over de controle of onderhandelen over het gebruik van het water.'

De twee opties werden uitgeprobeerd, 'maar hier kreeg je, ruim driehonderd jaar geleden, afspraken tussen indianen en Spaanstalige nieuwkomers. Er ontstond wat we noemen een buurcultuur. De Spaanse nederzettingen en de indianendorpen sloten verbonden, die hen moesten beschermen tegen de raids van de andere indianen, onder meer de Comanches. De Spanjaarden gingen in tijden van gevaar in de indiaanse pueblo schuilen en vice versa. Dat was al tweehonderd jaar aan de gang toen de VS dit gebied koloniseerden.

In de katholieke cultuur is het peter-en-meterschap belangrijk. Bij ons gebeurde het vaak dat Spaanstaligen voor hun kind een peter zochten in het indiaanse dorp. Dat wil zeggen: dat als hun iets overkwam hun kind zou opgevoed worden door die indiaan. De pueblo Picuris en het Spaanse buurdorp Pinasco bewaakten traditioneel elkaars geheime ceremonies. De indianen bewaakten Pinasco tijdens de jaarlijkse bijeenkomst van penitenten – lui die zichzelf geselden.'

Hoe stroken die verhalen van overleg en samenwerking, hoe strookt die buurcultuur met het gruwelbeeld van afgehakte voeten en bloedbaden dat ik in Acoma kreeg?

'Dat is,' zegt Miguel, 'wat wij noemen de grote, zwarte legende. Niet dat de Spanjaarden lief waren in Acoma. Geen enkele Europeaan was aardig voor indianen. Maar nadat Don Juan de Oñate in Acoma huis had gehouden en inderdaad voeten had laten afhakken, moest hij in Spanje voor een rechtbank verschijnen en werd hij veroordeeld.

De Anglo's stuurden met pokken geïnfecteerde dekens naar de indianen, of ze dwongen de Navajo's tot een dodenmars naar een reservaat. Ze waren niet beter, misschien zelfs slechter dan de Spanjaarden. Zij hebben die zwarte legende uitgevonden toen ze na hun aankoop van Louisiana de noordelijke helft van Mexico wilden annexeren. Een beetje wat, in onze tijd, Saddam Hoessein met Koeweit heeft geprobeerd. Door de Spanjaarden als barbaren af te schilderen, door gruwelverhalen te verspreiden, hebben de Anglo's die verovering willen rechtvaardigen.'

Dat klinkt bekend.

'Het is een beproefde techniek die van alle tijden is. Als de Spanjaarden inderdaad de hele tijd zo gruwelijk hadden huisgehouden, hoe valt het dan te verklaren dat zowel de pueblo's als de Spaanse nederzettingen nog altijd bestaan? Nogmaals, ik ontken de gruwelen niet, die zijn er veelvuldig geweest, maar de Spanjaarden hebben, voor de komst van de Anglo's, wetten gecreëerd die de indianen beschermden. Waar de Anglo's nog lang niet aan toe waren.

Tot de Amerikaanse kolonisatie van plusminus 1846 leefden we volgens Europese wetten. We volgden afspraken zoals die ook in Europa van kracht waren. Er werden bestuursraden gevormd die over de verdeling van het water konden beslissen. Tot op zekere hoogte overleven die wetten tot vandaag. Indianen kunnen golfterreinen aanleggen omdat zij het eerste recht op het land hebben. Ik woon in het plaatsje Bernaillo. Ten noorden en ten zuiden ervan liggen pueblo's. Die hebben het eerste recht op water. We hebben nog altijd afspraken over de reiniging van kanalen. Als de hogergelegen dorpen niet reinigen komen de lagergelegen plaatsen in de problemen.'

En na die lange omweg komt hij bij het antwoord op mijn oorspronkelijke vraag terecht: waarom de indianen er hier beter aan toe zijn dan elders, of waarom het hier leefbaarder lijkt dan elders?

'Dit is, naar Amerikaanse normen, oud gebied. Santa Fe is vierhonderd jaar oud. Ik weet in welk dorp mijn betovergrootvader woonde. Ik weet dat mijn overgrootmoeder een Navajo was. Mensen kennen hier hun wortels.

We hebben een oude ziel. Dit is ook een machtig oord, enorm, mooi, vreemd, machtig, soms op het schrikbarende af. Dit is bijna een laboratorium voor de smeltkroes van mensen, wat van deze plaats een voorloper maakt. New Mexico is ook de ontstaansplaats van de atoombom, wereldwijd symbool van vernietiging. De uitersten zijn altijd aanwezig: aardschepen en bomkraters. Het is een romantische plaats, wat betekent dat veel lui met geld erop afkomen. Maar het liefst van al denk ik aan die oude ziel.'

7

Een studentengrap

Terwijl je in een auto zit, op lange, soms rechte, vrijwel altijd verlaten wegen, is de radio het belangrijkste gezelschap.

Behalve in het minst bewoonde deel of in de reservaten pik je altijd wel een zender op met klassieke rock of country, vind je steevast een christelijke zender of twee, muziek en gepreek respectievelijk, en daarnaast is het al *talk radio* wat de klok slaat. Zelfhulp, advies (Dr. Laura Schlessinger die zichzelf voorstelt als 'de moeder van mijn kind' of 'de moeder van mijn zoon' en die ongehuwde moeders en vrouwen die voor de verkeerde man hebben gekozen op dagelijkse basis de grond inboort: 'Je bent idioot, zeg me na: idioot.' Haar zelfvertrouwen en betweterigheid, haar gemoraliseer, werden niet aangetast door het opduiken van een serie weliswaar enigszins gedateerde naaktfoto's, gepubliceerd door een ex-lief dat misschien eerder financiële bedoelingen had dan het ontmaskeren van hypocrisie).

Het is bijna een constante bij die talkshowhosts – ze zijn conservatief en ze zijn tastbaar hypocriet. De ene is gokverslaafd, de andere, Rush Limbaugh, de meest beluisterde van al, riep, krijste, jarenlang om strenge straffen voor drugsverslaafden en bleek vervolgens zelf aan de pillen te zitten, zijn huishoudster op pad te staren om zijn illegale pillen op te halen, bij zoveel mogelijk dokters recepten te halen om zijn voorraadje pijnstillers op peil te houden. Ineens was de doodstraf, of een straf in het algemeen, in zijn speciale geval niet meer gewenst. Er waren verzachtende omstandigheden. Rush had rugpijn. Hij was verslaafd geraakt doordat de dokters er niet in waren geslaagd die rugpijn te verminderen. De schuld lag overal behalve bij hem. De luisteraars pikken het. Zoals ze eerder pikten dat hij niet omwille van racistische uitlatingen door een tv-sportprogramma was ontslagen. Het is ook alsof conservatieven hun boegbeelden makkelijker misstappen vergeven. Als je herboren bent, spreekt zonde vanzelf. Zonder zondigheid geen wedergeboorte. Het probleem zijn zij, hoe deugdzaam ook, die geen wedergeboorte in Jezus in het vooruitzicht stellen. Deugdzaam maar satanisch, tegenover fout maar herboren.

Ik luister naar de radio in woelige tijden. De politieke campagnes worden venijniger, in Irak zijn de verkoolde, verminkte lijken van enkele Amerikaanse contractarbeiders aan een brug te kijk gehangen. De conclusie bij de *talking heads* is onder meer dat die Iraki's blijkbaar het goede dat de Amerikanen hun belangeloos brengen niet naar waarde weten te schatten. De dodentallen stijgen zienderogen. De verkoolde lijken aan de brug passen niet in het ontzenuwde oorlogsnieuws dat Amerikanen doorgaans voorgeschoteld krijgen. Ze schokken de natie op een manier waarop Janet Jacksons borst dat niet kon (hoewel ik in New Mexico toch één bewoner vind, de eerste en de laatste, die die borst als een teken van maatschappelijke verloedering citeert, als het startsignaal voor de marathon van Sodom naar Gomorra).

Kort daarop verschijnt Bob Woodwards klassieker, *Plan of Attack*, waarin tot in de details wordt getoond hoe het Witte Huis, los van alle informatiewinning rond massavernietigingswapens, de oorlog in Irak had voorbereid en gewenst, hoe informatie werd geplooid om de oorlog verdedigbaar te maken, hoe de relatief gematigde minister van Buitenlandse Zaken, Colin Powell, geregeld door de neo-conservatieve kliekjes rond vice-president Cheney werd geringeloord.

Negen dagen na het verschijnen van Woodwards boek toont de CBS-informatierubriek *60 Minutes II* (de goedkopere, doorgaans slechtere woensdageditie van het legendarische zondagavondprogramma *60 Minutes*) foto's van ogenschijnlijk misbruik van Irakese gevangenen in Abu Ghraib, terwijl Amerikaanse soldaten tevreden en jennend toekijken.

Het programma maakt eerst weinig indruk, ikzelf heb de uitzending niet gezien en verneem er ook niet over in de kranten of de 24 uur-tv-blabla van CNN of Fox News.

Daar komt enkele dagen later verandering in als Seymour Hersh in

The New Yorker niet alleen nieuw fotomateriaal publiceert maar ook fragmenten uit een militair rapport waaruit blijkt dat het leger al langere tijd op de hoogte was van misbruiken in de gevangenissen in Irak, en met name in Abu Ghraib (de gevangenis, het is een symboliek die moeilijk over het hoofd gezien kan worden, waar Saddams handlangers hun folteringen voltrokken).

The New Yorker maakt het artikel voortijdig beschikbaar op zijn website (de normale verschijningsdatum van het blad is maandag), Hersh wordt door enkele tv-zenders in de drukbekeken zondagse politieke programma's (genre *Buitenhof*, *Zevende Dag*) geïnterviewd. Het valt op dat twee veteranen van Watergate (en in het geval van Hersh ook van de oorlog in Vietnam) ineens zwaar aan de journalistieke boom schudden. Hersh doet geen poging om zijn informatie te minimaliseren. Hij citeert ronduit uit het legerrapport dat gewaagt van sadisme, verkrachting, gebruik van elektriciteit en chemische producten bij ondervragingen, betrokkenheid van hogerhand, manke gezagsstructuren, ten minste één overlijden tijdens een ondervraging, en de ontwikkeling van 'spookgevangenen' die, omdat ze officieel niet bestaan, niet bij het Rode Kruis moeten worden gesignaleerd.

Hersh gewaagt van een trein die langzaam op snelheid komt en onherroepelijk ergens tegenaan zal botsen. Dat gevoel geeft het legerrapport over het misbruik van gevangenen hem, dat gevoel geven de foto's hem, hetzelfde gevoel dat hem eerder ten tijde van zijn berichtgeving over My Lai trof.

Er wordt hem, omdat de meeste journalisten niet origineel zijn, tijdens tv-optredens voortdurend gevraagd naar gelijkenissen tussen My Lai en Abu Ghraib. Hersh antwoordt dan altijd dat de verschillen evident zijn, in dodelijke slachtoffers te meten, maar dat er in zekere zin wel degelijk een gelijkenis is. Na My Lai, aldus Hersh, was dit land niet langer bij machte het morele gelijk op te eisen. President Nixon verloor de slag om de publieke opinie. En dat, voorspelde hij, kan hier ook het geval zijn. Je kunt moeilijk vrijheid en democratie prediken en intussen verstoppertje spelen met je principes.

Hersh vergist zich initieel. Er is geen verstoppertje met principes nodig. Wie hoeft na te denken over principes als er verstrooiing voorhanden is? Het programma *Nightline* plant de voorlezing van de namen van alle Amerikaanse gesneuvelden in Irak. Conservatieven zien er anti-oorlogspropaganda in. Terwijl de martelcrisis enig momentum dreigt te ontwikkelen, kraaien de massamedia victorie over die ene Amerikaanse gijzelaar die aan zijn beulen wist te ontkomen. Men bericht uitvoerig over de onthoofdingen die de 'terroristen in Irak' op hun geweten hebben en die toch zoveel erger zijn dan wat er in Abu Ghraib gebeurde, over de Franse kapster die Democratische presidentskandidaat John Kerry voor duizend dollar zou hebben bijgeknipt, men komt terug op de lijken aan de brug – de eigen slachofferrol om de andere slachtoffers in de schaduw te stellen. Amerikaanse journalisten zijn, om de beroemde presentator van *Meet the Press*, Tim Russert, te citeren: 'eerst Amerikaan en daarna pas journalist'. Russert, nochtans de kwaadste niet, sprak over zichzelf, en met wat interpretatie ook over Abu Ghraib.

En al gauw gaat de *talk radio* een stapje verder. CBS en Hersh, toch al pispalen van conservatieve zenders, worden, al dan niet expliciet (vergelijk Göring) tot vijanden van het vaderland verklaard. De publicatie van die foto's zal Amerikaanse levens kosten, aldus de conservatieve bullebak die voor radio en Fox tv werkt, Bill O'Reilly. 'Ik zou de informatie gegeven hebben maar de beelden niet hebben getoond.'

O'Reilly is nog relatief ingehouden als je hem vergelijkt met de echte vuurspuwers. Michael Savage roept in zijn programma uit dat het hem niets kan schelen of één miljoen Iraki's worden omgebracht. 'Je moet begrijpen,' je voelt hem vooroverleunen terwijl hij een luisteraar toespreekt, 'wij zijn de goeden.'

Ik heb nog nooit naar Limbaugh geluisterd tot ik de transcriptie zie van de gesprekken die hij daags na verschijning van *The New Yorker* in zijn drie uur durende progamma heeft gevoerd.

'Niet dat ik dit soort praktijken goedkeur,' moet hij met betrekking tot de foto's van Abu Ghraib hebben gezegd, 'maar was het zo erg?'

'Wat vond je er erg aan?' vroeg hij een tegensputterende beller. 'Dit kun je elke avond zien tijdens een concert van Britney Spears of Madonna.'

Het is ook vergelijkbaar met wat er aan universiteiten in fraterniteiten geschiedt, aldus een meer sympathieke luisteraar.

'Precies wat ik vind,' aldus Limbaugh. 'Ik beweer niet dat het een hoog niveau haalt, maar het is vergelijkbaar met een studentengrap. Waar was trouwens de verontwaardiging toen onze landgenoten aan die brug bengelden?'

Dit soort vergelijkingen wekt toch voldoende weerstand op om de volgende dag de krant te halen. Ik besluit Limbaugh enkele dagen te volgen.

Dat is makkelijk genoeg. Hij heeft het talent om andersdenkenden te prikkelen (hij heeft tien miljoen luisteraars, wordt beweerd, en velen daarvan lang niet zo behoudend als hij), hij is bijwijlen niet alleen plat maar ook grappig, hij slaagt erin zijn drie uur dagelijks vlot vol te praten (heeft daarbij volgens zijn eigen slogan 'meer lol dan een mens zou mogen hebben'), hij voorziet scheldnaampjes voor zijn politieke tegenstanders, en hij haalt zijn bellende luisteraars over de hekel, en al helemaal als ze het aandurven met hem van mening te verschillen. Het gevolg is dat er een soort versterkende golf voor zijn ideeën uit het luisterpubliek lijkt op te wellen, dat hij op den duur kan doen alsof de luisteraars de ideeën opperen, alsof hij alleen maar moet beamen wat 'de Amerikanen' vinden. Ik hoor een luisteraar te berde brengen dat wat haar betreft publiciteit voor erectiepillen veel aanstootgevender is dan deze foto's (dit was overigens ten tijde van het Janet Jackson-oproer een argument van de minder preutsen – de erectieadvertenties tijdens de Superbowl waren veel explicieter dan die glimp van een halfonthulde borst). Dit keer kiest Limbaugh de kant van de belster – die publiciteit is erger. Hij kan niet nalaten zich vrolijk te maken over de aanwezigheid van vrouwelijke soldaten op de foto's – 'Ik kan daar niet veel over zeggen want mijn feministische vrienden zouden te heftig reageren.' Limbaugh, veelvuldig gescheiden, wordt geacht op dit moment een relatie te hebben met de als progressief gekwalificeerde CNN-presentatrice Daryn Kagan. 'Maar toch – ik zou geneigd zijn te zeggen dat vrouwen nog erger zijn dan mannen. Mmm...' Hij laat zijn opwinding blijken. Voor een conservatieve radiofiguur praat hij wel heel vaak over seks – misschien past dat ook in het kader van de grote vergevingsgezindheid van rechts voor rechts.

Goed een week na het prille onthullen van het Abu Ghraib-schandaal op CBS vind ik nog altijd vrij veel passanten, een meerderheid eigenlijk van de mensen die ik aanspreek, die er het eerste woord niet over hebben gehoord, die opkijken van het bestaan van dergelijke foto's. 'Ik ben niet zo geïnteresseerd in de actualiteit.' Of: 'Ik heb te veel omhanden om naar het nieuws te kijken.'

En zij die dan toch een mening hebben, zijn in meerderheid – op basis van mijn minuscule steekproef – gelijkgestemd met de boosheid ventilerende radiocommentatoren. Boos, niet op wat uitgespookt werd, maar op degenen die het schandaal openbaar gemaakt hebben.

'Wie zijn die masochisten in de pers?' vraagt een man die me ongeveer tegelijk wijst op de sticker voor Bush-Cheney die hij op zijn auto heeft gekleefd. 'Waarom worden die foto's gepubliceerd? De liberalen, de Democraten, tonen, op binnenlands vlak, meer compassie met de daders dan met de slachtoffers. En op internationaal niveau merk je nu weer krokodillentranen voor de terroristen, en kastijding voor onze soldaten.'

Hij wijst opnieuw naar zijn verkiezingssticker. 'Ik vraag me zelfs af of Bush niet te teergevoelig is. Dit is oorlog, man. *Piss off* met je sentimentaliteit.' Vervolgens verontschuldigt hij zich voor zijn taalgebruik.

De huurfirma Enterprise biedt automobilisten aan ze binnen een bepaalde zone op te halen en weer weg te brengen. Wanneer ik mijn auto inlever, krijg ik Darren toegewezen om me naar een uitgekozen plek binnen zijn zone te voeren. Ik kies voor een boekhandel, in een winkelcentrum dat een kilometer of tien buiten Albuquerque ligt. Darren is blij met zijn uitje. Hij klust bij voor Enterprise, maar eigenlijk studeert hij astrofysica, en hij kan maar moeilijk zijn aandacht bij de huurformulieren houden.

Zijn ouders zijn wat hij noemt extreem-liberaal, hijzelf, en dat blijkt bijna onmiddellijk, is een welhaast kritiekloze aanhanger van radioster Limbaugh, minus het racisme, en minus diens anti-abortusstandpunt. 'Mijn vriendin was onlangs over tijd. Ik was als de dood dat ze zwanger zou zijn. Wie ben ik om in dergelijke omstandigheden – we hebben allebei nog minstens drie jaar universiteit voor de boeg – de vrouw die voor abortus kiest met de vinger te wijzen? Maar voor het overige ben ik helemaal gewonnen voor het zo klassiek mogelijke huisje-tuintje-familie-met-twee-kinderen-verhaal. Het kan gek klinken, maar dat is waar ik naar uitkijk.' Misschien ook, voegt hij hieraan toe, omdat hij dat verhaal nooit aan den lijve heeft beleefd.

Wat is de basis van zijn conservatisme?

'Ik geloof dat de overheid mensen zoveel mogelijk met rust moet laten. Ik geloof dat de president meer weet dan ik – ik ben dus geneigd hem te volgen als hij een oorlog afkondigt.'

Die welwillendheid betoonde hij niet aan Clinton: 'Ik had niet de indruk dat die mijn respect verdiende.'

En dat er geen massavernietigingswapens in Irak gevonden werden, of dat Amerikaanse troepen gefotografeerd werden terwijl ze martelden, terwijl ze officieel vrijheid en democratie horen te brengen, stemt hem niet milder voor de anti-oorlogsactivisten?

'Niet echt. In alle oorlogen wordt gemarteld – zoiets valt te verwachten. Ik wil niet beweren dat massavernietigingswapens en democratie verwaarloosbare elementen waren, maar uiteindelijk, denk ik, was het ons meer te doen om olie en schrik. We willen goedkope olie, ook mijn liberale ouders zeuren over de gestegen benzineprijzen, en we willen dat Arabieren weer bang worden voor Amerikanen. In die zin zijn die martelingen zelfs productief – de gemartelde Iraki's zullen voortvertellen dat er met Amerikanen niet te sollen valt.'

Hoe verlopen discussies hieromtrent met zijn ouders?

'Heel in het begin hebben zij deelgenomen aan een manifestatie tegen de oorlog. Momenteel houden ze zich gedeisd. Als er Amerikanen sneuvelen, kun je moeilijk tonen dat je tegen de oorlog bent. Ik denk ook dat de reactie van de Iraki's, hun vijandigheid tegen ons, mijn ouders aan het denken heeft gezet. Onze standpunten komen steeds dichter bij elkaar te liggen.'

8

Variaties op de droom, grenzen aan het verhaal

Ik zie de Britse studenten voor het eerst in het busstation van Albuquerque. Ze delen hun naam en maken samen een wereldreis. Om het toch iets lichter te maken hebben ze de ene Jennifer ingekort tot Jen. Ogenschijnlijk delen ze ook een liefde. Jennifer heeft in de jeugdherberg van Albuquerque een jongen leren kennen en de jonge liefde leidt in het busstation tot een afscheid met enig hartzeer. Jen lijkt wel een soort assistent in deze liefde. Ze raakt de minnaars aan, ze draait vlechten in Jennifers haar, zelfs terwijl die haar liefje knuffelt tot vermorzelt – ze zoent de jongen op de wang op momenten dat haar vriendin even haar aandacht laat verslappen. Ze negeert de beschuldigende blikken van Jennifer of de tekenen van afwijzing bij de jongen.

In de bus zitten Jen en Jennifer eerst ver van elkaar. Bij de eerste halte telefoneert Jennifer met wat ze aan muntjes heeft verzameld. Als ze opnieuw in de bus klimt, veegt ze tranen weg.

'We zijn voor zes maanden op reis,' zegt Jen, die wat beduusd de tranen van haar vriendin gadeslaat. 'En na vierenhalve maand is dit het eerste liefdesverdriet.'

Voor haarzelf ook?

'Was het zo duidelijk? Jennifer en ik zijn dol op elkaar, maar we vallen geheid op dezelfde jongens – ik weet ook niet wat we daaraan kunnen verhelpen. Het is voldoende dat zij belangstelling toont opdat mijn aandacht ook getrokken wordt.'

Ze somt de gebieden op waar ze al hebben gereisd: 'Rajasthan, Singapore, Hongkong, Australië, Nieuw-Zeeland, Latijns-Amerika... Tot Gary in het spel kwam vonden we de VS het minst interessante land in ons rijtje.'

'We hebben een jaar vrij genomen tussen ons eindexamen en een specialisatiecursus in Cambridge. Ik ben nu sociologe en Jennifer heeft muziek gestudeerd, klarinet en muziekgeschiedenis.'

Jen wil later in Latijns-Amerika ontwikkelingswerk verrichten. 'Ik ben er zo aan toe om ergens het verschil te maken.'

De bus houdt even halt in Winslow. Jen acht de tijd rijp om opnieuw de band met haar vriendin aan te halen. Ze zingt, een beetje verhaspeld en geamendeerd, niet erg toonvast bovendien, fragmenten uit het liedje 'Take it Easy' van de Eagles voor. '*Well, I'm a-standin' on the corner in Winslow, Arizona, I've got seven boys on my mind. Four that want to own me, two that want to stone me, one says he's a friend of mine.*'

Er verschijnt een grimmige glimlach door Jennifers tranen: '*Don't say maybe.*'

'*Strange*,' zegt Jen na een tijdje. 'Het enige wat je van zo'n plaatsje weet is dat het in een liedje voorkomt.' Ze omhelst haar vriendin, alsof die laatste uitspraak troost behoeft.

De chauffeur heeft er al mee gedreigd de alcoholconsumenten uit zijn bus te gooien: 'Geen lawaai en geen alcohol. Geen gevloek. Ik herhaal het niet meer.' Hij herhaalt het toch nog eens. Zoals vele buschauffeurs is hij eigenlijk halfgepensioneerd. Hij zou helemaal gepensioneerd zijn als hij daar het geld voor had. Niet dat hij zuur tegen zijn job aankijkt. Hij houdt van de wegen en de bus. En al moppert hij vrijwel voortdurend, hij houdt zelfs, onderkoeld, maar wellicht oprecht, van zijn passagiers. 'Op een manier,' zegt hij tijdens een oponthoud in een fastfoodtent, 'en dit klinkt triester dan ik het bedoel, zijn *you guys* mijn familie.' Hij heeft geen andere familie, toch niet binnen handbereik: gescheiden van zijn vrouw en door duizenden kilometers gescheiden van zijn drie kinderen. Dus probeert hij *tough love* met zijn passagiers. Wat onder meer betekent dat Jim, ook al werd hij betrapt met verboden spul in een papieren zak, toch op de bus mag blijven. Zij het wel met een waarschuwing, en de opdracht dat hij snel het verboden spul doet verdwijnen (half in zijn slokdarm, half in een wasbak).

Jim heeft tweeëntwintig jaar bij de zeemacht achter de rug. Hij is nog altijd reserve-officier, maar, zegt hij, na een ontnuchterend slaapje: 'Ik was gespecialiseerd in stoommotoren, die intussen in onbruik zijn geraakt. Zolang ze geen paarden naar Irak halen, zullen ze ook wel geen stoommotoren nodig hebben.

Geen druppel gedronken toen ik nog in actieve dienst was. Ben later op het verkeerde pad terechtgekomen. Vroeger zat ik maandenlang alcoholvrij op zee. Af en toe konden we drank krijgen, maar dat interesseerde me toen niet. Ik vond het pathetisch hoeveel gesprekken rond alcohol werden gevoerd. Ik had altijd medelijden met, en tegelijk een afkeer van dronken militairen. *Look at me now*. Ik dacht: ik heb geen grote verantwoordelijkheid meer. Ik verhuur kamers aan studenten in San Diego – daar is niet veel verantwoordelijkheid mee gemoeid.' Maar in relatief korte tijd kreeg hij moeite om de alcoholdemonen de baas te blijven. Hij vertrouwt zichzelf niet meer met een auto, is trouwens recent betrapt bij een controle. Hij schudt gelaten het hoofd, en vertelt dan maar over zijn leven, niet over het heel private, want dat is momenteel een te pijnlijke puinhoop, met een vergramde vrouw en vervreemde kinderen – hij is op de terugweg van een slecht gelopen bezoek aan een kind met pasgeboren kleinkind.

Hij heeft, altijd vanaf een veilige afstand, en vanuit zijn machinekamer, twee oorlogen meegemaakt, Vietnam en de eerste Golfoorlog. 'Mijn indruk is,' zegt hij, 'dat we momenteel Vietnam aan het overdoen zijn.'

Hij heeft enkele minuten nodig om uit te leggen wat hij precies bedoelt, want op vele manieren verschilt de huidige oorlog natuurlijk van het moeras in Vietnam.

'Ik herinner me telkens de aanloop naar de oorlog. Soldaten zijn patriottisch, misschien op naïeve wijze. Ze gaan ervan uit dat – volgens het beroemde zinnetje – hun oorlog de voortzetting is van politiek met andere middelen, en dat hun oorlog dus een nobel politiek doel dient. In dienst van dat doel ben je bereid te doden – wat niet niks is – en dood in eigen rangen te accepteren. De grote kater van Vietnam bestond erin dat we gedood hadden en gedood waren maar dat er naderhand geen enkel doel bleek te zijn bereikt. Zoiets is onwaarschijnlijk demoraliserend. En dat lijkt nu ook te gebeuren: we hebben geen massavernietigingswapens gevonden en geen democratie gevestigd. De enige conclusie die iemand met mijn boerenverstand kan trekken is dat we levens riskeren in de hoop dat het de olieprijzen laag houdt.

Ik lees veel en onlangs kwam ik op een citaat uit van een generaal die in de vroege twintigste eeuw was ingezet.'

Jim citeert het bij benadering en ik zoek het precieze citaat van generaal Smedley Butler later op. Hij schreef: 'Ik hielp om Mexico – en meer in het bijzonder Tampico – in 1914 veilig te maken voor Amerikaanse oliebelangen. Ik hielp om Haïti en Cuba behoorlijke plekken te maken waar de jongens van de National City Bank hun inkomsten konden vergaren. Ik heb, ten dienste van Wall Street, geholpen bij de verkrachting van een half dozijn Centraal-Amerikaanse republieken. Het palmares van oplichting is lang. Ik hielp van 1909 tot 1912 om Nicaragua te zuiveren voor het internationaal bankbedrijf Brown Brothers. Ik bracht het licht in 1916 naar de Dominicaanse Republiek ten voordele van Amerikaanse suikerbelangen. Ik hielp in 1903 om Honduras "geschikt" te maken voor Amerikaanse fruitconcerns. In 1927 zag ik er in China op toe dat Standard Oil ongehinderd zijn gang kon gaan... In retrospect heb ik de indruk dat ik Al Capone enkele tips had kunnen geven. Op zijn best zwaaide hij de plak over drie stadsdistricten. Wij mariniers opereerden op drie continenten.'

Smedley Butler was, zoals Jim, een quaker. Hij noemde zichzelf ook nog een 'gangster ten behoeve van het kapitalisme'.

Het citaat dook voor het eerst op in 1933, werd oorspronkelijk uitgesproken tijdens een lezing, en twee jaar later vereeuwigd in Common Sense Magazine.

Hij voegde daar ook nog aan toe, zegt Jim: 'Het probleem met Amerika is dat wanneer je met een dollar maar zes cent verdient, het geld onrustig wordt en naar het buitenland reist waar het 100 procent verdient. Dan volgt de vlag de dollar en de soldaten de vlag.

Dat is het helemaal – de dollar wil rollen, op de dollar volgt de vlag, en op de vlag volgt het leger. Waarmee de generaal bedoelde: onze economie is expansief, de economie verkoopt zichzelf als patriottisch en uiteindelijk moet het leger de winsten van onze toplui gaan verdedigen. Ik ben bang dat we opnieuw in het systeem van de bananenrepublieken aan het stappen zijn.

Er is nog iets wat me bezighoudt. Je hebt, voorzover mijn lectuur strekt, drie wereldrijken gehad: het Romeinse rijk, dat vele honderden jaren heeft bestaan; het Brits imperium, dat honderd jaar heeft gefunctioneerd, van Napoleon tot de Eerste Wereldoorlog; en nu de Pax Americana die in 1989, na de val van de Muur, werd uitgeroepen. Ik vrees dat de Amerikaanse vrede na vijftien jaar al morsdood is. Deze supermacht heeft zichzelf in de voet geschoten.'

Bij de volgende stop stelt hij zijn sandwich uit om op zoek te kunnen naar drank – 'doet er niet toe wat – als het maar alcohol bevat. Ben ik pathetisch of wat?'

Dit land is, zelfs voor de gepokte reiziger, een kloeke brok, iets waar je je tanden op kunt stukbijten. Zoals me wel af en toe in herinnering wordt gebracht, reis je niet alleen door een land, noord-zuid, stad-platteland, rijk-arm, maar reis je ook ongeveer de hele tijd door de veelbesproken *fifty-fifty nation*. In weinig staten is meer dan de helft van de bewoners in de staat zelf geboren. In weinig staten liggen de politieke verhoudingen scherper dan 55-45 procent. Terwijl ik probeer grote verschillen tussen staten op te merken is misschien het gros van de mensen eerder eenheids-Amerikaan, kijkt naar de top-tien van tv-programma's, winkelt in nationale ketens. Daar staat tegenover dat er een groot regionaal absorptievermogen bestaat. Texas, hoe minoritair de in Texas geboren Texanen ook zijn, blijft tot op grote hoogte aan zichzelf gelijk, zelfs qua accent, misschien omdat de interne en externe migranten uiteindelijk geografisch daar uitkomen waar ze qua mentaliteit zelf vertrekken. De mythe van Texas trekt mythologische Texanen aan, de droom van Californië trekt mensen van een heel ander kaliber aan. Ik voel me soms alsof ik met behulp van één teen, gedipt in brak water, probeer de oceaan te beschrijven, en meteen alle wereldzeeën.

Dit maar om duidelijk te maken dat ik er geen idee van heb of ik tijdens een tussenstop in Kingman, Arizona, waar ik wacht op de bus naar Las Vegas, getuige ben van een verschuiving in de nationale opinie, dan wel dat ik ineens mensen met alternatieve opinies ontmoet. Er zijn nog minstens twee mogelijkheden: het buspubliek verschilt van het nationale publiek, of de staat Arizona spuwt ander volk in zijn busstations uit. Bijkomende complicatie: welk deel van de Amerikanen wacht op een bus naar Vegas? En bestaat er zoiets als een mythisch Arizona, waaraan bewoners, oud en nieuw, voldoen?

Deze staat is meer anti-staats, anti-overheid dan ongeveer alle andere staten. Met de outlaws heeft het wantrouwen voor de wet wortel geschoten (niet veel anders schiet hier trouwens wortel). Hier floreerde Barry Goldwater, Republikeinse tegenstander van de Democratische president Lyndon B. Johnson. Goldwater was tegen burgerrechten voor zwarten gekant, niet omdat hij oubollig en racistisch was (dat misschien ook), maar omdat hij vond dat het niet aan de nationale overheid was om dergelijke rechten toe te kennen. Hij vond dergelijke wetgeving een teken van overdreven nationale bemoeizucht. Hij verloor de presidentsverkiezingen kolossaal, behaalde minder stemmen dan presidentiële verliezers in mensenheugenis, maar maakt nu, postuum, een comeback als halve goeroe van de neo-conservatieven, die in hem een visionair zien, een voorloper van hun belastingarm paradijs.

Tegenwoordig wordt Arizona geassocieerd met John McCain, de Republikeinse senator die in 2000 een gooi deed naar het presidentschap, maar toen door de medestanders van de huidige president op onheuse wijze werd uitgeschakeld: christelijke groepen verspreidden via uitvoerige telefooncampagnes geruchten over 'zijn zwart kind' buiten het huwelijk (voor wie behoefte heeft aan precisering: het kind was geadopteerd, wat maakte dat de christelijke groepen naar de letter niet hebben gelogen), over zijn overspel, over zijn onkerkelijkheid.

In dit paradijs van anti-staats sentiment vind ik nog altijd bijna niemand die het martelgedrag van Amerikaanse soldaten niet relativeert, maar tegelijk borrelt er – veel duidelijker nu dan twee weken geleden – een algemeen ongenoegen uit mijn gesprekspartners op.

Ik loop rondjes om en bij het busstation. De zon jaagt het kwik in de hoogte, een fikse wind drijft stofwolken en afval van fastfood langs rijen auto's. De combinatie van hitte en stof – stofwolken volgen in de verte valleien; tussen het stof dat onze ogen tergt en het stof verderop ligt een brede onbezoedelde zone – werkt Gary, een welhaast lokale leraar Engels, op het humeur. '*Damned*,' zegt hij. En hij herhaalt de vloek nog eens, binnensmonds.

Gary's boosheid heeft, bizar genoeg, met politiek te maken. We hebben onze ruggen naar de wind gekeerd, maar zelfs zo waaien flarden conversatie weg.

'Dit is ontvolkt gebied, maar zelfs hier merk je dat de infrastructuur naar de verdoemenis gaat, dat de vervuiling toeneemt, dat het onderwijs geen niveau haalt. In de jaren zeventig heb ik een zomer lang door Europa gereisd. Toen al voelde je iets in Europa wat dit land nog niet heeft ontdekt: de aarde is eindig, we moeten er karig mee omspringen. De eindeloze groei van de economie is momenteel geen prioriteit. Winst leidt niet tot beschaving of billijkheid. Begrenzing kan een deugd zijn.'

Hij heeft in 2000 nog op Bush gestemd. 'Ik dacht dat belastingverlagingen het land deugd zouden doen. Ik dacht dat hij na 11 september de juiste man was voor moeilijke omstandigheden. Maar nu besef ik dat ongeveer al onze acties tegen internationale instellingen zich tegen ons hebben gekeerd: het opblazen van het Kyoto-akkoord heeft ons niet milieubewuster gemaakt; de eenzijdige invasie van Irak heeft ons zwaar in de nesten gebracht; en met een akkoord over het internationaal gerechtshof in Den Haag zouden we de martelende soldaten nu daar kunnen laten terechtstaan, wat geloofwaardiger zou overkomen bij de gedupeerden.'

Het is een vreemde conversatie, met de stormachtige wind, het zand, en de ten gronde onverklaarde kwaadheid van de gesprekspartner.

'We zijn niet de goeden. *Hell.* We zouden de goeden moeten zijn, maar dat is niet zo. Nu niet. Misschien ooit weer wel.'

Het lijkt bijna zonde om de woestijn en de stilte, de veelarmige cactussen, in te ruilen voor files en neon. In Henderson, een voorstadje van Las Vegas, blijken buiten proportie veel plezierboten in de aanbieding te staan – een van die onverklaarde rariteiten, waar moet je hier met een boot heen? Misschien naar het miniatuurmeertje waar gondeliers toeristen opwachten.

Las Vegas maakt overdag hoe dan ook geen grote indruk. De travestiet die lichtvoetig zij het een zwaar parfum torsend aan de arm van een oudere vrouw rondloopt, blijkt slecht geschoren. Vier witte vrouwen leiden een zwarte man aan een leiband – het blijkt geen referentie aan recente martelingen te zijn maar reclame voor een nieuwe show.

'Dit is de hoofdstad van de ironie,' hoor ik een casinowerknemer suggereren – hij strijkt zijn lakeipakje glad, kijkt van de leiband weg en wijst naar halfontklede vrouwen die het 'indianenthema van de avond' in zijn casino moeten illustreren. De vrouwen bedelen, zoals hij, om klanten (voor gokmachines) en bedelen tegelijk om sigaretten. De sigaretten lijken prioritair.

'Is Amsterdam even goor als Vegas?' vraagt de jongeman in lakeipak. Amsterdam is om de een of andere reden zijn maatstaf van verloedering.

De *New York Times* bracht het afgelopen weekend een bijdrage over de nieuwe varianten van *slotmachines*. Dat zijn niet langer de eenarmige bandieten maar computergestuurde machines die gokkers zo lang mogelijk aan zich kluisteren door zo vaak mogelijk heel dicht bij een grote opbrengst uit te komen. Ze vereisen niet langer een arm (die is vervangen door een knop) en evenmin muntjes – de opbrengst wordt op een papiertje gemeld terwijl een bandopname weerklinkt van rollend wisselgeld. Met het papiertje kan de speler langs de kassa.

Volgens het artikel spenderen Amerikanen gemiddeld één miljard dollar per dag aan gokmachines – niet alleen in Vegas, maar toch voor een groot deel in deze stad. Deze machines leveren meer winst op dan de filmindustrie van Hollywood gecombineerd met de porno-industrie.

Een ingewijde klaagt er tegenover de *New York Times* over dat gokkers steeds dommer worden, wat volgens hem de bredere maatschappij weerspiegelt. Mensen willen niet langer gehinderd worden door kaarten of rouletteballetjes – ze willen gedachteloos kunnen gokken. Een knop indrukken en beeldjes zien passeren. En vaker bijna winnen. Kunnen zuchten en ademhalen bij die net-niet-momenten.

Het is moeilijk om hierin geen symbool te ontwaren. Een verstopte buis op de negentiende verdieping leidt tot een doorsijpeling van stinkende rotzooi tot en met mijn wasbak op de veertiende verdieping. De toegesnelde loodgieter kan of wil niet uitleggen waar het afvalwater gitzwart is geworden, en wat de stank te betekenen heeft. De directie van het toch al onbehoorlijk goedkope casino-hotel (het hotel dient als alibi om mensen naar het casino te lokken) wringt zich in bochten, krabt 20 procent van mijn rekening en bedelft me onder de kortingsbonnen. Ik kan gratis van de lokale buffetten eten tot ik ontplof of vertrek, al naargelang wat eerst komt.

Nadat ik mijn eerste buffet heb overleefd, wordt mijn aandacht in het casino getrokken door een zwarte vrouw: GELUK BETEKENT: IEMAND HEBBEN OM VAN TE HOUDEN is in gebleekte letters over haar purperen shirt geschreven.

'Moet je niks achter zoeken,' zegt Hilda. 'Ik reinig hotelkamers en dat shirt heb ik in een kamer gevonden.' Haar eigen familietoestand is niet zo glorieus. Ze is ondanks hardnekkige pogingen nooit zwanger geworden, en nu drieëntwintig jaar geleden is ze van een hardhandige echtgenoot gescheiden. Rond dezelfde tijd is ze van Minneapolis in het noorden naar Las Vegas verhuisd en is ze hotelkamers gaan poetsen. Ze wordt in juli negenenzestig jaar en ze zal nooit in staat zijn met pensioen te gaan, gewoon omdat ze nooit privébijdragen heeft betaald. 'Ik zal tot mijn laatste snik blijven werken. Mijn cholesterol is hoog, ik weeg dertig pond te veel, ik weet dat het einde niet meer heel ver is.'

Ze wijst naar andere gokkers, hun vet gedrapeerd over een elektrisch wagentje, die nogmaals voor een van de buffetten aanschuiven. 'Hoe gezond kan dat zijn? Ikzelf krijg drie maaltijden per dag cadeau van mijn werkgever – ik eet me verloren.'

En vergokt ze 's avonds haar dagloon?

'Nee. Dat is het enige punt waarin ik discipline lijk te hebben. Ik verlies twintig dollar per week – soms voeg ik daar nog mijn fooien bij. Ik spendeer maar één avond per week in het casino.'

En verliest ze altijd?

'Altijd; drieëntwintig jaar geleden geloofde ik nog in het lot, en de mogelijkheid rijk te worden. Nu weet ik dat ik niet anders zal doen dan verliezen. Dat is de samenvatting van mijn leven: verlies. Zelfs als ik af en toe een klein bedrag terugwin, blijf ik zolang verderspelen tot mijn twintig dollar eraan zijn. Op de een of andere manier is dat geruststellend. Mijn wekelijkse portie verlies zit erop, ik vertrek en val zonder zorgen in slaap.'

In zo'n particuliere woestijnenclave vind je toch nog altijd enkele kranten die het nieuws in banen leiden. De ene krant heeft haar voorpagina voorbehouden aan de stijve nek van Céline Dion die – o ramp – drie concerten moet afgelasten, de andere krant opent met de toename van daklozen in dit gokparadijs. Omwille van speculatie wordt een asiel gesloopt, wat betekent dat nog minder daklozen 's avonds een onderkomen vinden. De krant interviewt enkelen van de slachtoffers. Ze zijn van opvallend goeden huize, hoger gediplomeerd, vrij luxueus gepensioneerd. Hun val heeft een klassieke oorzaak: echtscheiding, ontslag, leningen, drugs, en hier natuurlijk ook gokverslaving. De geïnterviewden zijn niet bitter om het verlies van hun welvaart. Ze zijn bitter over de speculanten die hun opvangtehuis hebben ingepalmd.

David schept ijsjes in mijn casino-hotel. Hij vindt er enig behagen in me met een emmer roomijs op te zadelen. '*Small size*,' voegt hij er goedkeurend aan toe. 'Te veel ijs is slecht voor je conditie. Zal ik een drager laten aanrukken?'

Tussen het scheppen door vangt hij een vagebond op, probeert hij een opzichter zover te krijgen de man werk te geven.

David is in Chicago geboren, heeft drie jaar in Stuttgart voor het Amerikaanse leger gewerkt, heeft behoorlijk Duits en Frans aangeleerd, en houdt die kennis vers door met buitenlandse toeristen te sparren.

Waarom heeft hij het leger verlaten?

'Het leger betaalt mijn studie – sociale wetenschappen. Ik heb zolang gediend tot ik kon studeren. Dat zou me anders nooit zou zijn gelukt. Mijn ouders zijn gescheiden toen ik vier was. Ik heb mijn moeder nooit schuldvrij geweten. Ze kon haar huur niet betalen, laat staan hoger onderwijs.

Maar ik ben blij dat ik uit het leger weg ben,' zegt hij. Hij wijst naar zijn lange zwarte haar: 'Ik kon niet goed met de discipline overweg. Ik heb niks tegen het principe van een leger, ik heb niets tegen het gebruik van wapens die ingezet worden voor rechtvaardige doeleinden, ik denk dat ik me zelf een wapen zou aanschaffen als ik een huis zou hebben met kinderen – ik wil gerust schieten op wie mij of mijn familie bedreigt. Maar wie beslist of er een oorlog komt? Met de huidige oorlog ben ik het nooit eens geweest, en nu – na de onthullingen over onze martelingen – minder dan ooit. Ik denk eerlijk gezegd dat degenen die hem hebben gepland er ook hun bekomst van hebben. Men zal toch snelle winsten hebben verwacht, en het enige wat ervan komt is bloed en schulden.'

De vagebond komt pruilend melden dat hij geen job heeft gekregen. David overhandigt hem een gratis ijsje. Wat hier betekent: een emmer ijs.

Californië verschilt niet meteen zichtbaar van Nevada.

Mojave, het woestijnstadje aan de rand van de gelijknamige woestijn, is altijd voornamelijk een verkeerscentrum geweest. Ruim honderd jaar geleden kwam de muilezelexpress erlangs. Tegenwoordig rijden auto's en langgerekte goederentreinen zij aan zij, de auto's sneller dan de treinen. Ergens wordt hier ook gedokterd aan een privé-ruimtetuig.

Het meest bekend is Mojave als vliegtuigkerkhof. Honderden vliegtuigen, van groot tot reusachtig, staan te wachten tot ze terug in roulatie genomen worden, dan wel definitief worden gesloopt. Ze rusten hier omdat dit klimaat het metaal en de motoren niet zou aantasten (wat moeilijk te geloven is op momenten dat de wind zand opjaagt).

Rhonda heeft helemaal niets met wat ze de *boneyard* noemt te maken. Ze heeft haar karige inboedel voor haar deur gesleept en houdt uitverkoop. Ze verhuist volgende week naar de andere kant van het land, naar Texas – haar echtgenoot is meubelmaker en heeft daar goedbetaald werk gevonden. Voorlopig dagen er geen belangstellenden op en ze verdiept zich in haar krant.

We niezen tegelijk. Ik probeer het zand de schuld te geven, maar Rhonda wil daar niet van weten. 'Als het zo waait krijgen we de luchtvervuiling uit Los Angeles over onze kop.' Bovendien is de dichtstbijzijnde begroeiing, weliswaar vele tientallen kilometers ver, een papaverveld dat in bloei zou staan en pollen zou verspreiden.

Rhonda nodigt me uit om haar even gezelschap te houden. Ze wijst naar de krant. 'Ik heb net iets verschrikkelijks gelezen.' In Connecticut is een moeder tot een voorwaardelijke straf veroordeeld nadat haar twaalfjarige zoon zelfmoord had gepleegd (door zich aan zijn das op te hangen). De jongen werd op school gepest omdat hij slordig gekleed ging en een stinkende adem had. Hij ging hier zo onder gebukt dat hij het geregeld in zijn broek deed om niet naar school te moeten.

De rechtbank oordeelde dat de vrouw, een alleenstaande moeder met twee kinderen en twee banen, haar zoon had verwaarloosd, hem in een vuil huis had laten leven en niet afdoende voor propere kledij had gezorgd. De vrouw moet honderd uur gemeenschapsdienst verrichten en een psycholoog bezoeken. Ze heeft zelf haar gemeente en de school voor de rechter gedaagd omdat die de pesters niet tot de orde hebben geroepen.

Rhonda kan het vonnis niet begrijpen. 'Alsof het verlies van een kind op zich al niet genoeg bestraffing inhoudt. Zo'n rechtbank die haar honderd uur weghoudt van haar werk helpt misschien ook haar tweede kind naar de verdoemenis. Dat denk ik erover: mensen die de moeder veroordelen weten niet wat het betekent arm te zijn. Een rijke moeder met twee kinderen zou nooit worden veroordeeld.'

Het landschap evolueert spectaculair. Eerst wordt de woestijn geel, versteend, glooiend grasland en dan, zonder enige aanleiding en zonder grote logica, veranderen delen grasland, een lap her en der, in hypergroene boomzones. De eerste bomen zijn net gelijnde, laagstammige kerselaars. Er staat een pronkerig bord naast: VOEDSEL GROEIT WAAR WATER VLOEIT. Een gelijkaardig bord begeleidt volgende groenzones, sinaas, pompelmoes. En na een kilometer of tien is al het land groen.

Max, mijn buur op de bus, staat er ook van te kijken. Hij is een overjarige hippie, heeft zijn grijze haarvlecht verstopt onder een stoffige cowboyhoed. 'Wat ik me afvraag,' zegt hij na een tijdje: 'Zou dat vogels in verwarring brengen: dat de bomen gelijnd staan?'

Hoezo?

'Zouden ze na verloop van tijd denken: "Kan maar beter mijn afval netjes tussen de rijen deponeren? Ik wil de orde niet verstoren."' Hij wijst naar mussen die nauwelijks overeind blijven onder wilde windstoten.

Ik betwijfel het.

'In dit deel van het land zijn ongeveer alle bomen aangeplant, voor vogels moet het erop lijken dat de natuur bomen in rijen laat groeien. Met om de vier rijen een vogelverschrikker en aan elke stam een metalen buis waar water en gif uitkomt. Zo ziet een woud eruit in Californië.'

Max heeft in zijn leven eigenlijk nooit gewerkt, zegt hij, niet fier, niet schuldbewust – feitelijk. Zijn ouders hebben hem een lap land nagelaten waarop een jaknikker stond die olie oppompte. Die olie is niet overdadig, maar ruim genoeg om zonder ambitie van te leven. Hij laat nog wat dieren op zijn land lopen ook, vrijbuiters van koeien en enkele geiten – bij momenten ook het paard van de buren.

Maar nu hij een eind in de zestig is, wil hij zijn leven veranderen, productief worden. Vandaar dat hij zich vragen stelt bij de vogels. 'Ik ben imker geworden, heel bescheiden nog – enkele korven. Het komt erop neer dat je die beestjes manipuleert zodat ze jou geven wat ze eigenlijk voor zichzelf willen houden. Je buit hun instincten uit, in het zweet huns aanschijns wroeten ze in pollen. Je noemt het bijenteelt, maar eigenlijk is het kosmische diefstal. Ik reageer misschien te fel, maar ik ben nu geneigd de bijenwereld te veralgemenen tot alle levende wezens. We manipuleren en worden gemanipuleerd. Dat is de natuur van alle dingen, van onze politiek tot de bijenwereld.'

En waarom neemt hij ineens deel aan de kosmische roof?

'Zoals ik al zei: ik wil productief zijn. Alle productie houdt op de een of andere manier roof in. Door aan die roof deel te nemen leer ik de wereld kennen.'

Ik arriveer daags voor de 'grootste hardloopwedstrijd ter wereld', de Bay to Breakers-race: twaalf kilometer door het hart van San Francisco, met zestigduizend ingeschreven deelnemers. Elk jaar nemen meer naaktlopers deel, en zowel de politie als de organisatoren doen daar dubbelzinnig over. Volgens de *San Francisco Chronicle* is de loopwedstrijd een 'familie-gebeuren', maar 'dit is ook San Francisco' wat betekent dat ongeveer alles toegestaan moet zijn. De politie laat via de krant weten dat het praktisch onmogelijk is om een bewegende naaktloper te bekeuren. Stilstaande lopers daarentegen... Een oudere deelnemer die met een windmolen van twintig kilo over het hoofd de twaalf kilometer wil overbruggen vat het voor de krant zo samen: 'Naaktlopen is geen afleiding, die molen is een afleiding.'

Om acht uur 's morgens zetten voornamelijk geklede lopers zich in beweging. Het duurt enige tijd eer de excentriekelingen het punt halverwege bereiken waar ik de wedstrijd volg, mannen met strorokjes; een vrouw die het benauwd krijgt in haar Mickey Mouse-kostuum en die zichzelf onthoofdt – met haar hoofd onder de arm verderloopt; vijf gecoördineerde Elvissen, collega's die zich met een touw hebben samengebonden. Weinig politiek vertoon in vergelijking met eerdere edities, wordt me verteld.

En dan komen de naakten, vijftien tegen één mannen, vijftien tegen één kwabbig tot verzakt maar vrolijk huppelend, met een rugzakje en een buiknummer dat aan een touwtje bengelt, sommigen beschilderd, sommigen met akelige kousen – waarom maken kousen bloot bloter? Enkele naakte vrouwen delen informatiebrochures uit van de naturistenvereniging.

Een wat harder lopende Chinese vrouw die plots een naakte man voor zich ontdekt, kan haar ongeloof niet de baas. '*Naked man*,' roept ze, met een uitgezakte 'a' in 'man', alsof ze een tijdlang op Jamaica heeft gewoond. Ze omcirkelt de loper enkele keren. '*Naked man*,' herhaalt ze.

Twee jonge Libanese echtparen fotograferen het bloot. Ned, een naaktloper, staat erop te poseren met de half gegeneerde, half glunderende Libanese vrouwen.

Waarom loopt hij naakt?

'De vraag is andersom: waarom lopen de meesten gekleed? Wat is er natuurlijker dan bloot rond te lopen? Me dunkt dat je wel een uur per jaar mag doen alsof we in een ideale wereld leven.

Ik sta hier bloot naast twee moslimvrouwen die geen aanstoot aan me nemen. Als dat geen begin van een doorbraak is.'

Nadat hij weer is vertrokken hoor ik de Libanezen betwijfelen of ze het zullen aandurven hun foto's te laten ontwikkelen.

Ik loop niet, ik stap. Ik rijd met de trams, die al dan niet de steile stadsheuvels beklimmen. Bijna elke buurt is opvallend anders dan de vorige.

Op het kruispunt tussen Market Street en Castro zou je geloven dat homoseksualiteit de dominante vorm van menselijke seksualiteit is. Twee bejaarde Chinese vrouwen hebben hun wasserij 'Gay Cleaning' genoemd, de boekhandels afficheren in hun vitrines het (mannelijke) *Kontenboek*, videowinkels hebben affiches met torsen van mannen het prominentst in de aanbieding. In het lokale equivalent van de Gamma worden tijdelijke of langduriger banden gesmeed.

Aan Broadway zou je geloven dat San Francisco in meerderheid wordt bevolkt door Chinezen en Vietnamezen. Voor een lokale school omhelst een zwarte bewaker een Chinees meisje dat probeerde uit haar klas te glippen – hij stuurt haar terug.

En ergens tussen de twee buurten zie ik een verkleumde, vuile zwerver die twee kraaknette, veel te chique, witte handschoenen draagt.

'Ik denk,' zegt Dan, terwijl we uitblazen boven hete Vietnamese noedelsoep, 'dat de diversiteit San Francisco anders maakt dan andere steden. Dat, in combinatie met het feit dat dit een wandelstad is. In andere steden rijd je voorbij de diversiteit, hier wandel je erdoorheen. Je kunt moeilijk staande houden dat onze manier van leven de beste van de hele wereld is als er alleen al binnen de stadsgrenzen vijftien of twintig levenswijzes naast elkaar bestaan. Welke is dan de beste?'

Dan verkoopt delicatessen, Franse en Italiaanse kaas voornamelijk. Hij heeft te veel chilisaus aan zijn soep toegevoegd en moet moeite doen om zijn neusslijm onder controle te houden.

'De diversiteit is de rijkdom van het land. Zolang ik vrij en ongeremd mijn eigen weg kan gaan, maakt het mij niet uit dat er in Alabama idioten rondlopen die denken dat de wereld in zeven dagen is geschapen, en dat de dinosauriërs een links verzinsel zijn om God in diskrediet te brengen. De extremen houden elkaar in evenwicht. Het probleem begint wat mij betreft als we met onze nationale politiek te veel in de een of andere richting schuiven. Ik voel mij absoluut niet vertegenwoordigd door de huidige president, net zomin als die idioten uit Alabama zich vertegenwoordigd voelden door president Clinton. We voeren nu tot op grote hoogte de politiek uit van die idioten uit Alabama. Onze huidige president is waarschijnlijk de enige leider van een ontwikkeld land die niet in de evolutieleer gelooft, wat zonder meer gênant is, maar niet echt erg, als het niet te lang duurt...'

In die nationale evenwichtsoefening vormt San Francisco het linkse tegengewicht, al is niet iedereen ervan overtuigd dat dat zo blijft.

Lori weet niet goed of ze moet lachen of wenen. Twee nachten geleden hebben onbekenden afval op de stoep van haar kunstgalerij gekieperd, onder meer nogal wat gebroken glas en rotte eieren – alles samen genoeg om zeven grote zakken te vullen. Eerst dacht ze aan illegale vuilstort, maar haar antwoordapparaat wees in een andere richting. Ze heeft de boodschap bewaard en laat me die horen. Een vrouwenstem raadt haar aan het schilderij over de martelingen in Irak voor het raam weg te halen.

Het doek toont in zwartwit naakte Iraki's met elektroden op lichaamsdelen, bewaakt en bespot door Amerikaanse soldaten. De enige elementen van kleur zijn de Amerikaanse vlag en enkele straaltjes bloed op een van de Iraki's.

'Je kunt beter de vlag vervangen door de swastika,' maant de vrouw op het antwoordapparaat. 'Ik kan zo wel vertellen dat je anti-Amerikaans bent.' Later volgden dreigementen. Dezelfde stem liet weten dat het volgende afval het gebroken glas van de ruiten van de Capobianco-galerij zou zijn. De eerstvolgende avond contacteerde Lori een lokale krant. De volgende dag staan ongeveer alle lokale tv-zenders aan haar deur.

'Ik heb nog nooit zoveel aandacht gekregen voor een tentoonstelling,' grimast Lori (ze is vorige week aan haar schouder geopereerd, haar rechterarm hangt in een mitella). Maar ze zal het doek toch voor de nacht verwijderen, en weet nog niet goed of ze het nog prominent zal ophangen. 'Ik ben geen heldin. Als ik moet kiezen tussen mijn hachje en vrije meningsuiting, twijfel ik hard.'

Wat veroorzaakt een dergelijke reactie in een toch ruimdenkende stad als San Francisco?

'De galerij ligt te midden van de meest progressieve buurt – dat is juist zo ontstellend. Iedereen heeft de foto's van Abu Ghraib gezien. Op zich toont het schilderij niets dat niet op de foto's werd getoond, behalve de mannelijke geslachtsdelen die op de foto's waren weggeretoucheerd. De reacties zijn zwaar verdeeld. Zopas kwam een vader me moed toewensen en honderd dollar overhandigen – zijn zoon dient in Irak en die wil juist dat we zoveel mogelijk aandacht aan de martelingen besteden. Maar er bestaat, ook in San Francisco, een tendens, bij een weliswaar niet zo grote groep, om patriottisme heel eng te definiëren, waarbij Amerikanen helden zijn die zich nooit vergissen en de rest van de wereld in het beste geval dubieus is, en waarbij je de eigen vuile was wegcensureert. In die wereld is dit schilderij onpatriottisch. In mijn visie toon je je vaderlandsliefde door juist de puisten van het land te benadrukken.'

Ze kijkt zorgelijk naar buiten. 'Het is bovendien een mooi schilderij.'

Kanaal 9 rijdt voor en wil haar interviewen. En mij ook: of ik vind dat media in *the land of the free* vrijer zijn dan in Europa? Als de vraag zo geformuleerd wordt, is maar één antwoord mogelijk: nee. '*I guess not, then,*' repliceert de interviewster, zichtbaar teleurgesteld. Mijn tussenkomst haalt het nieuws niet, overigens terecht.

San Francisco is niet alleen een stapstad. Het is ook een praatcafé.

'*Long time no see,*' roept Max, ter begroeting. Hij heeft me voorzover we weten nog nooit gezien, maar dat doet er niet toe. 'Ik heb een slecht geheugen. Terugkerende klanten denken dat ik me hen toch herinner, wat hen pleziert, en nieuwe klanten kan het weinig schelen.'

Ik beland onverhoeds in zijn naamloze snackbar. Een dag van steil op en neer over de onwaarschijnlijke heuvels van San Francisco heeft mijn kuiten verlamd – ze vertikken het nog verder te zoeken naar iets gezelligers.

Max is zelf niet enthousiast over zijn etenswaren. 'Ik weet niet hoe je die soep kunt noemen, een beetje van alles, zonder te veel smaak. Ik kook niet zelf, weet je.'

Waar komt hij vandaan?

'Uit Perzië, Shiraz.'

Uit Iran dus.

'Wel ja, maar toen ik een jaar of tien geleden in dit land aankwam, was die nationaliteit absoluut slecht voor mijn zaak. Mensen dachten dat Iraniërs barbaren waren. Ik heb een tijd beweerd dat ik uit Afghanistan stamde, tot op 11 september ook die herkomst negatieve publiciteit begon op te leveren. Perzië is neutraal, onschadelijk.'

Waarom is hij gemigreerd?

Max zucht diep. 'Een tragedie,' zegt hij. 'Ik was, eerlijk gezegd, niet enthousiast tijdens de islamitische revolutie, maar ik wou Khomeini een kans geven en ik kreeg een vrij vooraanstaande positie in het bankwezen van Shiraz. Maar vanuit mijn job zag ik hoe corrupt het regime wel werd. Ik probeerde ontslag te nemen, maar de mullahs lieten het niet toe. Uiteindelijk ben ik gevlucht, via de Golf.'

En bevalt zijn nieuwe vaderland hem?

Hij ontkent het traag en treurig.

Zijn vrouw, die wel haar draai vond in San Francisco, heeft hem drie jaar geleden in de steek gelaten. 'Het is alsof ik in elk werelddeel het slechtste ontdek. Ik ben zeker dat we in Shiraz samengebleven zouden zijn. Ik was toch al niet zo gelovig, had veel troebelen met de mullahs achter de rug dus, en toen ik in de VS arriveerde heb ik me vrijwel meteen tot het christendom bekeerd. Een nieuwe naam genomen, Max. Mijn vrouw woont nu samen met een moslim. En ikzelf heb de indruk, hoe weinig ik ook aan geloof hecht, dat ik mijn ziel heb verkocht. Ik heb uitverkoop gehouden met mezelf.

Als het regime in Iran verandert, zit ik op het eerste vliegtuig terug. Geen mooiere stad dan Shiraz, geen mooier land dan je land van herkomst.'

Een tweede klant komt de snackbar binnen.

'*Long time no see*,' roept Max. Hij onderneemt een verlegen poging tot knipogen.

De volgende dag hobbel ik, nog altijd stijfgelopen, door de binnenstad. Betogingen geven me een excuus voor oponthoud.

Eerst, aan het paleis van justitie, betogen 'Joden voor Palestina'. Wat verderop houden vakbondsleden de vier straathoeken bezet aan de vestiging van hun bedrijf, de telefoongigant SBC. *Scabs*, werkwilligen, worden gefotografeerd.

Wat hoopt men daarmee te bereiken?

'We kijken na of ze lid zijn van de vakbond,' zegt Noel, een onderhoudsman. 'En het schrikt de onderkruipers wat af als ze zien dat we hun identiteit vastleggen.'

Hij draagt een blad karton met het opschrift: EET MIJN BORD NIET LEEG. Zijn buik wiebelt rijkelijk aan weerszijden van zijn broeksriem. 'Wel ja,' geeft hij toe, 'ik kan misschien beter met iemand van slogan wisselen.'

De staking duurt vier dagen. Dat is zo afgesproken met de directie. De directie heeft beloofd niemand af te danken, daar staat tegenover dat in een periode van vier dagen doorgaans geen dringend onderhoudswerk vereist is en de telefoons ongeveer normaal blijven functioneren. 'Het is een vorm van staking die niet veel zal oplossen,' geeft Noel toe.

Wat zijn de grieven?

'Samengevat,' zegt Noel: 'Ik werk sinds 1976 bij SBC, en als je de inflatie verrekent verdien ik geen cent meer dan toen. Nu blijkt dat de directie de werkzekerheid wil wegnemen – een aantal jobs zal naar India verdwijnen – en dat ze ons meer zal laten betalen voor de ziektekostenverzekering. Vroeger betaalde de directie bijna de hele verzekering, nu zullen we 10 procent zelf moeten dekken. Het komt erop neer dat ik voortaan minder zal verdienen dan in 1976. En dat alles terwijl het bedrijf een recordwinst van 8,6 miljard dollar heeft geboekt.'

'Dat was bijna grappig,' zegt een medestaker (met spandoek: LAAT JE TELEFOON REPAREREN DOOR IEMAND DIE WEET WAAR JE WOONT). 'Tijdens de onderhandelingen deed de directie eerst alsof ze niet anders kon dan besparen. Dat weerlegden we met dat winstcijfer. Zelfs als je accepteert dat een deel daarvan te wijten is aan de verkoop van enkele afdelingen, blijft er nog genoeg over om ons meer te betalen, in plaats van te besparen. Nu beweert de directie dat ze ons zelf voor de verzekering wil laten betalen omdat ze dit uit *filosofisch oogpunt* beter vindt. De filosofie is dan dat een bedrijf zich niet met de gezondheid van werknemers moet bemoeien.'

'Wat breng je tegen een dergelijk argument in?' vraagt Noel zich af. 'Het is de filosofie van onze directie dat wij maar beter wat armer of wat zieker kunnen worden. Hun filosofie van onze armoede.'

Er zijn tot dusver drie constanten bij mijn voedselaankopen.

Alles is calorierijker dan ik me uit Europa herinner. Brood bevat ongeveer dubbel zoveel calorieën wat, volgens mijn interpretatie van het etiket, te wijten moet zijn aan vetstoffen en suiker en malt of honing die bijna aan alle soorten brood worden toegevoegd. Slaatjes drijven in de olie of zwalpen in de mayo. Om dat punt te beslechten: zonder noemenswaardig veel te eten – zo lekker is het voedsel doorgaans niet – verdik ik à rato van een kilo per maand. Nog vierentwintig maanden en ik ben een publiek gevaar. Gevaarte.

Tweede constante: behoudens de cola en bananen is alles ook duurder dan in Europa. Het is me een raadsel hoe de lage lonen niet tot lage prijzen leiden. Iemand hanteert hier een comfortabele winstmarge.

In de derde plaats: je vindt, voornamelijk in de kleinere, maar ook in de grote winkels, enorme hoeveelheden koopwaar die de vervaldatum niet even maar flink voorbij is. Meestal wordt een dergelijke datum genegeerd, maar af en toe wordt de oorspronkelijke datum overplakt en is een handgeschreven alternatief aangebracht. Zo blijven producten, althans op papier, zo goed als eeuwig vers.

Enkele weken geleden hebben de inspectiediensten voor het eerst een gekke koe op Amerikaanse bodem ontdekt. De minimaliseringscampagne rond die vondst was indrukwekkend. De koe werd verloochend (uit Canada afkomstig), tot nationale wees verklaard (geen familie binnen de landsgrenzen), en oneetbaar gemaakt (zelfs als ze niet opgemerkt was, zou ze niet in de voedselketen zijn beland). 'We hebben,' hoorde ik een woordvoerder van een ministerie verklaren, en die uitspraak werd later overgenomen door Fox-commentatoren, 'het veiligste voedsel ter wereld.' Het herinnerde me aan die overschreven etiketten. Een paar dagen na de vondst van de gekke koe becijferde een van de nieuwsmagazines, *Time* of *Newsweek*, dat dit land het geringste aantal voedselcontroles uitvoert van de ontwikkelde landen. Japan bijvoorbeeld controleert elke koe, de VS controleren één koe per zeventienhonderd. Wat zou suggereren dat er voor die ene gekke koe die werd gevonden honderden ongecontroleerde gekke koeien rondlopen. Dat is niet zo, aldus een woordvoerder van het ministerie. Zelfs als er geen controle is, gedragen die koeien zich abnormaal en worden ze door de eigenaar aan de bevoegde diensten gesignaleerd. *You'd wish.*

Ahmed kijkt me nors aan als ik hem erop wijs dat een hele plank van zijn koeken hun vervaldatum maanden voorbij zijn.

'Het is de fout van de Chinezen,' moppert hij. Hijzelf is lang geleden uit Jordanië overgekomen. Pakweg in 1980, schat hij, was dit het land van zijn dromen. De huurprijzen waren laag, de winsten hoog, als je maar werkte hoefde je niets tekort te komen. Intussen kost het gemiddelde huis in San Francisco meer dan een half miljoen dollar, betaalt hijzelf voor zijn winkeltje vierduizend dollar huur en is er twee huizen verder een Chinese zakenman neergestreken die 'zijn cola goedkoper verkoopt dan ik hem inkoop – ga daar maar je koeken kopen. Kan niet anders, die lui moeten via illegale circuits opereren, smokkelwaar slijten. En zelf eten ze hondenvlees.' Hij ademt diep en misnoegd. Het is de schuld van de door Chinezen weggehaalde klanten dat hij zijn koeken niet verkoopt, en dat ze dus hun datum zijn gepasseerd. Zijn logica duldt weinig tegenspraak.

Een terugkeer naar Jordanië overweegt hij niet. 'Ik ben op tien kilometer van de grens met Israël geboren. Toen ik opgroeide kon je nog ongedwongen met Israëli's omgaan. We waren wat jaloers, omdat ze rijker waren dan wij, maar we wisten dat daar redenen voor waren – ze hadden de betere grond en de betere opleiding, betere leiders. Intussen is alle redelijkheid uit die streek weggehaald. Mijn indruk is dat mensen in het Midden-Oosten, aan beide kanten van de grens trouwens, gek geworden zijn. Zelfs mijn familieleden leven met bloeddoorlopen ogen. Liever arm dan in het gekkenhuis.'

Een paar straten verder baat Rashid eenzelfde soort winkeltje uit. Hij is van Indiase komaf, al is hij nog nooit in dat land geweest. Hij is in Kenia geboren en in Londen opgegroeid. Zijn zaken gaan goed, maar daar ligt wat hem betreft het probleem.

'Geld is het enige wat telt in dit land. Je vindt alleen vrienden die in je eigen inkomenscategorie passen. In Londen was dat helemaal anders. Daar had ik berooide vrienden naast rijke vrienden, wat het leven zoveel interessanter maakte. Hier heb ik eigenlijk helemaal geen vrienden, ik heb kennissen die allemaal hetzelfde zeggen en denken als ik – hoe vervelend, hoe schraal.

Je zult dat allicht niet van een Indiër verwachten, maar volgens mij heerst hier ook een soort kastensysteem, met zelfbestuiving. Ik behoor hier tot de kaste van de tweeverdieners met een inkomen van honderdduizend dollar. Ik denk dat ik binnenkort terugkeer naar Londen.'

Opmerkelijk hoeveel gemopper ik aanhoor in toch een van de aangenaamste en meest welvarende steden van het land. Comfortabel gemopper en gezeur, daar waar in arme gebieden van het land dikwijls de aspiratie om de achterstand te overbruggen het gezeur overschaduwt. Zodra de aspiratie is vervuld, leer je de limieten ervan kennen. Het gezeur van de teleurstelling, het gezeur van de overvloed, het gezeur om de *latte* die te veel of te weinig schuim bevat, te veel of te weinig toegevoegde smaakstof, die niet warm genoeg is, en smaakt naar reinigingsproduct.

Soms gaat het gezeur ook wel ergens over. Shabeela zeurt voornamelijk uit teleurstelling, maar ook uit aspiratie. Ze sleurt aan een fototas. Ze lijkt wel indiaans, lid van de *Nez Percé*, maar dat ontkent ze meteen. 'Zou je geloven dat ik voor een kwart Duits en een kwart Zweeds ben? Maar de resterende helft en mijn naam zijn Koerdisch. Blijkbaar hebben de Koerdische genen de overhand behaald.'

Haar vader is in de jaren zeventig uit Irak naar Duitsland gevlucht, zijzelf is opgegroeid in Zweden en na goed tien jaar in de VS is ze klaar voor verandering. 'Pa is teruggekeerd naar Irak. Hij is niet heel optimistisch over de toestand, zelfs de Koerden zijn niet langer enthousiast over de Amerikaanse invasie, hun echt grote enthousiasme zijn ze ten tijde van de Eerste Golfoorlog kwijtgeraakt, maar ik popel om daar te kunnen werken.'

In de VS komt ze aan de kost als publiciteitsfotografe. 'Je kunt niet geloven hoe afstompend het is uren te dubben over de belichting van een jas of een interieur als je weet dat vele duizenden kilometers verder geschiedenis wordt geschreven. Ik heb nog nooit zo sterk het gevoel gehad naast de wereld te leven.

De Verenigde Staten zijn momenteel een deprimerend land. Mensen gaan gebukt onder het slechte nieuws. Dit is een gebied dat popelt om optimistisch te kunnen zijn, maar al een paar jaar is bijna al het nieuws negatief – Amerikanen kunnen niet omgaan met slecht nieuws.'

En zijzelf kan minder en minder overweg met Amerikanen.

'Ik ben de manier van communiceren in dit land beu. Vanmorgen nog zat ik naast de vrouw die ik beschouw als mijn beste vriendin en dan krijg ik een tien minuten durende tirade over me heen waarin ze alles bundelt wat er mis is met haar leven: van haar gevoelloze vriend over haar stotterende zoon tot een spierontsteking of een conflictje op het werk. Ik krijg meer en meer de indruk dat Amerikanen, in tegenstelling tot Europeanen, geen gesprek voeren, ze deponeren wat op hun lever ligt, en ze doen dat snel – want ze hebben geen tijd en voor een minimum aan decorum moeten ze toch de gesprekspartner ook een kans geven om iets te deponeren. Iedereen praat kortstondig, bijna buitenissig openhartig, en niemand luistert. Mensen praten met zichzelf. Ik dacht vanmorgen: dit is een land van mentale masturbatie, verbale masturbatie.'

Niet alleen dat: het is in hoge mate een land zonder verhaal, opper ik. Ik kan haar, denk ik, niet goed duidelijk maken wat ik bedoel. Als ik elders rondreis, lijken de mensen altijd een soort beknopt verhaal van zichzelf te hebben, klaar voor de vreemdeling – de essentie, al dan niet opgesmukt, al dan niet overdreven en spectaculair gemaakt. In vergelijking daarmee is dit veel meer een land van ditjes en datjes, allicht ook wel met opsmuk en overdrijving, maar zonder essentie, zonder bewustzijn van samenhang, zonder pointe. Woorden die niet meer zijn dan dat, gratuite woorden, ongereflecteerd, alsof die gratuite woorden ook al de moeite van het aanhoren waard zijn.

'Een tv-land, dat zal wel het cliché zijn. Mensen leven in periodes van soundbites. Na enkele seconden kunnen ze van onderwerp veranderen. Is het je al opgevallen hoe verveeld mensen erbij lopen, onvervuld, onenthousiast, met hoe weinig intonatie ze spreken? Ze lijken gezamenlijk met een kater te zijn opgestaan en hun keel nog niet te hebben geschraapt. Ze schijnen ook te wachten op het spectaculaire, tot ze het beslissende punt kunnen scoren in de finale van de een of andere sportwedstrijd die nationaal op tv wordt uitgezonden, of de misdaad van de eeuw kunnen oplossen, in de jury kunnen zetelen tijdens het proces van de eeuw. Het is niet dat ze vijftien minuten beroemd willen zijn. Ze hopen dat hun leven vijftien minuten aan hoogtepunten zal opleveren. In afwachting van een dergelijk hoogtepunt vinden ze niks echt de moeite waard. Behalve over hun problemen te vertellen, te vertellen over die momenten die geen hoogtepunt inhouden, de ditjes en de datjes.'

Wanneer vertrekt ze naar Irak?

'Niet. Mijn vader zegt dat het nog te gevaarlijk is en dat er momenteel geen plaats is voor muurbloempjes als ik.'

Ze vertrekt daarentegen binnenkort naar Guatemala, waar ze gedurende zes maanden opgravingen in oude mijnen zal fotograferen. 'Ik beschouw dat als een betaald, en zinvol, oponthoud in afwachting van Irak.'

De weg tussen San Fran en LA voorziet onder andere, maar verre van exclusief, de rijken van het land van een huis achter muren, tralies en vervaarlijke glasscherven, maar met uitzicht op zee. In Santa Barbara, de stad van Zorro, van Michael Jackson en van andere achter zonnebrillen schuilgaande beroemdheden (of niet-beroemdheden, de zonnebril maakt het onderscheid onpeilbaar), heb ik een afspraak met T. Coraghessan Boyle, ruwgeschat de enige mens in de wereld (en Google spreekt dit niet tegen) met de naam Coraghessan. In de generatie na de grote drie – Bellow, Updike en Roth – is hij degene die wat mij betreft het best zijn vinger aan de pols van de samenleving heeft, en nog wel een verhaal spint uit de verbrokkelde Amerikaanse ervaringen. Geflipte milieuactivisten, sekteleden, utopisten en sociaalvoelenden die plots heel repressief reageren wanneer ze zelf met illegalen te maken krijgen, hypocrisie, vredelievendheid die geweld voortbrengt, seks als probleemgebied, vrije seks als nog groter probleemgebied – dat alles, de menselijke tragedie kortom, wordt beschreven met malle humor en bijwijlen gepaste onnozelheid, alsof de tragedie ook altijd een uit de hand gelopen grol is, een ongeluk dat nu eenmaal gebeurt.

De grol ontwikkelt zich ook in ons e-verkeer.

Zoek naar 'die lange magere met het sikje', raadt hij mij aan, terwijl hij aanwijzingen geeft voor de plaats waar we elkaar kunnen ontmoeten, het houten terras van Peabody's, een café-restaurant in Montecito, een voorstad van Santa Barbara. Is Santa Barbara rijk (en de bedelaars maken er meer kans om tot een luxehotel toegelaten te worden dan ik), dan is Montecito nog een trapje hoger dan rijk. Je vindt er behalve een hondenkapsalon ook een mobiele hondenkapper – zodat je hond zijn hok niet hoeft te verlaten om gekapt te worden.

Boyle, behalve schrijver ook docent literatuur in LA, heeft natuurlijk iets van Zorro. Dat had hij ook in zijn mail kunnen vermelden. Zorro met weerspiegelende zonnebril, T-shirt in plaats van cape.

'Wat vind je van Californië?' wil Boyle weten, terwijl hij zijn benen onder een tafel wurmt.

Niet veel zon en niet veel vrolijke mensen.

'Nah,' zegt hij, 'dit is het seizoen van de mist.'

Net op dat ogenblik breekt de zon door de nevelen.

Andere terrasgangers zoeken snel de schaduw op, rijk en miserabel met of zonder zon.

'De wanhoop heeft met de politieke situatie te maken. Mensen worden depri van al het slechte nieuws.'

Boyle heeft zich in het verleden altijd op een afstand van partijpolitiek gehouden – hij wil geen politiek schrijver zijn, niemand van mening doen veranderen, maar ditmaal heeft hij niet eens een aanzet nodig om, luttele maanden voor de presidentsverkiezingen, in een politieke tirade los te barsten.

'Ik begin me af te vragen of niemand eraan denkt die presidentsverkiezingen gewoon af te gelasten. Aan de rechterzijde hebben sommigen een uitzinnige aversie tegen kritiek, en vormen verkiezingen geen impliciete vorm van kritiek? Ze tonen dat de bevolking aan de Grote Leider twijfelt. Niet dat we echt zover zijn, maar het is wel de tendens. Bekijk de troebelen van een afstand. Onze rechtse fundamentalisten vechten met andere rechtse fundamentalisten. Dat is middeleeuws, bijbels zelfs. Grappig ook, natuurlijk.

Wel, niet echt grappig. Het maakt me ziek. Dit land doet me in toenemende mate aan Italië of Duitsland in de jaren dertig denken – een rechtse partij grijpt de macht, legt de vrijheden aan banden, helpt de reputatie van alle Amerikanen voor tientallen jaren om zeep, ontwikkelt *nieuwspraak* zoals *Operation Iraqi Freedom*. Je ziet het als burger met lede ogen gebeuren, kunt niets verzinnen om het tegen te houden. *Operation Iraqi Freedom*: leg een land plat, dood burgers, noem wat je brengt vrijheid en kijk dan vreemd op als de actie niet volgens plan verloopt. Maak de simpele oefening en draai deze historie om. Stel dat een of ander emiraat werelddominantie verwerft en hier orde op zaken komt stellen. Met de allerbeste bedoelingen allicht. Omdat de productiviteit te wensen overlaat, de criminaliteit te hoog is. Zullen Amerikanen dat accepteren of zullen ze ertegen vechten? Ze zullen vechten, zoals Iraki's nu vechten.

Je kunt dan nog de beste bedoelingen hebben, maar wij zijn geen Iraki's, wij weten niet hoe tien jaar van sancties en bombardementen daar de publieke opinie hebben beïnvloed. Achteraf beschouwd was dat allicht niet de meest efficiënte manier om harten te winnen.'

Hij is geen vredesduif, zegt hij, hij was vóór de oorlog met Afghanistan. 'We waren op 11 september aangevallen en een land had de voorbereiding van die aanval toegelaten. Maar Bush heeft die oorlog aangegrepen om veel verregaandere acties te ondernemen.'

Waarom?

'Wie weet waarom? Om de olie, wegens paranoia omtrent de islam, die duidelijk de paranoia omtrent het communisme heeft vervangen. Ik vind niet dat de ene soevereine natie de andere mag aanvallen, al is het om humanitaire redenen.

Een paar jaar geleden was ik met mijn dochter te gast op het Festival voor Reisliteratuur in Saint-Malo, Normandië. Ik praatte er met bewoners die vertelden hoe belangrijk de Amerikaanse invasie voor hen was geweest, en hoe dankbaar ze nog altijd waren. Dat is wat de VS horen te zijn – niet de supermacht met de botte bijl, maar degene die helpt in nood, en daar veel voor overheeft.

Bush is zowat de antichrist voor *liberals* geworden, de linkerzijde. 80 procent van de bevolking, dat is uit enquêtes gebleken, vindt natuurbehoud het allerbelangrijkste wat een regering kan doen. Deze regering heeft systematisch alle reguleringen omzeild of ontmanteld, ten gunste van ontginning en de grote bedrijven. Onlangs heeft ze stappen ondernomen tegen een clausule om medische gegevens privé te houden. Men wil dat bedrijven toegang tot die gegevens krijgen en ze kunnen verkopen als producten.'

Uit zulke enquêtes blijkt dat een meerderheid van de Amerikanen liever de terroristen in het buitenland aanpakt dan op eigen bodem.

'Welke terroristen – zij die in Irak gekomen zijn nadat we het land bezet hebben? We hebben de verkeerde oorlog uitgekozen. Een oorlog met iemand die allicht gruwelijk was maar die ook zo goed als vleugellam was geworden. Dat is altijd de tactiek van de sterke leider – kies een vijand, om het even welke. Mussolini viel Ethiopië binnen, *for god's sake* – wie weet nog wat daar de reden was? En deed het ertoe? Het verbaast me dat nog zoveel mensen de propaganda geloven, ze lezen niet en kijken doorgaans enkel naar [het rechtse] Fox News. De opinievorming is veel schraler dan dertig jaar geleden. De kranten worden door een steeds kleiner wordende groep van eigenaars gecontroleerd. Men verwijt dikwijls aan de *liberals* anti-Amerikanisme. Voor mij is juist de verschraling van opinies anti-Amerikaans. Een patriot wordt geacht op te staan tegen datgene waarin hij niet gelooft. En zeker niet zomaar met de vlag te staan zwaaien naar wie de macht heeft. Niet in mijn Amerika.'

Hij is al goed een kwartier onder stoom en nu pas kan ik inbrengen dat die oorlog hem in zekere zin op het lijf is geschreven. Het is een van zijn thema's: hoe utopieën altijd weer in miserie en bloedvergieten eindigen. Zijn boek *Drop City* (*Verloren nachten*, uitgegeven bij Anthos in 2003) toont hoe een hippiecommune, gestart met hoge idealen, snel verloedert. Vrije liefde wordt al gauw ook betaalde liefde ('zo was het ook in mijn eigen leven,' vult Boyle in), ideeën rond bezitloosheid hebben weinig verweer tegen diefstal, en een pestkop blijft een pestkop, onder welke filosofie dan ook. Na 11 september maken utopieën weer helemaal de dienst uit, de utopie van Osama tegen de utopie van Bush.

'Ik lijk me soms op een korst in de realiteit te bevinden,' zegt hij aarzelend. 'Ik had *Drop City* enkele weken voor 11 september klaar. Ik was volop met het corrigeren bezig toen de terreuraanslagen plaatshadden, werkte twaalf uur per dag en was tot op zekere hoogte wat geïsoleerd van het gebeuren, was minder obsessioneel met de beelden bezig dan de meesten. Ik voel me niet geroepen er rechtstreeks over te schrijven, nu nog niet. En toch hield wat ik schreef ook verband met wat er gebeurde.'

Heeft de schrijver wat hem betreft een rol te spelen in het maatschappelijk gebeuren?

'Vraag je me naar de plaats van de schrijver in de Amerikaanse maatschappij? Samengevat: niemand leest boeken en het kan niemand een reet schelen wat schrijvers ergens van vinden. Schrijvers zijn in dat opzicht irrelevant voor het publiek. Ik klaag niet. Ik heb een Nigeriaanse student, getalenteerd trouwens, maar die is geslagen, gevangengezet, zijn voeten werden gebroken omdat hij op zijn achttiende een roman heeft geschreven die het regime niet beviel. In vergelijking daarmee hebben wij een luxebestaan. We schrijven wat we willen zonder dergelijke gevolgen. Geen onderwerp is uitgesloten. Dat sluit aan bij een Amerikaanse karakteristiek: ons doel is vrije mensen te zijn, we zijn individualisten, contrair, het punk-zijn zit in ons gebakken, in weerwil van Bush.

Een schrijver bepaalt zelf wat hij of zij in het publieke leven aanvangt. Ik ben een publiek figuur, ik houd ervan op te treden. Ik treed op in mijn pagina's, die ik zo diep en zo goed wil maken als mogelijk, en ik treed op in zalen. Ik entertain. Andere schrijvers beperken zich tot het blad en blijven mijlenver van hun publiek. Zoals rock-'n-rollers. De ene zoekt een stadion en de andere wil intimiteit.

Dat is voor mij ook een functie van de schrijver: alternatieve gezichtspunten en achtergronden tonen. Ik heb ooit een verhaal geschreven over hoe de koude oorlog eigenlijk was ontstaan na een affaire tussen president Eisenhower en mevrouw Kroetsjov. Is compleet verzonnen, maar toch zou die liaison een deel van de geschiedenis kunnen verklaren – beter verklaren dan wat de huidige geschiedenisboeken daaromtrent voorschotelen: de koude oorlog als gevolg van een hete affaire.

Tijdens de presidentsverkiezingen van 2000 won Al Gore keer op keer het debat met Bush. Maar Bush won de harten met wat ik de idiootfactor noem. Mensen dachten: die is niet slimmer dan ik, en ze vonden daar een soort geruststelling in. Met de gevolgen van die geruststelling moeten wij nu leven...

Wat ik het ergst vind aan de oorlog in Irak is dat hij ons afleidt van de belangrijkste problemen. Ik ben al heel lang en heel intens begaan met het milieu. Wij zitten nu op dit terras met een wijntje en met alle voedsel van de wereld. Dat is mogelijk omdat wij tweederde van de wereld in onze greep houden, en omdat we zonder enige schroom de planeet uitputten. We zijn met massaal te veel mensen – het is al bijna te laat om daar met een beleid nog iets tegen te beginnen. We moeten constant uitbreiden, nieuwe huizen bouwen, meer produceren, meer consumeren of het bouwwerk van de economie stort in elkaar. Misschien kan Bush via Irak zijn oliebevoorrading veiligstellen, wat ik betwijfel, maar dan zullen we nog zonder voedsel komen te zitten. Er komen, dat kun je zo voorspellen, oorlogen over rijkdommen, water, olie, voedsel. Dat er catastrofen aankomen weet je zo.

Zeg van moslimlanden wat je wilt, en ik verdedig ze niet, ik ben als de dood voor wat ze met vrouwen aanvangen en wat ze met bijvoorbeeld het onderwijs doen, maar men heeft daar een levenswijze die eenvoudiger is, en planetair beschouwd minder schadelijk dan de onze.'

Maar het islamitisch protest tegen de VS gaat daar niet over. Protesterende moslims willen vaak even graag de materiële dingen uit de Amerikaanse cultuur als Amerikanen zelf.

'Dat verlangen naar dingen is volgens mij genetisch geprogrammeerd. Wij weren ons tegen slechte tijden door op te potten. Dat gaat van vet aan onze kont tot allerhande voorwerpen. Toen ik me voorbereidde op het schrijven van *A Friend of the Earth* las ik een pak rapporten over de staat van de planeet en mijn conclusie was: er is geen hoop, nul, zero.

Het punt is: ik weet het allemaal, ik ben erdoor geobsedeerd, ik lig ervan wakker, maar toch word ik, door mijn natuur zal ik maar zeggen, gedreven in de tegenovergestelde richting. Mijn vrouw en ik hebben drie kinderen. Wij verbruiken per persoon tweehonderdvijftig keer wat de gemiddelde Keniaan verbruikt. Gewoon door in deze maatschappij te leven draag ik bij tot de destructie van de planeet. Ik heb daar twee, gelijkmatig zinloze, strategieën tegen: de ene is me doodongerust te maken, de tweede tijdelijk alles te vergeten en te genieten van mijn carpe-diem-moment. We staan niet alleen machteloos tegenover de grote krachten, we staan ook machteloos tegenover onszelf.

Na 11 september was een van de eerste dingen die we van onze president te horen kregen dat we allemaal naar de winkel moesten gaan om dingen te kopen – om de economie draaiende te houden. Hoe obsceen is dat niet? Dat vergelijk ik dan met een oude foto van een man aan de rand van de woestijn in Namibië die trots al zijn bezittingen toont: hij is naakt, op een touwtje om zijn hals na waaraan een schilling hangt. En behalve dat kettinkje bezit hij ook een leeg ooievaarsei waarin hij water transporteert. Niet meer dan dat. Op een manier lijkt die Namibiër me een voller leven te leiden, dichter bij de natuur, bij onze natuur, te staan. Dat is wat wij volgens onze genen horen te doen: te kijken, te luisteren, te ruiken, op de uitkijk te staan, te vangen. De ene dag eet je, de andere niet – dat lijkt me een eerlijk bestaan. Waardevoller dan het leven van wie in het geroezemoes van een winkelcentrum de weg verliest terwijl hij probeert de economie te stimuleren. Wij zijn symbolische jagers geworden. We jagen niet langer op vlees, want daar ligt de supermarkt al vol mee.

Na *Drop City* kreeg ik veel vragen over mijn geloofwaardigheid als milieujongen – hoe bestond ik het om mijn personages te laten jagen? Natuurlijk ben ik een milieujongen, en alleen al om deze reden. Ik trek twee maanden per jaar naar de Sierra Nevada, zo ver mogelijk van andere mensen. Ik loop er bijna zonder na te denken rond, mijn aandacht wordt getrokken door een boom, een vogel, het geluid van een waterval, en ik voel de betovering van wie we zijn. Ik heb gemeenschap met de natuur, communie. Dat is de manier waarop we horen te leven – dat voel ik dan. Maar ik houd het niet vol. Ik kan mijn echtgenote wel verwijten dat ze dingen koopt, maar ik keer toch maar braafjes terug naar een huis dat door Frank Lloyd Wright is ontworpen.

Nog een paradox: ik zag een paar jaar geleden een documentaire over het Peace Corps. De documentaire toonde hoe een oude vrouw, ergens in Afrika, terwijl de mannen met het vee rondtrokken, moest zorgen voor de keuken. Ze was elke dag uren onderweg om het laatste stukje hout te sprokkelen. Het Peace Corps gaf haar een kacheltje waarin ze koeienstront kon branden. Ineens was ze vele uren per dag vrij. Kon ze boeken schrijven – dat is zo maar het eerste waar ik aan denk, al zal dat wel niet haar prioriteit zijn geweest. Dat is een zinvolle inbreng geweest in haar leven. Dat is wat technologie doet: het geeft ons de vrijheid om kunstenaars te worden. Tegelijkertijd vernietigt technologie de wereld, onze ziel.

Die paradox raakt wat mij betreft ook de Amerikaanse droom. De VS zijn begonnen als een commune van ontgoochelde christenen die Europa achter zich lieten – de *Pilgrims*. En het land groeide gestaag naar het westen. Daniel Boone trok weg uit Kentucky omdat hij drie mijl verderop rook uit een schoorsteen zag komen – dat vond hij beklemmend. Dat ging door tot men de westkust bereikte, en nog later Alaska. En hoewel er nu geen land meer te veroveren valt, dromen we nog wel van dat soort expansie, van dat soort vrijheid. We vinden altijd een volgende heuvel intrigerend, en een andere teelt, een ander dier. We houden van ons individualisme. Niemand heeft me ooit verteld wat ik hoor te doen. Ik behoor tot geen enkele traditie. Wat mijn land me geleerd heeft is luid en duidelijk "*fuck you*" te zeggen. Maar de achtergrond van dat individualisme, de exploratie van onontgonnen land, is weg. Het land is opgevuld. De Amerikaanse droom is voorbij.'

Is dan ook het Amerikaanse verhaal voorbij? En het Amerikaanse individualisme?

Hijzelf is altijd een vat van verhalen, maar als ik met toevallige bewoners praat, krijg ik vaak de indruk dat er hen geen relaas rest, behalve het voorgekauwde of het evidente.

'Daar maak ik me niet zoveel zorgen om. Er zijn in dit land – en zeker in een staat als Californië – nog genoeg mensen als ik, excentriek of ten minste individualistisch. Je moet misschien wat meer zoeken dan vroeger, maar ze zijn nog altijd rijkelijk beschikbaar.'

Vele van zijn boeken eindigen (vals?) optimistisch. De wereld is om zeep, de droom is weg, de utopie is een flop gebleken, maar een overlevende figuur denkt aan een partner die op hem wacht, nog ver weg door veel kou heen, en in zekere zin maakt de idee van naderende warmte alles goed. Is zo'n Joyceaans moment van verzoening met het bestaan ook aan de auteur zelf besteed?

'In mijn geboortestad is er ooit een meteoriet door een motorkap gevallen. Dezelfde steen had mijn hoofd kunnen raken. Ik ben, zoals ik al aangaf, een vat vol contradicties. Ik zit ingeklemd tussen mijn idee dat kinderen de planeet om zeep helpen en mijn behoefte aan seks en kinderen, mijn idee dat voedselwinning slecht is voor de planeet en mijn behoefte om te eten. Een groot deel van de tijd denken we niet aan de planeet – we denken aan neuken en drinken – mijn figuren en ik zitten tussen die twee werelden, de wereld van kennis en de wereld van verlangen. De familie verbindt die twee tot op zekere hoogte.'

'Ik ben een figuur met enig aanzien in de wereld, ik zou elke dag met twee nieuwe vriendinnen op stap kunnen gaan – dat behoort niet tot de onmogelijkheden. Ik zou op dit ogenblik langs de kust kunnen rijden met die twee vriendinnen en een koffer vol drank, maar dat is niet wat ik wil, dat heeft geen emotionele waarde. Ik zoek een andere vorm van macht, macht over mijn eigen toestand. Ik leef in een relatief klein kringetje, met mijn vrouw en kinderen, mijn vrienden uit mijn kindertijd, mijn agent – dat geeft me een gevoel van controle. Ik ben in het klein een god in mijn wereld, zoals ik met meer recht de god van mijn werk probeer te zijn. De familie laat me die illusie van controle, van macht, van warmte en geborgenheid – tot de meteoriet me velt.'

Even later komen zijn vrouw en dochter ons vervoegen.

'Hé,' zegt T.C., 'heeft iemand er al aan gedacht de VS tot een islamitische republiek om te vormen? Zouden we meteen van al die ellende met de terroristen verlost zijn. Ik heb al een baardje.'

'En ik,' voegt zijn dochter eraan toe, 'houd toch niet van varkensvlees.'

'Dat is dan beslist,' concludeert de echtgenote, met enige scepsis.

Drie uur naar het zuiden ligt Malibu – volgens de brochures een droom van gebronsde en chirurgisch bijgestelde lijven, maar in dit seizoen van druil en nevel is het strand tijdelijk overgeleverd aan honden die tussen onbestemde ruïnes dollen met eekhoorntjes. De sheriff heeft zijn auto versierd met de leus: TOT UW DIENST SINDS 1850.

Op een heuvel woont David Horowitz (65).

Er is nogal wat gelijkenis tussen de herkomst van Horowitz en T.C. Boyle. Ze zijn allebei in of om New York geboren, en hebben aan de andere kant van het land, in Californië, carrière gemaakt. Ze geloven allebei in een darwinistische wereld waarin de destructieve krachten de bovenhand krijgen, ze zijn zich bewust van de tegenspraken in hun eigen denken, ze zijn kwaad en zien parallellen tussen het heden en de jaren dertig. Hun werk concentreert zich, onrechtstreeks, op de Amerikaanse droom. Maar terwijl Boyle er over de decennia heen relatief constante ideeën op heeft nagehouden, vertoont Horowitz het vuur van de bekeerling: van linkser dan links is hij rechtser dan rechts geworden.

Ik wist niks van de man tot ik hem op tv, tijdens de Dennis Miller Show, zag fulmineren. Amerikaanse tv-programma's zijn doorgaans ontzenuwd en voorgekauwd, maar Horowitz leek echt razend. Hij liep rood aan (of had misschien een probleem met zijn bloeddruk). Later hoorde ik hem al even kwaad op de radio. En in zijn boeken is hij zo mogelijk nog meer redeloos kwaad.

'Waarom wilde je me spreken?' vraagt hij, nog altijd ietwat bars, aan de deur.

Omdat hij echt kwaad lijkt, beken ik, terwijl de meeste andere sprekende hoofden zichtbaar doen alsof.

'Ik ben ook echt kwaad,' zegt hij, iets milder nu, op zoek naar blikjes Sprite. 'Ik ben kwaad omdat ik radicaal ben gebleven.'

Zijn levensverhaal heeft hij uitvoerig beschreven: zoon van joodse communisten, zelf een van de studentenleiders geworden tijdens de woelige jaren zestig in Berkeley. Vervolgens aan twijfels ten prooi toen de Black Panthers een blanke boekhoudster vermoordden. De vrouw was een vriendin van Horowitz, ze was door hem aangesteld in een school voor zwarten waarvoor hij de financiering had geregeld. De moord werd nooit officieel uitgeklaard, maar volgens Horowitz is er geen twijfel en zijn de daders zowel bekend als vrij.

De episode leerde hem naar eigen zeggen de perverse neiging van links kennen om de toekomstige utopie belangrijker te vinden dan de huidige realiteit – en tot op grote hoogte de huidige wereld te laten verknoeien door het ideaal van een verre, glorieuze toekomst. De wetteloosheid van de Black Panthers vond hij later terug bij Pol Pot. 'Links vertoont altijd de neiging om misdaden te vergoelijken.'

In zijn boek *Left Illusions* (Spence Publishing Company, 2003, Dallas) beschrijft hij hoever hij van zijn jaren zestig-persona verwijderd is: racisme bestaat zo goed als niet meer, vindt hij nu, de slaverij is mede door blanken afgeschaft, en zwarten horen dankbaar te zijn dat ze in de VS leven – eerder dan een vergoeding te vragen voor geleden schade. Zonder de slavernij waren ze nu achterlijke Afrikanen. De conservatieven zijn te braaf in dit land en laten zich steeds weer ringeloren door links. En voor Sharon of Israël niks dan jubel.

'*I've got a one track mind*,' geeft hij toe, in zijn woonkamer die op de oceaan uitgeeft: '*Liberals, liberals, liberals*.' Alles is de schuld van links. De ruk naar rechts leverde hem een plaatsje op – ruwweg, maar niet helemaal (hij vindt zichzelf realistischer) – tussen de neo-conservatieven. Hij wordt gefinancierd door dezelfde donoren. Af en toe mag hij bij de president op de thee.

Toen hij van links naar rechts switchte, switchte zijn visie op de economie meteen mee?

'Die overgang heeft te maken met een mensbeeld. Als je gelooft dat mensen goed zijn en door instellingen slecht gemaakt worden, ben je links. Vrij geboren, maar tot slaaf gemaakt. Dat is voor mij nu ridicuul. Een kind is een slaaf, we zijn allen de slaaf van onze passies en moeten ertegen vechten. In iedereen ter linkerzijde zit wat mij betreft een despoot, want als je de instellingen kunt veranderen kun je in hun visie de wereld veranderen. En wat belet hen om de instellingen te veranderen? De conservatieven. Als je daarentegen, zoals conservatieven, individuen als problematisch beschouwt, moet je wel discipline hanteren. En de discipline van de economie is de markt, de wet die boven individuen staat en die niet door de overheid gecontroleerd wordt.'

De gedupeerden van Enron zullen blij zijn dat er discipline heerst via de markt.

'Uiteindelijk is het bedrijf failliet gegaan, de markt heeft orde op zaken gesteld. De wortel van de problemen zijn wij. De regering kan ons niet beter maken, want die regering zijn wij ook. Je moet corruptie verwachten. De dieverij bij Enron liep ten einde doordat het bedrijf niet langer functioneerde. Het is in dit geval verschrikkelijk voor de gedupeerden, maar de markt stelt grenzen aan de hebzucht van individuen.'

Wat zijn volgens hem de karakteristieken van zijn land?

‘Een grote dosis optimisme. Alleen het zuiden is ooit in een oorlog verslagen, wat natuurlijk heel erg verschilt van Europa. Dit is een heel open land, een land van mogelijkheden. Als je het hier niet naar je zin hebt probeer je het ergens anders. Ik heb tot nu toe in twintig huizen geleefd. De verwachtingen liggen heel hoog in dit land. Op gebied van relaties, van werk, van kinderen, zelfs van geloof – mensen verlaten hun geloof als ze denken dat een andere kerk beter is. Het gewicht van het verleden is hier veel kleiner dan in Europa, om niet te zeggen: de meeste mensen hebben geen notie van het verleden.’

Hoe heeft 11 september op die karakteristieken ingewerkt?

‘De mensen voelden zich enige tijd, enkele maanden, kwetsbaar, en dan was het voorbij – als dat gevoel was blijven duren zouden we nu niet zoveel protesten hebben tegen de oorlog in Irak.

Overigens: Europeanen zijn wat mij betreft het tegenovergestelde van Amerikanen: risicovrij, comfortabel onder de rokken van onze troepen, hopend dat het slechte nieuws vanzelf zal overwaaien.

We hebben een democratische cultuur, het slechtste en het beste is even zichtbaar. Ik sta versteld van winkels zoals Home Depot. Werkmensen hebben hier meer keuze om te bemeubelen dan ongeveer iedereen behalve koningen. Ze kunnen hun eigen huis ontwerpen. McDonald’s en Wal-Mart hebben volgens mij meer gedaan voor werkende mensen dat alle socialisten samen, sinds het begin der tijden. Een werkende vrouw die geen zin of puf heeft om te koken, kan een betaalbaar maal vinden voor haar kinderen. McDonald’s geeft haar die vrijheid. Ik kwam onlangs iemand tegen die een jaar spaart om naar Disneyland te kunnen. Hij eet buiten de deur met zijn familie op de tien dollarspecial van McDonald’s [één dollar per kind]. Natuurlijk hebben we vaak iets vulgairs, maar je kunt niet de mensheid bevatten en het vulgaire mijden.’

Aan het minimumloon zul je niet gauw in Disneyland geraken.

‘Ach, dat minimumloon. Wie niet dom of lui is blijft toch niet lang aan het minimum vasthangen.’

Hij noemt verdeeldheid niet als karakteristiek.

‘Het land is inderdaad erg verdeeld. Maar bij de volgende terreuraanslag komt toch weer 90 procent van de mensen samen. Seks verdeelt ons, drugs, abortus. We hadden vroeger twee stabiele partijen, elk met een linker- en een rechterzijde. Dat systeem brak onder de oorlog in Vietnam. De Democraten zijn een linkse partij geworden in de Europese betekenis van dat woord, internationalistisch.'

Vanuit Europa lijken ze nochtans behoorlijk conservatief.

'Dat is omdat jullie helemaal links van de baan gegaan zijn. De verdeling van inkomens, de welvaartstaat – daarin zijn Democraten redelijk links. En hun ruk naar links heeft de Republikeinen naar rechts gedreven. John F. Kennedy en Ronald Reagan voerden een gelijkaardige politiek – Kennedy was een havik op buitenlands gebied, hij was voor belastingverlaging.

Amerikaanse conservatieven hebben niet veel gemeen met Europese conservatieven. Ik ben voor homorechten, gematigd inzake abortus, tegen censuur. Met uitzondering van de religieuze groepen is rechts hier eerder libertijns.'

Zijn er elementen ter rechterzijde die hem tegenstaan? Dat de president de evolutieleer in twijfel trekt?

'Da's niet zo belangrijk voor mij. De anti-homotendensen vind ik erger, al beperken die zich niet tot rechts. Onze christelijke fundamentalisten zijn uiteindelijk redelijk oké. Volgens mij zijn gematigde moslims veel minder tolerant dan de meest extreme christenen. En bij ons zijn racisten of demagogen à la Le Pen altijd vrij marginale figuren gebleven.

Bush is een overtuigde christen, maar volgens mij is hij heel sterk voor de keuzevrijheid, zelfs inzake abortus of het homohuwelijk.' Tijdens een bezoek aan de president citeerde die de bijbelpassage over de balk in het eigen oog, wat Horowitz geruststellend vond. 'Hij moet natuurlijk zijn christelijke achterban paaien. Maar hij heeft meer minderheden in zijn kabinet dan ooit tevoren. Hij heeft een Arabische generaal naar Irak gestuurd. Zo bekrompen zal hij wel niet zijn.'

In zijn boek hekelt Horowitz voortdurend links utopisme, maar tegenwoordig is de utopie toch een rechts fenomeen geworden – Bush wil via een opgelegde democratie en een opgelegde vrije markt in Irak een heel gebied democratiseren.

Horowitz kauwt lang op de vraag.

'Ik verontschuldig me niet voor de invasie van Irak. In deze wereld moet je je risico's beperken. Als je weet dat Saddam, zelfs op lange termijn, kernwapens kan vervaardigen, heb je mijn zegen om hem uit te schakelen. Je kunt de idioten van deze wereld, Khadafi, Saddam, de Noord-Koreanen, niet de gelegenheid geven dit soort vermogens te ontwikkelen. Volgens mij heeft de regering-Bush zo geredeneerd: je hebt een achterlijke samenleving in het Midden-Oosten, en als we niets doen en het fanatisme zich blijft ontwikkelen zijn we binnenkort allemaal dood. Spijtig genoeg is de retoriek in politiek altijd forser dan de realiteit. Ik vond het dom te voorspellen dat Irak een democratie kon worden. Het enige land in die regio dat volgens mij echt op relatief korte termijn een democratie kan worden is Iran.'

Iraniërs die nu tegen de mullahs ageren, beweren dat democratie verdiend moet worden, en niet door een ingreep van buitenaf kan worden geïntroduceerd. Als je haar niet zelf verdient, schat je haar niet naar waarde.

'Da's helemaal juist. En zoals met Jezus: als je het goede probeert te doen, hang je morgen aan het kruis. Maar we konden niet wachten om Saddam om te leggen. Ik denk dat de regering pragmatischer was dan ze naar buitenuit scheen: dat ze al tevreden zal zijn als we in Irak een niet al te agressief anti-Amerikaanse leider krijgen en als we de gebeurtenissen in de regio enigszins in onze zin kunnen veranderen.

Volgens mij herhaalt Europa de fouten van de jaren dertig. Jullie willen sussen en verzoenen eerder dan in te grijpen. Je sust fanatici niet.

Ik zou juist hardhandiger optreden. Er zijn al te veel compromissen geweest. We gaan de Iraki's niet overtuigen, we moeten de radicalen gewoon uitschakelen. Het enige wat indruk maakt is de nederlaag van de vijanden. Men zegt dat Osama bin Laden 10 procent van de moslims achter zich heeft, dat wil zeggen honderdtwintig miljoen mensen – dat is een heel gevecht. Ik geloof dat je die groep politiek en militair moet verslaan alvorens je de markt haar werk kunt laten doen.'

Hoe dan?

'Landen verplichten op te treden tegen de radicalen binnen hun grenzen, en hen bedreigen: als jullie niet afdoende optreden leggen we jullie lam.'

Hij klaagt in zijn boek, en ongeveer tijdens al zijn tv- of radio-optredens, over de greep van links op de media, maar de Amerikaanse tv-zenders tonen vrijwel nooit wangedrag van Amerikaanse troepen tijdens patrouilles – terwijl je dergelijk wangedrag geregeld ziet op de BBC.

'Die dingen moeten we niet tonen – dat dient onze belangen niet.'

Het leidt tot een beter begrip van Iraakse gevoelens.

'Kan het jou dan wat schelen wat Iraki's voelen? Dat zijn monsters, beesten, ze zouden mij – als jood – zonder dralen vermoorden. Niemand beweert dat oorlog fraai is. Maar we hebben deze oorlog niet zelf gezocht. En het ergert ons dat Europa telkens maar als het verwende kindje tussenbeide probeert te komen. Wat hebben jullie in de afgelopen honderd jaar voor de vrede gedaan? Wat hebben jullie gedaan om een genocide in jullie achtertuin te verhinderen? Wij hebben jullie opgebouwd, een structuur gegeven die vrede op langere termijn mogelijk maakte.

Volgens mij is de berichtgeving over de martelingen in Abu Ghraib sabotage – helemaal buiten proportie. Het zou me niet storen als ze van de hoogste regionen de opdracht hadden gegeven die gevangenen seksueel te vernederen. Dat was geen gevangenis voor verkeersovertredingen, maar voor moordenaars. Als er gewone lui tussen zaten – brute pech. Zo gaat het nu eenmaal soms in het leven. Ik ben er niet tegen dat misbruiken onderzocht worden, maar ik ben ertegen dat de martelingen publiek worden gemaakt – dat schaadt ons.'

Na afloop van het gesprek geeft hij me een aantal brochures tegen president Clinton mee. 'Heb je nog iets om te lezen.'

Op Malibu-Beach hebben de honden een eekhoorn gevangen.

9

De waarheid die niet vrij maakt (reis tussen Los Angeles en New York, met tussenstops)

Na heel veel bus en enige pogingen tot gebruik van een huurauto, stap ik gretig op de Amtrak-trein, voor de rit tussen LA en Chicago, Illinois. Ik stel me die reis voor als een alibi om twee dagen te verdwijnen in een pijnloze snee dwars door het land.

Het begint niet zo best met die verdwijning. Twee zussen, die hun vader naar de trein hebben gebracht, hebben de vertrekwaarschuwing niet gehoord. Ze komen de conducteur vragen of ze alsnog, op enkele honderden meters van het station, de trein kunnen verlaten.

Die toont zich eerst schamper en zegt bot: 'Beschouw het als een ervaring. En je zult er nog voor moeten betalen ook. Een terugkeer of een extrastop zijn uitgesloten. Die kosten Amtrak zesduizend dollar.'

Even later keert de trein toch terug naar LA – de vrouwen stappen opgelucht uit. De conducteur werkt zijn humeur uit op de resterende passagiers. 'Blijkbaar heeft Amtrak geld te veel. Ik kan het niet hebben dat ze de fout bij mij leggen: ik heb de waarschuwing wel degelijk gegeven.'

Niemand in de onmiddellijke omgeving heeft de waarschuwing gehoord. Misschien stond de luidspreker af of te zacht.

Tweede keer goede keer, hoewel de conducteur aankondigt dat zo'n voorval zijn verdere reis verpest. Hij lijkt me in staat tot tweeënveertig uur plus vijfendertig minuten ononderbroken gezeur. Hij zeurt over de plaatsen die mensen innemen, hij zeurt over de nacht die reizigers humeurig maakt. Hij zeurt over de honger die hij voelt en de slaap die hij zal missen. Dan stelt hij orde op zaken, registreert en verplaatst, scheurt plaatsbewijzen. Naarmate zijn wagon zich meer naar zijn voorwaarden schikt, verdwijnt de malaise. Niet dat hij helemaal vrolijk wordt. Mijn verzoek tot een zitje met stopcontact wordt als onhaalbaar weggewuifd, ook al merk ik even later lege plaatsen op die wel een stopcontact hebben. 'Die worden vannacht opgevuld.'

Je moet hem wat geld toestoppen, suggereert een oudere vrouw, dan komt dat zo in orde.

Wat ik niet krijg, ik niet neem.

Ze kijkt me geamuseerd aan, als ziet ze in mij het achtste wereldwonder. Ik mag mijn computer aan haar stopcontact opladen.

Jeff, mijn zwarte buur, heeft er meer begrip voor. Je moet je niet plooien voor '*the man*', vindt hij. 'Het begint met een corrupte treinbediende, en het eindigt met een corrupte president.' (Later blijken de me geweigerde zitjes inderdaad vol te lopen met compacte families, de gesprekken over smeergeld waren voorbarig.)

In de loop van de nacht sukkelen twee jonge mensen onze coupé binnen. Ze zijn uit gokstad Las Vegas gereisd met de Amtrak-pendelbus, en ze zijn zo berooid als Job op een zaterdagochtend. Hij, Jamel, met gevlochten haar, tatoeages en kleren die verre van schoon zijn en los hangen, bleek de behoudende van de twee. Zij, Daryn, genre onderwijzeres in een kostschool, heeft hun lieve centen vergokt, vijfentwintig cent per keer in een onstuitbare sleur van verlies, afname na afname tot hun bankkaarten geen geld meer uit de automaat loskregen. Nog een geluk dat Daryn hun terugreisticket niet wist te verkopen. Jeff ontfermt zich over hen – geeft hun te eten en te drinken. '*Thank you so much*,' zegt Daryn: 'Hij zal me dit nog jaren kwalijk nemen. En wie kan hem ongelijk geven?' Ze zit diep in de put, en is eigenlijk stomverbaasd dat Jamel haar niet per kerende post in de steek heeft gelaten. '*I'm bad news*,' zucht ze. '*A bad excuse for a person*.'

Een ochtend later, in Albuquerque, New Mexico, bevat de lokale krant een artikel dat Daryn enigszins weet op te beuren. Een chemisch bedrijf heeft laten weten dat het in enkele casino's experimenten uitvoert met feromonen, geurloze en kleurloze stoffen die de gokkers meer zin voor avontuur zouden geven, en tegelijk hun schrik zouden bedwingen.

'Dat moet mij zijn overkomen,' zegt Daryn. 'Ik was mezelf niet in dat casino.'

Berichten over gerommel met zuurstof in casino's doen al jaren de ronde. Alle gokpaleizen die de Albuquerque Journal contacteerde, ontkennen met klem dat ze ook maar zouden overwegen gokgas op hun gasten los te laten.

'Dat was geen gas, baby,' zegt ook Jamel, klagerig. 'Dat was jij, en jij alleen. Ik dacht: ben ik met die vrouw getrouwd? En het antwoord was: *yeah*. Nu en dan wordt ze een beetje gek.'

'*Damn fool*,' repliceert Daryn half lachend, in onduidelijkheid of ze haar vriend of zichzelf bedoelt.

Eerst is mijn buur Jeff nogal terughoudend. Hij heeft zich een dag of tien in Californië vermeid, hij is moe van slecht logies en vele vrienden. Hij slaapt beter en langer dan ik, wat me een beetje van mijn apropos brengt, want doorgaans ben ik de beste slaper van de klas.

Na Albuquerque komt hij wat los, met uitspraken als: 'Men beweert dat Kansas zo plat is als een pannenkoek maar eigenlijk is de staat, als je per oppervlakte-eenheid rekent, platter dan een pannenkoek.' Zo'n uitspraak verraadt zijn beroep: onderwijzer. Hij werkt in Zuid-Alaska. 'Een tijdje geleden nam ik de gegevens van de volkstelling 2000 door, en voor mijn district was er één zwarte geteld. Ik dacht: *hell*, dat ben ik. Het gebied wordt voornamelijk bevolkt door indianen.'

Hij heeft meer nodig dan de twee reisdagen om de complicaties in zijn leven duidelijk te maken, waarbij een speciale vermelding in de volkstelling nog de minste is. Geboren in Detroit, met leven en dood geconfronteerd in Vietnam, onderwijzer geweest in zoveel plaatsen dat hij vingers nodig heeft om ze allemaal op te sommen. Hij gelooft nog altijd rotsvast in het nut van zijn beroep, in de leraar die levens verandert en perspectieven opent die er voordien niet waren.

In augustus vorig jaar is hij getrouwd met Halima, een vrouw uit Tadjikistan. Hij had haar 'via moderne technologie', het internet, leren kennen, en de vonk was overgeslagen. Ze waren naar Dubai gereisd om het huwelijk te voltrekken – zij kon geen visum krijgen voor de VS.

Ze spreekt een taal die niet fundamenteel verschilt van het Farsi, het Perzisch. Hij probeert nu een inreisvisum voor haar te bemachtigen, en daarna – het kan evengoed enkele maanden vereisen als nooit lukken – wil hij haar een woonplaats kunnen aanbieden waar ze voldoende Farsi-sprekers vindt om zich enigszins thuis te voelen.

'Maar hoeveel Farsi-sprekers heb je daarvoor nodig?' vraagt hij zich af. 'Een half miljoen, zoals in groter Los Angeles, of vijfhonderd, zoals in Detroit?'

Hoeveel zijn er in Alaska?

'Nog minder dan zwarten – geen een.'

Hijzelf is nogal streng katholiek, zijn vriendin is officieel bahaï, maar haar ouders zijn moslims en hij vermoedt dat haar geloofsswitch wel eens een manœuvre kan inhouden, en dat ze eigenlijk haar oude geloof is blijven aanhangen. Het is moslimvrouwen verboden om met niet-moslims te trouwen. Het is moslims trouwens ook verboden om van geloof te veranderen, maar in Tadjikistan wordt die laatste regel blijkbaar niet strikt gevolgd.

Het kan Jeff allemaal niet zoveel schelen. Hij was aangenaam verrast door de moslims die hij in Dubai ontmoette – eigenlijk de eerste moslims met wie hij langdurig praatte. 'Zij nemen hun geloof ten minste ernstig. Je krijgt de indruk dat God echt belang heeft in hun leven, en dat verkies ik boven het ongewisse in dit land.'

Overweegt hijzelf zich te bekeren?

Hij haalt een verguld kruisje onder zijn hemd vandaan en schudt tegelijk van nee.

Hij heeft met zijn echtgenote sinds hun huwelijk al zeventien nachten doorgebracht. 'Ik klaag niet. Ik wist waar ik aan begon. Maar af en toe lijkt het alsof dit mijn kruisweg is. De kruisweg van de onthouding. *Gotta be strong.*' Dat viel hem vooral in Californië niet zo makkelijk.

Op ontregelde tijdstippen schakelt Jeff weer over op totaal overbodige weetjes. Niet alleen is Kansas platter dan een pannenkoek, hijzelf, gezeten op de zuidelijkste plaats, rijdt net iets sneller dan ik die naast hem zit.

Hij rijdt nu al bijna zesendertig uur sneller dan ik, ergens tussen New Mexico en Kansas is een gids in de observatiewagon uitleg begonnen te geven over de geschiedenis van het traject en na enkele minuten lijkt het alsof die ook al zesendertig uur bezig is. Dat de verveling zo snel optreedt zal wel niet met noord-zuid te maken hebben. Ergens zijn we overgeschakeld van het voedsel dat we meebrachten op het overigens niet onaardige treinbuffet, vol welwillende reizigers die er niet tegenop zien hun ziel bloot te leggen, hun echtscheiding en hun overspel te etaleren, tegen de *flan* te stellen dat ze beter af zijn zonder hun flierefluiter, en na het laatste glas wijn in bitterheid de overkoepelende conclusie te trekken: '*Better off alone.*'

'Ik zal je verbazen,' zegt Jeff, nadat onze disgenoten, inderdaad elk alleen, onze tafel hebben verlaten. 'Jij denkt intussen: katholiek wil zeggen behoudend. Dat ben ik niet. Ik vind het kapitalisme een verwerpelijk systeem dat gebaseerd is op een zonde – hebzucht. Maar toch heb ik in 2000 voor Bush gestemd, en als ik ditmaal stem – misschien onthoud ik me – zal Bush opnieuw mijn voorkeur krijgen. Hoewel ik de oorlog in Irak verfoei, hoewel we met de martelingen van gevangenen bewezen hebben dat we nog niet veel wijzer geworden zijn dan ten tijde van de slavenhandel.'

Maar op één welbepaald punt vindt hij dat hij als katholiek niet anders kan dan de president ondersteunen.

'Je kunt op allerlei niveaus van mening verschillen, maar als je de leer volgt, beschouw je de ongeboren vrucht als een mens en wat dat betreft is de leer duidelijk: je zult geen mensen doden. Ik kan niet op iemand stemmen die daar niet duidelijk over is.

Na 11 september was ik enkele dagen ontdaan en boos, maar toen het stof was neergedwarreld en de doden waren geteld, viel mij iets op. Weet je nog hoeveel doden er toen gevallen zijn?' Hij schrijft het aantal op de voorpagina van zijn krant: drieduizend. 'En weet je hoeveel abortussen er dagelijks in de VS plaatsvinden?' Hij schrijft het opnieuw neer: vierduizenddriehonderd. 'In zekere zin heeft Osama die dag minder kwaad aangericht dan wijzelf. Bovendien: wellicht waren de abortuscentra meerdere dagen gesloten en heeft hij, zonder dat te willen, ook enkele levens gered.'

Jeffs anti-abortusfixatie komt niet enkel voort uit zijn katholicisme. Voor hem is het ook een rassenkwestie. 'Er zijn in dit land nu minder zwarten dan latino's. Dat is ook een manier om het rassenprobleem op te lossen: marginaliseer onze bevolking. We vormen 12 tot

13 procent van de bevolking en laten 40 procent van alle abortussen op ons uitvoeren – zwarten aborteren drie keer zoveel als gemiddeld. Twintig jaar geleden waren ongeveer alle zwarte leiders tegen abortus, tegenwoordig zijn ze bijna alle voor.' Hij vindt dat die leiders eigenlijk instemmen met hun eigen genocide.

'Voor mij is het simpel. Ik kan niet op zondag ter kerke gaan en de Heer toevertrouwen dat ik mijn stem heb gegeven aan iemand die moord gedoogt.'

We arriveren een paar uur vertraagd in Chicago. Amtrak, legt de iets minder slechtgezinde conducteur uit, betaalt zich blauw aan belasting/huur van dubbele sporen, en dus wordt in de staat Kansas bijna overal volstaan met één spoor, waarop vrachtverkeer dan nog voorrang krijgt. 'Je kunt de vertraging tegenwoordig bijna incalculeren.' De laatste tien kilometer kosten een uur – dat heeft niks meer met Kansas te maken, maar met werken in en om Chicago.

Chicago is warm en, zeker naar Amerikaanse normen, maar wellicht universeel te meten, gezellig. Mooi ook. 'Hier is uit het moeras de wolkenkrabber geboren,' hoor ik Studs Terkel, de hoogbejaarde en vrijwel potdove chroniqueur van Chicago en van het Amerikaanse leven in het algemeen, verklaren. Terkel is de ster van het jaarlijkse boekenfestival, hij wordt ook gefêteerd aan de universiteit. Hij vertelt, onder verschillende omstandigheden, min of meer hetzelfde, antwoordend op min of meer verschillende vragen van verschillende moderatoren. Hij is innemend, zijn boeken zijn grandioos, niemand die hem iets kwalijk neemt. Terkel is zo links dat hij, om een uitdrukking te gebruiken die ik elders oppikte, ongeveer van de landkaart valt, en elke prik richting Bush en richting slapte van de oppositie wordt gretig geconsumeerd.

Hij is, samen met zijn iets jongere generatiegenoot Saul Bellow, een boegbeeld van leven in Chicago. Bellow is langgeleden vertrokken, Terkel is altijd gebleven. Hij is er de belichaming van dat de hoogbouw de mensen niet heeft kleingekregen. Chicago is, op een heel andere manier dan Montgomery in Alabama, waar pro- en anti-slavernij nog altijd naast elkaar bestaan, maar even frappant, een levende contradictie. Dit is bij uitstek de arbeidersstad. Je kunt die flattorens beschouwen als een ijdele poging om de stank van de slachthuizen te ontstijgen. Chicago blikte de koeien van de grasvlakten in: wat begon bij cowboys eindigde aan het Michigan-meer in bloed. Golf na golf voegden migranten zich aan de stad toe, de Aziaten of de Italianen elk in hun eigen wijk. En hoewel er nog behoorlijk wat racisme te vinden was, leek het er toch billijker dan elders. Jack Johnson, de eerste zwarte wereldkampioen zwaargewicht boksen, en daarnaast uitvinder (en na een hele hoop misfortuin, deel van een vlooienact in een circus), vond er een onderkomen op het hoogtepunt van zijn carrière. Elders braken, nadat hij de voormalige blanke wereldkampioen een pak slaag had gegeven, dodelijke rellen uit, maar in Chicago kon hij enige tijd relatief ongestoord zijn ingewikkelde en vooral gemengde liefdesleven in stand houden (tot zijn witte echtgenote zelfmoord pleegde, en tot men hem via gerechtelijke kanalen nekte).

Daarnaast is Chicago ook de geboorteplaats van intelligent rechts in dit land. De school van Chicago leverde, onder leiding van nog een generatiegenoot van Terkel en Bellow, Milton Friedman, een serie economen op die wereldwijd privatiseringen hebben doorgevoerd, wereldwijd staatsschulden tot aartsvijand hebben verklaard, en wereldwijd van staten monddode prooien hebben gemaakt in de klauwen van grote bedrijven.

Chicago leverde ook een onderkomen aan de aartsvader van de neo-conservatieven, de oorspronkelijk Duitse filosoof Leo Strauss, en aan diens twee secondanten, Allan Bloom, de cultuurpessimist, en Irving Kristol, de officiële vader van het neo-conservatisme, en ook de vader van William Kristol, een van de toonaangevende conservatieve commentatoren.

Dat is trouwens een ander aspect van de contradictie. In deze stad, die geschiedenis schreef met een hardvochtige, soms dodelijke strijd tussen werkgevers en arbeiders, in deze arbeidersstad, is een van 's lands beste universiteiten gevestigd, met boekhandels zoals je ze in de veel grotere metropolen als LA of New York niet vindt.

Velen van de nieuwrechtse ideologen hebben een oud-links verleden, Trotskistisch in het geval van Irving Kristol.

Terwijl ik een lapsus vertoon en even niet op het nieuws let, blijkt Ronald Reagan te zijn gestorven. Diens overlijden is lang verwacht, de oud-president was door ziekte niet langer in staat tot bewust contact, en hoewel ik het nieuws verneem van mensen die op een terras hun *Chicago Sun* lezen (en zo op de voorpagina het portret van de overledene etaleren), en hoewel Reagan oorspronkelijk uit de staat Illinois afkomstig is, vind ik weinig commotie rond het bericht.

Maar dan gebeurt er iets vreemds. In quasi-unanimiteit beginnen kranten – en vooral tv-stations – met een heiligverklaring van de gewezen president. En ergens in die berichtgeving wordt verondersteld, wordt zelfs gesteld, dat er bij de Amerikanen een soort nationale emotionele reactie loskomt. En toegegeven – de beelden van aanschuivenden voor de kist met lijk die in Washington tentoongesteld wordt, zijn indrukwekkend, de stroom belangstellenden is eindeloos, hoewel de getallen wat onduidelijk blijven (honderdvijftigduizend bezoekers volgens een bron, een half miljoen volgens een andere). Maar in Chicago vind ik niemand die door het overlijden van de kaart is. We maken, onder andere omstandigheden, de herhaling mee van de halfonthulde borst van Janet Jackson. De tv spuit ononderbroken, het gros van de bewoners geeuwt, en geeuwt gaandeweg iets minder tot het de conclusie trekt dat het niet hoort te geeuwen.

Irving Kristol, in zijn toonaangevende, zij het zelfs in Chicago moeilijk te vinden boek *Neoconservatism: The Autobiography of an Idea* (1995, The Free Press), verwijst al in het eerste hoofdstuk, instemmend, naar de politieke filosoof Leo Strauss. 'Wat hem zo controversieel maakte binnen de academische wereld was zijn ongeloof in het dogma van de Verlichting dat "de waarheid mensen vrij zal maken". Hij was een intellectuele aristocraat die dacht dat de waarheid *enkele* geesten kon bevrijden, maar hij was ervan overtuigd dat er een inherent conflict is tussen filosofische waarheid en de politieke orde, en dat de verspreiding en vulgarisering van die waarheden kan leiden tot onbehagen en beroering, en bij de bevolking passies kan losweken die tot dusver door religie en traditie in het gelid werden gehouden – met volslagen onvoorspelbare maar meestal negatieve gevolgen. Strauss toonde respect voor het gezond verstand van de gewone mens, als dat maar gegidst werd door traditie, die zelf de erfgenaam was van generaties aan praktische wijsheid op het gebied van menswaardig leven. Hij was afkerig van de moderne demagogische verheerlijking van de gewone mens.

Hij was er bovendien van overtuigd dat de grote filosofen van voor de Verlichting, en velen van de grote dichters, die overtuiging deelden. Ze droegen er bijgevolg in hun geschriften zorg voor, zoals de Britten het formuleren, "de paarden niet te laten schrikken" ... Omdat Strauss geloofde, met de "groten" die hij vereerde, dat voorzichtigheid de grootste van de praktische deugden was, lette hij erop dat zijn aristocratische manier van denken nooit, in een rechtlijnige of eenvoudige wijze, zijn politieke opinies bepaalde. Als slachtoffer van het nazisme verdedigde hij de liberale democratie als het beste alternatief tussen de moderne opties, al behield hij zijn intellectuele afstand. Hij was geen rechtse ideoloog, zoals enkele critici hebben beweerd, hij paste niet makkelijk in het conservatieve discours.'

In dat citaat ben ik voornamelijk gepikeerd door de verwijzing naar de waarheid, die gek genoeg niet alleen de Verlichting bekritiseert maar tegelijk, onvermeld maar zo goed als woordelijk, het evangelie van Johannes (8:32). Dat mag best, alles mag bekritiseerd worden, dé waarheid is een complex en allicht onhoudbaar concept (in tegenstelling tot individuele waarheden, waarover wel degelijk gelogen kan worden, waarna die leugens blootstaan aan onthulling) maar in zeker opzicht lijkt dat ene zinnetje, of die paragraaf, de malaise van dit land te bevatten. Geen land dat officieel meer wars is van klasse, status en elite, geen land dat officieel meer openheid voorstaat. (Ten tijde van FDR en Pearl Harbor werd het slechte nieuws min of meer zonder blikken of blozen aan de bevolking opgebiecht, die episode, hoewel ook voor interpretatie vatbaar, haalt nog altijd universitaire communicatiecursussen, en FDR's beroemde zinnetjes, twee maanden na Pearl Harbor uitgesproken, zijn nog altijd een baken in de wereld van communicatie: 'Uw regering heeft een onmiskenbaar vertrouwen in uw vermogen om het ergste aan te horen zonder te schrikken of de moed te verliezen. U moet, op uw beurt, een volledig vertrouwen hebben dat uw regering niks achterhoudt, tenzij informatie die de vijand helpt in zijn poging om ons te vernietigen.') Maar tegenwoordig gaat de dominante ideologie ervan uit dat er een massa is die geleid en desnoods misleid moet worden. Wat de nazi's uitgericht hebben met arbeid gebeurt hier, toegegeven, tot nu toe op een veel onschuldiger niveau, met de waarheid. Het *Arbeit macht frei* aan de concentratiekampen heeft wellicht voor generaties elke diepgaande, filosofische discussie over arbeid bemoeilijkt en misschien zelfs ten gronde onmogelijk gemaakt. Tegenwoordig is er een toonaangevende groep in de VS die met haar *The Truth shall not set you free* in arrogantie en totale onbescheidenheid eeuwen van filosofie of gewoon van maatschappelijk denken afkraakt. In de schoot van gelijkheid wordt de elite officieel opnieuw geboren, met ongelovigen die het geloof aanprijzen omdat het maatschappelijk een goede zaak is, met uitspraken als: 'Oorlog is misschien niet te verdedigen, maar een maatschappij heeft er af en toe een nodig om haar spankracht te behouden, om te maken dat de jeugd niet al te verwend en verweekt geraakt'. Het is niet langer de elite van weleer die spreekt, of misschien soms ook wel – de gewiekste raadgevers die zich in de schaduw van de sprakeloze koning ophouden. Ik veronderstel nooit samenzweringen, maar aan de hand van het citaat kun je vrij veel van de recente geschiedenis begrijpelijk maken: de oorlog die op basis van massavernietigingswapens wordt beslist, waarna onderminister van Defensie Paul Wolfowitz snel, in een interview met *Vanity Fair* (gedesavoueerd maar op band vastgelegd), toegeeft dat de regering-Bush zich op de massavernietigingswapens concentreerde omdat de andere redenen voor de oorlog minder wervend waren; de, voor de VS, nieuwe opdeling van de tv-zenders in links en rechts – de verdeling van de waarheid in kampen, waarbij het ene kamp een andere waarheid in stand houdt dan het andere, liefst niet-communicerende waarheden, waarbij de gênante waarheid met een eigen waarheid wordt bestreden, of zelfs met bekende, maar op de 'eigen kanalen' niet ontmaskerde leugens.

James Carville, de Clinton-adviseur die voor zijn baas het zinnetje '*it's the economy, stupid*' bedacht, verzon een ander beeld om de verknochtheid van kijkers met hun nieuws te tonen. De nieuwszender is voor de kijker wat de lantaarnpaal is voor de dronkaard: iets om op te steunen eerder dan iets wat verlichting brengt.

De waarheid is aan de machtigen, zij zijn in staat om perceptie tot waarheid om te vormen. En wie de hoogste kijkcijfers haalt voor zijn waarheid wint het opbod voor de waarheid, wint de slag om de vrije markt van de waarheid – en het is eigenlijk verwonderlijk dat die op dit hoge niveau zo lang op zich heeft laten wachten. De grote winnaar in deze strijd is recentelijk het rechtse Fox News, dat in sommige tijdsegmenten dubbel zoveel kijkers lokt als concurrenten CNN, CNBC en MSNBC samen, en wiens kijkers nog altijd in kleine meerderheid geloven dat Saddam Hoessein de aanslagen van 11 september heeft helpen beramen, of in overdonderende meerderheid dat het in Abu Ghraib om enkele rotte appels ging die niet eens zoveel kwaads hebben uitgericht, of die in meerderheid gaan geloven dat de Democratische presidentskandidaat John Kerry eerder zichzelf aan medailles heeft geholpen dan dat hij echt een oorlogsheld is.

Dat hoeft niet te betekenen dat er een grote rechtse samenzwering aan de gang is. Sommige leugens of pogingen tot mooipraten mislukken, zoals de verklaring – om de Amerikaanse slachtoffers in Irak te relativeren – dat er in elke groep van honderddertigduizend mensen nu eenmaal mensen sterven, in een stad van die omvang zijn er ook dagelijks doden, dus waarom niet in het leger? Zoals de stelling op Fox dat het in Bagdad niet gevaarlijker is dan in Los Angeles, of van minister van Defensie Rumsfeld die op het hoogtepunt van de diefstallen na de 'bevrijding' van Bagdad verklaarde dat het overal wel wat is en dat vrijheid nu eenmaal haar smerige kanten heeft.

Er is geen samenzwering nodig. Er zijn gelijklopende belangen. Zenders laten onderzoeken wat voor informatie en opinies hun kijkers appreciëren en die opinies krijgen voorrang. Commentaar is goedkoper dan nieuwsgaring en dus krijgt commentaar een steeds belangrijker aandeel op de nieuwszenders. Fox News krijgt, omdat het de huidige regering naar de mond praat (wat zijn kijkers toch al verkiezen), meer toegang tot machtshebbers. Eigenaar Rupert Murdoch wordt zo min mogelijk in de weg gelegd bij zijn pogingen om een groter deel van de markt te vergaren (en hij is natuurlijk niet alleen eigenaar van het conservatieve en deftigheid propagerende Fox News, maar ook van het soms supervulgaire Fox, waar reality shows die mannen in staat stellen slagroom te eten van strategisch bespoten naakte vrouwen nooit kwaliteitsprijzen of deftigheidsprijzen zullen behalen, en waar, volgens een onnavolgbare logica, ook de heruitzendingen van de anti-oorlogsserie *MASH* lopen). De overheid krijgt in ruil voor haar goodwill ten minste één zender die gegarandeerd niet kritisch zal zijn, of alleen kritisch wanneer ze nog kritischer kan zijn voor de tegenpartij.

Tot tweemaal toe heeft de overheid de media heldenverhalen uit de oorlog toegespeeld (van de gevangen, gewonde, en naderhand bevrijde soldaat Jessica Lynch en van de in Afghanistan gedode voetbalster Pat Tillman) die ten minste gedeeltelijk verzonnen en helemaal aangedikt waren en die over de hele lijn door de beschikbare journalisten (in de eerste plaats Amerikaan en daarna pas journalist) werden opgelepeld. Opvallend trouwens hoe eenzijdig de Irakberichtgeving in bijna alle Amerikaanse media verloopt. Iraki's komen minder aan het woord dan in de meeste Europese media.

De regering stuurde niet alleen de Irakberichtgeving. Ze huurde commentatoren in om haar voorstellen te bewierroken. De overheid produceerde ook 'nieuwsberichten' over haar initiatieven, die door lokale tv-stations zonder betaling, maar ook zonder vermelding van bron, als gewone, eigen nieuwsbijdragen werden uitgezonden.

Wie zijn of haar waarheid niet vindt bij een linkse of rechtse zender, vindt in toenemende mate informatie bij websites of entertainment-shows. De meeste jongeren, blijkt uit peilingen, verkeren in dat laatste geval. Ze informeren zich aan de hand van bijvoorbeeld *The Daily Show*, een persiflage op een nieuwsprogramma. De persiflage is geloofwaardiger dan het gepersifleerde. Gefabriceerd heldendom houdt nog het langst stand. De waarheid die je het liefst hoort is de meest betrouwbare waarheid geworden. Alles wat daar niet mee strookt, wordt maar mondjesmaat verteerd.

Er is in vele media een relativisme dat dit geknoei met de waarheid makkelijker maakt. Met name CNN vraagt in zijn Amerikaanse editie ongeveer om het halfuur aan zijn kijkers wat ze van het nieuws vinden. 'Is Michael Jackson schuldig?' vraagt *anchor* Wolf Blitzer. 'Laat het ons weten.' Waarna kijkers via het internet zijn schuld vastleggen. 'Winnen de Verenigde Staten in Irak?' luidt de volgende dag zijn vraag. 'Geef ons uw antwoord.' Een niptere meerderheid verklaart dat de oorlog wordt verloren (dezelfde vraag levert bij de kijkers van Fox-*anchor* Bill O'Reilly een tegenovergestelde conclusie op). De waarheid wordt geprangd tussen die tegenstrijdige tendensen: een bemoeizuchtige elite en een uit de hand gelopen democratisch besef. Waar is: wat iemand met macht als waar verkondigt, of wat het publiek vindt. De klant is koning. Maar er bestaan ook technieken om de klanten te onderwerpen aan de grillen van de markt.

In dit geval winnen de media hun gevecht met de publieke opinie. Reagans begrafenis wordt een nationaal eerbetoon. Op vraag van Wolf Blitzer blijkt Reagan volgens CNN-kijkers het pantheon van presidenten te verdienen. Commentatoren die het aandurven kritische noten bij diens twee ambtstermijnen te plaatsen, of die gewoon herinneringen aan controverses ophalen, worden onder de negatieve reacties bedolven. En nog altijd brengt het hele gedoe rond Reagan volgens mij geen rimpel teweeg in het leven van Chicago. Dat is het nadeel van zo'n gigantisch land – de publieke opinie ontsnapt, zeker als de overwegende opinie onverschilligheid zou zijn, aan makkelijke interpretatie. Wie dat wil kan de publieke opinie enteren, amenderen, regisseren, klaarmaken voor de ene of de andere waarheid, haar vatbaar maken voor interpretatie. Je kunt met recht en reden om het even wat verklaren. Althans het proberen. Dat was allicht altijd al zo, maar nu wordt het gebillijkt door een regeringsfilosofie.

Michigan Avenue loopt enkele straten landinwaarts, parallel met de kustlijn van het gigantische Michigan-meer. Het deel van de Avenue ten noorden van de rivier de Chicago wordt de Magnifieke Mijl genoemd en is, zoals de naam suggereert, een aaneenschakeling van chique winkels. Aan dat deel wordt in de stomende hitte van de namiddag muziek gemaakt. Een blinde man die hoofdschuddend wanklanken uit een elektrisch klavier haalt, verdient ruwgeschat een kwartje per uur. Een trommelaar die ook nog Afrikaanse stoffen verkoopt, haalt niet veel meer binnen. Dan doen klassieke muzikanten veel betere zaken. Een nochtans wankele Vivaldi van vier zwarte studenten doet oudere (witte) vrouwen in de geldbuidel tasten. Briefjes van vijf worden onwennig in de klaarstaande emmer gestopt.

Ten zuiden van de rivier is de Avenue nog altijd behoorlijk magnifiek, maar hier lijkt de sociale spanning enkele graden hoger. Voor het Plaza-hotel demonstreren afgedankte werknemers. Ze dragen borden rond met STAKING erop, of LOCK-OUT. Ze lopen met hun tienen stilzwijgend in een cirkel, en niemand lijkt echt te willen praten. Een Mexicaanse man zegt, op een moment waarvan hij vermoedt dat geen werkende personeelsleden van het hotel toekijken, dat honderdvijfendertig werknemers een paar weken geleden werden vervangen nadat ze hadden geweigerd een minder goed contract te tekenen – waarin onder meer de extra's voor overuren werden afgeschaft. Ze blijven relatief mak in hun protest omdat ze nog op een regeling hopen.

Twee blokken verder wordt aan een lokaal van Roosevelt University nog publiciteit gemaakt voor een fototentoonstelling over arbeidsongevallen. De tentoonstelling liep officieel tien dagen geleden af, maar de receptioniste laat me toch binnen. 'Alles hangt er nog,' zegt ze. 'Hoe meer mensen dit zien hoe beter.'

De foto's werden over een periode van dertig jaar gemaakt door Earl Dotter. Ze tonen zowel verminking als ziekte. Ergens tussen de foto's van gruwelen hangt een persbericht uit 1981 dat, ongewild, in het midden van onstuitbare mediaheiligverklaring, een alternatief commentaar geeft op het overlijden van president Reagan. Het meldt dat in het begin van diens ambtstermijn een overheidsgezondheidsbrochure, waarin arbeiders gewezen werden op de gevolgen van contact met katoen, uit de handel werd genomen omdat de werknemer op de kaft 'ziek leek' en 'dat geeft een partijdige visie op de kwestie'.

Van daar is het een korte trip terug naar de Magnifieke Mijl, en naar de tv-heiligverklaring.

Nu de boekenbeurzen zijn afgesloten, één voor gewone mensen in de binnenstad, en één voor vaklui in een congrescentrum, is een snoepbeurs geopend. Die beurs lijkt meer volk aan te trekken – ik word door mijn hotel de straat opgegooid, alles is al wekenlang volgeboekt door internationale snoepexperts.

Ali is er een van. Hij vindt het onbetamelijk dat Amerikanen zoveel voor hun snoep betalen – en wil proberen de Amerikanen te winnen voor goedkope Egyptische versnaperingen. Dat is het waar het dit land aan ontbreekt, als je hem bezig hoort – goedkope chocola.

Aan een straathoek, redelijk in de weg van zwetende passanten, zijn een man en een vrouw neergeploft in kleermakerszit. Zij kauwt snel maar verveeld gum, terwijl ze haar oor aan haar mobiel gekleefd houdt. Op haar schouder staat de naam getatoeëerd van wat misschien haar vorige vriend was: Angelo. Haar haar is ogenschijnlijk nat, maar het droogt niet – wat in deze hitte, goed vijfendertig graden, bevreemdend is. Hij, Gary, maakt met een tangetje armbanden uit aluminiumdraad. En verkoopt ze tegen twee dollar per stuk. De voorbijgangers kopen gretig de niemendalletjes, vaak meerdere tegelijk.

Na een uurtje houdt Gary ermee op – hij pakt zijn rugzak en het duo gaat op een bank zitten niksen. Dat wil zeggen: zij blijft schier onophoudend telefoneren.

'Zo betaal ik mijn studies,' zegt Gary. 'Ik studeer Engels in Minneapolis, en ik lever dit soort sieraden aan tatoewinkels of motorverkopers. Ik werk er twee uur per dag aan.'

Hij ziet er opvallend braaf uit naast de vriendin: netgeknipt haar en een heldere blik achter een zorgelijke bril. 'Ik heb nooit veel familie gehad, mijn vader was weg, mijn moeder alcoholisch, ik ben zo goed als alleen opgegroeid.'

Nu is hij, samen met de gezellin, op reis, en hun plan is dat ze behalve hun buspassen niets uitgeven dat hij niet onderweg kan verdienen: voedsel, jeugdherbergen – dat alles zal hij betalen met zijn aluminium sieraden.

De telefoonrekening ook?

'Zij wordt gebeld – dat kost niks.'

Hij wil schrijver worden, zegt hij. 'Ik heb een vriend die zo rond zijn veertigste voelde dat zijn leven voorbij was, hij was gescheiden, er zat geen toekomst in zijn werk. Op een bepaald moment is hij elke ochtend om vijf uur opgestaan om te schrijven – tot hij rond zeven uur naar zijn werk moest vertrekken. Hij had dat idee op zijn beurt van een ander gepikt. Dat wil ik nu: de discipline vergaren om te schrijven. Twee uur per dag, dat laat marge om een normaal leven te leiden.'

Heeft jouw vriend iets gepubliceerd?

'Nog niet, ik vind wat hij schrijft niet interessant, en dat is ook niet het punt – schrijven is voor hem een vorm van mentale hygiëne. Die hygiëne heb ik ook nodig.'

Ik hobbel nog wat verder met de trein, op semi-regionale lijnen ditmaal. Na kortstondig Ohio te hebben doorkruist, beland ik in de staat Michigan, de staat waar Nederlanders en Belgen vrij massaal hun steentje hebben gelegd, de staat waar ooit – te midden van onder andere conservatieve, religieus geïnspireerde Hollanders – progressiviteit een sleutelwoord was.

Die progressiviteit werd op vele manieren begrepen.

In Battle Creek, een stadje van vijftigduizend zielen (geloof is belangrijk), vonden gevluchte slaven een relatief veilig onderkomen, hadden de Adventisten van de Zevende Dag een geloofsbepalend visioen, en werd de cornflake geboren.

Het is, enkele weken na mijn gesprek met T.C. Boyle, die een roman over Battle Creek schreef (*The Road to Welville*), moeilijk om zijn impressies van de historische plaats, waar wulpsheid, te midden van geforceerd fatsoen, toch een uitweg vond, te verzoenen met het vrij ontzenuwde heden. Boyle concentreerde zich in zijn relaas op de arts in de familie Kellogg, dokter John Harvey, terwijl de blijvende impact waarschijnlijk nog meer afkomstig is van diens boekhoudende broer Will Keith.

De geschiedenis van de cornflake is tegelijk de geschiedenis van deze twee ruziënde broers. John Harvey wilde zieke of verzwakte mensen gezondheid bijbrengen, door exercitie allerhande (zijn elektrische kameel was bijna even legendarisch als zijn interne waterbaden – een kopie van de kameel reisde mee met de *Titanic*), open lucht, gezond voedsel en het afzweren van alcohol, vlees en tabak. Hij was ook een van de grondleggers van het alternatief kuren. Will Keith, begonnen als de boekhouder van John Harveys geneeskundige ondernemingen, besefte dat gezondheid iets was dat je evengoed, en misschien beter, aan gezonden kwijt kon dan aan zieken – dat is vanuit commercieel hoogpunt verkieslijk, omdat gezonden nu eenmaal talrijker zijn dan zieken. En toen de broers, per ongeluk, tijdens een van hun vele voedselexperimenten, op het procédé van de cornflake uitkwamen, begon Will Keith, eigenlijk tegen de zin van zijn broer, in 1907 met een massaproductiesysteem. Hij voegde smaakstoffen toe (wat zijn broer verschrikkelijk vond), en voerde een gewiekste publiciteitscampagne. Hij liet via kranten weten dat hij maar aan 10 procent van de vraag zou kunnen voldoen. Wat later riep hij zijn klanten op om een maandlang geen cornflakes te eten. Met de boodschap van schaarste, en van opoffering van klanten die zijn product aan zich voorbij lieten gaan, vestigde hij, met neo-conservatief misprijzen voor de waarheid, de indruk dat cornflakes wel heel speciaal waren. Ze vormden al gauw hét Amerikaanse ontbijt – snel en gesuikerd, maar toch nog redelijk evenwichtig. Tegenwoordig zou Kellogg's, het bedrijf dat Will Keith oprichtte, in de VS dagelijks 5,5 miljoen dozen ontbijtspul produceren.

Tot op vandaag duurt de vete tussen de broers verder. In het Kellogg's Centrum volg je de productie en de geschiedenis vanuit het standpunt van Will Keith. De dokter wordt er, in een filmpje, gedoogd en zelfs goedhartig bejegend, maar de grotere verdienste komt toch voor rekening van de boekhouder.

In het bezoekerscentrum van de Adventisten, daarentegen, wordt voornamelijk de versie van de dokter gevolgd. Terwijl je er diens therapeutische martelwerktuigen uitprobeert (voetschudders, lichtbaden, rugtrillers), leer je dat John Harvey helemaal alleen de cornflake heeft uitgevonden, nadat een bezoekster van zijn sanatorium haar tanden op zijn toast had stukgebeten.

Waarover beide centra het eens zijn: Will Keith is schatrijk geworden terwijl John Harvey financieel ten onder ging. Hij was in 1928 met uitbreidingswerken van zijn sanatorium begonnen, het jaar voor de beurscrash. Zijn kosten stegen ten hemel terwijl zijn cliëntèle terugzakte tot een kwart. In zijn sanatorium huist nu de boekhouding van het leger, vanuit het standpunt van zijn aanhangers nog een overwinning van boekhouding op menslievendheid.

Het historische dorp van de Adventisten is, en niet omwille van die oude vete, in beroering wanneer ik eraan kom. Een vrouw reed tegen de afsluiting aan, en sleurde een stuk omheining honderd meter mee voordat balk en wielen een zodanige combinatie gingen vormen dat ze niet langer voor- of achteruit kan. Ze belt de wegenwacht.

Halverwege mijn toer breekt een onweer los, welhaast onaangekondigd maar bijzonder krachtdadig en luid. Een Argentijnse werkstudent wordt met paraplu's achter me aan gestuurd. De lokale predikant, Stanley, die niet helemaal wil toegeven dat de Adventisten in voortekenen geloven, komt me zelf voor het middagmaal uitnodigen. Hij zal me verder persoonlijk rondleiden.

Het materiaal over dokter Kellogg is maar een lokkertje voor dit Bokrijk van de Adventisten. Kellogg werd uiteindelijk door de Adventisten uitgestoten. Hij begon te geloven in pantheïsme, aldus Stanley, 'en als God in alles te vinden is, is er natuurlijk geen heiland nodig om ons te verlossen. Dan kunnen we het zelf.'

Dat klópt.

'Dan zijn we uit bedrijf.'

Dat klópt.

'Zou je het erg vinden om samen te bidden?'

Hij dankt ook namens mij de heer voor het oplossen van de 'controversie tussen goed en kwaad', en zegt uit te kijken naar een periode van gelijkmatig, helder licht.

De meeste werknemers van het dorp gaan op hun negentiendeeeuws gekleed. De predikant draagt daarenboven uit de hand gelopen bakkebaarden. Enkel het gsm-verkeer en het flikkerlicht van de wegenhulp verraden de tijd.

Wat geloven Adventisten, behalve dat de zaterdag de dag des heren is?

Dat het einde nabij is, zegt Stanley, en dat gedurende duizend jaar de aarde plus de gedoemden zullen branden, waarna de geredden samen met Jezus het Aards Paradijs zullen bewonen.

Het einde van de wereld voorzagen ze eerst voor halverwege de negentiende eeuw, maar nu kan het echt niet ver meer zijn. 'Ik hoorde onlangs iets wat me heel terecht leek. Als God nog lang wacht met het laatste oordeel zal Hij zich bij Sodom en Gomora moeten verontschuldigen.'

Omdat?

'Moet ik details geven? Oorlog alom, het homohuwelijk... De dingen gaan slechter dan ooit. Het kwade wint overal.'

De oprichters van de godsdienst, met name profetes Ellen White, waren fel tegen oorlog, racisme, vlees, alcohol en tabak, en het wekt mijn verwondering dat bij de spaghettilunch vleesballen worden geserveerd.

'Dat is geen geloofspunt,' zegt de predikant. 'Ik denk dat tegenwoordig een meerderheid van Adventisten vlees eet. Tabak en alcohol blijven verboden, maar je kunt een Amerikaan blijkbaar moeilijk vlees ontzeggen.'

Simmons is ook ontsteld over de Reagan-hype. 'Dat is iets wat het land aan zichzelf verschuldigd is,' zegt hij: 'Van dode presidenten niets dan blabla. Van de doden niets dan blabla.'

Simmons is even mijn bril op Battle Creek (wat een dubieuze keuze is: hij vindt er niks aan). Hij is uit Indiase voorouders geboren op Trinidad, en is goed twintig jaar geleden, via Salzburg waar hij als verpleger werkte, naar de VS verhuisd. Hij wordt geacht in het onderhoud te voorzien van de Econo Lodge, kamers rein te houden en de vele mankementen te herstellen, maar die officiële opdracht lapt hij hartstochtelijk aan zijn laars. Zijn openingsvraag als hij een nieuwe klant inschrijft (nou ja, de klant zichzelf laat inschrijven) is: 'Je wilt toch niet dat er iets met je kamer gebeurt?' Simmons heeft eigenhandig het zwembadje als gevaarlijk bestempeld en gesloten, gewoon omdat hij het zat was de randen te dweilen. De helft van wat op de website van het hotel in het vooruitzicht wordt gesteld, is buiten gebruik. 'Hé, word wakker – de dingen zijn niet zoals je ze beloofd kreeg, ze zijn nooit zoals je ze beloofd krijgt.

Wij op Trinidad zijn gezegend met een uit de kluiten gewassen gevoel voor scepticisme. Aan de Britten hebben we witte pruiken overgehouden, in rechtbanken en in het parlement, ideaal voor een tropisch klimaat – van de VS hebben we de machtige dollar overgenomen. Iedereen is arm, maar de munt is sterk. Niets belangrijker dan solide geld, stropruiken en andere arbitraire regels om mensen onder de knoet te houden.'

Simmons, die gelooft in diefstal ('Een boek koop je toch niet, dat steel je van het internet') en drugs ('Ik heb ergens gelezen dat de legalisatie van drugs 80 procent van de legale economie in de problemen zou brengen – omdat die niet langer een mogelijkheid zou hebben om wat zwart is wit te wassen en wat wit is via zwarte circuits te laten renderen'), schijnt overigens maar matig drugs te degusteren en nauwelijks tot nooit een boek te lezen.

'Het enige boek dat ik zou lezen heet: "Hoe kom ik weg uit Battle Creek?" Het is nog niet geschreven.'

Omdat het hier zo weinig bruist?

'Dat is een understatement: omdat het hier zo dood is als Ronald Reagan.'

Hij hoopt binnenkort met pensioen te gaan en dan echt te gaan leven. Niet dat dat echte leven ook maar half zo interessant zal zijn als sommigen het zich voorstellen. Niet Simmons.

Is er ook iets wat dit land draaglijk maakt voor hem?

'Ja,' zegt hij, als steeds bedachtzaam, 'de grenzen van het ondenkbare zijn nog niet zo strikt vastgelegd. Strikter dan op Trinidad, maar veel minder strikt dan in Salzburg. Europeanen zijn minder vrij in hun hoofd. Jullie zijn meer vastgelegd dan Amerikanen. Vastgeroest. Gepamperd en bekrompen. In Europa heerst een air van onherroepelijkheid dat soms bijna te snijden is. Amerikanen zijn eerder kinderen, wat losgeslagen, wat simpel, maar ergens minder bekrompen. Kan hun niets schelen waar ik vandaan kom, weten ze niks van. Terwijl Europa vrijwel meteen een portie vooroordelen over je hoofd uitschudt. Als je uit Trinidad komt zul je wel graag dansen en van reggae houden. Niet dus. Stoned zijn. Eventueel wel. Misschien is het vooroordeel gewoon het nadeel van voorkennis, een soort nevenwerking van te oppervlakkige kennis. Aan de andere kant: Europeanen leven wel beter, eten beter, drinken beter. Niet veel reden om de onherroepelijkheden daar te bekampen.'

Dan laat hij me aan mijn lot over. Hij moet quasi-dringend een volgende klant enkele illusies ontnemen.

Nog Reagan. In de slipstream van diens overlijden lees ik in *The New York Times* over wat zijn belangrijkste eigenschap wordt genoemd: zijn optimisme. Ineens wil iedereen optimistisch zijn, althans de presidentskandidaten laten nu overwegend optimistische publiciteitsspotjes uitzenden. Het artikel van de NYT citeert een enquête uit 2002 waaruit blijkt dat 65 procent van de Amerikanen vindt dat succes afhangt van factoren die ze zelf in de hand hebben; dat is dubbel zoveel als bijvoorbeeld Duitsers of Italianen, en het drievoudige van Turken of Indiërs, die in overgrote meerderheid helemaal niet vinden dat ze hun lot in eigen hand hebben.

Rond diezelfde tijd meende 81 procent van alle Amerikaanse studenten dat ze het beter zouden krijgen dan hun ouders, en geloofde 59 procent van de studenten dollarmiljonair te zullen worden.

Enkele experts mogen het optimisme in de krant analyseren. Professor Bruce Schulman van Boston University noemt het wijdverspreide 'geloof dat armen gewoon rijken zijn wier tijd nog niet is gekomen'. Het is allicht geen realistisch geloof, maar het houdt wel grote bevolkingsgroepen op de been.

Velen van de gesprekspartners brengen het optimisme in verband met de ontstaansgeschiedenis van het land: migranten hadden hoop en optimisme nodig om hun land te verlaten en een onzekere toekomst te aanvaarden. De latere trek naar het westen veronderstelde opnieuw het optimisme om achter de volgende heuvelrug beterschap te vermoeden.

Er is, zeggen specialisten in de NYT, ook vrijwel vanaf het begin een theologisch optimisme in het spel. Vaak werden er doemscenario's gehanteerd, maar de redenering bleef overwegend: ook al is het land eventueel in verval, maak je geen zorgen, want jij wordt gered. Anders gezegd: God is met de Amerikanen, en eventueel met hun land.

Dit land misschien, maar wel zeker zijn bewoners, ontvingen Gods keurmerk.

In de periode dat Battle Creek de cornflake tot het Amerikaanse ontbijt maakte, vond in de voorstad van Detroit, Dearborn, honderd mijl oostelijk, een nog ingrijpender innovatie plaats.

Automaker Henry Ford introduceerde er de lopende band, een systeem waarmee hij een tijdlang de auto-industrie domineerde. Hij bleek naderhand te star, bleef maar doorgaan met hetzelfde type T terwijl grote concurrent General Motors modellen op maat en naar wens leverde.

Over vele hectaren en enkele niet zo druk bezochte Ford-musea (op het lege parkeerterrein kun je een marathon lopen) worden de verdeelde zegeningen van de automobiel en het bandwerk in herinnering gebracht. Wie niet goed ter been is, of wie daar een kick van krijgt, kan in oude Ford-modellen rondgevoerd worden – met milieuvriendelijk gemaakte motoren.

Bij beelden die van Chaplin afgekeken lijken meldt een stem dat voor arbeiders sinds 1914 – de introductiedatum van het volledige bandcircuit – scholing minder belangrijk werd dan stiptheid en volharding. De vroege publiciteit leert nog iets: de auto-industrie heeft vrijwel meteen de vrouw als klant ontdekt, en de auto mikte vrijwel meteen op beperkte families, liefst met twee kinderen. Een veel grotere familie viel niet in de T te stouwen.

In het schaalmodel van een oude Fordfabriek uit 1908, waarin de reglementen in acht talen zijn weergegeven (naast Engels ook bijvoorbeeld Russisch, Grieks, Italiaans en Arabisch), acht een zaalwachtster, die ik overstelp met vragen, het haar taak om me toe te fluisteren dat ouwe Henry politiek nogal aangebrand was. Dat hij in eerste instantie niet al te kritisch was over Hitler, die met zijn Volkswagen het systeem van Ford overnam, dat hij een hele poos behoorlijk antisemitisch was (we worden niet geacht dat van de toren te blazen, legt ze op haar fluistertoon uit). Hij was tegelijk ook ten dele socialistisch geïnspireerd, beweerde in zijn autobiografie dat hij bespaard had door de lonen te verhogen tot vijf dollar per dag, en dat hij nog meer zou hebben bespaard door ze te verhogen tot zes dollar – een beter loon geeft betere werknemers. (Die principiële redenering weerhield hem er niet van de strijd aan te binden met de vakbonden, onder andere over looneisen.) Een gevolg van zijn loonsverhoging was dat zijn eigen werknemers zich mettertijd een auto konden veroorloven, hij vergrootte zijn eigen markt.

Fords idool Thomas Edison krijgt in de musea een vooraanstaande plaats.

Een bezoekster komt in de lamp-zaal vragen waar ze Edisons adem kan vinden. Ford had aan de familie van de uitvinder gevraagd om diens laatste adem in een proefbuisje op te vangen. De proefbuis ligt vele gebouwen verder, zegt suppoost Gertrude, die een positievere kijk heeft op de twee boegbeelden van wat 'de progressieve generatie' wordt genoemd, dan haar fluisterende collega in de assemblagefabriek. 'Ze wisten,' zegt ze, 'rijk te worden door het leven voor velen makkelijker te maken. Edisons uitvindingen waren bijna altijd ook nuttig. Misschien is dat in deze tijd niet langer in dezelfde mate mogelijk, maar dat mis ik in de huidige generatie: winstbejag houdt niet langer verband met algemeen nut. Zo was Amerika toen dit land nog tot eenieders verbeelding sprak.' Op een paar uur hiervandaan werd de stofzuiger uitgevonden. Die stofzuiger wendden Edison en zijn medewerkers aan om burgers hun elektriciteit aan te praten – wie zich op het net aansloot kreeg er een Hoover bij.

Ik lees later op de dag in een van de brochures die ik vergaar dat Edison een patent nam op de elektrische stoel, die hij officieel ook uit menslievendheid had bedacht, maar misschien nog meer om zijn concurrent Westinghouse een hak te zetten. Het nut van uitvindingen kan betwist worden, er is altijd gewin in het spel, maar de generaties van Ford en Kellogg, en eerder van Edison, hebben in ieder geval tastbaar hun wereld veranderd, niet geremd door twijfels over grenzen aan hun groei, niet geplooid in categorieën van politieke onschadelijkheid. Misschien opereerden ze inderdaad op een ander niveau dan Bill Gates, en zeker dan Warren Buffett, gespecialiseerd in het vermeerderen van geld, en helemaal niet meer in het innoveren of amenderen van levens, toch niet in zijn economische activiteiten.

Gertrude maakt een uitzondering voor Gates, die nog wel haar leven heeft veranderd, vindt ze. 'Maar wij kunnen ons nog nauwelijks voorstellen hoe Ford het ondenkbare heeft gerealiseerd. Door zelf een hoger loon te betalen, verplichtte hij zijn concurrenten bijna te volgen. Hij creëerde zijn eigen markt. Hij maakte een hele generatie welvarender dan de voorgaande. Soms loop ik door zijn heropgebouwde huis, waar hij met behulp van fietswielen prototypes bouwde. Krijg ik kippenvel van, elke keer weer. Armoede trotseren om in staat te zijn een doorbraak te forceren. Wat een zelfvertrouwen daarvoor nodig was! Wat een wilskracht! Wat een geloof! Ik vraag me af of mijn achterkleinkinderen ooit kippenvel zullen krijgen van Microsoft Windows.'

Het verlies, aan Fords lopende banden, van een generatie aan geschoolde ambachtslui, neemt ze er graag bij. 'Wat de toekomst brengt, houdt niemand tegen. Dat stel je hoogstens uit.'

Ik vind het een vreemde museumzone. Ineens sta ik oog in oog met de Lincoln waarin president Kennedy werd neergeschoten. Het meest verbazende eraan is nog wel dat de auto de aanslag overleefde – hij werd opgeknapt, de gaten werden gedicht, hij werd opnieuw geschilderd en heeft nog enkele presidenten, tot en met Carter, vervoerd.

Ik zie hen eerst op de lege parkeerterreinen van de Ford-tentoonstellingsruimte, een groep mennonieten uit Canada die niet goed weten wat hun overkomt. En een halve dag later duiken ze ook weer op in Detroit, waar de stad de landstitel van de plaatselijke basketbalclub, *The Detroit Pistons*, viert.

Honderdduizend enthousiastelingen vullen de anders lamlendige straten van de stad. Ik krijg al gauw een appelflauwte van de drukte, de hitte, het geduw en het getrek, en al afdruipend zoek ik lang naar een bank, en daar zie ik opnieuw de mennonieten van Ford.

Ze lijken onderling allang uitgepraat, de mannen met baarden, de vrouwen met hoofddoeken, de kinderen bleek, allen op hun negentiende-eeuws gekleed en tijdelijk, binnen gehoorafstand van massaal gejubel, alsof ze van een andere planeet afkomstig zijn.

Ze knabbelen op elektrisch geproduceerde popcorn, wat in hun ogen de invulling is van een halfzondige namiddag.

Henry, de oudste van de groep, is redelijk kort van stof, maar hij wil wel kwijt dat ze met behulp van motoren naar de VS zijn gekomen – terwijl ze uiteraard in hun dagelijks leven deze technische hulpmiddelen verwerpen, en zich met paard en kar behelpen.

De groep vond het verantwoord om dit keer wel motoren in te schakelen – zij het treinmotoren, wat minder erg is dan auto's – om de tentoonstelling over de automobiel te komen bekijken.

Wat vonden ze het bijzonderst?

Toch maar de Lincoln van Kennedy.

En heeft Henry iets geleerd?

'De kinderen vinden dat leuk – auto's. Ik vind: ze hadden er evengoed niet kunnen zijn.'

Twee dagen na de basketgekte is Detroit weer de rampenstad die zij doorgaans schijnt te zijn: anti-Chicago, arm en rauw, gelegen aan de rand van industriële innovatie, ooit bruisend van Motown-muziek, maar intussen zelf van de afgrond getuimeld. De binnenstad is grotendeels uitgestorven. Aan bedelingspunten van kerken troepen zwarten samen.

Volgens de statistieken is 80 procent van de bewoners zwart, maar in het straatbeeld is de verdeling nog scherper: de wachtenden zijn zonder uitzondering zwart, in variabele staten van verval – een ligt zelfs languit, compleet uitgeteld, voor de poort van de methodisten.

Op vele plaatsen is de stad opgebroken en de werklui zijn dan veel minder zwart, voornamelijk Mexicaans met witte opzichters. Het stof dat opwaait is grijswit.

Vanaf het middaguur verandert het beeld. Ineens zwermen de bedienden even uit over straat om een snack te zoeken. Dit is het gemengde publiek, ongeveer evenredig zwart en wit.

Bibi, die in een goedkope klerenwinkel achter versterkt glas geld incasseert (de klanten geven hun aankopen via een draaideur aan haar, ze krijgen hun wisselgeld met de verpakte waar via de draaideur terug), zegt dat ze af en toe naar Chicago reist om te weten hoe een echte stad voelt. 'In Detroit voel je drie of vier keer per jaar dat de stad leeft. Tijdens een overwinning van de *Pistons*, tijdens het vuurwerk rond de vierde juli, misschien rond nieuwjaar...' Ze verlegt haar aandacht naar het miniatuur-tv'tje, waarop Jeopardy speelt. Detroit is drie of vier dagen per jaar Chicago. De rest van de tijd is Detroit een gat waaruit bewoners vertrekken, zo snel ze dat maar kunnen, al blijft het gros altijd achter.

Na twee uur 's middags wordt het weer stil, en na zes uur blijven enkel de bedeelden van de kerken over, nu in verspreide groepjes. Een van de straatmensen loert bijna voyeuristisch naar de schaarse bezittingen van een blinde wandelaar.

Ik loop naar Theodore's Family Restaurant dat belooft vierentwintig uur open te blijven, maar waar om halfzeven al bijna niemand meer uithangt, behalve een lijvige man die vermoedelijk Theodore is en die tegelijk buiten adem zucht en neuriet. De enige klanten zijn een graatmager hoertje dat zopas door een politieagent van straat is gehaald en een jonge witte bedelaar – een jaar of twintig – die door het hoertje op een stuk gepaneerde kip wordt getrakteerd.

De toiletten zijn niet alleen buiten bedrijf, de klanten worden ook met stevige sloten van ze weggehouden – in toiletten gebeurt niets dat goed is, zegt mijn vermeende Theodore.

Op de jukebox staan zevenennegentig Motown-cd's en geen enkele speelt. Niets dan het geneurie van Theodore.

De jonge bedelaar vraagt of ik een cola bij zijn kip wil betalen. 'Elke cent helpt,' zegt hij met overtuiging. 'Een mens moet drinken bij deze warmte.'

Omdat geen enkele stad zo aftands kan zijn, geef ik Detroit een derde kans.

De toeristische dienst heeft door de binnenstad historische informatie aangebracht, maar de beroemde verovering van Detroit door de Canadezen – in Canada altijd goed voor enkele minuten hilariteit: een roeiboot vol Canadezen heeft, in de Canadese versie, in de vroege negentiende eeuw, een goedbewapend Amerikaans legioen tot overgave verleid en gevangengenomen – wordt hier toch nergens prominent verhaald.

Wat ook grappig is: vele historische figuren uit deze regio zijn intussen bekender als automerk, Cadillac of Pontiac.

De bedelaars hebben een betere dag, ze vragen evengoed om het juiste uur als om geld. Een van hen komt me zonder ogenschijnlijke aanleiding vertellen dat hij meer geld heeft dan ik. 'Ik werk,' roept hij, gaandeweg meer kwaad: 'Ik verdien.'

Een volgende bedelaar laat me zelf al weten dat ik hem niet kan helpen. 'Ik heb een miljoen dollar nodig om mijn vrouw gelukkig te maken.'

Zijn vriendin is zwanger, ze leven op straat en elk moment leest hij in haar ogen verwachtingen die hij onmogelijk kan vervullen. 'Misschien dat een miljoen dollar nog niet volstaat – we hebben een huis nodig, een auto, werk, ziektekostenverzekering...'

Hij bietst bij een andere bedelaar om een sigaret, en rookt die gehurkt en hoofdschuddend op, afwisselend aan de sigaret zuigend en aan een duim bijtend.

Ik besluit me wat verder van het centrum te begeven, loop eerst Milwaukee Avenue af, en sla dan af richting industrieel verval. Het verval is des te schrijnender omdat het met weinig geld tot enige glorie valt te herstellen. Roestige baksteen, met gebroken ruiten. In een woning is boven de deur een discreet blote vrouw gebeeldhouwd en zijn de woorden LE CHARME boven haar hoofd gebeiteld. De tweede 'e' is weggebrokkeld.

Tussen dat verval heeft de een of andere organisatie een parkje geïnstalleerd, met twee zitbanken die op krokodillen zijn geïnspireerd. Op de bank zit Richard, tekenblok in de hand – terwijl hij schetst, rapt hij ook. Hij studeert grafiek en animatie in Pittsburgh, Pennsylvania, hij wil later zijn eigen animatiefilmstudio openen, de zwarte Disney worden, hij wil gedichten schrijven en optreden voor publiek.

Voorlopig, zegt hij wat schaapachtig, terwijl hij met een handrug gomschilfers wegschraapt, heeft hij voornamelijk schulden. Om te kunnen studeren is hij een lening aangegaan, die hij niet kan beginnen af te betalen – hij blijft studeren, omdat het reglement van de lening onderkent dat hij niet moet terugbetalen zolang zijn studies niet zijn voltooid. Maar de put is diep. Hij wil niet preciseren hoe diep, hij beweert dat hij dat zelf niet goed weet. Niet wil weten.

Maar al gauw kruipen zijn gedachten weer naar de mogelijkheden die openliggen. 'Detroit is artistiek potentieel enorm vruchtbaar gebied. Tot nu is dit vooral de stad geweest van muziek, Motown, Stevie Wonder. Maar heb je het groen al eens bekeken? In en om Detroit is er slechts één vorm van groen, bijna zonder schakering tussen gras en struiken of bomen. De stad is grijs, en alle groen is grijsgroen. De saaie achtergrond is ideaal voor creativiteit. Hoe saaier de achtergrond hoe rijker het verhaal kan worden. Hoe saaier de stad hoe groter de behoefte aan een interessant verhaal. Dit is een eerlijke, onopgesmukte stad – niet bang van harde waarheden, omdat er hier niet veel andere dan harde waarheden zijn.'

Aan de overkant van het parkje houdt Denita, als vrijwilligster, enkele uren per week, een kunstatelier open. Dat atelier is in een opgeknapte fabriek gevestigd, ze weet zelf niet wat de fabriek ooit produceerde, maar het resultaat is verbluffend: gigantische ruimtes, hoge zoldering, volop licht en lucht, of toch bijna zoveel licht en lucht als buiten.

Denita studeert aan Wayne University. Ze wil later een zelfhulporganisatie voor zwarte vrouwen opzetten, in een van de verpauperde wijken in de buurt. Nu ze zelf als vrijwilligster werkt valt dat haar op, zegt ze: 'Ken je dat verhaal van de olifant die jarenlang aan de ketting gelegen heeft en die uiteindelijk de hoop opgeeft? Vanaf het moment dat de hoop is verdwenen kunnen de eigenaars volstaan met een slap touwtje om hem te controleren, bij gebrek aan hoop wordt de ketting overbodig. Dat is volgens mij het lot van de armen, en bij uitbreiding, van Detroit. Ze zien geen mogelijkheden, en dus blijven ze in de rotzooi ronddweilen.'

Er is niet zozeer een gebrek aan werk, zegt ze, 'de vrouwen met wie ik contact heb voelen zich te goed voor slechtbetaald ongeschoold werk en ze missen de scholing voor beter betaald werk. Zo garanderen ze hun eigen ellende. En daarna de ellende van hun kinderen, die in hetzelfde systeem belanden.'

Hoe denkt zij die impasse te doorbreken?

'Ik denk dat het vooral zwarte vrouwen aan zelfvertrouwen ontbreekt. Ik wil dat ze een plan uitdokteren, zich bijscholen, vertrouwen krijgen in hun eigen ideeën en mogelijkheden.'

Ze inspireert zich gedeeltelijk op de vele tienduizenden Arabische vrouwen in en om Detroit, zegt ze. 'Ik weet dat het vooroordeel bestaat dat Arabische vrouwen, en met name moslims, tweederangsburgers zijn. Maar in verhouding tot zwarte vrouwen krijgen ze van hun mannen zoveel meer respect, ze zijn beter geschoold dan wij, ze nemen zonder problemen vooraanstaande rollen op zich in bedrijven of organisaties. Vooraleer we hun lessen willen lezen, kunnen we misschien eerst kijken wat we van hen kunnen leren.'

Die Arabische aanwezigheid is vooral duidelijk in Fords voorstad, Dearborn. De stad wordt geacht de grootste concentratie aan Arabieren en moslims in het land te bevatten. Exacte cijfers zijn er niet – tijdens volkstellingen is Arabisch of semitisch geen optie, in tegenstelling tot Kaukasisch, Aziatisch of zwart – en de helft van de Arabieren kan van Libanees-christelijke origine zijn, maar over het algemeen gaan bewoners ervan uit dat telkens 30 procent van de bevolking Arabisch en moslim is.

'Je kunt hier je leven doorbrengen en nooit een andere taal spreken dan het Arabisch,' hoor ik op het gemeentehuis, waar men ook uitgaat van dertigduizend Arabieren op een totaal van honderdduizend inwoners.

De komst van de Arabieren had in eerste instantie met de auto-industrie te maken, maar is later een eigen leven gaan leiden. Er kwam migratie van buitenaf, maar ook binnen de VS verhuizen moslims of Arabieren naar enkele wijken van Dearborn, waarbij de wijk van de Jemenieten nog altijd duidelijk afgebakend is van de wijk van de Libanezen en de enclave van de Iraki's, en waar je volgens sommigen de geografische scheiding tussen christelijke Libanezen, soennieten en sji'ieten kunt waarnemen.

De McDonald's afficheert prominent dat de aangeboden waren halal zijn; een Libanees restaurant, waar ik brood in hummus doop, duidelijk in maronitisch-christelijke handen, belooft hetzelfde. In de christelijke sector vind je, zoals in Beiroet, flamboyant geklede, spectaculair opgemaakte vrouwen, terwijl je evenmin ver hoeft te zoeken om een vrouw in chador te aanschouwen, of zelfs enkele burqa's. Arabisch is de voertaal, zowel in woord als in geschrift, maar in beide gevallen aangelengd met Engels. Dit is, met andere woorden, al evengoed een soort voorstad van Beiroet, zij het met te grote auto's en iets te weinig opwinding.

De Arabische gemeenschap viert drie dagen feest. Infostandjes worden afgewisseld met theekiosken of eettenten en een paardenmolen. Een vrouw die bewoners oproept om zich in te schrijven voor de komende presidentsverkiezingen ronselt tegelijk handtekeningen voor de herinvoering van de doodstraf in de staat Michigan. 'Twee leden van mijn familie zijn vermoord, en de ene dader is zopas, na twaalf jaar, vrijgekomen. Ik voel me bedreigd door zijn aanwezigheid.'

Wat verder klagen twee politieagenten van Arabische komaf erover dat hun gemeenschap weliswaar 30 procent van de bevolking uitmaakt, maar nog geen 3 procent van de politie.

Ook hier zijn Amerikaanse vlaggen alomtegenwoordig. 'Mensen voelen zich veiliger als ze zich achter een vlag bevinden,' zegt een lid van de culturele vereniging Access. 'Er is nog heel wat schrik in de gemeenschap.'

De grote gespreksonderwerpen tijdens het feest zijn de oorlog in Irak en de politieke gevolgen daarvan.

Imad Hamad, regionaal directeur van ADC, een anti-discriminatiegroep (ADC had eigenlijk ook AAADC kunnen zijn en staat voor Arab-American Anti-Discrimination Committee), zegt dat de gemeenschap bijna honderdtachtig graden is gekeerd. In 2000 stemden de Arabische Amerikanen in groten getale op Bush. Ze vonden het verdacht dat Gore een joodse *running mate* had gekozen en ze dachten dat Bush in de voetstappen zou lopen van zijn vader, die door de Arabische gemeenschap beschouwd werd als allicht de meest pro-Arabische van de Amerikaanse presidenten.

En toen kwam 11 september.

'De eerste dagen waren we, zoals iedereen, totaal verrast. In plaats van, zoals alle Amerikanen, te kunnen rouwen om het leed dat die criminelen hadden aangericht, werden we door sommigen vrijwel meteen aangewezen als de schuldigen of de medeverantwoordelijken. We hielden rekening met verschrikkelijke represailles. Families bleven dagenlang binnen. We kregen haatboodschappen binnen. De eerste drie tot vier maanden hebben we driehonderd klachten ingezameld, van bedreigingen over vandalisme tot fysieke aanvallen. Daar stond tegenover dat we van alle kanten steun kregen van gewone Amerikanen. Sommigen boden aan de kinderen naar school te brengen, wat vele ouders niet zelf durfden, of boodschappen te doen. Daar ligt, wat men ook zegt, de grootheid van dit land. De Poolse gemeenschap, de Spaanse gemeenschap, de zwarte gemeenschap, de joodse gemeenschap – iedereen heeft geholpen.'

Met 11 september kwam de Arabische gemeenschap ook legaal in moeilijkheden.

'Vóór 11 september werd een kleine inbreuk op de visareglementen bijna weggewuifd. In het slechtste geval moest je een kleine boete betalen als je verblijfsvergunning even over de datum was, of als je te laat was met het indienen van een document. Na 11 september werd zoiets ineens een reden voor arrestatie zonder begrenzing of rechten. Dat duurt tot vandaag. We weten niet eens hoevelen er zo zijn opgepakt. We vermoeden: meer dan duizend uit de Arabisch-Amerikaanse gemeenschap, verspreid over het hele land.

De Patriot Act laat de inlichtingendiensten toe zonder toestemming van een rechter je huis in de gaten te houden, je telefoon af te luisteren en dies meer. Als Amerikaans burger heb je geen wederwoord. Dat is natuurlijk in tegenspraak met de grondwet. Ik vrees ook dat de meeste Amerikanen hier nogal laks op reageren omdat zij dit keer niet zelf het doelwit zijn. Maar het kan iedereen treffen. Nu treft het toevallig ons.'

Het ADC is geen marginale groep, ze vertegenwoordigt de gemeenschap. De pro-Amerikaanse praat druipt er zo vanaf. Daar is het hem, volgens Imad Hamad, precies om te doen. 'Onze organisatie vecht voor het behoud van de Amerikaanse waarden, zoals openheid, rechtszekerheid.'

Ik zeg hem dat dit in Europa veel minder zichtbaar is: vertegenwoordigers van toonaangevende Arabische of moslimorganisaties die zich pro-Europees tonen, die de Europeanen herinneren aan hun principes.

'*Don't know about that*,' geeft hij toe, 'maar onze gemeenschap is resoluut pro-Amerikaans. Er dienen drieduizend Arabische Amerikanen in het leger, velen in Irak.' Al geeft hij toe dat dat een verscheurende situatie is, en dat velen van die soldaten niet geloven in de zaak die ze bevechten.

Maar politiek gesproken heeft de gemeenschap zich van president Bush afgekeerd. 'De gemeenschap is woest over Irak en de ondersteuning door de VS van Israel. We voelen ons verraden door Bush. Er was, voor de invasie van Irak, een kleine groep Iraki's die de oorlog verdedigde – om evidente redenen: velen van die Iraki's waren zelf door Saddam vervolgd. Die groep kwam zodanig in het nieuws dat het soms leek alsof de hele gemeenschap achter de invasie stond.'

Kort na de invasie keerden ook de Iraki's van Dearborn er zich van af – het Amerikaans leger voert een oorlog tegen de bevolking, vond een imam die eerder de oorlog had verdedigd. Op het driedaagse feest worden stemmen tegen Bush geronseld.

Imad, die zelf als Palestijnse vluchteling in Libanon is geboren en die drieëntwintig jaar geleden naar Dearborn migreerde, merkt ook op andere gebieden een vrij grote verschuiving binnen de gemeenschap. 'Ooit was het gezegde: als het in het Midden-Oosten regent moeten wij in Dearborn onze paraplu openen. Alle conflicten in het thuisland voelden we ook hier. Maar langzaamaan beginnen we echt een gemeenschap te vormen, waarbij de tweeëntwintig landen van herkomst bijna secundair worden. We beschouwen onszelf nu in de eerste plaats als Amerikanen. We openen onze paraplu als het in Washington regent.'

In het feestgedruis probeer ik toch de overdadige aanwezigheid van Amerikaanse vlaggen en pro-Amerikaanse verklaringen te duiden. 'Het is welgemeend en propaganda tegelijk,' meent Fatima, een christelijke vrouw, die deel uitmaakt van een andere Arabisch-Amerikaanse vereniging, en plichtsbewust folders aan passanten overhandigt. 'Als je jezelf hier als anti-Amerikaans afficheert, kom je nooit aan de bak. Je moet wel pro-Amerikaans zijn wil je overleven, dat nationalisme is niet vrij van opportunisme en zelfs hypocrisie.'

Maar er is ook een ander aspect.

'Ik heb vrij veel in Europa rondgereisd, en het verschil zit hem ook in de burgerschapsprocedure, en vooral in het onderwijs. Mijn kinderen groeten elke dag de Amerikaanse vlag en zweren hun trouw aan het land. Ze worden bijna dagelijks van de zegeningen en de superioriteit van het land op de hoogte gebracht. Wie staatsburger wil worden, moet een procedure door, een soort hindernissenparcours, met als eindpunt dat men zijn trouw aan het land mag zweren. Ook in die procedure is ongeveer alles wat over het land verteld wordt bijna versuikerd positief. Dit land voert een permanente propaganda voor zichzelf, het onderhoudt wat ik soms als een complot van positiviteit beschouw – de duistere zijden worden onder de mat geveegd. Wordt niet over gesproken, of in termen van vanzelfsprekendheid: natuurlijk waren er hier slaven, zoals overal, maar van bij het begin waren de echte Amerikanen tegen die slavernij gekant. Tegen het Amerika van die propaganda kun je niet gekant zijn, tenzij je Osama bin Laden heet. En de propaganda ligt nog net dicht genoeg bij de realiteit om enige geloofwaardigheid te behouden.'

Is zijzelf overtuigd geraakt?

Ze lacht: '*I'm an all-American girl now, red, white and blue.*

Maar zie je: wat ik ook aan voorbehoud heb bij dit land, zelfs ik kan me niet zover brengen te zeggen dat ik dit land maar niks vind. Het is namelijk niet niks. De beginselen die Jefferson op papier zette, zijn voor mij nog altijd meer dan de moeite waard.'

Op een paar kilometer van het Arabische feestgedruis (beperkt gedruis overigens, niemand lijkt heel vrolijk of luid), maar nog altijd in de Libanese sector, huist Maurice.

Hij is, in weerwil van zijn naam, in Belgrado geboren. Als jonge twintiger, in 1970 was dat, is hij naar de VS verhuisd en nu overweegt hij naar zijn geboortestad terug te keren.

'Ik ben hoe dan ook verloren,' zegt hij, rook uitblazend, 'in Belgrado hoor ik net zomin thuis als in Dearborn. Je volgt je droom en je beseft niet wat je jezelf aandoet.'

Zijn accent is even dik als de soep die hij in zijn snackbar serveert.

Er zit een zekere ironie in zijn geschiedenis. Uit toenmalig Joegoslavië vertrok hij onder meer omdat hij te nationalistisch was voor het regime van Tito. Nu is hij, tot op zekere hoogte, een Amerikaans nationalist. 'Ik ben rechts, zonder de religieuze nonsens. Ik stem niet omdat ik Bush een kwezel vind, maar doorgaans ben ik het wel met zijn buitenlandse politiek eens. Hij is me zelfs te zacht. Hij moet niet zoveel over democratie leuteren. Ik vind: als Arabieren een Amerikaan de keel doorsnijden moeten wij reageren door honderd Arabieren de keel door te snijden. Zo leg je de druk bij de terroristen. Van: heb je er nog honderd landgenoten voor over om een van ons te treffen?'

Maurice heeft niet veel nodig om over de slag van Kosovo te beginnen, de Serven tegen de Turken, de christenen tegen de moslims. Hij wordt, tot zijn ontsteltenis, tegenwoordig ook in Dearborn door moslims omringd. 'In 1970 waren ze met niet zovelen, en gedroegen ze zich als Amerikanen. Nu zie je alom hoofddoeken, en in mijn buurt is 90 procent Arabisch, moslim. Ik ben altijd allergisch voor religie, maar dat luchtje van superioriteit staat me bij moslims tegen. En bij katholieken ook trouwens. De manier waarop Arabische jongeren in hun auto's rondrijden – alsof de straat van hen is. Wie zich niet uit de voeten maakt, rijden ze omver, of schelden ze uit.

Ik vind: in dit leven moet je alles verdienen. Je moet geld verdienen, respect, je moet een reputatie verdienen, je moet je echtgenote verdienen. Dat heb ik tegen religie: religie geeft de gelovigen een vermeende voorsprong die ze niet hebben verdiend, ze hebben een streepje voor omdat hun god zogezegd beter is dan andere goden.'

Waarom wil hij naar Belgrado terugkeren?

'Ik ga binnenkort dood,' zegt hij zonder enig drama – terwijl zijn moeizaam wandelende echtgenote even in de keuken is. 'Mijn luchtpijp is eraan. En in de VS is euthanasie niet toegelaten. Ik wil op mijn eigen voorwaarden de deur dichtdoen.' Hij steekt een zoveelste sigaret op. 'Ik dacht altijd: beter een kort leven met ondeugden dan een lang, ellendig bestaan. Ik probeer er niet bij stil te staan dat me nu nog enkel de korte ellende wacht. Ik vertel grappen aan mijn klanten. Heb ik je die al verteld over de anale glaucoma?

Dat gaat als volgt: een vrouw belt haar werkgever met de boodschap dat ze niet kan komen werken omdat ze lijdt aan anale glaucoma. "Wat is anale glaucoma?" wil haar baas weten. "*That I can't see how to drag my ass to work.*"'

Ik lach uit mededogen.

Maurice lacht mee. Uitbundig zelfs, tot een hoestbui en zijn terugkerende echtgenote hem tot ernst bewegen.

Kwame is in Ghana geboren en vijf jaar geleden, na enkele jaren New York, naar Dearborn verhuisd. 'Dubieuze beslissing,' geeft hij toe. Zijn familie is achtergebleven in Accra. Hij niest met overtuiging. 'Dat bedoel ik nu. Zelfs het weer weet hier niet wat het wil. De ene dag smelt je, de volgende dag zijn twee truien niet voldoende om je tegen de kou te beschermen. Welkom in wispelturig Michigan.'

Hij werkt bij Ford, gedachteloos lopende bandwerk dat niet slecht betaalt, maar dat wat hem betreft even leeg is als het land. In New

York was hij taxichauffeur, maar hij raakte niet wijs uit de politiek van de taxibedrijven, om nog te zwijgen van de files en de omleidingen.

'Als je echt wilt leven moet je in Afrika zijn. Het probleem is dat je daar je brood niet kunt verdienen. In zekere zin ben je al verloren als je je land verlaat. Je verplicht jezelf tot een leven van ondergeschikte, op gehuurde grond.'

Hij ergert zich met de dag meer aan de superioriteitsgevoelens van de Amerikanen, zegt hij. 'Ze willen de democratie naar Irak exporteren. Maar hoe democratisch is dit land zelf? Maak ik ook maar de minste kans om ergens verkozen te geraken? Ook al zit mijn hoofd vol met ideeën: er is geen schijn van kans. Ik heb gelezen dat in het oude Rome de titel van keizer ooit werd verkocht aan de meestbiedende. Dat is het regime dat in de Verenigde Staten heerst, met lichte nuances – niet de democratie. En in het oude Griekenland vonden enkele duizenden elitebewoners de democratie uit terwijl ze zonder gewetensproblemen vele tienduizenden slaven uitbuitten. Ik heb niets tegen democratie, maar ik ben realistisch genoeg om te weten dat er nergens heel veel democratie heerst. Geld en invloed heersen.'

Wat ergert hem precies aan de Amerikaanse houding?

'Ik weet niet wat ik het ergst vind, de commentaren over de achterlijkheid van Afrika en de burgeroorlogen, de honger, of de schouderklopjes waarmee ze me gelukwensen omdat ik de ellende daar achter me heb weten te laten om hun paradijs te betreden. Ik kan dan wel tien keer repliceren dat Afrika op vele gebieden superieur is aan de VS, de kwaliteit van menselijk contact is er zoveel rijker. Dat schijnen Amerikanen nooit te begrijpen. Dat is het probleem van superioriteit: dat je je eigen inferioriteit niet kunt begrijpen.'

Na Detroit en Dearborn hoort New York een verademing te zijn. De term is slechtgekozen, want in de stedelijke hitte is het moeilijk ademen. New York is Europa binnen Amerikaanse grenzen, hoor je soms, New York is het anti-Amerika, of nog vaker: New York heeft niks met de rest van het land te maken.

Dat is, ten dele, fout. New York is het oog van Amerika. Waar Los

Angeles via de filmindustrie de droomfabriek van het land in stand houdt, biedt New York Amerikanen hun figuurlijke venster op de wereld, wat in toenemende mate betekent: een welwillend venster op zichzelf. De grote nieuwsdiensten, met uitzondering van de politieke redacties, werken vanuit New York, de belangrijkste kranten zijn er gevestigd, de grote tv-stations.

Na een initiële periode van hitte barst de bui los. Het stormt bovendien. Ik loop in de stortregen door de entertainmentzone aan de hoek van Broadway en 43th, met overal theaters en tv-studio's, een ticker die namens Reuters nieuws doorstuurt, onder meer dat het regent in New York, wat iemand ergens informatief moet vinden.

Onder een afdak staat een lange rij in het zwart geklede jonge vrouwen. Alle jurken spannen strak en ze laten doorgaans evenveel vlees bloot als ze bedekken. De meeste vrouwen zijn zwaarder opgemaakt dan hun niet in de rij staande leeftijdsgenoten.

'Er is een auditie aan de gang voor een musical,' zegt Linda. 'Men zoekt een zangeres.' Ze legt daar vervolgens de nadruk op: 'Eén zangeres.'

De organisatoren van de musical hebben geëist dat de zangeressen in sexy zwart solliciteren. 'Je zou moeten weten hoeveel passanten ons al hebben gevraagd wat we doen. Deze auditie brengt de musical gratis publiciteit. Ik denk dat dat de bedoeling is.'

Met hoevelen zijn de sollicitanten?

'Ik ben nummer achtenzeventig,' zegt Linda – er staan voor haar in de rij nog ongeveer dertig vrouwen en na haar volgen er nog een stuk of veertig. Linda kent de meesten in haar rij. Ze wijst de vrouwen voor en na haar aan, en haalt haar wenkbrauwen zorgelijk op: 'We worden altijd samen afgewezen. Je staat uren in de rij, je zingt twee minuten en dan wacht je op de afwijzing.

Hé,' ze haalt zichzelf uit haar zwartgalligheid weg, 'wie niet met afwijzing kan omgaan hoort niet in de entertainmentsector thuis.'

Heeft ze voor de gelegenheid een jurk moeten kopen?

'Ik heb een voorliefde voor zwart. Ik had geen probleem. Maar mijn vriendinnen hebben een jurk geleend of gekocht – wat voor mensen zonder echt inkomen eigenlijk best een opgave is.'

Betreft het eigenlijk een hoofdrol?

'Een middelkleine rol, of zoals wij dat noemen: een springplank. Alle werk is beter dan geen werk.'

De puin-/verbouwzone van Ground Zero is kleiner dat ik me had voorgesteld. In de buurt wandelend besef je hoe dicht de wanden van weliswaar kleinere wolkenkrabbers tegen de passanten hangen, hoe makkelijk een instortende muur nieuwe slachtoffers kan maken.

De sfeer rond Ground Zero is – al kan dat inbeelding zijn – nog wat ingehouden, maar elders in de stad lijkt 11 september op de een of andere manier verder weg dan in andere delen van het land. Alsof de bliksem niet zo snel twee keer op dezelfde plaats zal inslaan, alsof vrolijkheid het enig mogelijke, het enige effectieve antigif is tegen terreur.

Een vrouw maakt samen met haar dochter reclame voor een specialist in echtscheidingen. GOEDKOPE ECHTSCHEIDINGEN staat er op het bord dat de dochter draagt. En de moeder voegt desgevraagd toe dat je voor 299 dollar van je partner verlost kunt worden.

'Vraag me niet naar de kwaliteit,' zegt ze, en ze toont haar ring: 'Ik ben nog altijd getrouwd.' Ze is van Indiase afkomst, maar praat alsof ze haar Engels van Robert De Niro heeft geleerd. Ze bedenkt zich. 'Goedkoop is ook een kwaliteit.'

De bedelaars weren zich met borden tegen onverschilligheid. Een sikh, met tulband en baard, bedelt achter een pancarte waarop hij aankondigt dat hij ALCOHOL, DOPE EN WIJVEN zal betalen met wat voorbijgangers hem toestoppen. 'Ik belazer jullie tenminste niet,' voegt hij aan die boodschap toe. Niemand geeft. En al evenmin aan een man die sluimert naast een bord: 'ROT OP' ZEGGEN KOST HIER TWEE DOLLAR. Drie Australiërs hebben aan hun boodschap WE DOEN DIT ENKEL VOOR HET BIER wel elk een pilsje overgehouden. Een solidaire ziel heeft hun de blikjes overhandigd.

Maar verreweg het best boert de als Spiderman verklede man, die poseert voor foto's en zich daarvoor laat betalen. Hij is, met behulp van zijn kostuum, van de bedelarij nipt in de economie gestapt, in de vermaakindustrie. Als hij zijn groezelige kop uit het te hete kostuum haalt om zijn geld te tellen kijkt hij wat bezorgd in de richting van de 'rot op'-man.

Ik heb eerder regen meegemaakt aan Union Square, waar de bedelaars, onder het toeziend oog van een stenen Mahatma Gandhi, probeerden natte kranten te lezen, samengekoekt papier te ontdubbelen.

Vandaag schijnt de zon weer, en wie niet met een plastic vork in een miezerig plastic slaatje pookt, ligt half ontkleed op het gras. Velen van zowel de zonnebaders als de slapokers houden één oor aan een telefoon. 'Ik hou nog meer van je,' zegt een meisje, tussen twee stukken tomaat door, tegen haar onzichtbare gesprekspartner, 'ik houd het meest van je.'

Zelfs een rij zieken in rolstoelen (witte zieken, allen begeleid door zwarte verplegers) grappen in vrolijkheid.

Merv, een stevige Australiër, wijst naar zijn kinderen die in het gras achter een computer gekropen zijn. De stad heeft hier draadloos internet laten aanleggen en zijn kinderen kwebbelen over e-mails van thuis. 'Dit is een van de meest opwindende steden van de wereld, het is schitterend weer, maar de e-mails van thuis maken hen pas echt blij.' Merv zuigt semi-verontwaardigd aan zijn groenteshake.

Vince, een bewoner van Nebraska, steekt wat somber af in het geheel. Zowel zijn armen als zijn blote benen zijn met tatoeages bedekt. Zijn rechterarm toont een met een Amerikaanse vlag toegedekte arend, op zijn linkerarm danst een sensuele vrouw onder het opschrift: RENEE, MY WIFE, MY LIFE.

Renee heeft hem onlangs verlaten, maar dat is niet de reden van zijn somberte. Hij is zopas Ground Zero gaan bezoeken. 'Ik heb geweend,' zegt hij droogjes – het idee van tranen valt niet meteen te rijmen met zijn robuuste uiterlijk. 'Op het moment dat het land er het ergst aan toe was, kwam ook het allerbeste naar boven – heldhaftigheid, solidariteit.' Hij haalt een petje uit zijn tas dat hij heeft gekocht: GROUND ZERO staat erop. Hij wil dat aan zijn zoon cadeau doen opdat die zich ook het goede van die gruwelijke gebeurtenis zal herinneren.

Zijn land heeft hem sindsdien ontgoocheld, zegt Vince. Na een paar maanden was het alsof er niks was veranderd. 'De boodschap van 11 september was voor mij: we moeten beter doen dan vroeger, we moeten eerlijker zijn, moediger. Meer het echte Amerika worden. Maar nu is het weer alles winst wat telt.' Als het op winst aankomt, raakt hij nooit voor in een rij. Qua moed en eerlijkheid scoort hij, denkt hij, beter.

Met het ontrollen van een beveiligingstape aan de hoek van de 36ste straat en de 9de avenue slaat de stemming om. Bewoners komen paniekerig aan de agenten om uitleg vragen: '*Officer*, wat is er aan de hand?'

Een agent wijst naar een achtergelaten tas die mogelijkerwijs onheil bevat. De straat bevat achtergelaten afval dat niemand zorgen schijnt te baren, maar nadat ze de tas in de gaten kregen hebben enkele buurtbewoners de hulpdiensten gealarmeerd.

Na vijf minuten quarantaine blijkt de tas gewoon dat – een tas, wellicht gestolen, en nu, ontdaan van alles wat waarde had, achtergelaten. Enkele bewoners halen opgelucht adem en keren met afgestofte argwaan en nog niet bedwongen schrik naar hun woning terug.

Twee blokken verder verkoopt Olga exemplaren van *The Militant*, een socialistisch blad, dat een eigen presidentskandidaat probeert te promoten.

'Onze regering probeert de angst in stand te houden,' zegt ze, omtrent de handtas.

Van de andere kant: liever voorzichtig dan dood.

'Misschien.' Ze wrijft over haar lip en blijft even pauzeren bij enkele snorharen.

Haar naam werkt enigszins verwarrend. Ze is van Mexicaanse afkomst, haar naam werd door met de Sovjet-Unie dwepende ouders gekozen.

Heeft het socialisme hier de val van de Muur overleefd?

'Volgens de gewone pers niet. De pers negeert alles wat sociaal is. Zelfs de vakbonden zijn doorgaans meer met partijpolitiek begaan dan met werklui. En er is zo'n behoefte aan verbondenheid, wat uiteindelijk de achtergrond is van de vakbonden – dat je samen sterker staat dan alleen. Werklieden beginnen in verschillende industrieën spontaan acties, vaak tegen de vakbondsleiding in.'

In de blaadjes die ze verkoopt is er sprake van kolenmijnen in Utah, 'waar de Mexicaanse migranten zeven dollar per uur verdienen, terwijl vakbondsleden vijfentwintig dollar per uur krijgen. De laagbetaalden werken zonder ziekenzorg, de hoogbetaalden met. Nadat een Mexicaan had geweigerd een gevaarlijke klus te aanvaarden, werd hij ontslagen. De laagbetaalden hebben onmiddellijk het werk neergelegd, ze werden ontslagen, ze hebben zich informeel verenigd en krijgen, vreemd genoeg, wel steun van de gepensioneerde vakbondsleden, maar niet van de huidige generatie, die vreest dat haar eigen privileges bedreigd worden.'

Vaak lijkt de sociale actie in dit land te komen van nieuwe Amerikanen, namelijk van Mexicaanse immigranten.

'Dat is zo. Zij zien het onrecht, de ongerijmdheden, veel scherper dan degenen die hier opgegroeid zijn. Zij die hier opgegroeid zijn hebben daar een merkwaardige blinde vlek.'

Mijn tandpasta is verdwenen. De ene dag ligt hij op de wastafel en de volgende ochtend niet meer. De hotelmanager, die me enkele individuele porties pasta overhandigt, argumenteert, met alle logica aan zijn zijde, dat geen enkel personeelslid op het idee zou komen tandpasta te stelen, ook al is de tube nog zo vol. Het hotel heeft achtergelaten tandpasta zat. 'Je moet je tube onbewust hebben weggegooid, of ze moet per ongeluk in de afvalmand zijn gevallen.' Het afval werd eerder opgeruimd, het valt niet meer na te trekken. De kamer is zo klein dat er nog veel meer in de afvalmand zou mogen vallen. Wat weg is, maakt ruimte vrij. Maar tandpasta? Later zal een schoonmaakteam, in een opwelling van vandalisme, of van ordelijkheid, de resterende twee tanden van mijn kam uitslaan, daardoor het voorwerp van alle nut ontdoend.

Terwijl ik nog tob over mijn onbewust weggegooide tube, word ik aangelopen door, of loop ik zelf tegen, een tienjarige, even breed als hoog, misschien zestig kilo zwaar en met de consistentie van een middelgrote bulldozer. Ik ga onderuit, hij blijft staan. De gevallene verontschuldigt zich bij de rechtop geblevene. FUCK BUSH staat er op het T-shirt van de bulldozer.

Wat later koop ik koffie – een jonge vrouw staat vrolijk dansend achter haar kassa.

Wat is er aan de hand?

'Je moet je nooit vragen stellen bij geluk,' zegt ze.

Ondanks de brede glimlach klinkt dat als een waarschuwing. Misschien moet je je ook geen vragen stellen bij verdwenen tandpasta.

Zelfs binnen Manhattan verandert per buurt de atmosfeer. Ten westen van Central Park, rond de Columbia Universiteit, lachen de academici min of meer met zichzelf.

Twee minnelieden maken luid en armenzwaaiend ruzie over de broek die de man niet heeft gekocht.

'Hè,' pleit hij, 'de naad aan de binnenkant schuurde mijn billen.'

Zij: 'Ze paste als gegoten. Je was verrukkelijk. Voor geen geld.'

Hij: 'Ik kan niet door het leven gaan met een ruwe naad.'

De ruzie wordt min of meer zoenend beslecht.

Een man in short en bloot bovenlijf en galaschoenen heeft een pasgeleende smoking over zijn arm – nog verpakt in plastic. Hij zoekt een plaats om hem aan te trekken.

'Dit,' zegt Eugene glimlachend, 'is mijn stad. Totaal verschillend van het land. Een stad met tolerantie voor het ongerijmde, een stad als onuitputtelijke inspiratiebron.'

Hij heeft zopas in een boekhandel de stapel anti-Bush-boeken staan bewonderen. 'Ik zou niet durven zeggen dat de rest van het land meer met 11 september begaan is dan wij, maar met name Bush trekt andere conclusies dan de meesten van mijn kennissen. Hij gebruikt 11 september als hefboom voor veel meer, voor een planetaire ingreep. Volgens mij zijn die conclusies fout en doen ze in zekere zin afbreuk aan de gebeurtenis zelf – mensen zijn daar nog niet klaar mee.'

Eugene heeft als psychiater gewerkt en filmt nu, na zijn pensioen, documentaires over oncommerciële onderwerpen als gehandicapten en de soefi-gemeenschap in New York.

'Wat vind je van dit land?' wil hij weten. 'Zijn we kwaad? En ik bedoel niet New York, maar de rest van het land.'

Ik vind het vooral opvallend hoe weinig mensen willen weten – ze willen niet weten hoe het er in moslimlanden echt aan toe gaat, ze willen niet langer weten waarom ze worden gehaat.

'Het tegendeel zou me verwonderen. Dit is een land van actie, niet van reflectie of filosofie – dat vonden bezoekers tweehonderd jaar geleden al. Het is geen toeval dat psychiaters hier zo'n succes hebben.

Mensen zijn bereid zwaar te dokken voor een luisterend oor. Maar zijzelf luisteren naar niemand. Hebben ze geen geduld voor.'

In Harlem, aan de metrohalte langs de 135ste straat, wordt de bezoeker vergast op ditmaal een lichte stoomregen en op de sonore stem van een bloemrijk geklede zwarte dichteres, die ten overstaan van een rumoerig publiek haar ideale man beschrijft. 'Hij moet doortastend zijn, weten wat hij wil en bovendien weten hoe hij krijgt wat hij wil...'

De vrouwen in het publiek wiegelen instemmend, de mannen buigen het hoofd, alsof ze bang zijn dat ze een test zullen moeten doorstaan.

'Hij moet zijn moeder het respect geven dat ze als levengeefster verdient.'

De aandacht van de vrouwen wordt tijdelijk afgeleid door een man van middelbare leeftijd die voorbijslentert met twee kinderen aan de hand.

'Hij moet bereid zijn voor de kinderen te zorgen.'

'Hij moet weten hoe hij de innerlijke godin van zijn partner kan herkennen en eren.'

Nog een paar stellingen later is het mannelijk deel van het publiek zo goed als verdwenen. De dichteres merkt het schamper op.

'Hé, schatjes, venten, waarom slaan jullie op de vlucht? Vinden jullie dat ik te veeleisend ben? Hebben jullie al eens stilgestaan bij de eisen die mannen al eeuwenlang aan vrouwen stellen? Hoe die mooi moeten zijn, en vlijtig, en slim, en onderdanig, en goed bij de opvoeding, en vergevingsgezind inzake mannelijke tekortkomingen...'

De bescheiden boekenbeurs van Harlem toont hoeveel zwarte vrouwen recentelijk hebben beslist dat ze willen schrijven. Ze schrijven romances (dikke schrijfsters hebben magere, sensuele heldinnen op hun kaft), ze schrijven sexploitationpulp, ze schrijven over hun jaar als boeddhistische non in Thailand, over hun echtscheiding en de moeizame zoektocht naar een duurzame relatie, en uiteindelijk, een goede man. Of tenminste: een niet slechte man.

Laura Daye, momenteel hoogzwanger, is iemand van die laatste categorie. Haar boek wordt een trilogie over ellende en beterschap na ellende. 'Ze wilde alles,' aldus de flap van het eerste deel (*Before and After Noon*), 'maar wat ze verkreeg was een ander verhaal.'

'Wij, zwarte vrouwen,' zegt Laura, 'hebben de laatste jaren ontdekt dat we elk afzonderlijk ons verhaaltje doormaken, doorgaans een ellendig verhaaltje, met mannen die misbruik maken en vrouwen die telkens weer in dezelfde val lopen, en dat het verhaal in de details verschilt, maar in grote lijnen hetzelfde is voor vele vrouwen. En dus schrijven en lezen we boeken over wat ons overkomt.'

Waarom schrijven vooral vrouwen?

'Dat vraag ik me ook af,' zegt Faith, de schrijvende non (die aan de Universiteit van Pittsburgh schrijfkunst doceert). 'In mijn klas heb ik welgeteld één man. Alsof vrouwen tegenwoordig meer beleven, en meer kunnen uitdrukken, dan mannen. Alsof er meer op hun lever ligt. Dat laatste lijkt me onbetwistbaar.'

Een paar boekenstandjes verder wordt de aandacht getrokken door een jonger/ouder duo vrouwen, met een uiterlijk dat dankzij een overdosis hairspray moeiteloos de wind weerstaat. De oudere is de moeder van de jongere, en ze paait onaflatend passanten. 'Lees dit boek.' Dan gaat een trotse duim in de richting van de dochter: 'Zij heeft het geschreven. Het is heel goed, je leert er wat van.'

Waarover gaat het?

'*Just tell him, sweetie.*'

De dochter heet Yvonne, en ze geeft les aan een lokale middelbare school. 'Daarover gaat het, over mijn desillusie over het onderwijs.'

Haar school is vrijwel exclusief zwart, maar met die vorm van apartheid heeft haar kritiek niks te maken, zegt ze. 'De problemen zijn even acuut op witte scholen, of scholen met overwegend latino's.'

Ze beschrijft, blijkens een publiciteitsbriefje dat de moeder in mijn handen stopt, 'misbruik, alcohol, seks, drugs en moord' in het middelbaar onderwijs.

'Allemaal echt gebeurd,' knikt Yvonne. 'Je wordt geacht de komende generatie voor te bereiden op een zinvol leven, maar in werkelijkheid probeer je gewoon de dag zonder kleerscheuren door te komen. De leerlingen hebben geen enkel respect voor hun leraren.'

Voor een stuk is het een algemeen verschijnsel, denkt ze – leraren verdienen relatief weinig in een wereld die vooral geld respecteert. 'En de kinderen worden vergoddelijkt. Ouders denken dat hun kroost niets verkeerd kan doen. Die leven in een dromenland.'

Hoe denkt ze dat te veranderen?

'Dat leer je niet in het boek,' zegt de moeder, die onvermoeibaar een exemplaar van *Teachers under Siege* in de handen houdt. 'Maar je kunt het wel afleiden uit wat ze beschrijft.'

'Het grote probleem,' zegt Yvonne, 'zijn wat mij betreft de ouders, die steevast de kant van hun kinderen kiezen. Ik wijs een kind terecht, en later op de dag hangen de ouders bij de directeur aan de telefoon om over mijn willekeur te klagen. De directie zwicht onder die druk. Tijdens het afgelopen schooljaar hebben we vierhonderd leerlingen die een onvoldoende haalden toch maar een diploma gegeven. Dat stuit me zo tegen de borst. Dit is een geschenkenmaatschappij geworden in plaats van een samenleving die loon naar werk geeft. Zo krijg je jongeren die niet kunnen lezen en die denken dat Martin Luther King een straatnaam is.'

Van de andere kant: op deze boekenbeurs blijkt toch een drang om te lezen.

'Je hebt twee soorten leerlingen: zij die interesse tonen, en de anderen. Het probleem is: beide groepen behalen hetzelfde diploma. Wie leest wordt door andere leerlingen bestraft en belachelijk gemaakt.'

Een kilometer of tien van Manhattan verwijderd ligt Flushing. De naam is een restant van Hollandse invloed (het is een vertaling van Vlissingen), zoals aan de andere kant van Manhattan Staten Island dat bijvoorbeeld ook is, en daarnaast Harlem, natuurlijk, en Brooklyn (een verbastering van Breukelen), de Bronx (een verwijzing naar vroege plantagehouder Jonas Bronck). Veel tekenen van Hollandse aanwezigheid zijn er in Flushing niet meer te vinden. De bevolking is overwegend Aziatisch, op de metrolijn uit Manhattan zie je eerst Spaanstaligen en dan Aziaten dominant aanwezig (de Spaanstaligen stappen enkele haltes eerder uit).

De houten quakertempel dateert nog uit de Hollandse tijd. Op een zondag blijkt hij nog een stuk of vijf gelovigen te bevatten, en de ook al Aziatische vertegenwoordiger die een impromptu rondleiding geeft, is zelfs niet gematigd positief over die Hollandse tijd. Het heeft volgens hem heel wat voeten in de aarde gehad om de Hollanders tot tolerantie te bewegen.

Die tolerantie, schrijft Russell Shorto in zijn boek over de Hollandse aanwezigheid in New York, *The Island at the Centre of the World* (2004, Doubleday), is nochtans ongeveer het enige wat huidige Amerikanen in hun geschiedenisonderricht vernemen (en daarnaast misschien: dat Manhattan voor het equivalent van zestig gulden van een groep indianen werd gekocht). De Hollanders zouden de religieuze vrijheid op het continent hebben geïntroduceerd. Shorto nuanceert die stelling bijna even radicaal als de quaker in Flushing. In Holland zelf was de tolerantie een houding die vaak genoeg onder druk kwam te staan. Peter Stuyvesant, leider van de Hollandse kolonie, was wars van religieuze en raciale verscheidenheid; hij sloeg aanmaningen tot tolerantie van zijn Hollandse superieuren waar mogelijk in de wind, maakte het leven van joodse kolonisten zo moeilijk mogelijk, laakte lutheranen en had geen goed woord over voor quakers. Hij droomde van een calvinistische oase in de nieuwe wereld. Maar de anders georiënteerde vluchtelingen en potentiële kolonisten bleven hem belagen, ze voerden processen om van de Hollandse religieuze gelijkberechtiging te kunnen genieten, en Stuyvesant moest gaandeweg, volgens zijn geschriften, vloekend en puffend, zijn calvinistische droom opbergen, zich enigermate tolerant tonen omdat de intolerantie succesvol werd bevochten.

Rondlopend in Flushing, waar je makkelijker Vietnamese soep vindt dan een bruin brood, overvalt de gedachte me dat de VS, allicht niet hier maar elders, buiten New York, in het gebied tussen de kusten, en misschien zonder rechtstreekse invloed, nog wel wat van Nederland heeft (of omgekeerd). Althans, ik moet in die tussenliggende zones vaak onwillekeurig aan Nieuwegein denken: nieuw, doordacht, vooralsnog zielloos en, voor zover dat te voorspellen valt, wellicht tot eeuwige zielloosheid gedoemd, met mensen die zich er bij neergelegd schijnen te hebben dat ze niets diepgaands met hun buren en hun buurt te maken zullen hebben (hoewel ze dat idee ook vlijtig bestrijden met comités en clubs), met nette, onverschillige grasparken, waarin onverschillige, zij het soms luide bewoners door hun honden worden voortgesleept. Gebied waar een strenge kerk of een groot hart af en toe – tijdens tv-campagnes voor een goed doel, tijdens lokale inzamelacties – dat gebrek aan ziel, dat noodgedwongen individualisme, de eenzaamheid vooral, proberen te compenseren, en waar alle mogelijkheden tot sportnationalisme worden aangegrepen.

Amerikanen worden niet voortgesleept, ze leven ruimer, ze worden niet gehinderd door een drang naar gezelligheid, en ze zijn bereid luider over hun grote hart en hun vlag te praten, maar voor de rest komt de indruk van een onvoltooide, wat kilgeschapen maatschappij volgens mij perfect overeen met Nieuwegein. De mythologie is onveranderd, mensen praten nog altijd alsof familie, de tocht naar het westen, en het precaire van de wilde zeeën, belangrijk zijn, maar eigenlijk is vervreemding ingecalculeerd, ga je ervan uit dat de kinderen op hun achttiende uit je leven verdwijnen, en dat zowel het wilde westen als de wilde zeeën zich in een te korte vakantie zullen moeten laten bedwingen. Er wordt dweperig over familie gepraat omdat de familie in crisis is. Er wordt gepraat over andere prioriteiten maar eigenlijk leeft men op het ritme van de treurbuis. Hyperindividualisme dat leidt tot hyperhetzelfde. Misschien valt zoiets pas op in een bruisende stad als New York. Zou het kunnen dat de VS, buiten New York, eigenlijk Groot-Nieuwegein zijn, nog meer dan New York ooit Nieuw Amsterdam was? Er zijn nog wel gelijkenissen te bedenken: de nieuw ontdekte culinaire verfijning met vooralsnog gemengde resultaten; de prijslust (net als in Nederland heb je in de VS een lidmaatschapskaart nodig om in een warenhuis van kortingen te kunnen genieten – in andere egalitaire samenlevingen gelden kortingen voor iedereen); het ondernemersklimaat, vertrouwen scheppend uit superioriteit (met dips, weliswaar); de grandioze, onvolprezen traditie die om de zoveel tijd onder druk komt te staan; een zekere rechtlijnigheid die voor een meer aan kronkels gewend zijnde Belg bedreigend kan overkomen en die ook weer zelfverzekering vereist, met redeneringen die tot conclusies leiden, zonder schrik voor het grote.

Ik kan naar ik aanneem meer verschillen bedenken dan gelijkenissen, het is volslagen oneerlijk om Nederland tot Nieuwegein te herleiden, en wellicht al even oneerlijk om Nieuwegein tot Nieuwegein te herleiden, er is al zeker geen historisch oorzakelijk verband tussen de Nieuwegein-cultuur en de Amerikaanse, maar toch is er iets. Ik denk dat doctoraalscripties over het onderwerp me niet zullen tegenspreken als ik beweer dat de VS meer met Nederland dan met België te maken hebben. Het is in deze tijd ook moeilijk de politieke band te verdoezelen, de twee handen op één buik, waarbij, zoals in de zeventiende eeuw, de Stuyvestants van deze tijd hun dromen koesteren, die ver weg liggen van de onvolprezen traditie.

Een gewisse ongelijkenis is door het blad *The New Yorker* blootgelegd.

Amerikanen krimpen, relatief gesproken, ze zijn ternauwernood groter dan hun *founding fathers*, terwijl met name Nederlanders de afgelopen honderd jaar koppen zijn gegroeid. *The New Yorker* kan het fenomeen, dat Amerikanen vanzelfsprekend verontrust (*the biggest in the world* is hier het uitgangspunt), niet met grote stelligheid verklaren, maar een van de mogelijkheden is dat het sociaal vangnet van een maatschappij leidt tot algemene groei. In de VS groeien, volgens die theorie, de welgestelden maar blijven de armen, bij gebrek aan vangnet, kort en klein.

In sommige gebieden leidt zelfs een vangnet niet tot noemenswaardige groei.

Het valt in New York – en in de rest van het land trouwens – moeilijk om de concentratie te behouden. Het land leeft bij de gratie van afleiding. De ene sporttopper is nog niet afgelopen of er wordt al een nieuw toernooi onder de aandacht gebracht. De ene opgeklopte controverse heeft haar beloop nog niet gekend of er is al een andere die opgewarmd wordt. Alle nieuwsmagazines hebben zich even in de Donald Trump-tv-show *The Apprentice* gedompeld (het slagzinnetje *You're Fired* is alomtegenwoordig) en in tonnen berichtgeving is er geen jota voorbehoud op te merken bij een programma dat van het ontslaan van werknemers een kijkcijferkanon maakt. Twee weken later is *You're Fired* oud nieuws, vervangen door iets nieuws wat eenieder even aangaat, een merkwaardige verdwijning in Wisconsin, die door het slachtoffer werd geënsceneerd om dubieuze handelingen te verbergen. En telkens zie je op tv passies die er op straat niet zijn, gejubel, gejoel, uitdrukkelijke meningen, gejen, alsof de tv hier even ver van het echte leven staat als in de slum rond Bhopal waar de slachtoffers van de giframp gebiologeerd waren door de serie *Dallas*. De tv-wereld is het echte Amerika, nauwelijks op straat te vinden, het tv-leven is het ware leven, al duurt het nooit lang, tussen de reclameboodschappen door.

Omdat sport hier heel veel aandacht en geld krijgt, denk ik dat een sportwedstrijd me misschien iets zal leren over het land. Om evidente redenen – ik krijg een vrijkaart van de geblesseerde Belgische sterbasketbalspeelster Ann Wauters – woon ik in Madison Square Garden een wedstrijd bij van The New York Liberty. Wauters, die al vanaf prille leeftijd ook in de Amerikaanse competitie speelt (in Europa wint ze in het tussenseizoen alles wat er te winnen valt), heeft een gemengd oordeel over het land. Bij eerdere ploegen ondervond ze hoe de rassen gescheiden opereren. Daarin is New York beter. Maar hier is ze niet te spreken over de medische zorgen in haar team, waar haar klachten genegeerd of geminimaliseerd werden tot ze echt niet langer kon spelen. 'Ik had het allicht dramatischer moeten voorstellen – echt zeggen dat ik niet verder kon. Dit wordt geacht de meest professionele competitie ter wereld te zijn maar men heeft me wekenlang met een breuk laten spelen. In mijn omgeving is men daar nogal van geschrokken. Ik neem aan dat mensen in de eerste plaats naar hun eigenbelang kijken, en het belang van de ploegleiding was dat ik speelde.'

Nu loopt ze op krukken, is haar seizoen naar de maan, maar mag ze niet naar België terug, omdat de ploegleiding wil dat de ploegdokters de scheur in het voetbeen kunnen volgen.

'Da's heel Amerikaans – men gaat er toch wel van uit dat hun behandeling de beste is.'

En is dat zo?

'Ik twijfel daar nu wat aan, moet ik zeggen.'

Wauters is een ster in Europa en – hoewel bekend, ze wordt door handtekeningjaagsters achternagezeten – niet meteen *top of the bill* in New York.

'Amerikanen trekken zich niets aan van wat er in Europa gebeurt. Hun competitie is korter, met meer wedstrijden per week – gemiddeld drie – wat betekent dat er meer kwetsuren zijn. De Amerikanen hebben een andere speelstijl dan wij. Agressiever, gebouwd rond de sterren, op individuele kracht. Hun eigen sterren krijgen de aandacht. In zekere zin vind ik het stimulerend dat wat ik in Europa presteer hier niet telt. Zo moet ik me opnieuw bewijzen.

Er heerst hier een soort arrogantie: wij zijn New York, wij moeten winnen. Het is een veeleisende stad. De speelsters hebben me al gewaarschuwd dat als de resultaten tegenvallen de supporters ongezouten hun mening geven. Dat is me nog niet overkomen, gelukkig.

Wel spectaculair is Madison Square Garden. De ene dag is er een optreden van Madonna, de andere dag van Prince, en tussendoor spelen wij. Voor twaalf-, dertienduizend toeschouwers.'

In Europa is drieduizend al veel.

'Hoe ze hier supporteren is echt tof. Onder andere doordat de tickets voor vrouwenbasket wat goedkoper zijn, krijgen we veel families met kinderen.

Amerikanen zijn over het algemeen positiever dan Europeanen. In Europa hoor je na de wedstrijd van de coach meteen hoe slecht het was. Hier zullen ze die negatieve elementen ook wel melden, maar ze zullen altijd positieve dingen vinden – wat aangenaam is. Van de andere kant denken ze altijd en in alles dat ze de besten zijn – dat stoort me soms wel.'

De cultuur rond een sportploeg verschilt ook wel van Europa.

'Men verwacht bij de ploeg dat we naar evenementen gaan. Je bent niet alleen basketbalster, je bent ook rolmodel, je moet bereid zijn handtekeningen te geven, je gaat op ziekenbezoek bij kinderen, naar activiteiten om lezen te stimuleren, dat soort dingen – wat in Europa veel minder gebeurt, en misschien meer zou kunnen gebeuren. Hier is het echt wel veel.'

Ik kan me voorstellen dat het voor de speelster aangenaam is in Madison Square Garden op te treden, het publiek is talrijk, luid en ogenschijnlijk enthousiast, maar voor de leek die ik ben, en die op dit niveau enkel ervaring heeft met ijshockey in Canada, is dat publiek, en is het enthousiasme, zodanig geregisseerd dat je al net zo goed – of zelfs beter, want dan kun je je tenminste op de wedstrijd concentreren – naar tv kunt kijken. Toeschouwers zijn voornamelijk enthousiast als ze daartoe uitgenodigd en aangepord worden en als hun enthousiasme op de grote schermen in beeld wordt gebracht.

Er worden geschenken uitgedeeld, clowns en acrobaten en mascottes rennen op de tribunes of op het veld. Uiteindelijk verliest de Liberty, zonder Wauters, nipt en helemaal op het einde de wedstrijd van de Minnesota Lynx, en dat nipte, de spanning, gaat in de regie verloren.

In de stad van de nieuwsinstellingen is het niet eens zo makkelijk om aan opinies te komen over de stand van de Amerikaanse journalistiek. De sector worstelt, dat valt makkelijk op te meten, met de kater die de berichtgeving in de aanloop naar de Irak-oorlog heeft achtergelaten. Eén voor één bekennen vooraanstaande kranten, een paar jaar na alle gebeurtenissen, dat ze hun gebruikelijke kritische zin hadden afgelegd, dat ze in de luren werden gelegd door de Iraakse vluchtelingen, overlopers, die de Amerikaanse regering hun al dan niet rechtstreeks had toegeleverd, en die *à la tête du client* onthullingen deden, over massavernietigingswapens of moordpartijen, die zonder problemen (want telkens bevestigd door de regering, of de inlichtingendienst, die zelf het interview met de vluchteling hadden gesuggereerd) de voorpagina haalden. Achteraf was de betrouwbaarheid van die dissidenten dubieus, hun verhalen maakten de presidentiële oorlogspleidooien zoveel effectiever.

Achter het standbeeld van Joseph Pulitzer, de kranteneigenaar naar wie de meest prestigieuze persprijzen van dit land zijn genoemd, huist de afdeling Journalistiek van de Columbia Universiteit, opgericht met geld van Pulitzer en bedoeld als een instituut om het niveau van reporters en hun media op te krikken. Michael Hoyt doceert er en is er hoofdredacteur van de Columbia Journalism Review, een tweemaandelijks blad dat de Amerikaanse pers van dichtbij in de gaten houdt. Hoyt wikt over het algemeen zijn woorden, maar op één punt doet hij dat niet: 'De pers heeft gefaald. Zonder meer, ja.'

Hij contrasteert die teleurstellende vaststelling met de hoge verwachtingen die na 11 september waren gewekt. Zijn blad publiceerde naderhand een redactioneel hoofdartikel waarin het Katie Couric citeerde, de ster van de ochtendnieuwsshow op NBC, die zich, een week na 11 september, 'verlegen voelde over de trivialiteiten die voordien haar aandacht hadden gekregen'. Couric interviewt, op een gemiddelde dag, eerst een president of een eerste minister, en vervolgens een vierderangs soapster, de uitvinder van een nieuw dieet of de schrijver van een kookboek. Die combinatie van belangwekkend en onbenullig in haar show vond ze na 11 september onhoudbaar. Voor anderen bleek 11 september een tijdelijk einde te stellen aan de ironie tot het cynisme van de reporters, aan hun afstandelijkheid – op een moment als 11 september leek afstandelijkheid onhoudbaar geworden.

'We moesten belangrijk werk gaan doen – dat was het gevoel,' zegt Hoyt. 'Teleurstellend hoe snel die gevoelens verdwijnen.'

Niet helemaal verdwijnen, wat hemzelf betreft: 'Ik voel nog altijd die nieuwe motivatie. Het belang van nieuws is me duidelijker dan ooit.' Maar Couric wisselt opnieuw zonder zichtbare tegenzin af tussen interviews met toonaangevende politici en berichten over de nieuwe zondagsmode, een nieuw parfum of een originele manier om een kalkoen te bereiden – het triviale is terug van even weggeweest en alweer helemaal acceptabel geworden.

Hoyts wrevel heeft niet zozeer met dat triviale te maken, als wel met het gebrek aan afstandelijkheid.

'De berichtgeving in de aanloop naar de oorlog in Irak was in het algemeen een mislukking. We hebben de bal laten vallen. We liepen mee in de cirkel die moedwillig was gecreëerd: Irakese overlopers voedden de regering en voorzagen tegelijk de pers van brandstof. Mensen rondom de toenmalige Irakese oppositiefiguur Chalabi hadden circuits opgezet met dubieuze informatie en er was duidelijk onvoldoende kritische zin in de pers.'

New York Times-journaliste Judith Miller, veelvuldig het niet erg kordaat tegenstribbelende slachtoffer van die overlopers, en de auteur van ettelijke alarmerende voorpaginaverhalen die naderhand in het beste geval op pagina 13 of 14 weer in twijfel werden getrokken, argumenteerde eerder dat het niet haar taak was onafhankelijke informatie te brengen, maar wel de informatie te tonen waarop de regering haar argumentatie om ten oorlog te trekken had gebaseerd. Maar zelfs haar eigen krant vond achteraf niet dat ze duidelijk had gemaakt dat het haar daarom was te doen.

Waarom was de kritische zin afwezig?

Hoyt: 'Een deel van de uitleg is: na zo'n aanval als die van 11 september voel je grote woede. Die woede en het gevoel van onrecht waren met de oorlog in Afghanistan niet helemaal gestild, de wraakneming was nog niet groot genoeg geweest. Er heerste ook een gevoel dat je je leiders onder de speciale omstandigheden maar moest vertrouwen. De mobilisatie voor een oorlog is een sterk gegeven, mensen uit jouw omgeving maken zich klaar om hun leven te riskeren. Een echt vaderlandslievende journalist levert op zo'n moment, wat mij betreft, deugdelijk, kritisch werk. Maar velen dachten dat ze het programma van het land moesten vooruithelpen, solidariteit moesten tonen met die soldaten. We werden meegesleept, want we waren menselijk. De drang om die vervlechting van persoonlijke emotie en journalistiek werk aan te vechten is verminderd – ik weet zelf niet waarom. Het betreft niet alleen de oorlog, de pers was eerder kritiekloos tot dwepend omgegaan met Enron voordat dat bedrijf onderuitging, we waren kritiekloos tot dwepend met de beursstijgingen tot die in elkaar klapten. De journalist is in toenemende mate een groepsdier. Als je met iedereen dezelfde strekking verkondigt, krijgt later niemand de schuld. Dat is hetzelfde groepsdenken dat de inlichtingendienst heeft gefnuikt.

Ik denk dat de grootste blaam de journalisten in Washington treft. Daar heerste echt het gevoel dat je een zwakkeling was als je de lijn inzake de oorlog in twijfel trok. Journalisten in Washington zijn toch al bevreesd om buitengesloten te worden, niet langer deel uit te maken van het theater, de informatiebronnen te zien opdrogen. In het parlement speelde hetzelfde fenomeen: wie tegen de oorlog was, was dubieus. Alle tegenspraak was weg. Wapeninspecteurs zoals Hans Blix werden tot op zekere hoogte weggehoond. Vele burgers en journalisten maakten geen onderscheid tussen de oorlog in Afghanistan en de oorlog in Irak – het ene leek een logisch vervolg op het andere.'

De wel kritische bronnen buiten en in Washington, de vredesbetogers, haalden het nieuws nauwelijks. Niemand legt een rechtstreeks verband, maar uit marketingonderzoek was gebleken dat een meerderheid van lezers en kijkers niet geïnteresseerd was in de protesten tegen de oorlog.

De eenzijdigheid in de berichtgeving is niet afgelopen met de aanloop naar de oorlog. Sinds de oorlog is begonnen, kun je op Amerikaanse zenders, in Amerikaanse kranten, lang zoeken naar berichten over brutaliteiten van het leger, naar beelden van soldaten die met schoenen door moskeeën lopen, die in het holst van de nacht deuren intrappen en vrouwen uit hun bed trommelen. Europese en Arabische nieuwsmedia bieden dergelijke beelden bijna op dagelijkse basis.

Hoyt: 'Om te beginnen weet ik niet of je het woord "brutaliteit" hier met recht gebruikt. Als die soldaten op basis van goede informatie naar terroristen of naar wapens zoeken, begaan ze misschien geen brutaliteiten. Maar het klopt dat er allicht een gebrek aan evenwicht is. Dergelijke beelden zouden zeker iets hebben toegevoegd, hebben duidelijk gemaakt waarom de Amerikanen niet heel populair werden tijdens de bezetting. We hadden *embedded journalists*, journalisten die meereisden met het leger, wat soms een soort solidariteit met het leger impliceerde. De nadruk lag op live-berichtgeving – de journalist stond om de tien minuten voor de camera om zijn of haar commentaar te geven, wat hem of haar geen tijd liet om echte reportages te maken. En ook hier speelde weer een valse vaderlandslievendheid, een vals gevoel voor evenwicht. Je kon geen half negatief woord over het leger kwijt zonder tegelijk de wandaden van Saddam in de verf te zetten. Hoe gek dat ook moge lijken: we hebben in dit land de neiging om geen geweld in het nieuws te tonen, geen doden – dat is wat mij betreft verkeerd, we moeten tonen dat een oorlog gruwelijk is.'

Het Fox News Channel, de rechtse nieuwszender van mediamagnaat Rupert Murdoch, 'zette de toon door openlijk vaderlandsliefde te laten prevaleren boven journalistiek. In het licht van die concurrentie vonden anderen het moeilijk om af te wijken.' Het patriottisme van Fox werd gesymboliseerd door de Amerikaanse vlag die plots in een hoekje van het scherm verscheen. Christiane Amanpour, sterjournaliste van CNN, wees tijdens een tv-discussie op de druk 'van de regering en haar hulpjes bij Fox' die leidde tot zelfcensuur. Kiese reactie van Fox: 'Je kunt beter beschouwd worden als het hulpje van Bush dan als de woordvoerster van Al Qaeda.'

Steve Rendall is de *senior analyst* van FAIR, een linkse groep die de media bestudeert. Terwijl hij praat draait achter hem in stilte het *Fox News*. De nieuwsuitzendingen, ook van andere zenders, worden in bescheiden kantoren opgenomen en geanalyseerd.

Rendall heeft voor en tijdens de oorlog twee studies gemaakt die wat hem betreft de vooringenomenheid van de media tonen.

'Tijdens een debat over de media vragen we ons af: hoe hadden de media idealiter moeten omgaan met de oorlog? Met Pearl Harbor hadden journalisten geen tijd om na te denken over oorlog, toen werden we min of meer voor voldongen feiten geplaatst. Met deze oorlog daarentegen hadden we alle tijd om ons voor te bereiden. De pers is volgens ons op minstens vier terreinen tekortgeschoten. Ten eerste: ze voerde geen groot en grondig debat, tenzij over de vraag wanneer de invasie het beste kon gebeuren – kunnen we wel wachten tot maart? Vanaf het begin kreeg dat tactisch detail voorrang op het debat ten gronde. In de tweede plaats: de pers had geen eigen, onafhankelijke, betrouwbare informatie over de oorlog. Ten derde: ze stelde geen kritische vragen bij de uitlatingen van machthebbers. De pers was eerder de echokamer van de machthebbers. En ten vierde: ze bood geen of weinig context aan het publiek – de historie van onze interventies in het Midden-Oosten werd bijna niet behandeld. Mijn idee is dat de media de machthebbers het vuur aan de schenen moeten leggen. Dat hebben ze keer op keer nagelaten.

De maand voor en na de verklaring van minister van Buitenlandse Zaken Powell voor de VN – in volle voorbereiding op de oorlog, op het hoogtepunt van de anti-oorlogsmanifestaties – hebben we systematisch de vier grote nieuwsuitzendingen op tv bekeken, die van de grote privé-netten ABC, NBC en cbs, en daarnaast *The Newshour* van de publieke omroep PBS. Een meerderheid van de Amerikanen wilde volgens peilingen uit die periode de onderhandelingen en inspecties meer tijd bieden. Tijdens de nieuwsuitzendingen in die maanden was

1 procent van de geïnterviewden tegen de oorlog, tegen 25 procent van de bevolking; 6 procent van de geïnterviewden vertegenwoordigde de mening dat er meer tijd nodig was, wat het standpunt was van 60 procent van de bevolking. Het nieuws bracht een versie die niet strookte met de standpunten van de bevolking.

We hebben dan opnieuw deze nieuwsuitzendingen, plus CNN en *Fox News*, bestudeerd tijdens de eerste drie weken van de oorlog. Drie procent van de geïnterviewden was tegen de oorlog, 71 procent was voor. In die periode was volgens peilingen 27 procent van de bevolking tegen de oorlog. Het allerslechtst scoorde CBS, dat in die drie weken welgeteld één stem tegen de oorlog liet horen: Michael Moore, die tijdens de uitreiking van de Oscars de oorlog "fictief" noemde. CBS bracht niet eens een eigen interview, maar liet gewoon een fragment uit de speech van Moore horen. Geen enkele van de zes zenders had ooit een anti-oorlogsstem in de studio, terwijl de analysten, ex-generaals, doorgaans pro-oorlog waren. Oorlogsberichtgeving is, om een bekend citaat te parafraseren, te belangrijk om aan exgeneraals over te laten.

Driekwart van alle stemmen waren van voormalige of huidige regeringslieden, of militairen. Men berichtte over de oorlog vanuit het standpunt van het leger, terwijl mensenrechten of burgerslachtoffers veel minder aandacht kregen.

De geschreven pers was niet veel beter. Geen grote krant was in haar hoofdartikels resoluut tegen de oorlog. De *New York Times* toonde in de opiniestukken voorbehoud, vragen. Maar de berichtgeving van die krant werd verzorgd door cheerleaders van de oorlog. De *Washington Post* was in haar editorialen voor de oorlog, maar daar was de berichtgeving soms wat kritischer.

Al heel snel begonnen rechtse commentatoren te klagen over het gebrek aan positieve berichten uit Irak. Terwijl de burgerslachtoffers nog nauwelijks in beeld gekomen waren, begonnen verschillende zenders en kranten met een speciale rubriek rond wat goed ging in Irak. We kregen eindeloos berichten over scholen die gebouwd werden.'

Meer nieuws over de opbouw dan over de vernietiging, zeker meer berichtgeving over de opbouw dan over legerschoenen in moskeeën.

'De toon van de berichtgeving begon pas te veranderen nadat president Bush vanaf het vliegdekschip Lincoln het einde van de vijandelijkheden had aangekondigd. Toen dat manifest niet bleek te kloppen, en toen wel meer aspecten van de officiële versie niet bleken te kloppen, onder andere inzake massavernietigingswapens, voelden de journalisten zich gekwetst, bedrogen. Maar dat er nu vaker kritisch wordt bericht heeft in mijn visie minder te maken met een hervonden kritische zin en meer met een veranderende houding van een groot deel van het establishment, dat nu ook Bush en diens ploeg als gevaarlijke onruststokers begint te beschouwen, en dat zich grote zorgen maakt over de teloorgang van zestig jaar aan diplomatiek werk.

Volgens mij was de Irakberichtgeving geen uitzondering. In tijden van nationale crisis wordt de pers nationalistisch. Dat was zo ten tijde van de invasie van Grenada, ten tijde van de crisis in Panama, ten tijde van de eerste Golfoorlog, in het begin van de Vietnamoorlog. We zijn als de dronkaard die zich wekenlang volgiet met wat hem wordt aangeboden en die dan wakker wordt met de vraag: wat heb ik in hemelsnaam aangericht? Alvorens opnieuw te beginnen met drinken.

Voor een stuk ligt het probleem bij de journalisten aan de top. Zij raken van het pad doordat ze niet al te ver van hun broodheren redeneren. Ze maken zelf deel uit van het establishment. De lonen van die topjournalisten zijn de laatste vijfentwintig jaar spectaculair gestegen. Ik sprak onlangs met een journalist van tv-zender ABC en die zei dat er op hem nooit druk is uitgeoefend. Ik geloof hem. Als ze zover geraken moet je hen niet langer omkopen – dan hebben ze de meningen van de machthebbers tot de hunne gemaakt.'

Een maandagmiddag in Manhattan, in het Ritz-hotel. De documentaire *Outfoxed* wordt aan de pers voorgesteld. *Outfoxed* is een wat makke doordruk van een Michael Moore-film. De makers tonen hoe het Fox News Network bijna zonder weerga de lijn van de regering-Bush volgt, de oorlog aanpraat aan zijn kijkers, niet al te diep ingaat op het grote begrotingstekort dat ook de rechterzijde onrustig maakt. De film toont opnames van de chef-politiek van Fox die er met toenmalig presidentskandidaat Bush in 2000 over smoest hoe zijn echtgenote en een zus van Bush samen campagne voeren voor Republikeinse kandidaten, en met name voor Bush. Men toont hoe ster Bill O'Reilly, *anchor* van 's lands meest bekeken kabelnieuwsshow, de ene na de andere gast de mond snoert en zijn show gebruikt om zijn opinies wereldkundig te maken, eerder dan die van zijn gasten (soms praat O'Reilly zelf tijdens interviews meer dan zijn geïnterviewde, die schaapachtig mag bevestigen wat de *anchor* verkondigt.)

Een Fox-journalist reageert al tijdens de persconferentie – hij wrijft de documentairemakers kwalijke informatietechnieken aan. Later laat de chef-politiek weten dat de beelden uit hun context zijn gehaald en dat zijn echtgenote nooit campagne heeft gevoerd voor Bush. Zoals wel vaker blijft de ware toedracht ergens in niemandsland liggen.

De zender verwijst in zijn verdediging tegen de documentaire ook naar de kijkcijfers, die hoger liggen dan die van CNN (alsof meer kijkers een bewijs vormen voor hogere journalistieke kwaliteit).

Fox verwijt aan de filmmakers, en aan de *New York Times* die over de documentaire heeft bericht, dat de zender geen kans heeft gekregen op een wederwoord. De *Los Angeles Times*, die ook over de film bericht, heeft vergeefs een week gewacht op een repliek van Fox.

Dat is ook mijn ervaring. Ik bel de Fox-persdienst blauw, en word één keer teruggebeld met de mededeling dat er niemand beschikbaar is om op vragen te antwoorden.

Bij de rechtse onderzoeksinstituten rond media vind ik al evenmin veel respons over het onderwerp. Ik slaag er nooit in om langer dat enkele minuten vragen te stellen. Bijvoorbeeld aan Tim Graham, hoofd media-analyse van het Media Research Center, een groep die in tegenstelling tot FAIR over een miljoenenbudget beschikt.

'Het is uitzinnig,' zegt hij, 'te beweren dat de pers in de aanloop naar de oorlog niet kritisch is geweest.'

En wat dan met de cijfers van FAIR?

Hij verwijst naar een nieuwsuitzending van ABC waarin herhaaldelijk werd gewezen op de band tussen Saddam en de regering-Reagan. 'Als je met "kritisch" bedoelt dat de pers de oorlog had moeten verhinderen, dan is ze niet kritisch geweest, maar we hebben tal van voorbeelden waarbij de pers kritisch was over het leger. Citeer maar van onze website.'

Zijn stem is gaandeweg luider geworden. Hij gooit de hoorn uiteindelijk neer met de vaststelling dat hij geen tijd heeft voor dit soort vragen, dat andere dingen hem meer interesseren – met name de 'linkse vooringenomenheid van de pers'.

Over de vraag waarom de pers zo fout zat inzake massavernietigingswapens vind je niets op de website van het Media Research Center. Over de 'linkse vooringenomenheid' daarentegen vind je enkele hoofdstukken. Journalisten stemmen in hoofdzaak voor Democraten, ze zijn geneigd in sociale vraagstukken de kant van de progressieven te kiezen, pro-keuze inzake abortus, pro-homohuwelijk et cetera. Dat soort vaststellingen wordt in de details soms betwist, maar valt in het algemeen niet te weerleggen. Slechts weinig journalisten hebben voeling met christelijke fundamentalisten, terwijl een aanzienlijk deel van de bevolking bij die groep aansluit. Bij FAIR stelt men daartegenover dat slechts weinig journalisten voeling hebben met vakbonden, of sociale actiegroepen, terwijl die ook een aanzienlijk deel van de bevolking vertegenwoordigen. Journalisten zijn veel vaker universitair geschoold dan de gemiddelde bevolking. Journalisten zijn economisch vaker rechts, ze delen, in de woorden van Steve Rendall van FAIR, de economische belangen van de machthebbers.

Aan de Universiteit van Urbana, Illinois, ver weg van de grote media die doorgaans in New York of Washington gevestigd zijn, doceert Robert McChesney media-analyse. Hij publiceert onvermoeibaar boeken – het meest recent *The Problem of the Media* (2004, Monthly Review Press). Hij wordt door collega's beschouwd als dé autoriteit in deze. Ik haal hem telefonisch bij zijn kinderen en uit zijn vakantie weg, maar dat lijkt hem maar matig te storen.

Hij is niet verwonderd over het gebrek aan respons bij rechtse onderzoeksinstituten.

'De redenering bij hen schijnt te zijn: de linkse vooringenomenheid bij de pers is zo schrijnend dat een rechtse pers volop ongerijmdheden mag verkondigen zonder dat het evenwicht ook maar enigszins wordt hersteld. Volgens mij is de premisse van linkse vooringenomenheid een fabeltje, en zijn de rechtse ongerijmdheden precies dat: ongerijmd. Maar hun redenering werkt in die zin dat de centrummedia als de dood zijn om voor progressief door te gaan. Neem het gevangenisschandaal in Abu Ghraib. De rechtse media fulmineren dat de pers te veel over dat schandaal bericht. Maar denk je even in dat het andersom zou zijn gegaan: dat Iraakse bewakers Amerikanen seksueel hadden vernederd. Dan zou er niet genoeg papier zijn gevonden om over het schandaal te schrijven, dan hadden we wellicht Irak met kernbommen platgelegd.

Er is,' zegt hij, 'in de loop van de geschiedenis vaak gediscussieerd over de rol van de media. Ooit was er de strekking dat de pers een instelling hoorde te zijn die de bevolking verdedigde tegen de machthebbers, die de machthebbers bekritiseerde in het belang van de bevolking. Deze strekking heeft het pleit verloren ten voordele van een strekking die nieuwsgaring ziet als iets wat vooral met officiële bronnen heeft te maken. Tenzij iemand met een officieel karakter de officiële versie aanvecht, staat de journalist dan machteloos. Zo dekken journalisten zichzelf in, het is veilige journalistiek. Zo brengen ze de eigenaars van het medium niet in verlegenheid.

Een bijkomende factor is dat de rechtse media een soort angst hebben gezaaid en dat de centrummedia al bij voorbaat de kritiek willen voor zijn dat ze onbetamelijk links zijn. Zo bestond de pers het om niet-aflatend Clintons seksleven te ontleden, terwijl elementaire dingen in de strijd tegen het terrorisme bijna onbeschreven bleven. Probeer je even voor te stellen dat 11 september onder Clintons voogdij was gebeurd en dat hij drie jaar later nog altijd Osama bin Laden niet zou hebben gevangen. Ik ben er zeker van dat de rechtse pers dagelijks zou melden hoeveel dagen na 11 september Osama nog altijd op vrije voeten was, ik ben er zeker van dat Clinton met een afzettingsprocedure (*impeachment*) bedreigd zou zijn omwille van het uitblijven van Osama en, stel dat de VS onder zijn bestuur Irak zou zijn binnengevallen, omwille van de verkeerde informatie inzake massavernietigingswapens of het geheul met Chalabi. Nu heerst er politieke windstilte over zowel Osama als de massavernietigingswapens. We hebben een dubbele standaard geïntroduceerd – en geaccepteerd.

Nog een belangrijk punt. In 2002, in de aanloop naar de oorlog, voerden de grote mediagroepen onderhandelingen met de regering over deregulering, wat betekent: over hun vrijheid om een groter deel van de mediakoek op te slokken. Tijdens dergelijke onderhandelingen willen de media hun onderhandelingspartner niet voor het hoofd stoten.'

Dat is een kwestie van management. Ik kan me niet voorstellen dat individuele journalisten niet bereid zijn te bijten in de hand die hen voedt.

'Heb je die dan gevonden? Ik heb uitvoerig gezocht en bij de grote nieuws-tv-zenders heb ik niemand gevonden die in die hand heeft gebeten. Heb je trouwens al een journalist van de NBC-ochtendshow horen klagen over het feit dat hij of zij buiten proportie entertainmentprogramma's van de eigen mediagroep in de aandacht moet brengen? Ik niet. Volgens welke journalistieke criteria worden die programma's gepromoot?

Ik denk dat er ook een belangrijke economische verklaring is voor het gebrek aan deugdelijke informatie. Vele media hebben hun buitenlandse correspondenten teruggeschroefd of afgeschaft, ten voordele van de *anchor*, de vedettejournalist, die in tijden van crisis wordt uitgestuurd. Dat is goedkoper, maar die omvorming van iemand met lokale kennis naar de vedette die geen deugdelijke voorkennis heeft, maakt dat de officiële versie veel minder aangevochten wordt. Iemand in de regering zegt: we zullen in Irak met open armen worden ontvangen, en er is niemand om tegen te sputteren: "Houd nu toch op met dergelijke onzin."'

Wat ook vreemd is. Op bijvoorbeeld Fox News is het commentaar dominant, en in dat commentaar doet men met de feiten min of meer wat men wil. Men argumenteert er zonder blikken of blozen dat er wel degelijk massavernietigingswapens zijn, ook al is daar geen spoor van gevonden.

'We krijgen zo langzamerhand een punditocracy, een eindeloze productie van blaaskakerij. Fox News is daarmee begonnen omdat opinie goedkoper was dan nieuws. Het budget van Fox bedraagt ongeveer de helft van concurrent CNN. En als je voor opinie kiest kun je maar beter voor extravagante opinie kiezen – wie kijkt naar grijze muizen die over details redetwisten? We worden in toenemende mate gevoed door min of meer uitzinnige opinie in plaats van door feiten. Wat een heel negatieve evolutie is.'

Mensen geloven wat ze willen geloven, en vinden altijd wel ergens steun voor hun opinie.

'Zolang het systeem van mediaconcentratie door enkele grote groepen niet verandert, zullen de media niet grondig veranderen. Wat me enigszins hoopvol stemt is dat steeds meer mensen, zowel rechts als links, inzien dat de concentratie van kranten en tv-zenders in de handen van enkele groepen, geen goede zaak is.'

10

Live Free or Die

De bus rijdt richting het oudste landsdeel, dat deel van het land dat het vroegst blijvend door Europeanen gekoloniseerd werd.

Bij het rijtje wachtenden in het Port Autorithy station in Manhattan word ik alweer van gesprek naar gesprek gezogen. Niet dat ik zelf altijd bij die gesprekken betrokken word.

'We hebben geen seks gehad, dat zou ik niet betamelijk hebben gevonden.'

De vrouw voor mij in de rij draagt een aanzienlijke pleister over haar hals, de jongere vrouw achter mij, die even geleden innig afscheid heeft genomen van een jongeman, is nu volop in conversatie met een minuscuul microfoontje dat aan haar telefoon hangt (even dacht ik dat ze met zichzelf converseerde).

'Ik was heel nerveus,' gaat ze verder. 'Ik had Steve al sinds januari niet meer gezien, en had hem via de telefoon uitgelegd dat het intussen ernst is tussen mij en Duncan. We hebben samen geslapen, wat in zekere zin beter was dan seks. Duncan en ik vrijen, maar we hebben nog nooit samen een nacht doorgebracht.'

De vrouw met de pleister, Helena heet ze, leidt mijn aandacht af door te wijzen op het boek dat ze leest. 'Heel interessant.' Dan vertelt ze eindeloos oninteressante anekdotes en voor ze de ene anekdote afwerkt heeft ze al een nieuwe in voorbereiding. 'En voor ik je uitleg waarom je nooit in dit seizoen naar New England mag reizen, moet ik je een verrukkelijk verhaal vertellen over mijn poes' (die wars is van katers). 'Maar voor ik in detail ga over New England, moet ik je uitleggen dat in dat gebied zelden kinderen verwekt worden in de zomer – daar is het dan te heet voor. Heb ik je al verteld dat ik tijdens mijn diploma-uitreiking in Boston ben flauwgevallen? Dat is nu veertig jaar geleden. Wat me brengt bij een verhaal dat ik zeker al in geen twintig jaar heb verteld. Maar sta me toe eerst te praten over de muggen en vliegen in New England. Die overleef je niet. Er zijn gevallen bekend van kalveren die gestorven zijn van muggenbeten. Je hebt toch een spray bij je?'

Ik begin zo langzamerhand te denken dat de pleister aan de hals de wonde bedekt die haar vorige gesprekspartner heeft toegebracht.

'Duncan,' hoor ik achter me, 'vindt het helemaal oké als ik met Steve slaap. Hij weet dat ik met hem niet op dezelfde manier kan praten als ik dat met Steve kan. Ik ken Steve sinds mijn vijftiende. Hij heeft me ontmaagd. Duncan weet dat hij ook speciaal is voor me. Sorry, mams. De bus is er. Ik moet gaan.'

Helena ploft neer op de eerste bank. Ik schuif door tot de achterbank.

De Bonanzabus naar Massachusetts bevat, in tegenstelling tot de Greyhoundbussen waarmee ik doorgaans reis, een soort toeristische elite. Een muzikant studeert met behulp van een cd-speler een partituur in. Een studiobons leest scripten en overweegt de busmaatschappij een proces aan te doen omdat het voertuig rijkelijk vertraging heeft opgelopen.

Mauro staat even ver van die elite als van de brabbelende vrouw met pleister. Hij spreekt ternauwernood Engels. Hij is zes jaar geleden uit Brazilië, Rio, naar de VS verhuisd. 'De beste beslissing van mijn leven,' zegt hij, half met gebaren, half met woorden. *Tant pis* of *tant mieux* dat zijn stewardess van een echtgenote in Brazilië is achtergebleven. 'Zij vindt het leven in Amerika te flauw, te weinig opwindend. Op mijn leeftijd moet je elkaar niet te vaak meer zien.'

Mauro is rond de zestig. Voor hem was er in Brazilië te veel opwinding. Hij bezat er een grote garage, en in korte tijd werd hij driemaal met kidnapping geconfronteerd. 'De eerste keer eisten de kidnappers tienduizend dollar. Ik heb dat betaald. Drie weken later eisten andere kidnappers hetzelfde bedrag. Toen heb ik een korting bedongen. En nog later hadden weer andere kidnappers niet eens een kidnapping uitgevoerd – ze dreigden ermee en eisten geld om hun plannen op te bergen.'

Hij heeft de dreiging niet afgewacht en is naar de VS verhuisd, bijna blut, blij met een job als kok in een Italiaans restaurant, die hem de rust geeft die hij lang heeft gezocht, en die hem van een redelijk inkomen voorziet.

'In Brazilië was ik rijk, maar dat land heeft onvoldoende geschiedenis. In Europa weten jullie dat corruptie nefaste gevolgen heeft. Brazilië heeft dat nog niet geleerd. Bij elk bezoek aan de administratie sta je voor de keuze: als men mijn kop niet graag ziet, heb ik pech en moet ik dokken. Als men mijn kop wel graag ziet, moet ik wellicht ook dokken. In de VS heeft nog niemand mij laten betalen om iets mogelijk te maken wat anders onmogelijk zou zijn, heeft niemand mij al iets in de weg gelegd omdat mijn kop hem niet aanstaat. Meer verlang ik niet van het paradijs.

Want je kunt beweren wat je wilt, en van mening verschillen over politieke zaken, maar dit is een goed functionerend land. Makkelijk om een zaak op te richten, ambtenaren die niet al te zeikerig doen.'

Op één ding na. Hij haalt een brochure uit zijn borstzak over schuldbeheer. 'Ik besteed nu ongeveer de helft van mijn salaris aan de afbetaling van mijn creditcardschuld. Maar die schuld was helemaal mijn eigen fout. In Brazilië had ik nooit de indruk dat iets mijn fout was.'

Terwijl de storm die delen van Florida verwoestte in de vorm van harde regen over dit deel van het land uitwaaiert, is de bus, onder meer door files en wegwerkzaamheden, steeds verder vertraagd. Ik heb veertig minuten om in Boston over te stappen en de bus is vijftig minuten vertraagd. De chauffeur is zo vriendelijk, even voor we het station binnenrijden, naar mijn vertrekkende connectie te wijzen. 'Ik veronderstel dat ze die bus niet hebben laten wachten,' zegt hij pruilend. Hij heeft daar namelijk wel om verzocht. Zijn ontstemming is van korte duur. Dit is zijn allereerste rit. Hij is al blij dat hij geen ongeval heeft veroorzaakt.

Mijn volgende connectie komt er over vier uur aan. Een vrouwelijke passagier moet zelfs acht uur op haar aansluiting wachten.

Die vier uur zijn geen verloren tijd. Ik kan aan de McDonald's in het busstation vaststellen hoeveel afval er geproduceerd wordt (vier gigantische vuilniszakken per uur), en elders hoe twee Spaanstaligen schier onvermoeibaar opvegen wat reizigers achterlaten. Een man prikt zich en meet het suikergehalte in zijn bloed alvorens een hamburger te lijf te gaan die hij vóór de meting heeft gekocht. Een bleke vrouw met opgestoken haar die een badge draagt en een uitpuilend achterwerk waarop je, als ze rechtop staat, een glas kunt rechtzetten, komt elk uur een ijsje eten bij McDonald's, de fastfoodversie van een dame blanche – misschien om haar achterwerk op niveau te houden.

Bij haar derde ijsje vraag ik om uitleg. Ik krijg eerder filosofie dan een verklaring van het uurgebonden ijs.

'Je kunt daar over redetwisten,' zegt ze, 'maar wat is er fout met mensen die zeggen dat ze leven om te eten? Je kunt God verkiezen, of seks, maar wat is er betrouwbaarder dan voedsel? Een goed stuk vlees laat je nooit in de steek.'

Ze likt aan haar omgekeerde lepeltje, met een sensualiteit die beter verdient dan plastic van McDonald's. Ze wrijft aan een likje chocola dat in haar mondhoek is blijven hangen.

'Vele mensen worstelen met hun gewicht, ze hebben een ideaalbeeld van zichzelf dat magerder is dan de realiteit. En ze verdoen hun tijd ermee de realiteit in overeenstemming te brengen met het ideaal. Ze nemen pillen om het ideaal te bereiken. Ze lezen dieetboeken. Is dat jouw idee van plezier? Natuurlijk niet. Mensen fnuiken hun eigen plezier ten dienste van een bizar ideaal. Ik heb de idealen afgezworen, onder andere omdat ik ze toch niet wist te bereiken. Ik eet alles wat ik lust en verteer. Ik ben een pretentieloze afvalput voor lekkernijen.'

Ze gooit haar plastic afval in de zoveelste zak en keert terug naar de balie. Tevreden, zij het moeizaam lopend.

Toch terug in beweging. Op bruggen over de snelweg staan en hangen nog vlaggen die enkele dagen geleden teruggekeerde soldaten hebben begroet. Een van de vlaggenstokken tuimelt, in een windvlaag, van de brug op de snelweg. Een vrachtwagen rijdt de stok in stukken, heel even lijkt een patriottisch ongeval tot de mogelijkheden te behoren. Dat lijkt een interessante dood, gespiest op de vlag, nationalistische brochette.

Minder patriottisch. In het warenhuis, waar ik aanschuif met een oudbakken volkorenbrood en een kwart brie, bedient een bejaarde vrouw een van de kassa's. Doorgaans ben ik daar helemaal voor, maar deze vrouw verwerkt niet eens half zoveel klanten als de studenten aan de andere kassa's, ze grimast zienderogen en betast een pijnlijke rug. Als de pijn ondraaglijk wordt, verbergt ze haar gezicht achter loshangend wit haar. De klanten en de studenten tonen een engelengeduld met haar, helpen haar waar ze kunnen. De vrouw voor me in de rij is geduldig met kennis van zaken: 'Haar echtgenoot is recent overleden en hij had blijkbaar niet voor een pensioen gezorgd. Ze moet werken of schooien.'

Hoe oud is ze?

'Achter in de zeventig. En haar kinderen laten niet van zich horen. Ze mag blij zijn dat ze hier kan werken.'

Twee straten verder, aan de kust in Plymouth, proberen twee kleindochters hun in short ronddolende oma er vergeefs van te overtuigen dat kreeft gruwelijk voedsel is. Oma heeft haar zinnen gezet op een kreeftbroodje en kreeft zal het zijn. Terwijl de meisjes verveeld het rietje van hun dieet-Pepsi tussen de lippen laten hangen en achterstevoren op de bank langs de strandweg gaan zitten, merkt oma, die blijkens haar accent van New York afkomstig is, een jeugdliefde op.

'*Hi* Eddy.'

Eddy omhelst en zoent de vrouw, tot zichtbare ergernis van zijn huidige partner. Oma vergewist er zich uitgebreid van dat er geen kreeft op zijn gezicht achterblijft.

'Wie kan zoiets plannen? Honderden kilometers van huis en toch vinden we elkaar.

Mijn dochter,' gaat ze verder, 'werd voor haar werk van vakantie teruggeroepen. En dus mag *grandma* zich over de kleintjes ontfermen. Niet dat ik ertegen opzie.'

'Dat houdt je jong,' vleit Eddy. 'Je ziet er ongelofelijk uit.'

Zijn huidige partner trekt aan zijn arm. Hij volgt de arm, hoewel zijn hoofd nog even bij oma blijft hangen voor een afscheidszoen.

De romantiek kent hier vele leeftijden. De jongeman laat even de hand van zijn vriendin los, graait, alvorens in zijn auto te stappen, in de zak van zijn short en duwt enkele dollars voor de neus van een verbouwereerde passant. De passant, die er, toegegeven, groezelig bij loopt, met een warrige baard en versleten kleren, accepteert de dollars en stapt dan in zijn eigen auto, die toevallig net achter de auto van zijn schenker staat geparkeerd.

Schrijf het toe aan nationalitis. De schenker en zijn vriendin hebben net de Mayflower II bezocht – een replica van het opvallend comfortabele schip waarmee zowat honderdtwintig *pilgrims* in 1620 naar Plymouth voeren – en hun vaderlandsliefde borrelt naderhand zo fel op dat ze willen geven, ook al is er geen echte bedelaar in de buurt. Op enkele honderden meters van de replica ligt Plymouth Rock, de gespleten rots waar de *pilgrims* aan land zouden zijn gekomen.

Er wordt door enkele plaatsen geredetwist over de geboorte van de VS. In Philadelphia werd de onafhankelijksverklaring opgesteld en goedgekeurd, in Boston begon de strijd tegen de kolonisator, maar in Plymouth, zegt Peg, kwamen in 1620 de eerste angelsaksische families aan land; zij vormden het begin van een lange reeks Engelse protestanten die het karakter van het land verregaand bepaalden.

Peg vergeet gemakshalve dat er eerdere pogingen tot kolonisatie waren geweest, op Roanoke Island en in Jamestown, telkens veel zuidelijker dan Plymouth gelegen. Die pogingen eindigden in mislukking, zo niet in de dood en algehele vernieling. Ze bedoelt dus: de eerste poging die enig succes kan claimen.

Peg werkt in het winkeltje van het Pilgrim Hall Museum, en ze is genetisch geïnteresseerd. Van de honderdtwintig oorspronkelijke *pilgrims*, die overigens via Leiden hun heil zochten in de huidige VS, overleefde ongeveer de helft de eerste winter. Peg is een rechtstreekse afstammeling van een huwelijk van twee van die overlevenden, een religieus geïnspireerde vrouw en een niet-religieus gemotiveerde man. Het huwelijk van John Alden en Priscilla Mullins werd ooit geromantiseerd in een gedicht van Henry Longfellow, maar volgens Peg was dat romantische aspect grotendeels afwezig. Priscilla's vader was in die eerste hongerwinter overleden en een zeventienjarige vrouw kon in die tijd niet alleen blijven.

Peg legt er ook nogal de nadruk op dat de *pilgrims* niet zo religieus fanatiek waren als wel eens wordt gedacht: ze waren geen puriteinen, maar een soort vrijheidsstrijders, agerend tegen de macht van de anglicaanse kerk, tegen de bisschoppen.

Ze wil ook de *pilgrims* niet vergoelijken. Nadat ze een tijd hadden geprofiteerd van een verdrag met de indianen, werd land een probleem en vochten de *pilgrims* met hun vroegere bondgenoten. En nadat ze aan de tirannie van de Engelse kerk waren ontsnapt, vestigden de *pilgrims* hun eigen protestantisme, waarin ze soms nog minder dissidentie duldden dan de anglicaanse ambthouders.

Maar Pegs globale oordeel is toch positief. 'Hard werk en morele zekerheid – daarop is dit land gebouwd.

Geniet van dit land,' maant ze bij het afscheid. 'Het begon hier.'

Wat ook, volgens de officiële, in scholen gedoceerde geschiedschrijving in Plymouth begon is de grootste Amerikaanse feestdag, Thanksgiving, of, in de tijdeloze vertaling van komiek Art Buchwald, Merci Donnant.

Je hebt meer versies van het precieze ontstaan van het feest dan er donderdagen zijn in een jaar – volgens de rechtse radiofiguur Rush Limbaugh was de eerste Thanksgiving een soort bekroning van de uitvinding van de vrije markt. De *pilgrims* waren oorspronkelijk religieus geïnspireerde socialisten, maar toen ze tot de conclusie kwamen dat ze met hun socialisme van honger zouden omkomen, verdeelden ze hun land in privé-perceeltjes waarop de maïs tot ongekende hoogten groeide – binnen het bestek van negen maanden vonden de *pilgrims* de Amerikaanse economie uit. Limbaugh bewijst hier onder meer, en laten we aannemen ongewild, de stelling dat eigendom diefstal is – de *pilgrims* hadden helemaal geen eigen land te verdelen

De meer klassieke versie is dat de *pilgrims*, nadat ze in hun eerste winter waren gehalveerd, zo blij waren met hun eerste oogst (alles mislukte, behalve de maïs die de indianen hen hadden leren verbouwen) dat ze een feestje bouwden waarop ook de indianen werden uitgenodigd.

Daar valt nogal wat bij in twijfel te trekken, en zelfs in Plymouth is men er niet zo zeker van dat de indianen echt werden uitgenodigd.

Misschien waren ze toevallig in de buurt en kwamen ze ongenood mee-eten, misschien kregen ze niks. Er kwam welhaast zeker geen kalkoen aan het feest te pas, al werd dat dier later het typische slachtoffer van de feestvreugde.

Dit feest was bijna zeker onbelangrijk in de hoofden van de *pilgrims*, die er niet uitvoerig over schreven. Thanksgiving kreeg pas onder president Lincoln, bijna tweehonderdvijftig jaar na datum, een nationaal statuut: de president vormde het om tot een nationaal feest van dankbaarheid, gastvrijheid en menslievendheid, en hij verschoof de jaarlijkse viering om allerlei redenen naar eind november, terwijl de *pilgrims* wellicht hun oogst in september binnenhaalden.

Tegenwoordig kampt Plymouth, hoe rijk ook en vol toerisme, met een groeiende aanwezigheid van daklozen. Een dakloze vrouw met een gigantisch blauw linkeroog doet boodschappen. 'Alles oké, Jenny?' vraagt een verkoopster bezorgd.

'De dingen zijn niet zoals ze moeten zijn,' zucht Jenny, terwijl ze een grote fles cola betaalt. 'Dat zijn ze nooit.'

Een halve dagreis van Plymouth ligt, nog altijd in de staat Massachusetts, Salem. In het stadscentrum verwijzen ontelbare borden en namen naar heksen – zo niet zou niemand dit schoongeschrobde stadje vol vriendelijke lui met onheil verbinden. Dit plaatsje leeft nu zo min of meer van dat onheil – de grootste heksenhysterie uit de geschiedenis van Noord-Amerika, met twintig doden tot gevolg, in het verre jaar 1692 (negentien vermeende heksen werden opgehangen, een oude gabber die niet wilde bekennen – wie bekende verloor haar of zijn eigendom – werd gespreid over drie dagen onder stenen verpletterd). Hoewel in Noord-Amerika de heksenvervolging vergeleken met Europa weinig slachtoffers maakte, zijn de processen van Salem een symbool geworden voor de vervolgingsdrang die dit land af en toe lijkt te overvallen.

Bob, een bejaarde vrijwilliger bij de toeristische dienst, relativeert het onheil niet, al is hij tegenwoordig meer begaan met zijn eigen eindigheid. Hij vertrekt volgende week naar Londen – zijn favoriete stad in Europa, zijn favoriete theaterstad. 'Wie weet wordt het mijn laatste verre reis voor die andere reis.'

De sfeer in de stad heeft iets van carnaval, dochters zagen hun moeders aan de oren in de hoop een punthoed of een bezem te kunnen kopen. Zelfs tijdens het ernstige museumspektakel waarin de hysterie van 1692 wordt uitgelegd en een verband wordt gelegd met strenge religie, zien de dochters met verse zwarte punthoed en een bezem tussen de benen toch eerder hun eigen vlucht dan de val van twintig onschuldigen.

Terug naar Bob, die ook van een reis naar de lage landen droomt. Kwam Salem na 1692 snel tot inkeer? 'Niet snel. Het duurde lange jaren.' Al gaf een van de kinderen later toe dat ze ten onrechte mensen had beschuldigd. Al probeerde de rechter na een tijd van zijn eretitel af te komen: 'The Hanging Judge' – even dacht men eraan het op zijn grafsteen te zetten.

Salem, zegt Bob, is lang puriteins gebleven. 'Eigenlijk is het pas sinds de voorbije generatie, met de toestroming van andere bevolkingsgroepen en buitenlanders, dat de sfeer hier grondig is veranderd. We zijn nu gemengd, en beter af daardoor.'

Eigenlijk steekt een mens hier niet veel op van tv, tenzij onrechtstreeks. Een evidente uitzondering vormt het CBS-informatieprogrammma *60 Minutes*. Elke zondag bekijk je waar de bejaarde sterjournalisten nu weer hebben uitgehangen, en welke steen ze nu weer hebben omgekeerd om een schandaal te onthullen. Mike Wallace, de oudste van hen, is eind tachtig. Hij werd onlangs door de politie voorgeleid omdat hij weerspannigheid had getoond tegen een agent die zijn taxi had bekeurd, omdat die in een zone waar dat niet mocht wachtte tot Wallace zijn meeneemmaaltijd had opgehaald. Zijn amper drieënzeventigjarige collega Morley Safer reisde naar het subcontinent, waar hij filmde hoe Indiërs steeds vaker Amerikaanse jobs overnemen.

Allerlei diensten in dit land, hotels, spoorwegen, bussen, bieden hun klanten gratis telefoonnummers aan waarop voor inlichtingen en/of boekingen gebeld kan worden. Zo'n telefoongesprek verloopt stereotiep. Tenzij je, zoals bij Greyhound, met een automaat wordt geconfronteerd, kondigt een stem aan dat het gesprek om redenen van kwaliteitscontrole opgenomen zal worden. Daarna stelt de telefoniste zich voor. '*Hello, my name is Jane*. Hoe kan ik je van dienst zijn?'

Die telefonisten wonen dus in toenemende mate in India, ze volgen, leer ik tijdens *60 Minutes*, een drie maanden durende cursus waarin ze gede-indianiseerd worden. Ze leren van acteurs en taalcoaches hoe ze hun eigen accent moeten verliezen en hoe ze zich moeten gedragen om acceptabel Amerikaans te lijken, hoe ze zich geloofwaardig kwaad kunnen tonen tegenover wanbetalers. Ze veranderen hun naam (Sangita wordt Julia) en ze werken voornamelijk 's nachts (vanwege het tijdsverschil).

Deze pseudo-Amerikanen verdienen een tiende van de echte Amerikanen. Voor de bedrijven zou de uitbesteding van het werk een besparing van 30 tot 50 procent opleveren. In totaal zouden de voorbije drie jaar vierhonderdduizend 'Amerikaanse' jobs naar het buitenland zijn getransfereerd, van laag- tot hooggeschoold, wat er mede toe bijdraagt dat de lokale economie, die grote winstmarges produceert, toch relatief weinig groei van de eigen banenmarkt te zien geeft.

In het verwarrende besef dat Jane die mijn overnachting hielp boeken wellicht overdag als Kasturba door het leven stapt (de telefonisten die *60 Minutes* interviewde waren redelijk blij met hun dubbelleven), loop ik een Subway-sandwichwinkel binnen. De drie werkneemsters zijn geen van allen Amerikaans. Irena, een Roemeense, incasseert voor wat haar twee Indiase medewerksters, een hindoe uit Delhi en een moslim uit Calcutta, prepareren.

Irena is vier maanden in het land, de andere twee zijn er een half jaar. Hun accenten zijn zo dik als rijstebrij. Stoort het de Indiase vrouwen niet dat ze de hele dag met rund- en varkensvlees in de weer zijn?

Ze dragen plastic handschoenen, tonen ze, en ze hebben niet zoveel keus. 'Principes,' zegt de hindoe wat mismoedig, 'zijn voor rijke mensen. Als we vandaag de huishuur niet betalen staan we morgen op straat. Dat is mijn principe.'

De staat New Hampshire ademt al meteen een soort van naïeve tevredenheid uit. Kort na het binnenrijden van de staat word je geconfronteerd met het trotse naambord: NASHUA, BESTE PLAATS OM TE

LEVEN IN DE VS. Tot twee keer toe heeft *Money Magazine* in zijn jaarlijks overzicht Nashua die eer toebedeeld, en ook andere steden in New Hampshire geraken geregeld in de toptien. De bezoeker wordt er via een nog groter bord ook aan herinnerd dat in deze staat noch in winkels, noch op lonen, belastingen worden geheven.

LIVE FREE OR DIE. De staatsleuze van New Hampshire prijkt met enig dreigement op de nummerplaten. Jay heeft zijn auto nog met andere opschriften verfraaid. DE HELFT VAN MIJN HART IS IN IRAK. IK ONDERSTEUN DE TROEPEN. Hij heeft ook een 'Yellow Ribbon'-sticker aan zijn kofferdeksel gekleefd. Met dat gele lint, traditioneel aan een boom gebonden, maar tegenwoordig in stickerversie populair op auto's, gedenkt hij een verre neef die naar Irak is vertrokken.

Ik ontmoet Jay wat moeizaam terwijl hij zijn auto schoonsproeit. Ik wandel door een gegoede buitenwijk van Nashua. De woningen zijn niet spectaculair, de pastelkleurige houten wanden niet luxueus, maar voor die huizen zit doorgaans een aanzienlijk grasveld, een dure auto, en om het andere huis een zwembad.

De bewoners zijn lachwekkend wantrouwig tegenover wandelaars. Ze volgen me tot ik uit hun gezichtsveld ben verdwenen. Ze laten ook merken dat ze naar me gluren. De bestuurder van een postauto vraagt me koudweg wat ik mot.

'Waarom wandel je ook? wil Jay weten. Wandelen is iets voor vrouwen die hun buggy voortduwen, of voor oudere joggers die een stap trager geworden zijn. Hijzelf wandelt in zijn huis, op een band, waar hij zijn extra pondjes verliest terwijl hij elektronisch kan volgen hoeveel calorieën hij per honderd stappen verbruikt. 'Maar je hebt gelijk: we zijn een wantrouwig volkje, ik weet ook niet waarom. We maken niet zo gauw contact, hebben niet liever dan dat we met rust gelaten worden. We hebben last met wat we niet gewend zijn.'

Alle wantrouwen ten spijt is hij uiteindelijk blij over zijn leven te vertellen.

Hij is 'getransporteerd' uit Boston. 'Ik kon het daar niet meer bolwerken met de hoge belastingen, de hoge huurprijzen. Ik verhuisde naar New Hampshire en ineens is mijn leven, onder andere doordat de belastingen wegvallen, een derde goedkoper. Dat scheelt nogal.'

Hij wijst naar zijn nummerplaat: LEEF VRIJ OF STERF. Die slogan geeft voor hem zijn herwonnen vrijheid weer. 'Ik mis niets. Ik woon, behoudens files, op een uur van een beschaafde stad, op een uur van de oceaan, op een uur van de bergen, en op een uur van de bemoeials. Hier heb je nog echt de indruk dat je je eigen leven in handen hebt.'

Hij geeft daar een voorbeeld van. Enkele jaren geleden werd de staat getroffen door een gigantische sneeuwstorm. Washington bood praktische en financiële hulp aan, maar verschillende steden hebben die steun van buitenaf geweigerd. 'Een voet of drie sneeuw kunnen we zelf wel aan. Waarom ook niet? We beschikken over de juiste apparatuur.'

Waarom is dit gebied, te midden van eerder progessieve staten, met een soortgelijk landschap, en een soortgelijke geschiedenis, een conservatief eiland gebleven? Want dat blijkt uit alle peilingen – waar de buurstaten verandering zoeken, wil New Hampshire dat alles bij het oude blijft.

'Goede vraag. Ik weet het niet. Misschien staan we wantrouwig tegenover verandering. Het leven is goed, waarom zouden we het veranderen?' Het is een leven dat het verdedigen waard is, zegt hij – vandaar dat hij de oorlog in Irak ondersteunt. De soldaten in Irak voeren de leuze van de staat uit. De VS leven tegenwoordig helemaal in de ban van LIVE FREE OR DIE.

Hij wijst naar de huizen. Geen enkel huis heeft een omheining – wat een beetje botst met het betoonde wantrouwen. 'Zo was het land vroeger. Open. Iedereen kon erin. We gingen ervan uit dat enkel mensen met goede bedoelingen zouden komen.'

De bewoners vinden vaak dat ze in hun kleine, gelukkige steden de ziel van het land vertegenwoordigen, het nukkige individualisme, het tolerante conservatisme, de ongecomplexeerde welvaart.

'Maar nu blijkt dat die politiek van openheid leidt tot hulpeloosheid. En hulpeloosheid is on-Amerikaans. Actie is Amerikaans. Liever actie buiten het land dan in het land.'

Jay heeft zich met zijn categorieën van wandelaars enigszins vergist. We worden gepasseerd door drie jongeren met hun skateboards. Ze proberen sproeten en rebellie te verzoenen. Het komt erop neer dat ze verlegen aan hun oorringen pulken terwijl ze ons beleefd groeten.

Ik raak geïntrigeerd door het koopmanskarakter van New Hampshire, ik dwaal langs *shopping malls*, waar inderdaad ontelbare goedbetaalden uit de dichterbevolkte buurstaat Massachusetts hun grasmaaier of hun nieuwe trainingspak kopen.

Tussen al dat zo steriel mogelijke winkelgeweld voert een jonge werkneemster, roodgekleurd haar uit haar ogen blazend, haar eigen strijd met de elementen. Ze schiet prijzen op producten en bij ongeveer elk schot kan ze geen weerstand bieden aan een krachtterm. '*Go get the sucker*,' spreekt ze zichzelf moed in, terwijl ze een nieuw karton met speeltjes openpeutert. Op haar naamkaartje staat DEBBIE ingevuld, en op haar T-shirt maakt ze reclame voor Hurley.

Is dat een politicus?

'Ben jij een grapjas? We mogen volgens ons contract geen uitdrukking geven aan iets wat bij klanten weerstand kan opwekken. Wat voornamelijk betekent dat we geen "Jezus Redt" en geen politieke voorkeuren mogen uitdragen.'

Hurley blijkt een merk van surfplanken te zijn.

'Niet dat ik surf, maar ik vond hun T-shirt nog het kwaadste niet.'

Haar winkel biedt geen surfplanken te koop aan.

Ik heb ergens gelezen dat de tevredenheid van werknemers in het land nog nooit zo laag geweest is als nu: minder dan 50 procent is enigszins tevreden over het werk.

'Ben jij een professor of zo?' Debbie werkt alleen tijdens haar vakantiemaanden in dit winkelcentrum, de rest van het jaar studeert ze sociologie.

'Ik schat dat geen 10 procent van de werknemers echt graag in deze winkel werkt. Weet je wat mij ook opvalt: hoe gestroomlijnd dit land is. De Verenigde Staten zijn officieel het land van de vrije mensen, *Live Free or Die* weet je wel, maar als je werkt in een winkel als deze moet je er zo stereotiep mogelijk uitzien, wat in mijn ogen betekent: zo onvrij mogelijk. Ik ben een paar jaar geleden naar Londen gereisd en daar is bijna elke persoon opvallend anders dan anderen. Wij Amerikanen leven als eenheidsworst. Ik ben niet gepierced, ik heb geen tatoeages, maar toch heb ik al van mijn baas te horen gekregen dat ik er niet winkelwaardig bijloop. Mijn haarkleur is te fel. Ken je die tekst van U2? *You ask me to enter, but then you make me crawl.*'

Ik dacht dat die over de kerk handelde, en over liefde.

'Misschien. Volgens mij slaat hij ook op Amerika. Dit land zegt: kom af. Het Vrijheidsbeeld staat uitnodigend met haar armen te zwaaien. Maar zodra je arriveert, word je geacht door het stof te kruipen. Ik ben hier geboren, uit werknemers die uit Slovenië afkomstig waren. We waren misschien beter af geweest als ze nooit Slovenië verlaten hadden. Dit is een land dat alleen maar respect heeft voor ondernemers, geslaagde mensen, hogere werknemers die met premies worden gepaaid. Voor iemand die in een winkel werkt heeft dit land geen enkel respect.'

Tegenwoordig schijnt het Vrijheidsbeeld niet langer uitnodigend te zwaaien.

'*I know.*'

Ze laat in het midden of ze dat een positieve evolutie vindt, neemt haar pistool opnieuw ter hand en prijst de rammelaars 3,99 dollar per stuk. Als afscheid rammelt ze er met een, licht ontgoocheld over het lawaai dat ze produceert.

Winkels – en zeker *malls* – verdraagt een mens niet oneindig, en terwijl ik op de volgende stadsbus wacht (een bus per uur) kruip ik maar met een boek op een bankje voor de Pheasant Lane Mall. Kom er bij van de koeling binnenin, die allicht een paar graden te laag stond. Naast me staat een vrouw haar sigaret te roken. Denk terug aan een conversatie die ik even eerder in een warenhuis heb gevolgd tussen twee twintigers die de orkaan in Florida bespraken. 'Ik zou het niet kunnen,' zei de ene, 'leven met de onzekerheid dat in het seizoen een storm al je verwezenlijkingen kan vernietigen. Ik zou nooit in Florida kunnen wonen. Als ik ga slapen moet ik weten dat mijn wereld de volgende dag nog bestaat.'

'Ook al hebben ze daar Disneyland,' aldus zijn gezel. 'Zelfs Disneyland zou me er niet toe brengen daar te gaan wonen.'

Laten we hopen dat de twee grapjassen zijn, maar het valt te vrezen van niet. Ik vraag me terloops af welke verwezenlijking ze op hun kerfstok hebben.

De vrouw met sigaret belt met haar mobieltje.

Ineens komt een autootje van de veiligheidsdienst van de mall aangereden, de chauffeur gooit haar deur open en vraagt ongericht: 'Wacht je op iemand?'

'Jazeker,' antwoordt de rokende vrouw, 'Ik heb net mijn man gebeld. Hij komt me zo dadelijk oppikken.'

'Ik bedoel hém,' zegt de chauffeur, alsof ik er niet bij ben. 'Een vrouw is haar echtgenoot kwijt en hij voldoet aan de beschrijving.'

Ik wacht helemaal nergens op, tenzij op de bus. Ik ben enigszins van mijn apropos omdat ik aan een beschrijving voldoe. Voor je het weet word je gezocht. Méér: ik wórd al gezocht.

'Ga je mee?' vraagt de chauffeur, met enig scepticisme omtrent mijn ontkenning, duidelijk met het idee dat ik ongein in de zin heb. 'Niet dan, veronderstel ik. De dame is helemaal overstuur en in de war.'

'Hé,' zegt de rokende vrouw, terwijl het wagentje achter een hoek verdwijnt, 'je zou zo een nieuw leven kunnen beginnen. Je stapt in het leven van een onbekende die helemaal verward is. Misschien is ze rijk, misschien is ze mooi. En als het je niet bevalt, of als haar echte echtgenoot opdaagt, zeg je dat het allemaal een misverstand was. Man, je hebt je kans verkeken.'

Haar eigen echtgenoot komt voorgereden. '*I love you honey*,' zegt ze zacht, misschien met hernieuwde aandrang, misschien met een halve knipoog in mijn richting, misschien gemeend, hoewel het op het gehoor niet zo klinkt.

Aan de andere kant van de stad leidt een bezoek van de president niet tot opvallend veel commotie. In de Nashua High School North, waar president Bush een toespraak houdt, kom je enkel binnen met een uitnodiging – de uitnodigingen gaan selectief naar supporters – en op straat zijn misschien tweehonderd belangstellenden opgedaagd, voornamelijk tegenstanders van Bush, met welwillende, zelfgeschreven borden (MISSIE VOLBRACHT: DE RIJKEN RIJKER. DE ARMEN ARMER. 50 DOLLAR VOOR EEN VAT PETROLEUM. AMERIKANEN DOOD IN IRAK). Op de achterkant van hun borden wisselen de manifestanten adressen uit.

Enkele anarchisten die, terwijl de presidentiële limousine voorbijschuift, de inhoud van hun waterfles in de richting van de president gooien, worden door massaal aanwezige ordediensten afgevoerd. De enige overblijvende anarchist tiert en vloekt in de richting van de politie, en dat gevloek wordt het enige hete hangijzer van de dag. 'Je moest je schamen,' zegt een Bush-supporter meteen. 'Besef je niet dat er kinderen in de buurt zijn.'

'*Fuck the children*,' brengt de anarchist in.

Waarna ook de anti-Bush-activisten hem tot beleefdheid komen manen. 'We houden evenmin van de president, maar dat betekent niet dat je onheuse woorden moet gebruiken.'

Betty Hall, drieëntachtig, glimlachend onder kortgeknipt wit haar, gezeten op haar ingenieuze wandelstok, weet niet goed of ze in de hitte nog wil wachten tot de president opnieuw uit de school tevoorschijn komt. Hall is de ster van de manifestanten. Bij een vroeger anti-Bush-protest is ze opgepakt wegens ordeverstoring. Ze stond toen met haar vredesbord op een plek die de politie eerder als veiligheidsbuffer had opgeworpen.

Vorige week is ze vrijgesproken.

'Ik heb uit de twee kampen steunbetuigingen ontvangen. Zelfs conservatieven in New Hampshire vinden niet dat het recht op protest aan banden mag worden gelegd.'

Wat verwijt ze de president?

'Dat hij een na een onze vrienden kwijtspeelt. Ik wil niks veralgemenen maar een mens zonder vrienden is doorgaans geen goed mens. Een land zonder vrienden is doorgaans geen goed land.'

In de grondwet van New Hampshire is het recht op revolutie ingeschreven.

'En of. We zijn de enige staat die dat voorziet. We hebben de op een na oudste grondwet van het land.' Hall citeert de clausule uit het hoofd: '"De doctrine dat men zich niet mag verzetten tegen willekeur en verdrukking is absurd, slaafs en ze vernietigt het goede en het geluk van de mensheid." Zo staat het in de grondwet. En het is tweehonderd jaar later nog altijd helemaal juist.'

Hall is in de vroege jaren zeventig in de politiek gestapt. Ze heeft tweeëntwintig jaar in het parlement van New Hampshire gezeteld, de helft als Republikein, de helft als Democraat. 'En al die tijd was ik dezelfde persoon, met dezelfde kiezers. De partijen zijn in die tijd veranderd, de Republikeinen zijn conservatiever geworden.'

Dit jaar is ze opnieuw kandidaat.

New Hampshire, zegt ze, is misschien het meest politiek bewuste deel van het land. Men heeft vierhonderd parlementsleden op een bevolking van 1,3 miljoen – ongeveer één parlementslid per drieduizend inwoners – wat betekent dat bijna iedereen haar of zijn parlementslid persoonlijk kent, persoonlijk kan bezoeken. De parlementsleden verdienen slechts honderd dollar per jaar, wat enthousiasme en amateurisme moet garanderen, en de kloof tussen verkozene en kiezer klein houdt. Bovendien is de staat van oudsher de plaats waar de eerste presidentiële voorverkiezingen, de *primaries*, plaatsvinden. Om de vier jaar houdt de rest van het land New Hampshire in de gaten, en New Hampshire houdt de presidentskandidaten in de gaten, kiest relatief ongebonden, maar bepaalt met die keuze wel mede het nationale politieke landschap. 'In de winter hebben we toch niet veel anders omhanden. Maar het klopt wel: we proberen zo onafhankelijk mogelijk te zijn. Nog voor we Republikeins of Democratisch zijn, proberen we ons een eigen idee te vormen. Althans, vroeger was dat zo.'

Hall besluit toch maar naar haar auto te wandelen.

Diana is in de Oeral geboren. Ze heeft Rusland verlaten om in de VS sociologie te studeren, werd verliefd en is in het land gebleven.

Ze mist de stijl van Europa, zegt ze. 'Het praktische haalt hier danig de bovenhand. Zelfs wie mooie kleren koopt, draagt ze dikwijls ongestreken, of draagt storende schoenen onder die mooie kleren. Men heeft in priveaangelegenheden geen zin voor perfectie, wat mensen soms wel hebben inzake een auto of een huis, inzake hun werk.'

Is dat voor haar het grote verschil tussen dit land en Rusland?

'Ik denk dat je vooral geen te grote generaliseringen moet maken. Mijn echtgenoot was een van vijf kinderen. Geen van die kinderen heeft ooit New Hampshire verlaten. Misschien verhuist dit land als gek, maar ik heb een volslagen honkvaste familie getroffen. Ik leef in conservatief gebied, maar ik heb vrijwel alleen progressieve vrienden. Ik weet dat hier vele mensen tegen abortus zijn, maar op de een of andere manier ontmoet ik hen niet. Dat is ook een geheim van dit land. Men laat je toe te leven in je eigen luchtbel.

Het grote verschil met Europa is volgens mij het individualisme. In Rusland kende ik niet anders dan competente proffen die aanbiedingen van elders ontvingen, vanuit het buitenland zelfs, maar die de aanbiedingen naast zich neerlegden, omdat ze vonden dat ze een rol in hun eigen gemeenschap hoorden te spelen. Ik ben nu tien jaar in de VS en ik heb nog nooit gehoord dat iemand om welke reden dan ook beter betaald werk heeft geweigerd, laat staan om de gemeenschap beter te dienen. Mensen zorgen in de eerste plaats voor zichzelf.'

Dat is, voegt ze er snel aan toe, waarom ze al bij al in de VS blijft – dat egoïsme past haar als gegoten.

'Ik vraag me soms af wat die Russische professoren in Rusland houdt. Het is een mengsel van trots en schaamte, denk ik. De trots om de eigen gemeenschap belangrijk te vinden, de preventieve schaamte die hen ervoor behoedt om toe te geven aan de lokroep van geld.'

Zijzelf heeft geen last van trots of schaamte, zegt ze. Beladen met diploma's, gespecialiseerd in derdewereldproblemen rond globalisering, serveert ze soep en schenkt ze koffie aan verstrooide boekenkopers in een winkel die het met boeken alleen niet langer kan bolwerken. 'Amerikanen kan het niet veel schelen wat anderen van hen denken. Dat is, na Rusland, een verademing.'

Wat vaak een theoretische oefening lijkt, steun voor de oorlog in Irak of afkeuring, wat vaak een randfenomeen blijkt in een presidentscampagne waar Vietnam prominenter aanwezig is dan Irak, kruipt af en toe toch weer tussen de kieren in de hersenpan binnen, in al zijn gruwel.

In de buurgemeente Merrimack heeft een achtenveertigjarige sergeant, een dag nadat hij uit Irak is teruggekeerd, zichzelf door het hoofd geschoten. De omstandigheden zijn onduidelijk, de lokale kranten speculeren niet, zijn echtgenote leek dolgelukkig met zijn terugkeer, hijzelf leek dolblij terug te zijn.

'Niemand,' zegt een vrouw die het artikel leest terwijl ze naar de kassa schuift, 'kan in het hoofd van een ander kijken, niemand weet wat zo'n oorlog aanricht. Wat dat betreft maakt het niet veel uit of het een goede of een slechte oorlog is. Dan is oorlog gewoon alleen maar oorlog.'

Sandra is behalve moeder van vijf en grootmoeder ook een zakenvrouw en vooraanstaand lid van de lokale Republikeinse partij. Ze is in 1970 uit het zuiden naar Nashua gekomen.

'Ik ken in mijn vriendenkring bijna niemand die niet elders is geboren.'

De sterkte van New Hampshire is in haar visie dat de gemeenschap vrij gelijkmatig is, geen heel rijken telt, niet te veel gruwelijk armen. Zijzelf is geboren in een gezin van alcoholici, helemaal niet gegoed. 'Ik ben zelf een voorbeeld van de Amerikaanse droom, ik heb mezelf uit de goot gewerkt en ben nu min of meer welgesteld. Niet rijk. Ik ben door niemand geholpen. Ik heb mezelf geholpen. Daarom ben ik een Republikein: je moet mensen in staat stellen zichzelf te helpen, je mag ze niet in hun werkloosheid ondersteunen. Wie geen werk heeft heeft immers geen waardigheid.'

Er is een ander element dat haar leven heeft bepaald. In haar jeugd heeft ze van nabij de oorlog in Korea meegemaakt – ze woonde in dat land, haar vader werkte er. Ze heeft aan den lijve ondervonden welke aardverschuivingen een oorlog in de geest van betrokkenen veroorzaakt. Ze heeft alle begrip voor de zelfmoord van de sergeant.

'Ik weet niet hoe het bij jullie zit, maar ik heb mijn kinderen opgevoed met de tien geboden. Waarbij uiteraard het verbod om te doden hoort. Maar we sturen jongeren uit met de boodschap dat ze in onze naam dat gebod mogen overtreden. Moeten overtreden. Om nog te zwijgen van de andere aberraties die een oorlog meebrengt. Je hebt wel gehoord van de martelingen, of de slechte behandeling van gevangenen. Dat zo'n sergeant zelfmoord pleegt, begrijpen mensen ook wel, denk ik. Je vraagt van soldaten iets wat bijna bovenmenselijk is: de ene dag immoreel te zijn en de volgende dag weer moreel te worden, te overleven in situaties waarbij burgers zichzelf opblazen om ons te treffen.'

Is ze omwille van de oorlog tegen haar president?

'Hoe kom je daarbij? Hij heeft zich misschien vergist met die oorlog, maar ik blijf hem ondersteunen. Dat heb ik ook van de tien geboden. Ik heb mijn man in veertig jaar nooit bedrogen en hij mij – voorzover ik weet – evenmin. Bush is iemand van wie ik bijna zeker weet dat hij gehuwd is en voor de rest van zijn dagen bij zijn echtgenote blijft. Als je op dat niveau betrouwbaar bent, ben je het wat mij betreft in politiek opzicht ook.'

In het hart van de stad, op een steenworp afstand van de Nashuarivier, aan Main Street, staat Joanne's Kitchen. Doorgaans is dit stadje enigszins verfijnd, maar Joanne's Kitchen weerstaat met verve die trend. Ooit moet deze kantine op wielen hebben gestaan, maar tegenwoordig is ze tussen twee huizen in de straat gebetonneerd. Op betere dagen kun je er de rook snijden, maar nu zitten er slechts drie klanten. De kelner brengt me mijn eieren. 'We hadden nog wat corned beef over. Ik heb er wat van door je eieren gedraaid. Je bent toch geen – hoe heet dat ook weer? – vegetariër of zo.' Hij spuwt het woord uit als bedoelt hij 'luizenkop'.

Joanne's Kitchen zal geen sterren winnen of zelfs maar bezocht worden door de Michelinproevers, maar de prijzen zijn laag en je eet in een historisch decor. 'Dit is de oudste snackbar van Nashua,' zegt de uitbaatster. 'Als ik me niet vergis heeft Joanne haar Kitchen in 1922 opgericht.' De klanten roken terwijl ze eten – New Hampshire wil niet weten van verbodsregels tegen dergelijke praktijken. *Live Free or Die* is hier plaatselijk, blijkens een grapjas van een lokale medische groep, *Live Free and Die of Smoke* geworden. Ooit heeft Joanne's Kitchen een rookverbod uitgevaardigd, niet omdat de overheid het oplegde, maar omdat de werknemers onwel werden. De klanten bleven weg, en enkele weken later waren de zaken weer bij het oude.

De klanten lijken ladderzat hoewel de snackbar geen alcohol serveert.

Hier lijkt de vraag niet minder relevant. Waarom is New Hampshire zo behoudend?

'Hé,' zegt een van twee droge dronkemannen die net over een bekeuring heeft gezanikt. 'We zijn conservatief met ons geld. Wij betalen geen drie dollar voor een koffie zoals die van Massachusetts.' Verder reikt hun aandacht niet. 'Je betaalt nooit twee dollar voor wat je met een dollar ook kunt kopen. Dat is een heilig principe van New Hampshire. En dit is,' zijn stem vertoont nu dronken trots, 'samen met Alaska de enige staat die geen inkomensbelasting heft.'

'Niet dat hij een inkomen heeft,' voegt de uitbaatster er nuchter aan toe.

Ik loop binnen bij de opening van een tehuis voor zestien aan lager wal geraakte, dakloze, van drank of drugs afkickende oud-strijders, veteranen. Het gebouw is door de stad ter beschikking gesteld maar de opknapbeurt en de werking worden gefinancierd met geld uit Washington – de lage belastingen in New Hampshire laten niet veel marge voor 'sociale experimenten'. De staat telt naar schatting vijfhonderd thuisloze veteranen (en in totaal achtduizend daklozen), dus met dit initiatief wordt geen dijkbreuk gedicht.

Tijdens de toespraken van de Republikeinse senator en de Republikeinse burgemeester zit ik naast Frank Mooney, zelf een veteraan (ten tijde van de oorlog in Korea diende hij enkele jaren in Salzburg), maar absoluut niet aan lagerwal ('Ik kan niet lang blijven. De vrouw wacht op mij met mijn avondeten.').

Hij is gepensioneerd na een loopbaan bij de posterijen, waar hij onder andere een programma tegen alcoholisme coördineerde, en is nu actief in historische verenigingen.

Hij is politiek onafhankelijk, eerder progressief, zegt hij zelf, maar toch zint hem iets niet in het initiatief voor de oud-strijders. 'Je moet erin slagen zelf je zaken op een rijtje te krijgen, vind ik. Je moet al een lefgozer zijn om te vinden dat anderen hun geld aan jouw welzijn moeten besteden, dat anderen moeten betalen om jou op het rechte pad te trekken.' Het is een vorm van arrogantie die hij niet goed begrijpt.

Ook aan hem de vraag waarom dit gebied zo conservatief is.

Hij geeft een aantal redenen. De toevloed van conservatieve katholieken uit Quebec die in de vroege twintigste eeuw de textielindustrie kwamen bevolken (en die een blijvend likje Frans aan de staat hebben toegevoegd, ook al is de textielsector intussen verdwenen). 'We zijn koppig,' gaat hij verder. 'Ooit was heel dit gebied, dus met de buurstaten, conservatief, maar terwijl staten als Massachusetts of Maine geëvolueerd zijn, zijn wij hetzelfde gebleven. We zijn te koppig om te veranderen.

Dit is, in zekere zin, het echte Amerika. Geen gedoe, geen excuses, geen bemoeienis.'

En nog iets: 'Denk voor jezelf. Ik heb nooit volgens partijlijnen gestemd, ik heb altijd geluisterd naar wat politici voorstellen en op basis van die voorstellen mijn stem gegeven.'

'Stel je dat als volgt voor,' zegt een andere gepensioneerde, Randy Stone.

Randy werkt als vrijwilliger op de hulpdienst voor gepensioneerden in hoofdstad Concord. Hij is na een loopbaan bij het leger tot driemaal toe voor het parlement van New Hampshire verkozen. Hij is daar begonnen als ultraconservatieve Republikein maar is later enigszins verwaterd. Tegenwoordig heeft hij vooral zijn buik vol van politiek.

'Je hebt geen seconde rust. Stel je dat als volgt voor. Wij hebben een Leger des Heils waar daklozen heen kunnen en waar ze zich aan de regels horen te houden – geen alcohol, geen ruzie, en om half elf of zo gaat het licht uit. Wie daar niet mee om kan gaan heeft het recht buiten te slapen. Wat is daar verkeerd aan? Er is een kerk die in de opvang voorziet – waarom zouden we de belastingbetaler daarbij betrekken? We hebben genoeg vrijwilligers in dit land om de echte sukkelaars te kunnen helpen. En we laten de sukkelaars de vrijheid, de waardigheid, om de hulp te weigeren. Wat kun je meer verwachten van een maatschappij? Je moet uiteindelijk de mensen aanzetten om hun lot in eigen handen te nemen. Je waardigheid haal je voor een groot stuk uit je werk. Als je dat gelooft, geloof je ook dat je de sukkelaars niet te veel moet pamperen. Want ook bepamperd leiden ze een onbevredigend leven.'

Randy is, zoals vele bewoners van deze staat, niet weinig trots op de minimale belastingen. 'De burgers staan altijd wantrouwig tegenover belastingen, en met reden: waarom zouden anderen je geld beter besteden dan je dat zelf kunt? Dus kun je maar beter je belastingen zo laag mogelijk houden. En daarmee bedoel ik: héél laag.' De overheid wordt gespijsd met een huisbelasting, een drankmonopolie en specifieke heffingen zoals die op tabak. 'Onze ziekenhuizen en scholen halen een goed niveau. Maar als een school meer geld nodig heeft moet ze er de lokale gemeenschap van overtuigen de huisbelasting te verhogen – dat legt een druk op de directie, die moet wel heel goede redenen kunnen voorleggen om de bewoners van die verhoging te overtuigen.'

De afkeer van belastingen verklaart volgens hem ook het wantrouwen tegen de nationale overheid. 'Die belast en bevoogdt – die wil ons onze macht ontnemen.' Dan liever de echte democratie, met de nauwelijks betaalde verkozenen per drieduizend inwoners, die zo min mogelijk verbieden.

'We hebben geen verplichting een autogordel te dragen, niet te veel beperkingen op wapens. Niet zo lang geleden bestonden er zelfs geen regels voor ruimtelijke ordening. Als je een stuk land kocht bouwde je erop wat je wilde.'

Maar eigenlijk is er bij de kiezers slechts één hoofdpunt: geen hogere belasting. 'Zelfs Democraten moeten hier bij het begin van de campagne een soort geloofsbelijdenis afleggen en de invoering van inkomens- of verkoopsbelasting afzweren. Hé, ik ben daar helemaal voor. Dit is een schitterende staat om in te leven. Waarom zouden we de dingen veranderen?'

Stone is zelf onder invloed van zijn kiezers veranderd, minder conservatief geworden. Hij was tegen wapenwetten en is dat nog altijd: 'Je maakt een wet waar de criminelen zich niet aan houden en waar de goede burgers last van hebben.' Hij had zich lokaal verzet tegen de invoering van de Martin Luther King Dag, tot zijn zoon op school een opstel schreef ten voordele van Martin Luther King. En hij was radicaal tegen abortus tot een anti-abortusgroep vond dat hij toch nog niet radicaal genoeg was. Sindsdien laat hij in het midden wat hij van het onderwerp vindt. Hij zegt zelfs niet langer dat hij voor Bush is, hij is tegen de oorlog. 'Dat hoorde geen prioriteit te zijn, om het zacht te zeggen.'

Nieuwe vraag: waarom blijft New Hampshire zonder belastingen overeind? Waarom zijn de straten rein, de grasperken gemaaid, de vuilniszakken geruimd?

Arnie Arnesen, een gewezen Democratische kandidaat voor het gouverneurschap, die tegenwoordig in Concord een dagelijkse radioshow heeft, geeft graag een aantal antwoorden.

Maar eerst wil ze ook de vorige vraag nog beantwoorden. Waarom dit gebied zo conservatief is?

'Tot de jaren vijftig was dit gebied niet verschillend van de buurstaten – heel het gebied was toen conservatief. In die periode zijn er twee dingen veranderd. De Union Leader, de krant uit Manchester die als enige dagblad door de hele staat wordt verspreid, kreeg een conservatieve eigenaar die echt campagne voerde rond thema's als belastingen en abortus. En we hebben een gaandeweg groeiende influx gehad van de egoïsten uit de buurstaten – zij die vinden dat ze geen belastingen horen te betalen, zij die vinden dat het milieu geen stuiver waard is, zij die vinden dat ze niet voor hun medemens horen te betalen. En wie zoiets vindt is doorgaans conservatief. Wij zuigen in zekere zin de conservatieven weg uit de progressievere staten. We hebben en passant onze industrie teloor laten gaan. Tegenwoordig zijn we de supermarkt voor de buurstaten geworden – hun bewoners komen bij ons belastingvrij inkopen – dat is het uiteindelijk, met onze belastingwetten vervalsen we de concurrentie, en als we nu een verkoopsbelasting zouden invoeren valt de economie helemaal plat. Ken je die term? Dit is een *Fool's Paradise* – een paradijs voor idioten.

Hoe we voor de voorzieningen betalen? Ten eerste hebben we minimale voorzieningen. Er is nooit geld voor nieuwe initiatieven. In de tweede plaats: de bewoners van deze staat zijn rijk en wit. We hebben bijna geen werklozen. Wat betekent: zelfs met minimale belastingen zijn er toch nog redelijke opbrengsten. En wat ook betekent: de meeste mensen hebben niet veel extra voorzieningen nodig. Overigens: zoals er een influx is van egoïsten uit andere staten, zo is er een uittocht van behoeftigen. Iedereen weet dat de sociale voorzieningen elders beter zijn. En ten derde: New Hampshire is de staat waar de eerste *primary* wordt gehouden, de voorverkiezing van presidentskandidaten. Omdat we de eerste zijn, zijn we belangrijk. Wij zetten de toon voor de rest van de campagne. En dus zijn regerende presidenten, die hun herverkiezing zoeken, geneigd ons in de watten te leggen, ons – anders gezegd – af te kopen met allerhande subsidies die andere staten niet ontvangen. Ik heb het voor een bepaalde periode nagekeken. Die extra subsidies waren vele jaren de belangrijkste bron van inkomsten van de staat. En laat me duidelijk zijn: dat is geen partijgebonden fenomeen. Democratische presidenten blijken niet minder gul dan Republikeinen. Mensen blijven maar zeggen hoe ze tegen de overheid zijn, tegen subsidies, maar niemand die de gulle schenkingen uit Washington weigert.'

Behalve laagbelast en welgemutst (of tevreden met zichzelf) is New Hampshire ook patriottisch. De vlaggen en *yellow ribbons* zijn bij duizenden in de staat aanwezig. Stickers met de *Live Free or Die*-slogan, die vijf jaar geleden niet meer werden verkocht, gaan nu, sinds 11 september, bij honderden over de toog.

'Wel,' knort Walter Peterson, voormalig gouverneur van de staat en bejaard boegbeeld van de gematigde Republikeinen, 'je moet dat zeker niet verwarren met oorlogszucht. Mensen ondersteunen de troepen. Een reserve-eenheid uit New Hampshire is naar Irak gehaald, oorspronkelijk dacht men voor korte tijd, maar het is intussen veel langer dan een jaar. We hebben slachtoffers in de staat, recent nog die zelfmoord, we zijn met het lot van onze soldaten begaan. Volgens de peilingen is een minderheid echt voor de oorlog. Velen weten niet wat ze van die oorlog moeten vinden.' Hijzelf is geneigd eerder tegen te zijn, maar wil dat niet met zoveel woorden zeggen (zijn zoon is kandidaat voor de senaat, hij wil hem niet in verlegenheid brengen). Hij wil evenmin met zoveel woorden zeggen dat hij niet voor Bush zal stemmen. ('Ik ben een Republikein in hart en nieren. Ik kan zoiets toch moeilijk officieel mededelen.')

'In mijn tijd,' zegt hij, en hij doelt dan op bijvoorbeeld de verkiezing voor het gouverneurschap in 1968, 'heb ik altijd met moeite de voorverkiezing binnen mijn eigen partij gewonnen.' Onder andere doordat de Union Leader hem ongunstig gezind was, hem te gematigd vond. 'Maar zodra ik de voorverkiezing won, had ik geen moeite om de algemene verkiezing te winnen – Democraten stemden soms enthousiaster op mij dan Republikeinen. Dat is hier altijd zo geweest – we hebben genuanceerde kiezers.'

Hij is niet erg enthousiast over recente evoluties in de nationale of lokale politiek. Wat dat laatste betreft: 'Je kunt het zien als een conflict tussen de oude bewoners van New Hampshire en de nieuwe. Meer dan de helft van de bewoners is niet in de staat geboren. De oude bewoners waren vooral fiscaal conservatief. We hebben hier voorbeelden gehad van processen rond obsceniteit waarbij de jury de beklaagden vrijsprak. Ze vond dat de obsceniteiten in de privésfeer plaatsvonden en dat wat in de privésfeer gebeurt met rust moet worden gelaten. Leven en laten leven – dat was de oude yankee-mentaliteit. Bemoei je niet met het gedrag van je buren, en laat die buren zoveel mogelijk speelruimte in hun gedrag, of het nu gaat om geloof of om abortus. En zorg er vooral voor dat de rekeningen kloppen en dat de overheid zo zuinig mogelijk leeft. Velen van die oude conservatieven zijn verbijsterd over de recorduitgaven onder deze Republikeinse president.

De nieuwe bewoners zijn veel religieuzer, veel strakker in hun denken, veel minder tolerant dan dat, en die strekking begint zo langzamerhand de politiek te bepalen, wat me natuurlijk verontrust. Waarom dat zo is weet ik niet, maar als de Republikein in het Witte Huis conservatiever wordt, kiezen wij ook een conservatievere Republikein tot gouverneur. Als het Witte Huis gematigder wordt, worden wij ook gematigder in onze politiek. Ik denk dat het nog altijd mogelijk is met een gematigde politiek de mensen te overtuigen, maar het wordt elk jaar moeilijker om binnen de partij gematigde kandidaten te behouden.'

Hijzelf is bijvoorbeeld voor een geleidelijke overgang in de richting van homorechten die mettertijd tot een homohuwelijk kunnen leiden, maar zijn partijgenoten zijn geneigd het verbod op homohuwelijk in de grondwet te schrijven, zo ver mogelijk van het recht op revolutie.

De bewoners hebben soms lichte tot grondige kritiek op New Hampshire, het is er saai, kleinsteeds, de bewoners zijn, zegt een vrouw die uit Alabama naar hier is verhuisd, 'de rednecks van het noorden, even vastgeroest in hun denken'. Maar na twee minuten kritiek beseffen ze dat het elders ongetwijfeld erger is en hemelen ze hun gebied toch weer op. 'We zijn,' zegt oud-gouverneur Peterson, 'trotse, goede mensen. Stille, harde werkers.' Dan herhaalt hij wat ik eerder hoorde: de verschillen tussen rijk en arm zijn niet zo geprononceerd (en iedereen is eerder rijk), je bent hier op een uur rijden van het mondaine Boston (behoudens files en wegenwerken), op een uur van bergen, op een uur van de oceaan.

Mikey, een langharige, bebaarde jongeman in Concord, werknemer in een boekhandel, heeft al ettelijke keren geprobeerd zijn geboortestad te verlaten, 'maar dit gebied is als een navelstreng die je maar niet kunt doorsnijden. Het is, toegegeven, kleinburgerlijk, maar het is ook tolerant en eigenlijk best interessant. Ik heb de indruk dat we net even anders tegen de bal slaan dan andere Amerikanen.'

Mikey wuift de rook van voor zijn ogen. Hij pauzeert, samen met een collega, hurkend in de zon. Over een kwartier moet hij terug aan de slag.

Ik verbaas me over de hamer en sikkel op zijn T-shirt.

'O dat,' zegt Mikey. 'Ik probeer vaak vergeefs contact te krijgen met mensen, en dat shirt zorgt altijd voor conversatie.' Niet altijd goede conversatie.

'Ik droeg het toen ik mijn vriendin naar het hospitaal bracht, en terwijl zij aan het bevallen was dreigde een andere vader in spe mij om het leven te brengen. Hij noemde me een landverrader en zei dat hij mijn schedel zou inslaan. Alsof ik nog niet nerveus genoeg was. Ik droeg het shirt niet met opzet in het ziekenhuis. Het was een spoedgeval.'

Hoe is de ruzie afgelopen?

'Ik heb het overleefd. Zijn zoon is eerst geboren en toen had hij wat anders aan het hoofd.'

Draagt Mikey het shirt uit sympathie met het communisme?

'Gedeeltelijk. Eigenlijk is het toevallig gekomen. Toen ik naar Londen reisde werd mijn bagage gestolen. Ik zocht nieuwe kleren en vond een mooi shirt met hamer en sikkel. Mijn vrienden vonden dat me dat wel ging, en sindsdien geven ze me te pas en te onpas soortgelijke shirts. Ik heb nu een hele collectie hamers en sikkels. Ik heb enige sympathie met het communisme. Ik droom graag die droom, al weet ik dat hij misschien verder af is dan ooit. Ik droom ervan dat dit land deugdelijke sociale voorzieningen krijgt, billijker wordt, minder de slaaf is van de grote bedrijven.

Maar wat me vooral dwarszit is hoe weinig contact we in dit land hebben. Het is geen geintje als ik zeg dat mijn hamer en sikkel bedoeld zijn om mensen uit hun onverschilligheid te halen. Ik probeer vrijwilligerswerk te verrichten, ik ga naar een club die bedoeld is om diepgaandere contacten mogelijk te maken. Maar dat is lapwerk. Zelfs binnen mijn vriendenkring heb ik de indruk dat iedereen in een luchtbel beweegt, mijn vrienden weten niet wat ze met hun leven aanmoeten. We hebben geen idee wat we willen, we studeren niet, in tegenstelling tot onze ouders, niets is serieus tot we dertig zijn. We zijn de richtingloze, contactarme, verveelde generatie, de generatie zonder illusies.

Ik ben blij dat ik op jonge leeftijd een zoon heb gekregen, ook al botert het dan niet tussen zijn moeder en mij. Hij verplicht me tot enige realiteitszin. Ik moet er tenminste voor zorgen dat hij een dak en voedsel heeft. Hij verplicht me het echte leven te leven.'

II

Een vriendelijke jongen, beleefd

Warren kijkt grimmig uit over het nochtans versgroene land. We zitten al achtenveertig uur op dezelfde treinen, maar hij is voornamelijk alleen geweest. 'Ik ben tweeëntachtig,' zegt hij, 'ik dacht dat ik voor mijn comfort een slaapplaats diende te reserveren, maar de opzichter heeft mij een cabine voor mezelf gegeven. Als ik alleen wil zijn, kan ik evengoed thuisblijven. Ik wil praten, mensen leren kennen.'

Warren is op weg naar een reünie van Tweede Wereldoorlog-veteranen. Hij heeft twee jaar met een zeeëenheid in de Zuidzee gevochten. Zijn leven is toen wat fout gelopen. Hij raakte gewond 'op een plaats die het onmogelijk maakte dat ik nog zou trouwen'. Voor een keer geeft hij geen details, en het is mij onduidelijk of hij een feitelijke wonde bedoelt dan wel ontloken homofilie.

'Ik heb niet te lang getreurd. Het onvermijdelijke kun je niet aanvechten.' Hij heeft als schrijnwerker goed geld verdiend, en met zijn geld is hij oude boeken begonnen te verzamelen. Het kan hem zelfs niet zoveel schelen welke boeken, als ze maar oud zijn, in welke taal dan ook. Zijn oudste band dateert uit de vroege zestiende eeuw.

De jaarlijkse reünie, de zevenvijftigste om precies te zijn, vervult hem met gemengde gevoelens. Warren ziet de oude gabbers graag, maar elk jaar worden er door de dood weggerukt, en elk jaar zijn er meer die de reis niet aankunnen.

De Tweede Wereldoorlog, zegt hij, was de laatste oorlog die echt de moeite van het vechten waard was – die, anders gezegd, onvermijdelijk was. In zijn woonplaats in Connecticut ontmoet hij soms Vietnamveteranen, en zij zagen nooit de zin van hun acties in.

Ook de oorlog in Irak vindt in Warrens ogen geen greintje gratie.

'Dit land heeft misschien 90 procent van alle militaire macht in de wereld. Irak daarentegen – als ik een beetje mag overdrijven - mocht al blij zijn dat het een fabriek van schroevendraaiers in stand kon houden. Als het land met 90 procent van alle macht het land van de schroevendraaiers aanvalt, denk ik: dat is, los van alle andere overwegingen, niet fair. Dergelijke redeneringen hoor ik vaak genoeg bij mijn generatiegenoten, maar de jongere lui zien dat bezwaar niet langer. Bombardeer het land plat, en grijp de olie – dat vinden de jongeren met wie ik praat de gewenste gang van zaken. Ik kom nog uit de generatie die onder de indruk was toen president Eisenhower waarschuwde voor het militair-industrieel complex. De jongeren stellen zich daar geen vragen meer bij. Die laten zich als vee door industriële belangen inblikken.'

Warren reist voor zijn reünie even verder dan ik, naar Fort Worth, terwijl ik al in Dallas uitstap. Met het mythische Texas kun je al evengoed in Dallas beginnen, hoewel de lokatie van het station nog enige twijfel openlaat. Dat station bevindt zich in het oude, intussen grotendeels opgegeven, verlaten en soms vervallen hart van de stad, ver weg van de naar de stad genoemde tv-serie, ver weg van olie en klatergoud. Op een ander punt leidt het station wel meteen naar de kern van de zaak: je arriveert op enkele honderden meters van de plaats waar president Kennedy in november 1963 werd omgelegd.

In het Museum van de Zesde Verdieping kun je zien waar Lee Oswald (als we even de officiële versie van de feiten volgen) de boekendozen stapelde om ongezien de schoten op de presidentiële limousine te kunnen afvuren.

Ongeveer op de plek waar de limousine toen reed wordt mijn aandacht getrokken door een alleenstaande megafoon, en even later door toestromende vrouwen die allen een hoofddoek dragen. Ze vieren de internationale *hijabdag*, ingesteld om de Franse beslissing om hoofddoeken in het staatsonderwijs te verbieden aan de kaak te stellen.

De vrouwen, snel versterkt door een aantal mannen, zijn van diverse afkomst, bekeerde Amerikaanse vrouwen omhelzen Arabische immigranten en ook een Indonesische, Nia, die pas 'drie maanden voor 11 september' haar hoofddoek is gaan dragen, maakt haar opwachting.

Het was haar eigen beslissing, zegt ze. Haar echtgenoot, een Amerikaanse bekeerling, was al eerder de hoofddoek toegedaan, maar 'in religie bestaat geen dwang'. De echtgenoot, Michael, knikt instemmend. Maar als ik, enigszins opgelaten omdat tijdens deze manifestatie slechts één klok luidt (iedereen is hier tegen de Fransen, lijkt het soms, en moslims vormen duidelijk geen uitzondering), en zelfs venijnig want tot op zekere hoogte is het appelen met peren vergelijken, probeer te achterhalen of hij ook tolerant zou zijn tegenover sikhs die hun rituele dolk naar de klas willen meenemen of jains die naakt naar school willen, zegt hij onder meer dat hij aan het statuut van die religies twijfelt. 'De islam is wetenschappelijk. Je moet bekijken welke basis die andere religies hebben. Bovendien brengen dergelijke praktijken potentieel schade toe aan medeleerlingen.'

Hoe gaat het om in de VS de hoofddoek te dragen?

'Officieel,' zegt Nia, 'is er geen probleem. Ikzelf ben microbiologe, en ongeveer zes maanden na 11 september werd ik uit mijn lab ontslagen. De gegeven reden was dat ik te hooggeschoold was voor mijn job. Maar een dag eerder had mijn baas me gevraagd waarom ik me als een terroriste kleedde. Ik ben 1,52 meter, en, zoals we in Indonesië zeggen, 's nachts nog kleiner. Dat ik door iemand als een potentiële bedreiging word beschouwd gaat mijn verstand te boven. Ik draag de hoofddoek omdat mijn religie dat voorschrijft. En ik zie niet in hoe ik in een lab met mijn hoofddoek wie dan ook hinder.'

Ze doceert nu aan een universiteit, waar haar hoofddoek tot nu geen sores geeft.

Een oudere man, Richard ('of noem me Dick'), staat ogenschijnlijk als een toeschouwer naar de bijeenkomst te kijken. Hij heeft me met het Indonesisch-Amerikaans koppel horen argumenteren. 'Interessant,' vindt hij. 'Kun je me de teksten sturen waarop je je argumenten baseert?'

Hij geeft me zijn e-mailadres voordat ik in staat ben in te brengen dat ik me niet op specifieke teksten baseer, dat ik gewoon onredelijk word als Amerikanen doen alsof ze de Fransen van arrogantie mogen beschuldigen.

'Denk je dat wij arrogant zijn, dan?' Zijn enthousiasme over mijn eerdere argumenten is meteen grotendeels bekoeld. Ik opper maar niet dat de VS wat dat betreft met India kunnen wedijveren: je moet het land uitvoerig loven voordat mensen als hij bereid zijn naar kritiek te luisteren.

Dunno. Maar er zijn in ieder geval vergelijkingen te trekken tussen de Franse houding tegenover de wereld en de Amerikaanse. Het zijn twee landen die, met enige reden, denken dat ze de toekomst hebben uitgevonden, het zijn twee landen die niet goed begrijpen dat sommigen hun toekomst niet in dank gaan delen.

We worden tot stilzwijgen genoopt door allerhande sprekers.

'Ik ben niet tegen de islam,' fluistert Dick, 'maar ik wil wel weten welk soort islam er in mijn omgeving bestaat.'

Hij gaat systematisch op bezoek in Amerikaanse moskeeën, praat er met de imams, en doet verslag van zijn wedervaren (meestal negatief) aan zijn e-mailcorrespondenten waartoe ik vanaf nu willens nillens behoor. 'Ik vind de islam geen verwerpelijke godsdienst, verre van,' gaat hij verder, tijdens een megafoonpanne, 'maar ik zou willen dat moslims me overtuigen van hun goede bedoelingen, de geweldloosheid, het respect voor andere meningen, hun liefde voor dit land.'

Hij heeft zich die rol van religieuze scheidsrechter zelf opgelegd, een beetje uit wroeging omwille van zijn houding ten tijde van Vietnam. Toen woonde en werkte hij in het buitenland, in Columbia, als ingenieur en lid van het Peace Corps, en hij sloot zich gedachteloos aan bij de kritiek op het Amerikaanse beleid. Hij kwam, onder meer onder invloed van de toenmalige veteranenleider John Kerry, naar Washington om er tegen Nixon te betogen. Hij gelooft nu dat er 'heel veel goede redenen moeten zijn' om kritisch te zijn voor het eigen land eerder dan ondersteunend. Hij gelooft ook dat een heleboel leugens hem destijds bij zijn kritiek hebben ondersteund, dat de oorlog in Vietnam minder gruwelijk en minder onrechtvaardig was dan de eerdere geschiedschrijvers het wilden doen voorkomen. Dat die oorlog uiteindelijk gerechtvaardigd was, en dat de huidige oorlog dat zeker is. Daarom wil hij nu de waarheid, of in ieder geval zijn waarheid, onvermoeibaar verspreiden – om zijn vorige vergissing weg te wissen. Moslims zijn zijn geactualiseerde Vietnamezen.

Hij is een nieuwe bekeerling. In 2000 heeft hij nog op Gore gestemd. Hij rilt in de middaghitte bij de gedachte.

Heeft 11 september hem op andere ideeën gebracht?

'Niet eens. Mijn inzicht is slechts enkele weken geleden gekomen. Ik hoorde op tv een officier die in Vietnam gevangen genomen was, zeggen dat hij werd gemarteld om te bekennen wat Kerry zomaar vertelde: dat Amerikaanse soldaten zich als beesten gedroegen. Daar heeft 11 september dan wel een invloed op mij: sindsdien is de wereld wat mij betreft verbluffend eenvoudig: ofwel verdedig je je land, ofwel verdedig je de vijand. Kerry heeft destijds voor de vijand gekozen door de eigen misdaden in de verf te zetten.'

Los van het feit of die misdaden werden begaan?

'Volgens mij heeft hij overdreven, maar dat maakt verder niet uit. Je bent in zulke omstandigheden voor of tegen je land – er is geen middenweg. En Kerry was tegen.'

Weet je, zegt hij, om de twee jaar kent dit land een gewapende revolutie. *Armed revolution.* Dick wijst naar zijn arm. 'Met onze arm kunnen we om de twee jaar orde op zaken stellen.' Fouten uit het verleden ongedaan maken. 'Dat zullen we nu ook doen: Kerry wordt het volgende slachtoffer van de gewapende revolutie.'

Wayne komt vragen of hij van Dicks cola mag drinken.

'Grapje,' voegt hij er gauw aan toe. 'Dat soort dingen doen we niet in Amerika. We drinken elk alleen, een blikje per persoon.'

Wayne is zelf niet in de hoofddoeken of de islam geïnteresseerd, en hij is politiek apathisch. Hij wil een potje klagen. Hij heeft een slechte nacht achter de rug. Hij is opgepakt nadat hij nieuwsgierig naar buiten was gelopen toen de politiesirenes loeiden.

'De inspecteur zei dat iemand me had herkend als betrokken bij een gewapende overval. Ik ben op zo'n moment de enige die weet dat het niet waar is. En ik wil niet te snel racisme inroepen. Misschien was iemand als ik bij de overval betrokken. Jonge zwarte, klein, met stoppelbaard. Maar ik word dan kwaad, ik betwijfel openlijk of er wel een getuige was die me had herkend, of de politie niet om de een of andere godverdomde reden snel een verdachte moet ophoesten. De agenten vinden mijn protesten verdacht of enerverend, en ze besluiten dat een nacht in de nor me deugd zal doen.'

Het was niet zijn eerste gevangenisnacht.

'Ik ben nogal opvliegend. Als ik meen onrecht te zien, slaan bij mij de stoppen door. Als ik agenten zie, gaat dat eigenlijk al bijna vanzelf. De politie vindt ten gronde nooit wat tegen me, en na mijn zoveelste voorleiding stuurde een rechter me naar de psychiater. Die vond dat ik gek was, of beter gezegd: manisch-depressief. Hij verklaarde me mindervalide. Ik ontvang nu maandelijks vijfhonderd dollar invaliditeitsgeld, de overheid betaalt de helft van mijn huur, ik krijg voedselbonnen, en kan met voorrang aan bijscholingsprogramma's deelnemen. Ik mag bovendien tot achthonderd dollar per maand bijverdienen.'

En is hij echt manisch-depressief?

'Ik verschil daaromtrent van mening met mijn psychiater. Ik vind dat ik oprecht verontwaardigd ben, en als mijn verontwaardiging niets oplevert, ben ik oprecht ontgoocheld. Maar ik kan me nu moeilijk al te krachtig tegen mijn ziekte uitspreken. Ik leef er ongeveer van.'

Hij vraagt of Dick hem nu echt een slok cola gunt.

Die overhandigt het blikje en herbegint zijn uitleg over het gevaar van moslims, en van Kerry. De moslims zelf waarschuwen met behulp van hun megafoon voor het gevaar van de Fransen.

En iedereen, althans elders, waarschuwt voor het gevaar van Texas.

Texas is voor sommigen de VS in het kwadraat, daar waar, in de terminologie van een bestseller uit de vroege jaren 1960, de 'super-Amerikanen' wonen: groter, rijker, luider, rechtser dan elders, met meer vrije tijd omhanden die ze nog minder goed weten op te vullen. De rest van het land kijkt tegen Texas aan, argumenteerde John Bainbridge, in het genoemde *The Super-Americans* (Doubleday & Company, 1961), zoals bijvoorbeeld Europa tegen de VS aankijkt: met een mengsel van neerbuigendheid en afgunst. Hij voegde daar een open vraag aan toe: wie wil neerbuigend doen over Utah?

Er zit hier weinig anders op dan opnieuw een auto te huren. Goed twintig miljoen mensen leven in een gebied van tien keer de Benelux. Het is de op een na grootste staat (na Alaska), groot, droog, niet begiftigd met een uitgebreid busnet. En ik kamp er met de Europa Blues.

Elke ochtend kijk ik naar de beursberichten, zie de evolutie van de Europese beurzen (die bijna altijd de trend overnemen die Wall Street een dag eerder zette). Plots, bij de openingsbel van de beurs in New York, zie je de teneur van de Europeanen omslaan, stijgen als Amerika stijgt, dalen in het tegenovergestelde geval, telkens in ontroerende slaafsheid. Het zal wel dat er uitzonderingen op die basisregel zijn, maar ik heb die nooit opgemerkt. Europa, met een economie die volgens sommige samenvattingen groter is dan de Amerikaanse, loopt toch gewillig mee aan het beurshandje van Dow Jones. Europa loopt nog aan andere Amerikaanse handjes. Om de zoveel dagen, en in Texas net iets vaker, krijg ik de vraag waarvoor Europeanen hun leven zouden geven. Het antwoord is, naar waarheid, denk ik, nergens voor – en fier dat we nergens een leven voor geven.

Elke dag volg ik de tikker van Amerikaanse overlijdens in Irak – er zijn websites die de boekhouding althans van de militaire doden nauwgezet bijhouden. Bij elke dode vraag ik me af hoe lang nog, en bij elke dode hoor ik de argumenten van welmenende Amerikanen die echt, zij het misschien in een waan, geloven dat ze de democratie over de wereld aan het verspreiden zijn, de vrijheid naar het Midden-Oosten exporteren, en die dan langs de neus weg de vraag stellen wat Europa doet om de wereld beter te maken. Niets dat nog maar bij benadering duizend eigen levens kost. Europa is geoefend in redeneringen die de status quo ten goede komen, waarmee dictaturen kunnen overleven, in ontwikkelingshulp die jarenlang geen resultaten geeft. Daar hebben Amerikanen het geduld niet voor, hoor ik dan. Die hebben minder geduld met goede bedoelingen en kwalijke resultaten.

Er is, dat besef ik natuurlijk, iets onoorbaars aan die herauten van de democratie, die hun SUV's volpompen met Saoedische olie en niet steigeren als hun president hand in hand loopt met de Saoedische kroonprins, die vergeten hoeveel vaker hun land despoten heeft ondersteund dan vrijheidsstrijders, die graag ook de slavernij vergeten, en nooit bezwaard lijken te worden door het vele dat in het verleden niet ideaal was, die om de paar weken met een schone lei in de wereld schijnen op te duiken, in een continue beweging van zelfreiniging, die al gauw verwordt tot zelfverheerlijking.

Maar wat met Europa, het grijze continent, het defensieve continent, het continent van een geestelijk München, met zijn racistische ondertoon en zijn mentaal en niet zo mentaal protectionisme, zijn pogingen om de eigen voordelen te behouden, eerder dan om voordelen te verwerven, of te verspreiden? Wat heeft Europa veil voor zijn idealen? Misschien dat, los van politiek, Europa echt het behoudende continent is, en dat de neerbuigendheid tegen anderen vooral bedoeld is om die eigen verstarring te verbergen. Het immobiliserend geheugen. De verzwegen schrik. Als verschillend van het activerend vergeten en de uitgebazuinde moed. Moed is geen Europese deugd. Mijn continent is bang van zijn idealen. En is, zeker ten dele terecht, beducht voor Amerikaans idealisme. Twee continenten, en niet veel dat me hoopvol stemt. *Never the twain shall meet*?

Ik geraak tijdens deze rit zelfs minder opgedraaid van de onzin die Rush Limbaugh over de radio verspreidt – als je maar lang genoeg luistert wordt alles normaal, loopjes met de feiten ter ondersteuning van de criminalisering van Democraten. Hij heeft vice-president Cheney aan de lijn die niet veel anders doet dan zijn 'vriend Rush' gelijk te geven. Cheney blijft doorgaans ver weg van alle publiciteit; hij mijdt journalisten, maar Rush staat hij graag en veelvuldig te woord.

Om me op te beuren loop ik door warenhuizen en kijk ik naar mensen. Ik loop langs de snoepsectie waar een jonge vrouw, misschien voor in de twintig, enkele tientallen reuzenverpakkingen in haar karretje stapelt. (Andere mensen troosten zich met snoep, ik troost me door te kijken naar mensen die snoep kopen.) Ze kijkt om zich heen – alsof ze zich betrapt voelt en beschaamd. Als ze haar hoofd beweegt, wappert het vet van haar bovenarmen over haar ellebogen. Ze trekt haar dunne hemdje zo ver mogelijk over haar buik. Het blonde haar is hooggestapeld boven haar zwetende hoofd. Ze legt haar six-pack met Snickers terug in het rek en vervangt het door een blok chocola.

Zolang de vrouw zich in de snoepzone bevindt, neemt geen enkele andere klant snoep weg – wat tot een strategie tegen verdikking kan leiden: zet een ultradikke klant tussen de snoeprekken.

In eerste instantie lijkt de staat niet echt op mijn ingebeelde Texas. De mannen dragen geen cowboyhoeden. De olie-installaties pompen onverdroten, maar dat schijnt niet wezenlijk tot economische vooruitgang bij te dragen. In het stadje Pecos duidt het lokale museum, gebouwd rond een honderd jaar oude saloon, met bordjes aan op welke twee plaatsen ooit een klant werd neergeknald. Volgens de bewoners is in hun stad de rodeo uitgevonden. Maar de voornaamste industrie is intussen het gevangeniswezen. Mexicanen steken in onstuitbare stromen illegaal de grens over, worden opgepakt en bewaakt door autochtonen tot ze, onder begeleiding van autochtonen, kunnen worden teruggestuurd.

Van Horn, ongeveer honderdvijftig kilometer ten westen van Pecos, heeft onlangs de inplanting van een gevangenis geweigerd – omdat ze het toerisme zou schaden. Het buurstadje dat wel de gevangenis liet bouwen bloeit economisch op, terwijl Van Horn lanterfant. 'Er is hier gewoon geen andere tewerkstelling,' klaagt Andrea, van de toeristische dienst. 'Gevangenissen geraken tenminste nooit in onbruik – die bieden vast werk.'

Joy, een lerares, wil er zo min mogelijk mee te maken hebben. Ze is twintig jaar geleden, samen met haar echtgenoot, uit Missouri naar dit deel van Texas gekomen, om er de afzondering te vinden.

'In dit district woont minder dan één bewoner per vierkante mijl. Wat een aantal gevolgen heeft. Dit deel van de staat is minder conservatief, minder belerend. Als je niet met andere mensen geconfronteerd wilt worden is het hier nog relatief makkelijk om hen te mijden.'

Een paar jaar geleden belandde Gerald, haar echtgenoot, in een midlifecrisis. Hij had in de mijnbouw gewerkt, maar vond ineens dat hij moeder aarde onduldbaar leed toebracht met zijn explosieven en zijn geplande graafwerk. Sindsdien bouwt hij uit afval en autokarkassen inventieve dinosaurussen en kevers, die maar moeilijk klanten vinden – onder andere omdat ze reusachtig groot zijn. Ook sindsdien zijn Joy en Gerald op dertig kilometer afstand van de stad gaan wonen, zonder telefoon en tv. Ze zijn zo ver mogelijk van de landkaart verdwenen, en dat stelt hen op de een of andere manier gerust. 'Zelfs de radio maakt hem overstuur. Hij luistert er nog naar, ik heb daarentegen geleerd alle nieuwsberichten te negeren waarop ik niet zelf invloed kan uitoefenen. Kennis zonder macht is wat mij betreft geen kennis maar een bron van onbehagen.'

Ze proberen in hun eigen leven het verschil te maken. Zij kampt met leerlingen die geen Engels spreken, en die ze met onvoorstelbare inspanningen – soms tegen haar eigen schoolbestuur in – toch de kans geeft de Engelssprekenden bij te benen.

Haar echtgenoot wil via zijn sculpturen de passanten tot een hogere graad van bewustzijn bewegen.

Met kevers en dino's?

'Met afval.'

Na enkele honderden kilometers over een eenbaansweg die zo verlaten is dat auto's toch honderdtwintig kilometer per uur mogen rijden, en die zo recht is dat de spoorlijn ernaast lijkt te wiebelen, langs ranches die telkens ongeveer twintig kilometer berm in beslag nemen, en sporadisch langs ruïnes van huizen, beschilderd met religieuze graffiti (VRIJHEID IS: KNIELEN VOOR JEZUS; het meest levende deel van de route zijn de roofvogels, die hoog boven de weg cirkelen in de hoop dat een van de schaarse auto's een dier omver zal rijden), kom ik in resoluut hippiegebied terecht, in Marfa, waar *Giant* werd gefilmd en waar James Dean nog altijd een heldenstatus geniet. In de boekhandel, die te goed is voor een gehucht als Marfa, en die te luxueuze koffie serveert, wordt eerst relatief blasé geconverseerd over de nochtans uitzonderlijke overwinning van de lokale voetbalploeg.

'Weet je,' vraagt een van de aanwezigen ineens, 'wat me dwarszit? Ik reed vanmorgen wat rond en de meest verbluffende vlinder raakte tussen mijn ruitenwisser geklemd. Perfecte kleurenschakering, tinten van oranje, perfecte lijnen, maar meteen een streep smurrie op mijn ruit – dood. En toen ik weer thuiskwam zat het beestje zodanig onder het stof, was het zodanig uitgedroogd, dat het zelfs zijn schoonheid kwijt was. Ik zal nooit iets maken dat ook maar bij benadering zo mooi is als die vlinder. Wat moet ik met die wetenschap?'

'Ophouden met rijden,' suggereert zijn buur gewillig, 'ophouden met vlinders doodrijden.'

De gedachte is goed om me een paar honderd kilometer te vergezellen door radioarm, en gelukkig ook vlinderarm, gebied.

Even voor San Antonio word ik uit mijn sluimer gehaald. Eerst met een bord: GEVANGENIS IN DE BUURT – GELIEVE GEEN LIFTERS MEE TE NEMEN.

Het moet menens zijn want de boodschap wordt enkele keren herhaald.

Even verder, aan de stadsgrens, worden alle voertuigen tegengehouden voor een identiteitscontrole van de inzittenden. De campagne tegen illegale immigratie concentreert zich ineens op mij. Ik moet vanaf tien passen afstand toekijken hoe vier onbewogen agenten mij en mijn bagage controleren, terwijl talloze auto's aan een wuivend handje mogen voorbijschuiven.

Waarom de agenten mij uit de rij passanten kozen?

'Je moet je paspoort niet zo gewillig tonen – Amerikanen laten zich eerst pramen alvorens ze een identiteitsdocument produceren. Je was verdacht coöperatief.' De pratende agent laat, terwijl hij mijn tassen terug volstopt, nog altijd geen teken van emotie toe, glimlach noch ergernis.

Een kwartier later word ik drugvrij en legaal bevonden, wat nooit een bevredigende conclusie kan vormen.

San Antonio is, alleen al langs de weg, eerder Mexicaans dan Noord-Amerikaans. Jonge latino's, af en toe kinderen, proberen hun prullaria te verkopen, snoepjes, fruit, sieraden. Witte, oudere bedelaars hebben een karton klaar om de aandacht van automobilisten te trekken. IEDEREEN MOET AF EN TOE BEDELEN, staat op een van die geïmproviseerde borden. Op bijna elk karton maakt de bedelaar er melding van dat hij een Amerikaan is, in tegenstelling tot de prullaria-verkopers. Rekenend op geefnationalisme.

De automobilisten vinden de activiteiten langs de weg niet van het soort om hun raampje open te draaien en de gekoelde lucht te laten ontsnappen.

Zodra je een parkeerterrein op draait zijn de verkopertjes en/of bedelaars verdwenen. Opzichters zorgen voor bedelvrije zones.

En in de opgesmukte binnenstad zie je die bedelaars al helemaal niet.

Die binnenstad lijkt, ook voor wie bij liters zweet, opvallend menselijk en leefbaar, zelfs sensueel. Al wandelend word je wijzer. Een bord leert dat het prikkeldraad weliswaar in Frankrijk werd uitgevonden, maar daarna hier werd verspreid.

Het stelt me altijd wat gerust als mensen het voetgangersrood negeren. Dat is in de VS geen algemeen verspreide deugd, maar hier negeren zelfs agenten dat rood – het is te heet om onbeschut het groen af te wachten.

Aan de Alamo, de voormalige missiepost, legt een van die agenten, George, een latino, me uit dat San Antonio zo lang mogelijk kleinschalig wil blijven. 'Geen enkel gebouw mag een schaduw werpen op de Alamo – dat is al in de negentiende eeuw beslist. Wij willen hier geen hoogbouw zoals in New York.'

Met de Alamo heeft San Antonio ook een nationale toeristentrekker. Dit is tot op zekere hoogte het Kosovo van Texas, vanuit deze missiepost vocht een heldhaftige minderheid in 1836 vergeefs tegen een overmacht van Mexicanen. De minderheid, misschien honderdtachtig mensen sterk, werd afgeslacht, terwijl de overmacht numeriek grotere verliezen leed.

Vindt George het niet vreemd dat hij nu als latino een anti-Mexicaans monument bewaakt?

'Dat is een misverstand,' zegt hij onverstoord. 'Heel Texas maakte destijds deel uit van Mexico. De lui van de Alamo vochten tegen de onrechtvaardige machthebbers van Mexico, tegen te hoge belastingen, tegen de verdrukkend grote centrale macht. De opstandelingen waren zowel Engelstaligen als Spaanstaligen, er waren zelfs zwarten in de Alamo.'

Hij is het ook niet eens met mijn Kosovo-interpretatie van de gevechten rond de Alamo. 'We hebben de slag rond de Alamo weliswaar verloren, maar door dat verlies hebben we de Mexicaanse troepen veertien dagen vertraging doen oplopen, hebben we de Mexicaanse troepen verzwakt en elders milities van opstandelingen langer de tijd gegeven om zich te organiseren. Een paar maanden later hebben die milities het Mexicaanse leger verslagen en de onafhankelijkheid van Texas bedongen.'

In de Alamo kun je tegenwoordig onder meer memorabilia bekijken van de bekendsten van de strijders, Jim Bowie, uitvinder van het naar hem genoemde mes, en David Crockett, volksvertegenwoordiger voor de trappers uit Tennessee, die alvorens naar Texas te vertrekken tegen zijn kiezers had gezegd dat ze wat hem betreft 'naar de hel' konden lopen.

In een ander museum leer ik dan over connecties tussen Texas en België. Het jonge koninkrijk der Belgen maakte in 1841 zelfs aanstalten om Texas te koloniseren. De recent van Mexico afgescheurde republiek Texas verkeerde namelijk in geldnood en president Houston probeerde van de Belgen een lening van zevenendertig miljoen frank los te peuteren. In ruil daarvoor was hij bereid importtarieven op Belgische producten op te schorten (wapens, onder meer, waar het toenmalige derdewereldachtige Texas naar snakte) en een stuk land van veertig bij tachtig kilometer aan België over te dragen. Velen, onder meer in de Verenigde Staten, veronderstelden dat de Belgen de hele republiek wilden koloniseren, maar uiteindelijk krabbelde België terug omdat Leopold I en zijn regering de handelsbetrekkingen met Mexico en de VS niet in gevaar wilden brengen. Sommige historici beweren tot vandaag dat Washington de procedure om Texas als staat in de VS op te nemen versneld heeft om de republiek niet aan België te verliezen.

Een ander Belgenverhaal wordt hier ook in het Instituut voor Texaanse Culturen uit de doeken gedaan. In 1842 was ene Anton Diedrick in Antwerpen getuige geweest van een moord, misschien een afrekening. De daders sloegen Anton verrot en zetten hem op het eerst beschikbare schip.

Anton bleef ettelijke jaren gevangen op dat schip, tot hij in de Texaanse havenstad Galveston wist te ontsnappen.

Eerst kon Anton zichzelf amper in leven houden, maar het leger van de jonge republiek wilde nieuwe rekruten inlijven en met een kruisje onder aan zijn contract voorzag Anton zichzelf van kleding en voedsel.

Restte het probleem van de communicatie. Anton sprak alleen maar, zo staat het in de tentoonstellingskast van het Instituut, 'Vlaams', wat in zijn geval wellicht betekende Antwerps, en de rekruteringsofficier raakte uit zijn taal en zijn naam niet wijs. Hij schreef Anton in als Diedrick Dutchallover, Diedrick Helemaal-Hollands, wat later werd ingekort tot Dutchover.

Dutchover werkte na enige tijd als melkboer in de buurt van Fort Davis en werd, toen de echte troepen naar de burgeroorlog vertrokken, de gezagsvoerder van dat fort.

Daar stelde hij een laatste notoire daad. Tweehonderdvijftig Apaches roofden het zo goed als verlaten fort leeg, en Anton en enkele kompanen 'heroverden' het fort door zich zo lang op het dak te verschuilen tot de indianen weer vertrokken.

De naam Dutchover, niet onlosmakelijk verbonden met heldenmoed, komt tot vandaag voor in de buurt van Fort Davis.

Ik ben naar Jasper gereisd omdat daar, in wat ooit ongeclaimd grensgebied was tussen Louisiana en Texas, in 1998 een zwarte man, de negenenveertigjarige James Byrd, op gruwelijke wijze werd vermoord, door drie blanke jongelui verrot geslagen, met een ketting aan een truck vastgemaakt en drie mijl ver gesleept.

Het is ogenschijnlijk een slaperig stadje, waar de emancipatie van witte vrouwen sneller is verlopen dan de emancipatie van zwarten van beiderlei kunne. De witte winkelierster wordt door haar zwarte assistente aangesproken met een beleefd *Miss Julie*. Blanken worden door zwarten om de haverklap bedankt, alsof uitdrukkelijke dankbaarheid tot het overlevingspakket behoort. Het meest opmerkelijke is dan dat Julie slechts één naam gebruikt. Wellicht is haar tweede voornaam te sullig.

Miss Julie kijkt verstrooid naar haar tv'tje waarop archiefbeelden worden getoond van een inmiddels onthoofde Amerikaanse gijzelaar. 'Zo gruwelijk,' zegt ze. 'We praten over niets anders. Wie begrijpt zoiets?'

Zo wordt op vele plaatsen in de VS gereageerd, maar hier klinkt het toch wat hol. Byrd werd tijdens zijn lijdensweg ook onthoofd.

De drie jongemannen waren te dronken om hun misdrijf te verhullen. De ledematen van hun slachtoffer lagen in verspreide orde, wat er van hem restte werd op een begraafplaats gedumpt. De bewoners citeren dat bijna als excuus. Met wat meer koelbloedigheid hadden ze het stoffelijk overschot in de bossen gedumpt, en zou het slachtoffer welhaast zeker niet zijn teruggevonden.

'We zijn,' zegt Mike, witte radioman van Jasper en de eerste journalist ter plekke, 'niet racistischer dan buurgemeenten. In feite is het tegenovergestelde waar. We hebben al een zwarte burgemeester gehad, we hadden zwarten in ons schoolbestuur. En bij mijn weten is het tot vandaag niet bewezen dat de drie in Jasper racisten zijn geworden. Ze waren in de gevangenis met die ideeën in aanraking gekomen.'

Sinds de moord, zegt hij, zijn de rassenverhoudingen erop achteruit gegaan. 'Er is minder contact tussen wit en zwart, elke van de groepen leeft op een eiland, in argwaan. En er is minder werk in de stad, want investeerders mijden ons als de pest.'

In het gerechtsgebouw van Jasper, met ertegenover een miniatuurgevangenis voor lokale boeven, is de consumptie van koffie tijdelijk belangrijker dan het handhaven van een ordelijke samenleving. En boven die koppen koffie wordt de moord uit 1998 besproken als een hoogtepunt uit het collectieve verleden. Een secretaresse suggereert dat sedertdien mensen geleerd hebben het N-woord te mijden. 'Je weet toch wat dat betekent?' Ze fluistert het: 'Nigger. Hier is geen werk en als we onze kinderen met dat woord blijven opvoeden zullen ze elders uit de toon vallen.'

Driehoog hebben de onderzoeksrechters hun kantoor. Daar is men het helemaal niet eens met de stelling dat de rassenverhoudingen sedert het misdrijf zijn verslechterd. Mark zegt dat wat hem betreft de openheid van de politie destijds rampen heeft voorkomen. 'Iedereen verwachtte dat de twee gemeenschappen slaags zouden geraken. Van buitenaf kwamen zowel de Ku Klux Klan als de Zwarte Panters naar Jasper. Maar de twee gemeenschappen kwamen elk voor zich tot de conclusie dat die buitenstaanders enkel hun eigen belangen kwamen dienen. En de politie heeft van het begin open kaart gespeeld, de feiten getoond en snel de daders opgespoord. De zwarte gemeenschap kon zien dat de justitie niet tegen hen werkte, maar voor hen.'

Curtis was destijds de onderzoeksrechter van dienst. Hij is lang, kaalgeschoren, draagt een grijs snorretje, er hangt genoeg leer aan zijn broeksband om een gemiddelde koe een minderwaardigheidscomplex te bezorgen. 'Curtis heeft met zijn bijl bekentenissen uit de drie daders geklopt,' grapt collega Mark – althans, ik vermoed dat het een grap is.

'Dat jaar hadden we zes moorden,' zegt Curtis, 'waarvan vier tot de doodstraf konden leiden. In een gemiddeld jaar hebben we hier nul moorden.'

Is het stadje door de racistische moord veranderd?

'Nee. En waarom zou het? Zou jij je verantwoordelijk voelen als er in Antwerpen drie idioten iets gruwelijks met een gehandicapte uitrichten? Uiteindelijk zijn die idioten verantwoordelijk, niet de gemeenschap.'

Hij betwist ook dat de moord de lokale economie heeft geschaad. 'Er zijn sindsdien misschien duizend journalisten op bezoek geweest. Waar eten die? Waar slapen ze?

Wil je nog wat weten? Elk misdrijf is oplosbaar, als je er maar geld tegenaan gooit. Stel dat jij mijn boek steelt. Misschien oordeelt mijn dienst dat het boek de moeite niet waard is. Maar als het dat wel is, kom ik je vinden, maat. En dat je weet dat je gevat kunt worden, maakt het voor mij makkelijker je te vatten.'

Ik zie in het hele gerechtsgebouw geen enkele zwarte werknemer. Misschien heb ik er een gemist.

De bewoners van Jasper weten één ding over hem met enige zekerheid: Patrick is een jood. Joden zijn hier dungezaaid en zoiets blijft bij. Jarenlang runde Patrick het beste restaurant van Jasper, maar nu is hij enkele tientallen kilometers verhuisd, naar Colmesneil. Daar heeft hij het Texas Star Café gebouwd, een soort taverne die in een plaatsje met enkele honderden inwoners achtentwintig mensen werk biedt, en simpele kost serveert aan passanten, jagers en toeristen.

Ik wilde Patrick ontmoeten omdat in Jasper iemand had gehoord dat hij een Vlaming kon zijn ('Zijn er veel Vlaamse joden?') en dat hij een rol had gespeeld in de afwikkeling van de moord van 1998.

Op dat laatste gaat Patrick prat, het eerste is maar half waar (zijn moeder was Vlaams, hijzelf is tijdens de Tweede Wereldoorlog geboren in een Frans vluchtelingenkamp, was achtereenvolgens een Nederlander en een Israëli, om nu in een Bush-minnende Amerikaan te zijn veranderd). Wat hij met de moord te maken had? De daders hadden, enkele dagen voor de moord, in zijn restaurant ingebroken. Ze waren onder andere met kilo's van zijn beste vlees aan de haal gegaan. De rechercheurs grepen de vleesdiefstal aan om bij verdachten van de moord een huiszoeking te kunnen organiseren.

'De politie wou me naderhand het vlees teruggeven, maar ik dacht: laat dat maar voor de honden.'

Patrick behoort eerder tot de strekking die vindt dat de verhoudingen tussen zwart en wit sinds de moord nog zijn verslechterd. Het wantrouwen is toegenomen, er zijn nu te veel zwarten (de blanken vertrekken), te veel werklozen, te veel mensen die van uitkeringen leven.

'Dat is on-Amerikaans,' aldus zijn echtgenote Bonita. 'Ik heb geen problemen met zwarten, maar Amerika is gebouwd op hard werk. Je moet niets verwachten waar je niet voor werkt.' En dat, oppert ze, is wat zwarten vaker doen.

Hoe is het om joods te zijn in Texas?

Patrick: 'De mensen weten niet wat dat is – een jood. In die zin maakt het niet uit.'

Al was zijn schoonmoeder, die nu voor hem werkt, niet enthousiast toen hij te kennen gaf dat hij met haar dochter wilde trouwen. Over religie en politiek wordt binnen de familie gezwegen. Patrick en Bonita zijn pro-Bush, onder meer omdat ze vinden dat het land op dit ogenblik een harde, standvastige hand nodig heeft, en omdat Bush wat hen betreft de filosofie van het hard werken en voor jezelf zorgen belichaamt. De rest van de familie is eerder Democratisch.

Patrick en Bonita reizen geregeld naar Nederland, trekken soms wat rond op het oude continent.

'Weet je wat ik het meest mis uit Europa?' vraagt Patrick ineens. Hij antwoordt tweetalig: '*I miss the* gezelligheid. Daar is zelfs niet echt een woord voor in het Engels: *coziness* is maar een benadering. Mijn restaurant in Jasper was voor advocaten en gegoeden, met tafelkleedjes en al. Stijf. In mijn huidige plaats kan iedereen zich thuisvoelen. Maar het is toch nooit hetzelfde als wat er in Antwerpen te vinden is.'

Van Jasper beschouwd, aan de grens met Louisiana, ligt Waco in het hart van Texas. Ik maak geen vrienden door de naam uit te spreken alsof hij aan gekte doet denken. Bewoners spreken hem uit alsof hij naar ontwaken verwijst. En eigenlijk ben ik zelfs niet in Waco geïnteresseerd. Ik ben geïnteresseerd in wat door de buitenwereld met Waco werd geassocieerd, maar wat eigenlijk op vijftien kilometer van die stad plaatsvond.

Nadat een overheidsinspectie van wapens op een bloedig vuurgevecht was uitgedraaid, weerstonden gewapende sekteleden, al dan niet onder zware druk geplaatst door hun leider David Koresh, eenenvijftig dagen lang de belegering van de FBI. Op 19 april 1993, op de eenenvijftigste dag, besloot Clintons kersverse Justitieminister Janet Reno dat het tijd werd voor actie. Het FBI vuurde traangasgranaten in de gebouwen van de sekte, er ontstond brand, er werd geschoten. Zesenzeventig sekteleden lieten het leven (Koresh zou geschoten hebben op vluchtende sekteleden, al wordt dat heftig betwist), slechts negen overleefden.

Tegenwoordig is Mount Carmel, een oord dat letterlijk aan het einde van een weg ligt, een kruising geworden tussen toeristische attractie en bedevaartsoord. Aan de ingang staat in principe een informatiecentrum van de sekte (de Branch Davidians, een afsplitsing van de Adventisten van de Zevende Dag), maar dat is, op drie honden na, verlaten. Een van die honden besnuffelt de bezoekers en laat ze dan hun gang gaan.

Greg, een kaalgeschoren advocaat uit Dallas, leidt zijn gelaarsde vriend Harry rond. Greg is hier eerder geweest. Hij weet dat de motor die tussen de struiken staat aan Koresh toebehoorde, hij toont waar er een bus onder de grond heeft gezeten en waar de sekteleden hun ondergrondse gangen hadden. Hij toont het zwembad en de grafsteen van Koresh, die zoals de stenen van de andere overledenen, in de schaduw ligt van een lagerstroemia-struik – één struik per aflijvig sektelid.

Wat brengt Greg en Harry zo ver?

'Wij Texanen,' zegt Harry, 'houden niet van de overheid. De overheid overschat haar eigen belang ten koste van de burgers. Wat hier gebeurde is daar een symbool van. Men verweet aan Koresh dat hij gewone wapens opfokte, en dat hij behalve met zijn vijf of zo echtgenotes ook met de kinderen in de sekte sliep. Ruim tien jaar na datum weten we nog altijd niet wat waarheid is en wat de overheid heeft verzonnen. Koresh was misschien een rare kornuit, maar zo ken ik er wel meer – excentriciteit is geen reden om mensen te belegeren. De omwonenden, voorzover die er zijn, hadden geen last van hem. Volgens mij wou die trut van een Reno gewoon tonen wie de baas was in het land – en dat waren niet de burgers.'

De wind blaast tegen de doodsstruiken op.

'Dat was een element van het debacle,' aldus Greg. 'Het is hier altijd winderig. De sekte bouwde in hout. Toen het vuur ontstond was er geen houden aan.'

Ze houden enkele minuten stilte.

'Ik beschouw mezelf niet als bijzonder rechts,' aldus Greg, 'maar een plaats als deze bezorgt me kippenvel. Je komt hier de teloorgang van je eigen land contempleren.'

Na hun vertrek lees ik, aan de graven, in het boek *The Ashes of Waco* van journalist Dick J. Reavis – naar wordt beweerd het meest volledige werk over de sekte en haar ondergang. Reavis kiest vrij openlijk de kant van Koresh en de zijnen. De overheid handelde op basis van verkeerde informatie, schrijft hij, en ze was van kwade wil.

Koresh geloofde dat hijzelf de derde messias was, na Melchidezek en Jezus. Tijdens een bezoek aan Jeruzalem werd hij, enigszins zoals Mohammed, door engelen meegetroond. En hij beweerde dat hij tijdens die hemelreis de sleutel had gevonden of gekregen om de zeven zegels uit de apocalyps te ontsluiten.

In afwachting mocht hij, als messias, de gebruikelijke regels met voeten treden en met een onbeperkt aantal vrouwen een onbeperkt aantal kinderen hebben. Zijn volgelingen daarentegen, in wat Reavis beschrijft als omgekeerd katholicisme, werden geacht in celibaat te leven.

Reavis voert het messianaat van Koresh tot op zekere hoogte terug naar een ongelukkige liefdesaffaire die de latere profeet als achttienjarige doormaakte met een zestienjarig meisje. Zijn grote liefde liet hem na enige tijd in de steek. Een van Koresh' profetieën bestond erin dat zij aan het einde der tijden opnieuw zijn bruid zou zijn, net als popster Madonna trouwens.

Andere stelling van Koresh, die hij deelde met andere groepen van christelijke inspiratie: vrouwen baarden oorspronkelijk tweelingen – vandaar dat ze twee borsten hebben. Het is een teken van verloedering dat de geboorten langzaamaan maar de helft meer bedragen van de borsten.

Reavis werpt geen eenduidig licht op de aanleiding tot de eenenvijftig dagen durende belegering van de sekte: het grote wapenarsenaal dat Koresh had verzameld. De ene theorie wil dat Koresh via die wapens geld wilde verdienen. Hij vermoedde dat de overheid snel haar wapenwetten zou aanscherpen en dat hij daarna minstens het dubbele voor zijn geweren zou ontvangen van wat ze hadden gekost. Van de andere kant schijnt hij in de bijbelpassages rond de zeven zegels de aanwezigheid van zwaarden gezien te hebben als een teken dat hij zich van geweren moest bedienen. Hij was er zelf in ieder geval van overtuigd dat de overheid geen zaken had met zijn wapens, dat de overheid een kwalijke factor in het leven was.

Bij het begin van de belegering werd Koresh ernstig gewond in de onderbuik, wat hem niet belette om gedurende zijn laatste dagen koortsachtig en bijna exclusief met theologie bezig te zijn. Zelfs in telefoongesprekken met de politie vormden de zeven zegels de hoofdmoot. Hij wordt door zijn overlevende volgelingen, en door nieuwe bekeerlingen, nog altijd als een messias, of ten minste als een hogere profeet beschouwd. En hij is hoe dan ook een held van de rechterzijde geworden, een eeuwig voorbeeld om de kwalijke kanten van de overheid te illustreren.

Bij het afscheid snuffelt de wakkere hond niet langer. Hij kwispelt melancholisch.

William Tecumseh Sherman verklaarde eerst dat oorlog hel is. Hij bracht die theorie zelf in praktijk. Als generaal van de noordelijken paste hij tijdens de Amerikaanse burgeroorlog de techniek van de verbrande aarde toe. Dat maakte hem niet geliefd, maar liefde was niet wat de generaal het meest interesseerde. Hij teerde op haat. Na de burgeroorlog werd de generaal naar de zuidelijke staat Texas gestuurd waar hij de afschaffing van de slavernij moest gadeslaan en de vijandelijke Comanches moest bestrijden. Aan Fort Clark, wellicht nabij een moeras, moet hij deze legendarische woorden hebben uitgesproken: '*If I owned Texas and hell, I would rent out Texas and live in hell*' (als ik zowel Texas als de hel zou bezitten, dan zou ik Texas verhuren en in de hel wonen.) Die uitspraak is alomtegenwoordig in Texas. Ze heeft dezer dagen allerlei functies. Texanen citeren haar om te tonen hoe taai ze wel zijn, of hoe ver hun beschaving sindsdien is gevorderd. Maar meest van al brengen ze het citaat te berde om kwaad te spreken over de volgende plaats die je wilt bezoeken. En het citaat schijnt nog het vaakst op te borrelen als je over Midland praat.

Zoals de naam het suggereert ligt Midland in het midden van veel droog land. Voordat je de stad van ongeveer tachtigduizend inwoners binnenrijdt, passeer je een boorinstallatiekerkhof, met meer roest en verval en smeerolie en lelijkheid per vierkante meter dan goed is voor de gezondheid.

Pamela, die bij de Kamer van Koophandel dienstdoet als toeristische liaison, en die plattegrondjes van haar stad uitreikt en een handleiding voor wie zo snel mogelijk alle plaatsen wil bezoeken waar de familie Bush ooit heeft gewoond, kent de kwalijke reputatie van haar stad. Ooit haalde Midland de recordboeken, omdat zij per duizend inwoners van alle Amerikaanse steden de meeste miljonairs telde ('Je moest in de jaren vijftig in dit gebied moeite doen om geen olie te vinden,' aldus Jerry Mills, die aan de lokale universiteit Texaanse geschiedenis doceert), maar de algemeen verspreide indruk blijft treurig.

'Heb je al ooit zulke vriendelijke mensen ontmoet als in Midland?' vraagt Pamela. Ze verwacht niet echt een antwoord. Dit is haar strategie tegen de grauwheid van haar stad, enthousiasme, dynamiek, agressief de positieve boodschap brengen. 'We zijn gewoon zo, vriendelijk.'

Midland stelt het tegenwoordig weer opperbest. De lokale fortuinen groeien à rato van vijftig dollar per opgepompt vat olie. De gefortuneerden eten in de Petroleum Club, waar ze een openstaande rekening hebben, en niet eens controleren hoeveel hun maal heeft gekost.

Het hangt ervan af wat de politieke gezindheid is van de gesprekspartner (ruim 80 procent van de bevolking stemde in 2000 op Bush) maar doorgaans zijn zijn tegenstanders geneigd te vermelden dat de huidige president nauwelijks tijd in Midland heeft gespendeerd, dat hij elders is geboren en voor het middelbaar onderwijs alweer vertrokken was, terwijl zijn voorstanders oprakelen dat hij hier is opgegroeid, zijn echtgenote heeft leren kennen, en bovenal God heeft gevonden.

Over die bekering bestaan twee versies (die allebei hun getuigen hebben, en dus misschien allebei correct zijn). In zijn autobiografie uit 1999 beschreef de latere president dat predikant Billy Graham op bezoek was bij zijn ouders en tijdens dit bezoek, ergens in 1985, het 'mosterdzaad in mijn ziel' werd geplant.

Maar een jaar eerder was er al een soort bekering geweest, in minder deftig maar mischien meer onderhoudend gezelschap dan dat van Billy Graham. In april 1984 trok Arthur Blessitt door Midland. Blessitt had op eerste kerstdag 1969 een bijna vier meter lang kruis in elkaar getimmerd en ging daarmee op stap. Al gauw brak hij alle records die voordien inzake kruiswandelen hadden bestaan. Hij wandelde verder, hij wandelde het Guinness Book of Records binnen, hij wandelde in meer landen dan zijn voorgangers. Tussendoor sprak hij belangstellenden toe. George W. voelde zich aangetrokken tot de predikant, hij durfde niet goed in eigen persoon naar de preek te gaan, maar hij beluisterde hem op de radio. En naderhand belegde hij in de coffeeshop van de Holiday Inn een ontmoeting met Blessitt. Blessitt citeerde uit de bijbel, er werd gezamenlijk gebeden. De huidige president toonde berouw over zijn zonden en erkende Jezus als zijn Heiland. Blessitt noteerde in zijn dagboek dat hij de zoon van de vice-president had bekeerd, en dat hij hieromtrent zijn mond moest houden.

De coffeeshop van de Holiday Inn wordt mettertijd misschien de belangrijkste plaats van Midland – het oord waar de meest christelijke van alle Amerikaanse presidenten werd bekeerd, en zijn wedergeboorte in Christus beleefde.

De zwarte dienster heeft nog nooit van het verhaal gehoord. Ze schenkt een kop koffie in, knikt huh-huh en dommelt opnieuw in – bij ondefinieerbare muzak, misschien van Barry Manilow.

De betekenis van bekering is in Midland gigantisch. 'Het doet er zelfs niet toe tot welke kerk je behoort,' aldus professor Jerry Mills, die ik opgebeld heb en die naar hartelust zijn meningen spuit. 'Alle kerken lijken hier min of meer tot dezelfde conclusie te komen.'

Deborah Fikes leidt de Church Alliance of Midland, een alliantie van vierhonderd kerken. We spreken af in de First Presbyterian Church, wat eerder een cultureel centrum is, met kantoren en een eetzaal, dan een simpele kerk.

Ze echoot de woorden van de toeristische liaison: 'Ken je vriendelijker mensen dan die van Midland?'

Sinds George W. president is, spelen de lokale kerken een rol bij vredesonderhandelingen in zuidelijk Sudan, waar al jarenlang een burgeroorlog woedt.

'Dat werkt wonderwel. We hebben geen officieel statuut maar het feit dat we uit de woonplaats van de president afkomstig zijn, geeft ons een geloofwaardigheid die we anders zouden missen.'

Tijdens reizen ter plekke ondervond ze aan den lijve dat de oliemaatschappijen deel uitmaken van het probleem: ze drijven soms bewoners van hun land, of maken land onbruikbaar door het te vervuilen. 'En toen hebben wij, afkomstig uit de oliestad Midland, de oliemaatschappijen bekritiseerd. Binnenlands en buitenlands.'

Fikes behoort, laten we zeggen, tot de linkervleugel van de *born-agains*. Ze bestrijdt niet dat *born-again*-christenen, of evangelische christenen, vooral geïdentificeerd worden met acties tegen abortus, en tegen embryonaal stamcelonderzoek, en tegen het homohuwelijk. 'En velen van ons praten daarover, dat klopt wel.' Maar zijzelf is, mede door haar ervaringen in Sudan, tot een andere conclusie gekomen: 'Als al degenen die echt Jezus in hun hart dragen bereid zouden zijn een inspanning te leveren, wordt de honger zo uit de wereld verdreven. Zolang de honger niet uit de wereld is, hebben onze critici er reden toe om onze geloofwaardigheid in twijfel te trekken.'

Ze doet me een cd met christenrock cadeau, en een bijbel waarin ze de favoriete passage van de president heeft aangestipt: die van de splinter in het oog van een ander, en de balk in het eigen oog – bijbels antigif voor het geheven vingertje.

Ik breng in het midden dat haar president ongeveer niets uitricht om de honger uit de wereld te helpen.

'Ik weet niet of dat klopt, maar het is ook niet zijn rol om dat met belastinggeld te doen – het is de rol van elk van ons om dat met ons eigen geld te doen.' Op dat punt schijnen de evangelischen het eens te zijn.

Deborah levert me af bij een gebedsgroep voor kinderen, die elke woensdagmiddag vergadert. Volwassenen bidden er tegen kinderprostitutie, kinderslavernij, misbruik van kinderen in het algemeen.

Alle aanwezigen kennen, zoals Deborah eerder, de president persoonlijk, al doen ze daar niet druk over. Margaret Purvis leidt de groep. 'Hij is niet zo vaak in Midland geweest,' zegt zij, en over de bekering van de president behoudt ze de afstandelijkheid van de wetenschapper: 'In de vroege jaren tachtig was de olieprijs naar zeven tot acht dollar per vat gedaald. Dat was een ramp voor oliemannen. Op dat moment zochten velen een houvast bij Jezus.' Zo ook Bush.

'Maar het is zo goed dat er in het Witte Huis wordt gebeden. Dat stelt me zo gerust.'

Er heerst binnen de groep een consensus over dat het niet toevallig is dat zovelen Jezus vinden in Midland. Dat heeft met de isolatie van de plaats te maken, zeggen ze, en de rol die het lot er speelt, hoge olieprijzen, gelukkige olievondsten. Elders word je afgeleid, maar in Midland zijn geen afleidingen voorhanden. Daar ben je alleen met je geluk of je ongeluk. En wie het ongeluk treft, zoekt opvang bij Jezus.

Doen ze in haar groep behalve bidden nog wat anders?

Een milde spot speelt om haar licht bevende lippen.

'Je bedoelt: doen we ook echt iets voor die kinderen? Bidden is het beste wat je kunt doen – onder alle omstandigheden. Als je echt welgemeend bidt, zul je mettertijd ook wel tot andere acties komen. En je moet ten volle beseffen dat noch je gebed, noch je daden tot de hemel leiden. De hemel krijg je door Gods gratie.'

Margaret is net terug van een anti-prostitutiereis naar Thailand. Ze is hoogbejaard, en laat via haar geld voor comfort zorgen. 'Ik word aan de luchthaven afgehaald en onderweg in de watten gelegd. Ik bel naar mijn reisagent en vraag hem alles te regelen. Ik wil niet verdwalen. Mijn weg verliezen kan ik thuis ook.' Ze bad in Thailand voor jonge prostituees, en financiert er mede een schoonheidssalon waar prostitutees langskomen en waar bekeerde ex-prostituees werken.

Daar wordt de voedingsbodem geschapen waarin Gods zaad kan groeien.

Zijn er in Midland prostituees? Dit is per slot van rekening het wilde Westen.

'Er zijn allicht gevallen van prostitutie, maar er zijn geen bordelen.'

Zegt Dan Dane, de enige man in het gezelschap, een *born-again*-rechter met een eigen christelijke website: 'De gemeenschap zou dat niet gedogen.'

Margaret neemt me na de gebedssessie mee naar de Petroleum Club waar ze me op een maal trakteert, en ervoor bidt dat ik in mijn artikel de juiste toon vind (de vriendelijkheid die ik ondervind wordt altijd vergezeld van een even grote scepsis omtrent mijn bedoelingen).

Op korte wandelafstand van de Club hebben drie olierijke mannen de derde verdieping van een kantoorgebouw vrijgesteld voor christelijk welzijnswerk.

Ettelijke organisaties vinden er een onderkomen.

Ik word er uit de handen van Margaret overgedragen aan Marcy Tull, coördinatrice van Rock the Desert, een initiatief dat oorspronkelijk stuurloze jongeren met christelijke rock en lezingen tot andere gedachten wilde brengen. Intussen is haar organisatie ook bezig met de bouw van een concert- en ontmoetingsplaats.

Marcy voldoet aan het cliché van dit soort organisaties: ze worden geleid door vrouwen van minstens veertig, zwaar opgemaakt, die met enigszins opengesperde ogen de wereld aankijken en met stijfgespoten blond of geblondeerd haar hun hoofd tegen de elementen beschermen.

Zijzelf heeft een broertje dood aan christelijke rock, aan rock in het algemeen, wat niet belet dat ze gelooft dat die muziek haar in staat stelt om tot de ontspoorde jongeren door te dringen. 'Je hebt een sleutel tot hun hart nodig. Ik hoef die sleutel niet mooi te vinden, zolang ik maar het hart bereik.'

Marcy heeft eerder met George W. Bush, in de periode dat hij nog gouverneur was, gewerkt aan initiatieven in het onderwijs. Ze hielp toen aan een actieplan om met vrijwilligers kinderen met een achterstand toe te laten de andere leerlingen weer bij te benen. 'Dat is ook de kern van zijn huidig, nationaal programma: *Leave no child behind*. We moeten een extra inspanning leveren om minder bevoorrechte kinderen op hetzelfde niveau te tillen als de andere.'

Hoe vond ze toen de huidige president?

Het antwoord komt hier niet veel verder dan clichés:

'De president is een sterk leider, hij is vriendelijk, beleefd, zoals mannen hier horen te zijn, maar niet altijd zijn.' Ze herhaalt dat nog even, nadenkend: 'Een vriendelijke jongen, beleefd.'

Is ze het wel eens oneens met hem, toen als gouverneur of nu als president?

De vraag lijkt haar te verwonderen. 'Ik ben een heel conservatieve Republikein.' Een uitspraak die bedoeld is om haar volledige instemming duidelijk te maken. 'Heel conservatief.' Niemand is in het algemeen voor oorlog, zegt ze, maar de oorlog in Irak viel niet te vermijden. Ze steunt de president in zijn ethisch-christelijke overtuigingen, en bekent dan dat ze zelf gescheiden is. Toen ze in de jaren zeventig pasgehuwd was, was haar echtgenoot betrokken bij boringen in Noord-Californië. Haar verblijf in Californië heeft tegelijk haar ogen geopend en haar hoofd gesloten. 'Mensen leefden samen zonder dat ze getrouwd waren, ze hadden in hun ongehuwde staat zelfs kinderen. En er waren gemengde koppels, wat in Midland in die tijd niet bestond. Dat choqueerde me toen. Nu is dat ook tot hier doorgedrongen. Niet het samenwonen, dat komt gelukkig nog zelden voor – het gemengd trouwen, waar ik geen probleem meer mee heb.'

Californië heeft haar niet veranderd, het heeft haar meer dan ooit overtuigd van de oude levensstijl – de oude waarden.

Die oude waarden hebben haar echtgenoot er niet van weerhouden om haar te dumpen en te vervangen door een jonger model, maar 'zo gaat dat nu eenmaal'.

'Ja,' zegt ze ineens. Ze heeft een punt van kritiek op de president gevonden. 'Je hoort over extra-voordelen voor minderheden en extra-voordelen voor gehuwden, maar als alleenstaande witte vrouw ontvang je nooit extra-voordelen. Ik heb hard gewerkt, soms meerdere jobs tegelijk. Ik werk nog altijd hard. Ik heb kinderen grootgebracht. Maar op de een of andere manier trekt niemand zich het lot aan van alleenstaande witte vrouwen.'

Over het algemeen denkt ze echter dat hij puik werk levert. In Midland is men voorzichtig met die dingen – men zegt niet wat anderen elders wel beweren: dat met Bush God in het Witte Huis is binnengetreden. Ze zegt: 'Die dingen gebeuren met een reden. Ik denk dat het zijn tijd was om in het Witte Huis te zijn, gelet op wat ons zou overkomen.'

Marcy heeft nog een afspraak, ze hevelt me opnieuw over naar Deborah Fikes, die op dezelfde derde verdieping ook een kantoor heeft.

De make-up, de stramme haardos en de algehele bedaarde houding maken het bijna onmogelijk om gezichten te lezen. Alle gezichten op de derde verdieping.

'Het doet er niet toe als je negatief over ons schrijft,' zegt Deborah Fikes, stroef glimlachend. 'Ik blijf vriendelijk. Ik blijf je graag zien. En belangrijker: God houdt van je.'

Wanneer ik het gebouw met de vrijwilligersgroepen verlaat, is er net een onweer voorbijgetrokken. Bijna alle straathoeken in de binnenstad staan onder water. Ik ben de enige voetganger, en ik weet niet hoe ik de straat over kan. Ik loop enkele blokjes om.

'Je hebt,' zegt Jerry Mills, historicus aan de universiteit, 'het referentiekader van de president meegemaakt.' Met de nadruk op vrijwilligerswerk, verricht door zich vervelende en biddende echtgenotes van rijke oliemannen, en met de nadruk op besparingen op overheidsinvesteringen, wat de overstromingen kan verklaren.

Historisch gesproken komen in Texas twee zijwegen van de Amerikaanse droom samen. Je hebt er de droom van het harde werk, de cowboys die hard in het stof labeuren, wekenlang van huis weg zijn, die beginnen op de ranch van een ander en mettertijd in staat zijn een eigen lap grond te exploiteren, zich 'aan hun veters optrekken' en misschien ooit zo rijk worden als ranchers kunnen worden – wat wil zeggen, nooit superrijk.

Daarnaast is er de Las Vegas-versie van de droom, hier belichaamd door de oliewinning. '*You strike it rich.*' Het toeval is hier zoveel groter, alles fluctueert, van de vondst van een bron tot de opbrengst ervan of de olieprijs, maar in het beste geval leidt de olie onmiddellijk tot superrijkdom. In die Las Vegas-versie hoort Midland thuis. In die Las Vegas-versie is God, aldus Mills, wellicht belangrijker dan in de ranchversie. Want tegen slechte prospectie kun je je niet laten inenten. Wie vlees produceert, heeft minder aan instinct dan aan kennis. Wie olie zoekt heeft vaak niet meer dan instinct om zich op te beroepen. En God. En hoe meer land door oliebaronnen wordt ingepikt, hoe minder het deugt voor koeien. Ook in die zin is God in opmars.

'Je moet Texas beschouwen als een geval apart,' zegt een collega-docent. 'We sturen onze kinderen wel eens naar noordelijke scholen, we gaan wel eens op reis naar Europa en sommigen van ons zijn in Parijs geweest, maar ten gronde vinden we dat alles overbodig en denken we dat iedereen genoeg zou moeten hebben aan wat er in Texas te vinden is. We begrijpen niet goed waarom de rest van de wereld ons zo wantrouwt.

Onze economie is helemaal niet zo sterk. Wij hebben vele miljonairs en dat bepaalt het beeld dat de meesten van Texas hebben, maar het gemiddelde inkomen van de staat ligt altijd lager dan het landelijk gemiddelde. Er was slechts één periode dat we boven dat gemiddelde uitkwamen: ten tijde van de tv-serie *Dallas*, dat was ons hoogtepunt.

Eigenlijk hebben we een derdewereldeconomie: katoen, olie, vlees. We leveren de ruwe grondstof die in de rest van het land wordt verwerkt.

Texas is wat men noemt anti-cyclisch. Als de rest van het land in goeden doen is, verkeren wij in crisis – en als wij wegkwijnen gaat het bijna gegarandeerd goed in de rest van het land. Wij floreren bij een hoge olieprijs, terwijl de rest van het land eronder lijdt.

Op politiek vlak zijn we eigenlijk een eenpartijstaat. Goed honderd jaar heeft de Democratische partij alles bepaald. Tegenwoordig zijn we een Republikeinse staat. Volgens mij maakt dat eenpartij-aspect de politieke cultuur in de staat harder. Want als je afwisselt tussen twee partijen moet je twee of vier jaar op de macht wachten. Maar als de macht binnen de partij blijft kom je misschien nooit aan de macht, ook al behoor je tot de juiste partij. En dus zoek je naar middelen om de andere vleugels binnen de partij dood te drukken. En als je het pleit wint, ben je bijna meteen een nationale figuur: de oliebaronnen financieren graag nationale kandidaten. Zo gaat het in Texas.'

Er zijn in de staat wel vijf plaatsen die met enig recht de president kunnen opeisen. George W. is in het verre noorden van het land, ver buiten de staat, geboren, maar hij kwam op jonge leeftijd met zijn ouders naar de buurt van Midland-Odessa. Als volwassene heeft hij in Houston, Dallas en Austin gewoond. En tegenwoordig heeft hij zijn gigantische ranch in het minuscule plaatsje Crawford.

'We worden niet geacht te zeggen waar hij woont,' moppert de verkoopster in een van de drie souvenirwinkels. 'Maar sla aan de lutheraanse kerk rechtsaf en volg de weg gedurende acht mijl. Dan zie je de geheime politie staan.' Ze wijst naar de foto waarop ze een arm van de president om zich heen heeft, en ook een arm van Laura Bush. 'Ze zijn zo vriendelijk. Ze zijn zo gewoon, zonder de minste pretentie.' Dat zegt ze tegen ongeveer elke klant. Sinds Bush in 1999 naar Crawford is verhuisd doet ze gouden zaken. Het enige nadeel is dat de telefoons in de buurt bijna niet werken als de president thuis is – dan zijn de lijnen overbelast en worden ze – dat wil het gerucht – afgeluisterd door de geheime dienst.

Wat bracht hem naar Crawford?

'Hij hield van de ranch – je ziet er langs de kant niet veel van, maar het is een schitterend landgoed. 'Waar de president tot rust kan komen en samen met zijn hond jaagt en vist en struiken snoeit.

Is iedereen hier pro-Bush?

'Nee, maar ik ken niemand die tegen hem is.'

Crawford is een soort Bush-kraam geworden. Aan de buitengrenzen van de stad is een foto van het presidentieel echtpaar geplaatst waar bezoekers kunnen stoppen en naar adem happen. Eventueel zelf een foto maken tegen de achtergrond van de presidentiële foto. In de drie souvenirwinkels kun je alles wat met de president te maken heeft kopen, van Bush-pennen over Bush-speelkaarten tot Bush-onderleggers. In een van de winkels worden ook wapens aangeboden.

Er is een gestage stroom kooplustigen. Ik houd even een familie uit Dallas tegen, die vooral de onbuigzaamheid van de president looft.

'Het doet er zelfs niet toe wat je gelooft, maar als je iets gelooft moet je voet bij stuk houden,' aldus de moeder des huizes.

Het valt op hoe arm de gemeenschap is. Je vindt hier onkarakteristiek slechte gebitten. Foto's in een van de souvenirwinkels tonen hoe dit dorp van zeshonderd inwoners sinds de komst van de president is opgekalefaterd, en hoewel de nieuwe welvaart de bewoners moet hebben bereikt, hebben ze zich vooralsnog niet aan een schoonheidskuur onderworpen.

Behalve souvenirwinkels en een benzinestation bevat Crawford ook een kapsalon. Sinds de komst van de president zijn de tarieven voor buitenstaanders er opgetrokken tot twaalf dollar per knipbeurt. De kapster heeft de president al wel ontmoet maar nog nooit professioneel onder handen genomen. 'Dat zou te veel complicaties meebrengen, denk ik – elke uitstap is voor hem een hele onderneming, met bodyguards en politie.'

Zijzelf ondersteunt de president maar ze is liefst apolitiek. Ze houdt van New York en van Austin, waar haar zoon muziek studeert en heel lang haar heeft laten groeien. Ze is iets minder conservatief dan gemiddeld, vermoedt ze, 'en hoe zeg je dat weer?' Ze suggereert '*liberated*' (bevrijd), maar ze bedoelt wellicht '*liberal*' (progressief). En ze houdt van Bruce Springsteen, die Kerry ondersteunt. 'Schiet me dood.'

Een week of zo later keer ik terug naar Crawford. Bij de ranch van de president geraak ik nog altijd niet – de veiligheidsagent bij de afrit vraagt laconiek of ik had gehoopt de president te spreken.

Crawford is even in het nieuws geweest omdat het lokale weekblad, de *Lone Star Iconoclast*, partij gekozen heeft voor de Democratische presidentskandidaat Kerry.

De bewoners van Crawford zijn enkele dagen later nog altijd ziedend. Ze boycotten het blad, en hebben ook de verkoopautomaten laten verwijderen. Bovendien trekken ze vrijwel collectief hun advertenties terug.

Zelfs open vragen naar het blad leiden tot wantrouwen. De uitgever is een slecht mens en, erger, een Democraat. Het hoofdartikel is als een kaakslag, bedoeld om de president in verlegenheid te brengen. Mensen denken nu dat wij onze president niet ondersteunen. Et cetera.

Deze gemeenschap heeft er natuurlijk belang bij dat de president herkozen wordt. Hij is hun belangrijkste bron van inkomsten geworden.

De uitgever van het blad, de lijvige en bebaarde W. Leon Smith, woont enkele dorpen verder, in Clifton, waar hij ook (Democratische) burgemeester is. Hij heeft intussen meer dan honderd interviews gegeven, is bedreigd (hij wil geen details verstrekken, hij neemt het niet serieus, zegt hij) en zijn blad lijkt min of meer ten dode opgeschreven.

Een publiciteitsstunt van een Democraat, zegt men in Crawford.

'Zeker niet,' zegt hij.

In elk geval niet noodzakelijkerwijs slim – in een gebied dat met Bush dweept een editoriaal tegen hem publiceren.

'Misschien. Ik had eerlijk gezegd nooit dergelijke reactie verwacht.'

De *Iconoclast* maakt deel uit van een lokaal krantenimperiumpje (het blad werd opgericht in de periode tussen de vorige presidentsverkiezingen en de uitslag) en de groep heeft een traditie van aan de boom schuddende opiniestukken. 'De bladen van onze groep hebben in 2000 Bush ondersteund, omdat we vonden dat zijn *compassionate conservatism*, zijn mededogend conservatisme, wel beloften inhield. Maar intussen zijn we vier jaar verder en vinden we dat van het conservatisme of het mededogen niet veel terecht is gekomen. Als je de impact van de programma's van de twee kandidaten over lange termijn bekijkt, zie je dat Bush ons naar een catastrofe leidt. Bush is gevaarlijk in het buitenland, en hij is gevaarlijk omdat hij het deficit zo groot laat worden.'

Smith zegt dat hij met name bang is dat de huidige president mettertijd de grondwet zal veranderen in de richting van grotere macht voor het ordeapparaat.

De reactie op zijn editoriaal was tweevoudig. Lokaal was het een halve ramp, de losse verkoop stortte in, doordat het blad bijna nergens nog te koop wordt aangeboden. En andere bladen van de groep halen een lagere oplage, omdat ook elders Republikeinen de bladen boycotten. De advertentie-inkomsten zijn zwaar teruggevallen. Daar staat tegenover dat hij van buitenstaanders advertenties kreeg aangeboden, steunbetuigingen eigenlijk, die het blad nog even boven water houden. Zijn verkoop is teruggevallen van negenhonderd naar zevenhonderd, maar alles wijst erop dat de terugval permanent zal zijn terwijl de steun van buitenstaanders hoogstens tijdelijk soelaas kan geven. Zijn verslaggever is uit Crawford weggehoond, die vreesde voor lijfelijk geweld. 'Maar de meeste medewerkers waren het met het hoofdartikel eens – ook al kost het hun misschien hun job. Ook dat is Amerika: vrije meningsuiting is de mensen nog iets waard. Sommige mensen dan toch.'

De campagne tegen het blad en tegen de groep werd in scène gezet, zegt Smith – 'dat weet ik omdat ik naast de deur een theater bezit, en daar werd ook een brief binnengestopt waarin alle zakenlui opgeroepen werden niet langer in onze persgroep te adverteren.'

Wat als het editoriaal het blad tot sluiting dwingt?

'Ik ben nogal fatalistisch in die dingen – als een bedrijf moet verdwijnen zal het verdwijnen. Maar het stelt me wel teleur dat mensen niet inzien dat we hun een standpunt voorleggen. We dringen niets op, we proberen tot denken aan te zetten. In het verleden hebben we nog controversiële standpunten vertolkt, maar nooit met een vergelijkbare reactie. Ik denk dat dit land zijn tolerantie verliest.'

Austin is de wat elitaire en onkarakteristieke hoofdstad van Texas, bruisend van de studenten en muzikanten (sta even stil bij de gedenkster van Janis Joplin, die hier haar carrière op gang bracht), een Democratisch bolwerk in een nu grotendeels Republikeinse staat. Aan de universiteit vind je – en dat is vrijwel een universeel gegeven in dit land – meer Aziatisch uitziende studenten dan zwarten. In de buurt eet je makkelijker Vietnamees dan Amerikaans. Ik bots er op een standje van heidenen, en ik rijd gratis met de bus omdat de temperatuur, de ozonconcentratie en de smog tijdelijk ongezond zijn – in tijden van ongezondheid wordt het openbaar vervoer een kosteloos alternatief voor de vervuilende auto.

De muziek is er oer-Amerikaans. Willie Nelson, Sheryl Crow. John Fogerty, gewezen voorman van Creedence Clearwater Revival, treedt op in eigen streek. Zijn oude hit 'Fortunate Son' lijkt op het lijf van de huidige president geschreven. '*Some folks are born silver spoon in hand. Lord don't they help themselves.*' En Fogerty's huidige hit, 'Déjà vu all over again', wijst op de gelijkenissen tussen de oorlogen in Vietnam en Irak. '*Day by day we count the dead and dying, ship the bodies home while the networks all keep score.*'

Austin houdt van Fogerty, en niemand lijkt zijn boodschap hier te betwisten. Mensen wiebelen op anti-oorlogssentiment.

Aan een hoek van het universitair complex heeft Tom zijn kantoor. Tom is zopas door een lokaal weekblad tot beste tv-figuur van Austin uitgeroepen. Hij interviewt politici en anderen voor de publieke omroep, en bemant er bovendien de tuinrubriek. 'Die prijs stelt niks voor,' sust hij. 'Ik ben er blij mee, maar hij stelt niet echt iets voor.'

Tom is in de staat New York geboren en opgegroeid. Hij woont nu tweeëntwintig jaar in Austin, en is tot op vandaag bereid Texas te verdedigen tegen allerlei verdachtmakingen. Al het goede dat hij erover te berde brengt, wordt in evenwicht gehouden door het slechte dat hij ervan weet, maar wat hem de doorslag geeft om in Texas te blijven is dat 'hier een soort openheid en warmte heersen die ik in New York niet kon vinden'.

Tom koestert een mythische visie van zijn land. Nergens wordt zoveel vernietigd als in de VS, maar nergens is de creatieve kracht zo groot dat er ook weer voortdurend nieuwe dingen ontstaan. Op de afvalbergen en schroothopen van de VS wordt dat nieuwe door vrije, enthousiaste geesten uitgevonden.

Niet dat hij kritiekloos is, verre van dat. 'Dat was volgens mij het belangrijke van 11 september. Doorgaans draaien we ons een rad voor de ogen, maar gedurende die eerste dagen na 11 september hebben we met de waarheid geleefd. Op dat moment was het mogelijk geweest de bevolking ervan te overtuigen dat we af moeten van petroleum, dat we onze alliantie met Israël en het Midden-Oosten opnieuw moeten bekijken. Dit land was op dat moment bereid zijn president heel ver te volgen, maar het enige advies waar die mee op de proppen kwam was: ga winkelen, zodat de economie normaal blijft draaien.

In die eerste dagen na 11 september kon je ook merken dat ons gebrek aan belangstelling voor de rest van de wereld ons zuur kon opbreken. In Austin zijn er veel buitenlandse studenten. Autochtonen probeerden op straat in te schatten welke buitenlanders potentieel gevaarlijk waren.

Over dat gebrek aan interesse en kennis gesproken. Ik was onlangs in de gym van de universiteit en ik zag er twee mooie buitenlanders die ik niet kon thuisbrengen. Ik stapte op hen af, ze bleken uit Turkije afkomstig. Twee meisjes, ook in die jongens geïnteresseerd, wilden weten waar Turkije zich bevindt. "Is dat in de buurt van Chili?" vroegen ze. Want Turkije is in onze taal hetzelfde woord als kalkoen, en Chili is ook eetbaar. Ze dachten dat er ergens een cluster van voedsellanden was georganiseerd, waar ongetwijfeld Griekenland zou bij horen.' (Greece klinkt als *grease*, vet.)

'Dat is ook Texas. Een gebied van onwetendheid, zonder ironie.'

De kranten worden nog zelden uit hun verkiezingsroes gehaald. Maar vandaag vangt een niet-verkiezingsgebonden bericht de aandacht. In Arizona is een vijfenveertigjarige moeder overleden, minder dan een week nadat haar zoon in Irak was gesneuveld. Er was niets mis met de vrouw, behalve dat verlies – volgens de krant is ze waarschijnlijk aan een gebroken hart gestorven.

De zoon, Robert Unruh, was een voorstander van de oorlog. Hij had zich na 11 september bij de genie laten inlijven omdat hij zijn land wilde verdedigen. Hij was oorspronkelijk in Korea gelegerd, maar vanwege het troepentekort in Irak overgeheveld. Hij stierf toen zijn eenheid in de buurt van Bagdad werd aangevallen, ongeveer een maand nadat hij in Irak was gearriveerd.

'We zijn zo trots op Robbie,' verklaarde moeder Karen na het overlijden. En ook: 'We zijn in oorlog. Een oorlog vergt soldaten en soldaten komen uit families.'

Maar ze weende onophoudelijk en de dag nadat ze zijn lijk had geschouwd, hield haar hart op met kloppen.

In het stadscentrum staat het bruine Capitool, met in de tuinen de stenen tafelen met de tien geboden, en tegenover het Capitool is de gouverneurswoning te bezoeken waar de huidige president tussen 1994 en 2000 verbleef.

Aan de andere kant van de universiteit vindt de bezoeker de Lyndon B. Johnson-bibliotheek, waar alle archiefmateriaal inzake die president wordt bijgehouden.

Texas heeft in het verleden meer dan zijn deel aan presidenten gehad, en elk van die presidenten, Johnson, Bush-vader en Bush-zoon, heeft, toeval of niet, een oorlog gevoerd.

Texanen zijn geneigd hun oververtegenwoordiging inzake presidenten als vanzelfsprekend te beschouwen. En met olie in verband te brengen – er is in de staat zelden gebrek aan geld voor een campagne. Oliebaronnen houden er niet van om in industrie te investeren. Ze wantrouwen de beurs. Wat rest er dan aan mogelijkheden? Politiek!

Kitty Kelley, die van roddelboeken een industrie heeft gemaakt, komt haar roddelboek over de Bush-familie in Austin voorstellen. Na de klassieke plichtplegingen over hoe fraai ze Austin wel vindt (en bewoners zijn vaak zelf met de stad in hun nopjes) kiepert ze haar vermeende vuil over de presidentiële familie uit: overspel, drugs, financiële malversaties en dubieuze banden met Saoedi's. Haar linkse publiek – Kelley roddelt met evenveel plezier over de twee politieke kanten, maar naarmate haar onderwerp verandert, verandert de gezindheid van haar lezers – lepelt het op als evangelie. Ook is hier de gewenste waarheid sterker dan de feiten.

Betty Sue Flowers, een Democrate, is directrice van de Johnson-bibliotheek. Ze heeft onlangs een artikel gepubliceerd over de kracht van Texaanse mythen. Toen de staat in een simpele campagne tegen afval (slogan: *Don't Mess with Texas*) de krachtdadigheid, de viriliteit en de no nonsense van de bewoners wist te betokkelen, vielen de illegale stortpraktijken met 72 procent terug. De mythe werkte, en na enkele jaren beseft men nog nauwelijks dat de slogan met afval te maken had – hij is tot algemene slogan van de staat verheven.

Texanen geloven van zichzelf dat ze egalitair zijn, dat ze hun staat te danken hebben aan een generatie van helden (de Alamo), dat het in de staat voor eenieder mogelijk is om rijk te worden, dat ze diep gelovig zijn. In haar artikel verwijst Flowers naar subtiele veranderingen in de mythe. Toen haar zoontje enkele jaren geleden cowboy en indiaantje speelde en de indianen een aanval inzetten, was zijn reactie niet langer 'roep de cavalerie', maar wel 'bel 911', het nummer van de spoeddienst. Het principe blijft hetzelfde.

De huidige president wentelt zich in de Texaanse mythologie, zegt Flowers, hoewel hij voor sommige bewoners altijd verdacht zal blijven omdat hij niet in de staat is geboren. Maar de mythes laten ruimte. Lyndon Johnson was een typische Texaan, en George W. Bush is een typische Texaan, maar toch waren ze bijna diametraal tegenovergestelde presidenten. LBJ was arm geboren en gaf een tijdlang les aan kansarme kinderen, waardoor hij meer openstond voor de minder fortuinlijken. George W. daarentegen is altijd de hand boven het hoofd gehouden. Als hij zich in nesten werkt is er altijd iemand die het vuile werk opknapt.

De mythe is dezelfde, de interpretatie is anders.

En druist het beschermde bestaan van de jonge, vaak falende Bush niet in tegen de mythe van de zelfstandige Texaan?

'Ten dele. Maar de mythe laat ruimte voor mislukking. Typisch Texaans is dat degenen die falen niet uitgesloten worden. Degene die gouden zaken doet en de man die failliet gaat, blijven toch hun vriendschap onderhouden. Ze helpen elkaar in tijden van nood.'

Het ligt in Democratisch Austin bijna voor de hand dat je kritische stemmen omtrent Bush hoort, maar de meest indringende kritiek is eigenlijk afkomstig van ontgoochelde Bush-supporters. Die zijn vrij dik gezaaid.

Ik zoek er twee op.

Jim Moore werkte destijds voor tv, en hij volgde als politiek verslaggever zowel de gouverneur als diens eerste presidentiële campagne. Paul Burka, toen en nu chef politiek bij de *Texas Monthly*, werd in 2000 als gedoodverfde persverantwoordelijke van de nieuwe president naar voor geschoven. 'Wat onzin was. De job is mij nooit aangeboden, en mocht ze mij aangeboden zijn, zou ik haar nooit aanvaard hebben. Ik koester mijn onafhankelijkheid te veel.'

Ze praten allebei met bijna overdadige emotie over hun relatie tot de president.

Burka: 'Ik heb niet de gewoonte om verliefd te worden op figuren waar ik als journalist over schrijf, maar...' Hij heeft eerder een uitvoerig artikel geschreven over zijn ontgoocheling.

Moore gaat nog een eind verder: 'Ik schaam me over mijn stem in 2000, ik schaam me over wat de president in mijn naam heeft uitgericht, je kunt stellen dat mijn activiteiten sinds 2002 erop gericht zijn het effect van mijn stem ongedaan te maken.' Die activiteiten behelzen twee kritische boeken over de president en diens politiek strateeg Karl Rove, een documentaire-film over Rove, en een serie opnames met nabestaanden van gesneuvelde militairen.

Ik spreek hen apart – Burka in de kantoren van de *Texas Monthly*, Moore op het terras van een Tex-Mex-restaurant, ongeveer aan het parcours waarlangs hij ooit met gouverneur Bush jogde (Bush is de enige Amerikaanse president die ooit een marathon voltooide; hij liep, kort na de verkiezingsnederlaag van zijn vader tegen Bill Clinton, een marathon in Houston in 3 uur 44 – nadat hij de marathon had voltooid wist hij volgens medestanders dat hij naar het gouverneursschap zou dingen) – maar de thema's en de indrukken zijn gedeeltelijk gelijklopend.

Wat maakte Bush eerst zo aantrekkelijk?

Burka: 'Nadat zijn vader in 1992 door Clinton werd verslagen keerde hij met zijn familie terug naar de staat. Dat is hier belangrijk. Wijzelf gaan ervan uit dat Texas de enige plaats is die ertoe doet, dat er weinig redenen zijn om de staat te verlaten, maar tegelijk hebben we altijd de indruk dat de rest van het land ons niet al te graag heeft. We gaan er, anders gezegd, van uit dat mensen niet terugkeren. Toen de familie Bush terugkeerde, had George W. eigenlijk al half de verkiezingen voor het gouverneurschap gewonnen. Daarbij speelden vreemde factoren een rol: misschien dat sommige mensen op de zoon stemden omdat ze de vader wilden troosten.

George W. had een ander voordeel. Hij is van rijke afkomst, en wij houden van rijke politici. Dat is altijd zo geweest – we denken dat rijke politici minder stelen.

Hij zag er aantrekkelijk uit, hij gedroeg zich waardig – hij kon als een goed vertegenwoordiger van de staat beschouwd worden.

We kenden hem eigenlijk al van voor hij naar het gouverneurschap dong. We kenden zijn ouders, we wisten dat hij meegeholpen had aan de campagne van zijn vader. Niemand hier dacht dat hij dom was – en we waren eerlijk gezegd toen en later ietwat verontwaardigd over de teneur in de rest van de pers over de verstandelijke vermogens van GW. Hij is in tegenstelling tot vele politici geen advocaat, hij is niet in staat om een lang antwoord te improviseren, maar hij heeft duidelijk een kleine kern van sterke overtuigingen, waar hij zich grotendeels aan houdt; hij houdt van mensen; hij weet een direct contact met gesprekspartners tot stand te brengen. En hij wist zich te omringen met grote talenten. Zo is hij verkozen.

Na zijn verkiezing heeft hij vriend en vijand verbaasd. Hij nodigde elke verkozene afzonderlijk bij zich uit, en hij vroeg eenieder wat hij of zij wilde bereiken. Hij hield in de mate van het mogelijke rekening met hun verzuchtingen. Niet al te veel, want de gouverneur heeft hier niet zoveel macht. Maar de symboliek was belangrijk. De Democraten, zijn oppositiepartij – ze waren dol op hem.

En hij kon daadwerkelijk beletten dat de partijen bakkeleiden, hij was te sterk voor hen.

Van begin af aan maakte hij ook duidelijk dat hij niet in de punten en de komma's geïnteresseerd zou zijn. Hij zette enkele grote lijnen uit – inzake onderwijs, inzake belastingvermindering – en daar hield hij het bij. De rest kon hem zo ongeveer gestolen worden.

Hij regeerde als een gematigde, misschien centrum-rechts, ongeveer zoals de Democraten voordien geregeerd hadden. Hij was niet bepaald pro-zakenleven. Zijn enige echte tegenstanders waren de leden van de rechtervleugel binnen zijn eigen partij die hem wantrouwden, omdat ze eerder zijn vader hadden gewantrouwd die de belastingen nationaal had opgetrokken, en omdat ze zagen hoe goed de zoon met de Democraten wist op te schieten.

Hij was aangenaam in de omgang. Hij leefde niet rijk, hij hield niet van decorum. Hij behield zijn vrienden uit Midland, rijk én arm. Hij had en heeft een afkeer van officiële aangelegenheden. Laura vertelde me eens: "We zijn steevast meneer en mevrouw Prompt – de eersten om op een diner te arriveren, en de eersten om weer te vertrekken."

Je kon met hem dollen. Ik herinner me dat hij in 1998 achter me het Capitool binnenreed en me vroeg of hij zou meedingen naar het presidentschap. Begon hij alle geruchten over zichzelf op te sommen.

Dat hij cocaïne snoof op de inhuldiging van zijn vader en zo, dat hij naakt op een tafel danste. Waarop ik zei: "Gouverneur, je bent nog wat vergeten. In je periode bij de Nationale Garde ben je, in dronken toestand, met een vliegtuig neergestort". Waarop hij droogjes antwoordde: "Ik hoop dat je het toestel kunt opsporen." Hij verleende journalisten toegang. Ik kreeg toegang tot zijn medewerkers.'

Het beeld lijkt overdreven positief. Klopt het niet dat hij in diezelfde periode het begrotingstekort in de staat tot ongekende hoogte liet oplopen, het aantal executies records brak en hij zich toen ook niet veel aan het milieu gelegen liet liggen?

Burka: 'Het milieu is simpel – dat doet er in Texas niet zoveel toe en het interesseerde Bush al helemaal niet. Door Houston loopt een kanaal dat vroeger verschrikkelijk stonk en dat wellicht nog altijd stinkt. De bewoners spreken van de "stank van geld". We stellen vervuiling gelijk met welvaart – dat is hier nu eenmaal zo. We doen laatdunkend over Californië waar ze bomen belangrijker vinden dan mensen. Bush maalde niet om het milieu. Hij was er niet tegen, zou je kunnen zeggen.

Je kunt daar nog aan toevoegen dat uitkeringen en sociale voorzieningen er in Texas niet toe doen. Texas verschilt in die zin van de rest van het land dat we de underdog, de zwakkere, absoluut niet waarderen. Ik verklaar dat door het moeilijke terrein – en de vijftigjarige, gruwelijke oorlog met de Comanches. We konden ons de luxe niet veroorloven zwakkeren te gedogen. Wie niet voor zichzelf kon zorgen, bracht de hele groep in gevaar. We houden niet van vakbonden – dat past in hetzelfde stramien, je moet de zwakken niet beschermen. In de olie-industrie heeft de vakbond nooit een voet aan de grond gekregen.

Rond de doodstraf had hij campagne gevoerd – we wisten hoe hij daarover dacht.

En wat de begroting betreft betwist ik dat het tekort gigantisch was – het was niet buitensporig en het had met de onderwijshervorming te maken.'

Jim Moore schreef in zijn boek *Bush's Brain* (met coauteur Wayne Slater, de politieke verslaggever van de *Dallas Morning News*) over die onderwijshervorming. Texas financiert het onderwijs via eigendomsbelasting, wat betekent dat rijke wijken zich een goede school kunnen veroorloven, terwijl arme buurten het met flutonderwijs moeten stellen. Bush stelde een verregaande hervorming en herverdeling voor die de arme scholen ten goede moest komen zonder dat de rijke scholen zouden inleveren. Maar zijn voorstel werd door zijn eigen rechterzijde afgeschoten. De avond van zijn nederlaag weende Bush, aldus Moore, in het gezelschap van enkele Democraten.

Moore: 'Ik sprak korte tijd later met hem. Hij zei me: "Weet je Jim, als ze me nog eens iets dergelijks willen laten doen zullen ze met hun duizenden op het grasveld voor het Capitool moeten samenkomen, en me gezamenlijk smeken." En zo gebeurde het. Hij stak zijn nek niet langer uit, hij liet de kleine man ongeveer vallen en toonde aan zijn rechterzijde dat hij hun niet veel in de weg zou leggen. Hij had echt in die onderwijshervorming geloofd, het maakte deel uit van zijn *compassionate conservatism*. Hij toonde ook moed door de migratie van Mexicanen te verdedigen. Dat had natuurlijk ook een economische grond, Mexicanen worden onderbetaald, hun komst houdt ook de andere lonen laag, maar anderen in zijn partij wilden repressief tegen de Mexicanen optreden en dat verhinderde hij.'

Moore begon andere dingen op te merken:

'Het was moeilijk een diepgaand gesprek met hem te voeren. Niet dat hij dom was, maar het was alsof hij voor een krant werkte waarvoor hij alleen de koppen moest verzorgen – hij praatte in koppen. Toen we over de jaren zestig praatten, repliceerde hij: "*Days of rage – days of rage, Jim*." Dat soort replieken. We jogden 's middags rond Town Lake, doorgaans apart maar onze paden kruisten wel eens. Op een dag zei hij: "Hé Jimmy, vertel me over je familie." Ik vertelde dat ik met uitkeringen was opgegroeid. Mijn ouders hadden zes kinderen, en elk een slechtbetaalde job. Maar onder anderen president Johnson had ervoor gezorgd dat we voedselbonnen kregen, dat ziekenhuiskosten werden terugbetaald en dat ik met een beurs kon studeren. Bush dolde graag en dit keer probeerde ik met hem te dollen. Ik zei: "Gouverneur, ik neem aan dat je nooit eerder gepraat hebt met iemand die van een uitkering heeft geleefd." Het was onmiddellijk duidelijk dat mijn opmerking verkeerd viel. Aan het eerstvolgende waterkraantje bleef hij ter plaatse trappelen en zonder een woord maakte hij rechtsomkeert.'

Burka had ook af en toe met de ergernis van de gouverneur te maken. Na een wat kritisch artikel weigerde Bush hem een tijdlang de hand te schudden. 'Hij vergeet en vergeeft niet.'

Maar soms kon hij ook innemend op kritiek reageren.

Burka had Bush bekritiseerd toen die een wet ter verbetering van patiëntenrechten niet had ondertekend. 'Hij riep me bij zich, vroeg me naar mijn argumenten en legde langdurig uit waarom hij die wet niet vertrouwde. Hij zei niet: je hebt het verkeerd voor. Hij legde argumenten voor, wat me geruststelde.

Hij wilde soms echt input. Lang voordat er sprake was van een invasie in Irak probeerde hij alles wat hij kon te achterhalen over de motieven van Truman om een leger naar Korea te sturen.'

Hoe zien ze de overgang van gouverneur naar president?

Burka: 'Dat is een raadsel. De man die campagne gevoerd had als *compassionate conservative* wou ineens geen overleg meer met de andere partij, ineens was hij voluit voor de grote bedrijven. De man die weliswaar christen was maar die als gouverneur had gezegd dat er onder zijn regime abortussen zouden blijven plaatsvinden, was ineens de vertegenwoordiger van de radicale christenen. Ik verklaar dat als volgt. Het gouverneurschap van Texas is klein bier. Het is een post met beperkte macht. Bush voelde dat hij niet klaar was voor het presidentschap, maar dat van de andere kant zijn tijd gekomen was – als je in politiek een mogelijkheid laat passeren komt ze misschien nooit weer. Nog voor hij zich kandidaat had gesteld, stond hij aan kop van de peilingen. Maar waar hij als gouverneur enkele krachtlijnen had kunnen uitzetten werd hij als president ineens voor alles verantwoordelijk. Hij deed wat hij altijd deed: hij toonde belangstelling voor twee of drie dingen en de rest – dat wat hem ten gronde niet kon schelen – liet hij aan zijn medewerkers over, met name aan zijn vicepresident, die veel meer pro-bedrijfsleven is dan Bush. Rove had hem duidelijk gemaakt dat hij kon winnen door naar rechts op te schuiven, eerst in de voorverkiezingen, daarna in de echte verkiezingen. En in Washington maakte zijn eigen partij hem duidelijk dat er geen sprake kon zijn van overleg en machtsdeling. Dat in Washington verdeeldheid meer oplevert dan eenheid – dat was wat Tom DeLay (een vooraanstaand, in corruptieschandalen verwikkeld parlementslid uit

Texas, RR) hem duidelijk maakte. Hij was niet zelfverzekerd genoeg om tegengas te geven en zijn wil door te drijven. Eigenlijk werd zijn presidentschap hem voor een stuk ontfutseld.'

Moore: 'Kort voor hij zich kandidaat stelde had ik tijdens een vliegreis een lang gesprek met hem. Het was duidelijk dat hij geen kandidaat wou zijn. Zijn leven was bijna perfect, hij had een goede familie, een rustige, interessante job. Maar hij voelde dat iedereen aan hem trok. En hij wou de nederlaag van zijn vader uitwissen door zelf president te worden – dat speelde heel sterk.'

Zowel Moore als Burka zijn ontgoocheld over de regeerperiode, Burka minder dan Moore.

Burka: 'Op enkele punten dook de oude Bush weer op. Hij is fel begaan met onderwijs, met dezelfde motivatie als destijds in Texas – zijn presidentieel onderwijsinitiatief had tot doel achtergestelde kinderen de kans te geven hun achterstand in te lopen. Maar dat initiatief heeft hij dan niet volledig gefinancierd, wat geen zin heeft. Dat hij zich in de veiligheid van het land en het terrorisme heeft vastgebeten vind ik goed, maar dat hij geen maatregelen treft om containers en havens te beveiligen is onbegrijpelijk. In het algemeen vind ik dat hij te veel zwakke medewerkers heeft die hij maar niet ontslaat. Dat is een voor- en een nadeel van hem: hij is loyaal en hij geeft niet graag toe dat hij zich vergist. Het een loopt over in het ander. Ik denk dat sommigen hem misbruiken. Hij heeft ontegenzeggelijk een voorliefde voor wat boud is en panache heeft. Ik kan me voorstellen dat men hem informatie over Irak geeft en het zo draait dat hij zichzelf bijna laf vindt als hij geen militaire operatie goedkeurt.'

Moore ontwaakte voorgoed uit zijn pro-Bush-droom met die oorlog in Irak: 'Enkele dagen geleden maakte ik een opname bij een vrouw die een zoon in Irak heeft verloren. Die zoon stierf in juli vorig jaar, tien dagen nadat president Bush het verzet in Irak had uitgedaagd met zijn beroemde zinnetje: "*Bring them on.*" Ze zegt: "*Mr. President*, ik weet niet of de Irakees die mijn zoon heeft gedood op jouw uitdaging heeft gereageerd, maar dankzij jou kan ik daar de rest van mijn dagen over piekeren." Hoe erg dat moet zijn, een zoon te verliezen in een overbodige oorlog.

Amerikanen hebben een enorm vermogen zich schrap te zetten

en dingen te verduren. Maar na 11 september heeft de president dat nooit van ons gevraagd. Integendeel, hij heeft ons geschenken gegeven, belastingverminderingen, ongekend in oorlogstijd. Ik ontmoet voortdurend nabestaanden van oorlogsdoden die zeggen: het enige goede dat van de dood van mijn kind kan komen is dat ik overeind blijf en mijn stem laat horen.

En ik pieker ook meer en meer over die keer dat we samen jogden. In mijn jeugd wist ik dat de regering mijn toekomst even belangrijk vond als de toekomst van George W. – die ik toen uiteraard nog niet kende. President Johnson was, nadat ik met een beurs had kunnen studeren, bijna onmiddellijk bereid zijn investering te riskeren door me naar Vietnam te sturen, maar ik had tenminste het idee voor vol mee te tellen. Dat was voor mij een essentieel onderdeel van de Amerikaanse droom. Je kon van de ene kant hopen rijk te worden, of president, maar als je plan mislukte, garandeerde de overheid je nog een tweede kans. Tegenwoordig is de filosofie heel anders: wie mislukt, mislukt omdat hij of zij niet hard genoeg probeert. Want het kapitalisme is perfect. Je moet je niet bezighouden met wie in de goot ligt. George W. heeft natuurlijk vaak genoeg zelf gefaald. Maar hij was omringd door helpende handen, er was altijd wel iemand die een kussen klaarlegde op het moment dat hij struikelde. Mij geeft het te denken dat je bestuurd wordt door mensen die zich nooit financiële zorgen hebben hoeven maken.

We gingen er vroeger altijd van uit dat we, als puntje bij paaltje kwam, allemaal Amerikanen zijn, ten gronde solidair. Maar nu is ook dat niet zo zeker. Ik heb in Austin twee hartsvrienden, de ene denkt ongeveer als ik, de andere was altijd conservatiever, maar tegenwoordig kunnen we niet langer over politiek praten. We hebben ons leven veil voor elkaar, letterlijk, we zouden een kogel voor elkaar opvangen als we dat konden – maar we slagen er niet in om over politiek te praten. Dat is het gevolg van de huidige politiek. Ik ken gezinnen die niet langer over politiek praten – zo verdeeld zijn ze.'

Burka: 'Ik maak me op een aantal terreinen zorgen. Ik houd van de grondwet. Ik vind niet dat men zonder de geijkte procedure te volgen mensen mag vasthouden. Zoiets wordt later toch altijd door rechtbanken afgestraft. Ik maak me enige zorgen rond abortus. Ten tijde van het gouverneurschap had ik daar een discussie over met een medewerker. De dochters van Bush waren toen tieners. Zijn echtgenote had laten weten dat ze tegen de afschaffing en afzwakking van de abortuswetgeving was. Bush liet de wetgeving in Texas grotendeels ongemoeid, al installeerde hij de verplichting dat minderjarige vrouwen hun ouders op de hoogte moesten stellen. Ik vroeg aan de medewerker: waarom is iemand in zijn omstandigheid zo fel tegen abortus? Het antwoord is: hij is tien jaar geleden tot dit standpunt gekomen en dat verandert hij niet meer. Dat is Bush ten voeten uit. Hij bereikt zijn standpunt en dan is voor hem het werk voorbij.

Ik ga ervan uit dat Bush conservatieve rechters aanstelt. Het kan best dat hij denkt dat het zijn Godgegeven plicht is abortus opnieuw buiten de wet te stellen, dat dat zijn blijvende bijdrage aan zijn land hoort te zijn. Het gevolg zou natuurlijk zijn dat de Republikeinen alle volgende verkiezingen verliezen – vrouwen zouden massaal naar de Democraten overlopen.'

Burka zal, in tegenstelling tot Moore, toch voor een tweede ambtstermijn van Bush stemmen. Waarom?

Burka: 'In Texas bestaat het gezegde: je kunt nooit iemand verslaan met niemand. Kerry heeft vrij goed gepresteerd in de debatten maar hij is nog altijd niemand. Ik weet niet waar hij voor staat, zelfs niet of hij ergens voor staat. Bush is duidelijk te rechtlijnig, te ongenuanceerd. Hij dweepte altijd al met Churchill, maar je kunt moeilijk Winston Churchill zijn in al je beslissingen. Hij lijkt dat nochtans te proberen. Bush is ooit door de faculteit Rechten van de universiteit in Austin afgewezen. Dat speelt nog altijd een rol. Hij houdt niet van advocaten, hij houdt niet van nuances. De goede kant daarvan is: hij concentreert zich op wat volgens hem de essentie is.

Voor mij gaan deze verkiezingen maar over één ding: over de veiligheid van het land. En ik ben er vast van overtuigd dat Bush zich met al zijn hardnekkigheid en zijn rechtlijnigheid met mijn veiligheid zal bezighouden. Ik was niet blij met het optreden in Irak, ik geloof niet dat we met vijftien maanden van politiek-militaire ingrepen daar zomaar vijftienhonderd of vijfduizend jaar cultuur kunnen weggommen, maar als het om mijn veiligheid gaat, en als ik moet kiezen tussen te veel en te weinig, dan kies ik elke keer te veel. Dan kies ik voor iemand die resoluut en ongenuanceerd onze belagers achternagaat. Sinds Vietnam zijn de Democraten bang voor het uitoefenen van geweld. Ze spreken over bondgenoten en bondgenootschappen, maar iedereen weet dat dat therapeutische praat is – als puntje bij paaltje komt moeten we het zelf doen. Je kunt de Democraten aan de macht laten als het binnenland de prioriteit is en het buitenland is veiliggesteld, maar je houdt ze van de macht weg als er in het buitenland opgetreden moet worden.

Maar ik zal nooit mijn ontgoocheling over gouverneur Bush te boven komen. Ik kende de gouverneur, ik herken de president niet in de gouverneur.'

12

Ohio, voor en na

Doorgaans ben ik de vragende partij in conversaties, maar ditmaal ben ik niet heel zeker. Ed (Eduardo) heeft zopas de begrafenis van zijn zwager bijgewoond en het is al gejubel wat over zijn lippen komt. Na de dood begint het ware leven, zijn zwager is gelukkiger dan ooit (of ongelukkiger, maar dat moest dan maar), je kunt beter sneller in Gods handen zijn dan later. Af en toe onderbreekt hij het gesprek om gebeden te prevelen.

Ed is op de Filippijnen geboren, zijn familienaam, Halal, heeft hij aan moslimreizigers overgehouden, maar hijzelf is katholiek – herboren katholiek, charismatisch katholiek.

'Ik werkte als burger voor de Amerikaanse troepen in Vietnam, en ik maakte mezelf daar kapot: drie pakjes sigaretten per dag, alcohol en vooral gokken – de dag dat ik mijn salaris ontving was ik het doorgaans weer kwijt.'

Maar kort na de oorlog, op een dag in 1976, voelde hij de Geest over zich komen, en zonder dat het hem de geringste inspanning kostte was hij van alle verslavingen verlost. Hij trouwde, emigreerde naar de VS, kon bij de posterijen aan de slag, heeft zes kinderen en is nu bijna pensioengerechtigd.

'Weinig katholieken beseffen hoe belangrijk de Heilige Geest is. Hij geeft je negen giften, genezing, inzicht...' Hij komt niet onmiddellijk op de resterende zeven. 'Hij schudt je door elkaar en maakt dat je eindelijk de woorden vindt die je altijd had willen spreken. Wat de apostelen overkwam met de vurige tongen, dat voel ik op mijn manier ook. Ik kan niet langer zwijgen.

Ik voel de duivel. Velen geloven niet langer in een duivel die alom probeert mensen van God weg te trekken. Wat is het homohuwelijk anders dan een ingeving van de duivel?'

Een teken van groeiende gelijkberechtiging en humaniteit.

'Onzin. Dat zijn woorden die de duivel zwakken influistert.'

Is hij ook in politiek geïnteresseerd? Ik laat in het midden of ik Ed bedoel of de duivel.

'Bush wordt herkozen. Daar twijfel ik geen ogenblik aan. Hij is een christen, dat is zijn voornaamste troef. Hij voelt het vuur dat ik voel. Als we in de kerk zijn bidden we niet ingetogen. We juichen en jubelen. Dat doet de Geest met je. Men pruttelt rond de oorlog in Irak, maar iemand moest het doen – iemand moest Saddam elimineren. Bush aarzelt niet als er gehandeld moet worden. De goede mensen zijn nog in de meerderheid in dit land – zij zullen Bush herkiezen.'

Voor het eerst in enige tijd, op enkele weken van het eindresultaat, krijg ik de indruk dat de presidentsverkiezingen er echt toe doen. In Texas, een staat die ook zonder publiciteit Bush verkiest, kun je dagen wachten op een nationale politieke advertentie, maar in Ohio zijn de shampoos, de huidcrèmes en de erectiepillen tijdelijk verdreven door presidentiële borstklopperij. Ik probeer het enkele keren en ik kan, zelfs al zit ik op een kamer met 'slechts' veertien tv-kanalen, nooit het hele rijtje afzappen zonder op ten minste één politieke advertentie te stoten. Mijn gemiddelde bedraagt één politieke advertentie per drie zenders, op elk moment van de avond. Aan vele huizen (maar gek genoeg niet aan zoveel auto's) wordt een van beide kandidaten aangeprezen. En zelfs op straat wordt over voor en tegen gediscussieerd. Ohio is dan ook de gedoodverfde *swingstate*, de staat werd in 2000 nipt door Bush gewonnen en kan nu naar de Democraten gaan. Er is, zeggen politicologen, in het recente verleden nog nooit een Republikeinse president verkozen zonder dat hij ook in Ohio won.

Canton, zelf een politiek swingstadje, is in meer dan dat opzicht een interessant plaatsje. Het ligt op enkele kilometers van Kent State University, waar in de contestatiejaren, op 4 mei 1970, studenten werden neegeknald (Neil Youngs 'Four dead in Ohio' memoreerde hun overlijden). Het is waar de Pro Football Hall of Fame is gevestigd en al heel gauw, zij het niet zo lang, professioneel Amerikaans voetbal werd gespeeld, waar de Hooverstofzuiger werd uitgevonden en geproduceerd.

Het is een plaats in diepe crisis, waar de bevolking troost vindt in de jaarlijkse pizza-eetcompetitie, en zelfs daar het besef niet kan verdrijven dat elders sneleters sneller en meer kunnen eten en grotere pizza's voorgeschoteld krijgen dan de lokale deelnemers.

De sponsor wilde geen grote, reglementaire pizza's aan het evenement schenken, zodat geen aanval kan worden ingezet op het wereldrecord van drie minuten veertig seconden voor een pizza. Niet dat er een kans bestond dat dit record in Canton zou worden gebroken. Elders zijn sneleters afgetrainde Japanners, hier zijn het geeuwende, resoluut zware en duidelijk hongerige Amerikanen. Zelfs de lokale krant weigert uiteindelijk, ondanks eerdere beloften, om de uitslag te publiceren.

Maar het evenement zint me wel. De dochters van ambitieuze moeders zingen liedjes van Whitney Houston of Mariah Carey, een koppel van rond de zeventig, allebei met strakke leren broek en de man met een shirt dat meer onthult dan verbergt, zitten aan het bier en aan elkaars kont, de man voortdurend en luid verwijzend naar swingen, en zonder dat er een politieke connotatie te vinden is. Tijdens de eetwedstrijd zelf, die uiteindelijk, met de halfkleine pizza's, maar enkele minuten duurt, borrelt het besef op dat het niet interessant is om naar etende mensen te kijken. Zelfs niet naar tien etende mensen, die met behulp van water halfgekauwde koek inslikken. Geen van de toeschouders is gebiologeerd, de meeste wenden zich af om een volgende beker bier te gaan bestellen. De would-be Mariah Careys wachten geduldig op hun tweede zangbeurt, en laten zich intussen de loftuigingen van de overjaarse gitarist welgevallen.

In de weken na 11 september was Canton even nationaal nieuws. Hier zou een terroristische aanslag beraamd en verijdeld zijn. Ohio is in het algemeen blijkbaar een doel van terroristen. Plannen van een *mall* uit de hoofdstad van de staat, Columbus, werden bij vermeende terroristen teruggevonden. En in Canton leefden de anti-Amerikanen zomaar tussen de Amerikanen. Ze bezochten de bibliotheek.

Het is daar dat ik van Julie over de episode verneem.

Eigenlijk is Julie bezig met een campagne om de financiering van de bibliotheek te verzekeren. Wil de bieb in haar huidige vorm blijven bestaan, dan moeten de bewoners instemmen met een extra belasting van ongeveer vijfendertig dollar per huishouden.

Deze heffing, nodig omdat de staat Ohio de subsidies teruggedraaid heeft, is al twee keer weggestemd, en tegelijk met de presidentsverkiezingen komt een derde stemming.

'Vooral de betere buurten stemmen tegen. Je ziet die lui uit de Borders-boekhandel komen met voor honderd dollar boeken per keer, maar voor een bibliotheek hebben ze geen cent over.'

Als de extra taks dit keer wordt weggestemd, zal een derde van het personeel moeten worden afgedankt: vijfendertig bibliothecarissen plus tien administratieve krachten.

Ze is partijloos, zegt ze, heeft in 2000 voor Bush gestemd, maar dit keer overweegt ze een tegenstem. Ze is het niet eens met de invasie van Irak, ze is zelf voor zoveel mogelijk stamcelonderzoek, en bovenal, de besparingen op haar bibliotheek zijn grotendeels het werk van partijgenoten van Bush.

'Men zegt vaak dat mensen die tegen Bush zijn de dreiging van de terreur onderschatten. Ik ben het daar helemaal mee oneens. Kort na 11 september zou ik op reis naar Italië zijn vertrokken. Ik heb die reis uit angst afgelast. Nog erger. Ergens in mei van 2001 kreeg ik het bezoek van twee mensen die materiaal zochten over de waterhuishouding van dit gebied. Ik heb ongeveer hemel en aarde bewogen om hen zoveel mogelijk details te verschaffen over de waterleiding, de reservoirs, et cetera. Ze waren uit Egypte afkomstig, werkten in een kippenslachterij – en na 11 september moest ik aan die episode terugdenken. Ik waarschuwde de FBI en een van de Egyptenaren werd ondervraagd, moest voor de rechtbank verschijnen en is intussen veroordeeld. Blijkbaar wou hij via ons watersysteem een aanslag plegen. Daar ben ik sindsdien bijna nonstop mee bezig. Het is de aard van dit land dat we open zijn, en een redelijk naïef vertrouwen kunnen koesteren in medemensen – dat we helpen waar we kunnen. Maar vanuit die openheid heb ik bijna meegeholpen aan een bloedbad. Elf september heeft geleerd dat we niet zomaar open mogen zijn.'

Een van de twee zou beweerd hebben dat hij als bioloog microben kon opsporen die niemand anders vond, en dat hij met die kennis het Amerikaanse watersysteem veiliger zou maken. Die Egyptenaar is nooit teruggevonden, en zijn maat werd veroordeeld omdat hij met valse papieren in het land verbleef. Maar voor Julie staat het buiten kijf dat de twee iets gruwelijks van plan waren. 'Waarom zouden anders handlangers van een kippenboerderij urenlang de plannen van de waterleiding bestuderen? Vroeger zou ik dat een interessante rariteit gevonden hebben, nu blijkt het een teken van kwade bedoelingen.'

Ohio heeft nogal wat presidenten opgeleverd en een van hen woonde lange tijd in Canton: William McKinley, die in 1897 aan de macht kwam en die bij het begin van zijn tweede ambstermijn, in 1901, door 'een krankzinnige anarchist' werd neergeschoten.

Canton strooit McKinley gul rond, er werden een straat en enkele musea naar hem genoemd, en boven op honderdacht trappen vindt de bezoeker zijn praalgraf. Dat mausoleum lijkt tegenwoordig vooral dienst te doen als uitdaging voor joggers, die doorgaans ergens om en bij trap vierenvijftig hun inspanning staken en rechtsomkeert maken, dan wel horizontaal het monument omcirkelen. Ik bezoek het terwijl op de begane grond oldtimers, al bijna zo oud als die president, dingen naar een prijs, en de eigenaars uitleg verstrekken over de benzine die hun voertuig uit 1907 nodig heeft.

Jack, een jonge veertiger met een verzorgde snor, is een van de stilgevallen joggers, die ook weer rond trap vierenvijftig op adem komt.

Wat hij van McKinley weet?

'Ik vermoed,' geeft hij hijgend toe, 'dat we op school de gesuikerde versie kregen. Hij was een held tijdens de burgeroorlog. Dat soort dingen.'

Hij was ook, leert de recentste editie van het maandblad *Foreign Policy*, een voorloper van de huidige president Bush. Hij besteedde recordbedragen aan zijn verkiezingscampagne, hij verlaagde de belastingen en hij betrok zijn land in een 'imperialistisch avontuur', hoewel het er eerst helemaal niet naar uitzag dat hij belangstelling had voor het buitenland. Zijn adviseur was de geestelijke vader van Bush' adviseur Karl Rove, een *svengali* die politieke munt sloeg uit zijn relatief ongecultiveerde baas/slachtoffer.

'Het verwondert me niks,' zegt Jack gedwee. Vooraleer nog details volgen huppelt hij richting oldtimers. 'Ik ben nooit in het mausoleum geweest,' roept hij over zijn schouder. 'Is dat niet vreemd? Ik woon hier mijn hele leven en ik ben nooit naar binnen geweest.'

De officiële website van het Witte Huis suggereert dat McKinley niet anders kon dan onder druk van de bevolking een oorlog beginnen met Spanje. Hij liet Cuba veroveren, Hawaii aanhechten, en koloniseerde later de Filippijnen. Vooral dat laatste vertoont volgens Foreign Policy gelijkenissen met de invasie van Irak. McKinley schaarde zich zonder aarzelen achter de christelijke vlag: 'Territorium valt ons soms in de schoot wanneer we ten strijde trekken voor een heilige zaak, en telkens wanneer dit gebeurt wappert de banier der vrijheid en brengt hij, daar vertrouw ik op, de zegeningen en voordelen naar alle bewoners.'

Maar de kolonisatie van de Filippijnen, begonnen als een futiliteit ('een schitterend oorlogje') die door een minimale strijdmacht kon worden verzekerd, ontaardde vrij snel toen bleek dat de Filippino's de Amerikanen even weinig genegen waren als hun eerdere Spaanse kolonisatoren. De VS moesten hun troepen massaal versterken en aan beide zijden van het conflict vloeide het bloed rijkelijk (zij het niet evenredig: er vielen vierduizend Amerikaanse doden tegenover tweehonderdduizend Filippino's).

Jack is weer enkele keren rond de basis van het mausoleum gelopen.

'De dag dat ik in staat ben alle honderdacht trappen op te lopen zal ik het graf gaan bekijken. Ik weet niet of de beloning de inspanning waard is, maar toch, dat neem ik me voor.'

In dit land, waar vergeten beter lukt dan herinneren, is McKinley een vergeten president. In Canton kent men hem nog omdat hij hier woonde, omdat zijn huis hier staat, omdat hij hier, na een woelige regeerperiode, werd begraven. Mij intrigeerde zijn einde, en de krankzinnige anarchist.

Die bleek helemaal niet zo krankzinnig als de website van het Witte Huis beweert.

De aanslag tegen de president, in september 1901, gebeurde tijdens een expo in Buffalo, New York, waar vooral de moderniteit in de verf werd gezet. Er was een lichtpaviljoen, waar pril maar grandioos elektrisch licht kon worden bewonderd. President McKinley, eerder al de eerste president die met een auto werd rondgereden, werd hier ook de eerste president die in een elektrisch wagentje reed. Dat behoorde tot zijn strategie – hij wilde het moderne publiek aanspreken, hij ging er ook prat op dat hij de telefoon gebruikte – en het weerspiegelde wellicht ook een reële interesse van zijn kant. Hij was er, volgens de terminologie van zijn tijd, van overtuigd geraakt dat met de introductie van elektriciteit zijn land uit het duister van de vorige eeuw in het licht van de nieuwe eeuw was gestapt.

Ook aanwezig op de tentoonstelling, op deze foor van de moderniteit, was de anarchist Leon Franz Czolgosz, een zoon van Pools-Russische migranten, die onder de indruk was gekomen van de radicale activiste Emma Goldman.

Leon was in 1873 in Detroit geboren, maar naderhand verhuisd naar de staat van zijn latere slachtoffer, Ohio. Samen met enkele broers werkte hij in een fabriek voor staaldraad, waar ze het voor hun tijd royale loon van vier dollar per dag ontvingen. Maar de eigenaar van de fabriek wilde, in een periode van economische teruggang, de lonen verlagen, en de arbeiders die dat niet pikten werden op staande voet ontslagen. Jonge Leon was een van de gedumpte arbeiders. In 1897, het jaar waarin McKinley president werd, schoot de politie een vreedzame betoging uiteen van werknemers van de Lassiter Mines, in buurstaat Pennsylvania, die nieuwe belastingen op lonen wilden aanklagen (McKinley was voor lage belastingen voor werkgevers, maar was duidelijk minder begaan met lage belastingen voor werknemers). Negentien betogers werden gedood, negenendertig verwond. Leon verwees later, tijdens politieondervragingen, naar die slachtpartij. Daar verloor hij zijn geloof in het systeem definitief, beweerde hij. Hij geloofde dat de Amerikaanse maatschappij diep onrechtvaardig was, en dat alleen anarchistische actie haar kon redden. Hij beschouwde de president als het symbool van die onrechtvaardigheid. In het algemeen vond hij het niet correct dat één mens gediend en bediend werd terwijl het gros van de mensheid niet anders kon dan dienen.

Zijn volgende aha-moment kwam op 29 juli 1901, toen de Italiaanse anarchist Gaetano Bresci erin slaagde koning Umberto te vermoorden. Het was de eerste in een hele serie Europese moorden (met als hoogtepunt de moord in Sarajevo), en Leon zag er meteen zijn eigen heil in. Hij scheurde het krantenartikel over de moord uit, en hield het in zijn jaszak.

Hij reisde op 31 augustus naar de foor in Buffalo, huurde een kamer, kocht een pistool en wachtte zijn moment af. 'Het plan om de president te vermoorden was nog niet voldragen,' verklaarde hij aan de politie.

Op 5 september bezochten ruim honderdduizend mensen de expo, ongeveer de helft van hen luisterde in de loop van de namiddag naar de toespraak van de president, die, zoals steeds, wees op de geweldige mogelijkheden die de toekomst zou brengen, met al die innovaties die in Buffalo tentoongesteld werden.

Voor en na zijn speech drukte de president ontelbare handen. Hij was ook in dat opzicht een voorloper, niet alleen een George W. avant la lettre, maar ook de Bill Clinton van zijn tijd – en eigenlijk de eerste president die zich zo ongegeneerd baadde in de publieke belangstelling.

De volgende dag, na een familiebezoek aan de Niagara-waterval, besloot de president dat hij nog wel een publieksbad kon verdragen.

In de late namiddag, na nog maar eens een optimistische toespraak, vond de president de tijd om weer een serie bezoekers de hand te drukken. Er werd een sonate van Bach gespeeld. De laatste belangstellende naar wie McKinley zijn hand uitstak was Leon Franz Czolgosz. Die nam de zakdoek waarin hij zijn pistool had gewikkeld en vuurde twee schoten af op de president. Hij had liever meer schoten afgevuurd, maar omstanders beletten het hem.

Volgens zijn hagiografen (op dezelfde websites die Leon Franz gek verklaren) voorkwam de getroffen president met resolute woorden dat de meningte zijn belager zou lynchen, hoewel die toch vrij ernstig in elkaar geslagen werd.

Wat volgde verdient de aanduiding tragikomedie, en kan moeilijk naverteld worden zonder overdadig beroep te doen op de kwalificatie 'pril'. De president werd afgevoerd naar een kamer waar werd vastgesteld dat een van de schoten op een knoop was afgeschampt, en dat de andere kogel in zijn pens naar binnen was gedrongen. Geholpen door elektriciteit, en door een peerlamp, opende men de presidentiële buik, in de hoop de kogel op te sporen. Eerst bleef dat zonder gevolg. (Volgens sommige biografen was de president zo dik dat zijn vet het zoekwerk hinderde.) Vervolgens vielen de elektriciteit en de prille peer uit, waardoor het zoekwerk moest worden uitgesteld. Op enkele meters van de geïmproviseerde operatiekamer werd een prototype van een röntgenapparaat tentoongesteld, waarmee men de kogel afdoend had kunnen opsporen. In plaats daarvan werd bij het licht van kaarsen langdurig verdergezocht, tot de kogel uiteindelijk werd gevonden en verwijderd. De operatie was een succes, de president herstelde fluks, en sprak optimistisch, tot hij in zijn optimisme van koudvuur begon te ijlen. Vice-president Theodore Roosevelt, zo mogelijk nog meer imperialistisch georiënteerd dan zijn baas, werd van een jachtvakantie teruggehaald en naar het sterfbed van de president gebracht, waar hij niet veel zinnigs meer kon vernemen, alvorens het heft in handen te nemen (dat was een geluk bij een ongeluk, de vice-president was uiteindelijk veel getalenteerder dan McKinley).

Czolgosz werd binnen enkele weken ter dood veroordeeld, en geëxecuteerd met een prille elektrische stoel.

De elektrische stoel was voor het optimistische Amerika van die tijd bijna wat de guillotine eerst was voor de Franse revolutie: een onmiskenbaar teken van humaniteit en vooruitgang.

Het zal Czolgosz een troost geweest zijn dat zijn elektrische stoel de bekroning was van een concurrentieslag tussen de elektriciteitspioniers Edison en Westinghouse. Edison, pleitbezorger van gelijkstroom, stak openlijk de draak met de wisselstroom van zijn concurrent. Om het gevaar van wisselstroom duidelijk te maken, kwakte hij ten behoeve van journalisten en andere belangstellenden vogels tegen een apparaat van Westinghouse. De vogels werden prompt geëlektrocuteerd (of, in de terminologie die Edison probeerde ingang te doen krijgen, '*The birds were westinghoused.*') Die wisselstroom was volgens Edsion zo gevaarlijk dat je hem kon gebruiken bij executies – wat prompt gebeurde.

In het begin liepen de executies vaak mis, maar wat dat betreft had Czolgosz geluk. Op 29 oktober 1901, vijfenveertig dagen na de moordaanslag, kreeg hij om zeven uur 's ochtends een bedrade helm op het hoofd, hij werd vastgebonden op de stoel en kreeg de toestemming om zijn laatste woorden te spreken. Die luidden, volgens toenmalige verslagen: 'Ik heb de president vermoord omdat hij een vijand was van de goede mensen, van de werkende mensen. Ik heb geen spijt van mijn misdrijf.'

Net voor men zijn hoofd vastbond, voegde hij hier nog aan toe: 'Ik heb er wel spijt van dat ik mijn vader niet mocht zien.'

Op dat moment werd zeventienhonderd volt wisselstroom op hem losgelaten. Het lichaam danste in de stoel. De dokter vond naderhand geen teken van leven meer en beval dat men nog een lading stroom op het lichaam zou loslaten. Vervolgens werd de moordenaar van de president doodverklaard.

Het verhaal van de anarchist en de president is zelfs in Canton niet meer acuut. De sociale problemen van deze staat en deze stad zijn dat nog wel.

In twintig minuten wandel je rond de wat roestende hoofdvestiging van het staalbedrijf Timken. De schoorstenen kuchen beleefd, de bakstenen zijn vuil en de geparkeerde auto's brandschoon.

De directie heeft aangekondigd, in iets wat gelijkenissen vertoont met het wedervaren van Leon Czolgosz, dat dertienhonderd werknemers hun ontslag zullen krijgen, tenzij de vakbonden snel instemmen met slechtere werkomstandigheden.

De vakbonden, die ten tijde van Czolgosz nog niet mochten bestaan, hebben het ultimatum van de directie verworpen, en dringen aan op verdere onderhandelingen.

Af en toe zie ik zorgelijke mensen in een brandschone auto verdwijnen. In het geval van Linda is die auto zelfs onderdeel van haar zorgen. Ze moet nog ongeveer tienduizend dollar aan haar SUV afbetalen.

Ze graait, met de hand die haar autosleutel bevat, in dik, zwart haar. Die aankoop leek geen overdonderend engagement. Ze werkt al enige jaren, sinds haar kinderen leerplichtig zijn, op een controlepost bij Timken. Timken heeft een goede reputatie: het bedrijf betaalt zijn werknemers goed en houdt hen traditioneel een leven lang bij.

Een paar weken geleden vernam Linda dat ze verkeerd had gerekend. Timken kondigde aan dat, tenzij er een wonder gebeurt, de productie van kogellagers zal worden overgeheveld naar elders.

Linda vermoedt dat zij een van de dertienhonderd zal zijn – zij werkt op die afdeling.

Ongeveer een jaar geleden heeft president Bush tijdens een bezoek aan Canton, zij aan zij met zijn vriend en financier Tim Timken, uitgelegd hoe de politiek van belastingverlagingen begon te leiden tot stabiliteit en zelfs groei van de werkgelegenheid. 'De toekomst van de tewerkstelling is schitterend voor de families die hier werken.' Die uitspraak leek toen al enigszins dubieus. Een andere grote werkgever in Canton, de legendarische stofzuigerfamilie Hoover, had niet alleen de firma verkocht aan Maytag – Maytag hevelde meteen een grote afdeling over naar lagerelonenland Mexico (waar de nieuwe vestiging getroffen werd door een dodelijke aardbeving – 'net goed,' zegt Linda, voordat ze zich daarvoor verontschuldigt). Maytag zet de ontmanteling van de afdelingen verder – recent werd een deel van het onderzoek uitbesteed.

Canton is al ongeveer een eeuw lang gebouwd op enkele stevige bedrijven. De stad maakt deel uit van het oude industriële hart van het land. Concurrentiële delen van de familie Belden bezitten respectievelijk een oliemaatschappij en een steenbakkerij. Hoover produceerde stofzuigers. En de familie Timken voorziet auto's wereldwijd van kogellagers. De Timkens financieren lokale scholen en musea, ze doen aan stadsvernieuwing, ze sponsoren sportploegen en culturele evementen. Wat goed is voor Timken is goed voor Canton, luidt een lokaal gezegde, al vraagt Linda zich nu af wat die zegswijze nog te betekenen heeft. 'Wat is er goed aan zo'n ontslag? Als ik bij de dertienhonderd ontslagen ben, weet ik bij God niet waar ik ander werk kan vinden.' In dat geval moet ze niet alleen haar auto verkopen – ze moet haar hele leven bijstellen, de scholing van haar kinderen minder ambitieus maken.

'Timken was echt nog zo'n plaats waar de vader werkte en later de zoon, waar de kinderen des huizes een vakantiebaan vinden – waar iedereen een goed loon heeft, volledige ziekteverzekering en mits een volledige loopbaan een goed pensioen. Mijn echtgenoot werkt nog, ik zal geen honger lijden. Maar anderen zullen het niet zo goed stellen. We zien nu al zoveel ellende in de stad.'

De ontslagen zijn nog niet definitief, en ze kunnen nog enige tijd op zich laten wachten.

'Dat maakt geen verschil,' zegt Linda, 'mijn vertrouwen is nu al zoek. Ik slaap 's nachts niet omdat ik niet langer weet wat mijn toekomst inhoudt.' Ze stapt meewarig in haar SUV.

Canton, en het omringende gebied Stark County, vormen een soort lakmoestest voor de Verenigde Staten. 'We gaan er prat op en we vinden het tegelijk enigszins ridicuul,' zegt David Kaminski, hoofdredacteur van het lokale dagblad *The Rep(ository)*, 'maar dit gebied heeft de afgelopen veertig jaar bij presidentsverkiezingen altijd voor de winnende kandidaat gestemd.'

Altijd behalve één keer, bedoelt hij, en niemand herinnert zich nog helemaal of de buurt zich met Carter dan wel met de eerste Reaganverkiezing heeft vergist. Carter, besluit hij, en hij stelt zijn uitspraak bij: er is in de afgelopen tijd nog nooit een Republikein tot president verkozen die niet in Stark County won.

De staat van verdienste was in 1996 al dusdanig dat de *New York Times* een journalist betaalde om met zijn familie voor een jaar naar Canton te verhuizen. Canton en Stark County zijn in vele opzichten zoals het land, de raciale mix, de verhoudingen tussen landelijk en stedelijk, tussen industrie en dienstverlening, tussen rijke en arme buurten komen dicht bij landelijke gemiddelden.

Dat jaar van aandacht in de *New York Times* heeft Canton een soort status opgeleverd die de bewoners 'als in een echokamer' (dixit lokaal onderzoeker Merele Kinsey) in stand houden. Iemand anders verwijst naar de *groundhog*, de Amerikaanse marmot die het weer zou voorspellen – zo voorspelt Canton de verkiezingen.

In de woonbuurten ten noorden van de Timkenfabriek vallen eerst de vele vlaggen op. Vaak wordt de vlag nog gecompleteerd met een steunbetuiging aan de troepen die *The Rep* gratis heeft verspreid: WE SUPPORT OUR TROOPS.

Bij tweede visie valt de afwezigheid van enerlei protestbetuiging tegen de afdankingen op. De meeste bewoners hebben met de fabriek te maken, werken er zelf of hebben familie die er werkt, maar niemand heeft ook maar een sticker met protest gekleefd.

Gary, zelf een Timkenwerknemer, zegt dat het niet in de traditie ligt te protesteren. 'Mijn hart breekt voor mijn collega's – ik ben tegelijk blij en voel me enigszins schuldig omdat mijn afdeling buiten schot blijft. Maar wat kunnen we doen? Ik denk dat mijn job er mettertijd ook aangaat. Het gaat ons te goed, en elders gaat het te slecht. De loonverschillen met arme landen zijn te groot.' Maar protesteren? 'We zijn hier nogal kalm.'

Hijzelf is niet in het leger geweest, maar vele jongeren uit de buurt zijn als reservisten in Irak terechtgekomen. Ze werden reservisten omdat ze dan op kosten van het leger kunnen studeren.

De band tussen arbeiders en oorlog schijnt hier wel vaker voor te komen. 'We zijn het voetvolk van het land,' commentarieert Gary: 'kwaad en gefrustreerd.' Hij krabt zijn buik. 'Maar toch ook kalm.' Het is, aan hem en aan de vlaggen af te meten, niet meteen kwaadheid die tot anarchistische aanslagen zal leiden.

De teloorgang van jobs, die al enige jaren aan de gang is, sorteert een domino-effect.

Ryan, die de avondshift waarneemt in het voor Canton te chique en te hippe en te vaak klassieke muziek draaiende koffiehuis Muggswigz (genoemd naar een figuur in een verhaal van Lewis Carroll), is zelf als een domino omvergekegeld. Hij had, in de vroege jaren 2000, zijn hogere studies afgebroken – onder andere omdat hij ze niet langer kon betalen. Hij had werk gevonden als transporteur van gevaarlijk medisch materiaal. Hij bevond zich bijna meteen in conflict met de werkgever, die hem ertoe probeerde te bewegen de veiligheidswetgeving te omzeilen, en daaromtrent bij inspecties efficiënt te liegen.

'Dat ik daardoor mezelf en medemensen in gevaar bracht, leek er niet toe te doen. Ik wist dat ik ofwel ontslag kon nemen ofwel mijn ontslag zou krijgen.' Hij koos voor het eerste – en hij zal zich die heldendaad nog jaren heugen. Eén keer en nooit weer, denkt hij nu. 'Bij die werkgever kreeg ik een ziekteverzekering die veronderstelde dat ik zelf ook een deel van de kosten zou betalen – dat kon ik me toen al bijna niet veroorloven.' Nadat hij ontslag had genomen viel alle verzekering weg. 'Vier maanden lang vond ik geen werk en had ik niks om van te leven. Ik herinnerde me nog van enkele jaren eerder dat de McDonald's wanhopig mensen zocht en zelfs honderdvijftig dollar bonus bood aan wie zich maar kwam inschrijven voor werk. Maar intussen was van dat aanbod niets meer over. De markt was oververzadigd van werklozen. Ik bood aan om tafels schoon te vegen – niets mocht.'

Ten lange leste werd hij tot het koffiehuis toegelaten, waar hij geen enkele vorm van verzekering geniet en waar zijn loon een derde lager ligt dan wat hij voor medische transporten ontving. 'Ik ben al blij dat ik een dak boven mijn hoofd heb.' Ryan, vierentwintig, glimlachend, zijn haar in een sjofele strik, deelt dat dak met een vijftigjarige vrouw en een vijfendertige man die evenmin een behoorlijk inkomen hebben.

'Ik heb vooral tijdens mijn vier maanden werkloosheid veel nagedacht. Je bent wat je maakt van je leven – dat is de Amerikaanse filosofie. En van obstakels word je sterker. Maar het feit dat mensen zo ongelijk vertrekken, maakt dat de race eigenlijk oneerbaar is geworden. Mijn vader, die nooit hogere studies heeft gevolgd, werkte zich binnen zijn bedrijf op tot hoofd van de financiële diensten. Hij verdient zeventigduizend dollar per jaar en hij kweekt al jaren een maagzweer omdat hij elk jaar opnieuw een jonge universitair naast zich krijgt die – vers uit school en gewoon omwille van het diploma – een aanvangsloon van honderdduizend dollar per jaar ontvangt. Die heeft niets bewezen, kan wellicht ook niks, die krijgt honderdduizend dollar als beloning voor zijn arrogantie. Ik heb gestudeerd naast diezelfde jongens – die moesten hun studies niet zelf betalen omdat hun vader ook al een beterbetaalde job had. Ik denk echt dat ik zou zijn afgestudeerd als ik voltijds had kunnen studeren. En nu kwijl ik als ik denk aan zeventigduizend dollar per jaar, het inkomen van mijn vader. Ik verdien niet eens een kwart daarvan... Ik denk niet dat ik ooit zeventigduizend haal. Om heel eerlijk te zijn: ik denk dat ik over vier jaar nog altijd even weinig verdien als nu.' Hij moet nog een deel van een studielening afbetalen.

Het enige bedrijf, wordt hier gezegd, dat bloeit is U-Haul: dat verhuurt verhuiswagens aan zowel bedrijven als werknemers die de streek ontvluchten.

Terug naar Timken. Waarom ontslaat het bedrijf? De winsten liggen hoog. 'Het bedrijf wil de vakbonden treffen,' zegt vakbondsvrijgestelde Ed Overdorf. Zijn vakbond, de Iron Workers Union, heeft weliswaar niet rechtstreeks met Timken te maken, maar dat, zegt hij, is de logica die je alom waarneemt, dat is het patroon bij de talloze ontslagen in de buurt: 'Mensen worden ontslagen uit goedbetaalde jobs met allerlei voordelen, en ze belanden in slechtbetaalde jobs zonder voordelen.' Hij schat dat zijn vakbondsleden vóór hun ontslag gemiddeld vijftien dollar per uur verdienen en naderhand in het beste geval terugvallen op jobs die acht dollar per uur betalen. 'Het is tegenwoordig voor een bedrijf belangrijker de aandeelhouders tevreden te houden dan de werknemers.'

De woordvoerder van Timken, Jason Saragian, is het met die uitleg niet noodzakelijkerwijs oneens. Het gaat goed met het bedrijf, zegt hij, het aandeel is met 25 procent gestegen, de verkoopscijfers zijn goed, de winsten zijn behoorlijk.

Waarom dan toch ontslaan?

'De ziektekostenverzekeringen zijn sinds 1999 met 70 procent toegenomen. Onze arbeiders zijn vanaf de eerste ziektedag volledig gedekt – wat slechts het geval is met 4 procent van de arbeiders in dit land. De bij een vakbond aangesloten arbeiders van Timken kosten ons stukken meer dan niet-aangeslotenen elders in het land, 70 procent meer. De gemiddelde arbeider kost in Timken vijftigduizend dollar per jaar aan salaris – en twintigduizend dollar aan ziektekosten- en pensioenverzekering. We kunnen aan onze aandeelhouders en investeerders niet uitleggen waarom we hier meer betalen als we elders in het land goedkoper zouden kunnen produceren.'

Niet in het buitenland?

'We denken dat we ten minste 80 procent van het werk naar andere afdelingen binnen de VS zullen overbrengen.' Naar North of South Carolina, is de veronderstelling, maar dat wil Saragian niet bevestigen.

De dertienhonderd ontslagen, die over een periode van twee jaar zouden worden gespreid, zijn nog niet onherroepelijk, zegt Saragian. 'Als we op een redelijke basis met de vakbond kunnen praten is er misschien nog een uitweg.' En zelfs na die ontslagen blijven er vijfendertighonderd jobs over bij Timken in Canton – de administratieve hoofdzetel van het bedrijf blijft in Canton, evenals gespecialiseerde staalproductie. 'We praten ook over enkele honderden mensen die we misschien met pensioen kunnen sturen.'

David Kaminski, hoofdredacteur van de conservatieve, Bush-gezinde *The Rep*, vindt die officiële uitleg van Timken maar zo zo. 'In de kogellagerafdelingen maken de arbeidskosten 50 procent uit van het totaal. In de gespecialiseerde staalafdelingen, die dezelfde loonschalen hanteren, bedragen de loonkosten een tiende van het totaal – volgens mij betekent dat gewoon dat de kogellagerafdeling niet even efficiënt is als andere afdelingen, wat je niet de arbeiders moet verwijten maar de directie.'

Waarom brengt de familie Timken haar poulain Bush in verlegenheid door in volle kiesstrijd kiezers met ontslag te confronteren? In 2000 heeft Bush de verkiezing in Canton en Stark County met tweeduizendachthonderd stemmen voorsprong gewonnen. De president heeft weinig overschot.

Kamenski denkt lang na over de vraag. 'De familie is te verstandig om de consequenties niet in te calculeren. Tim Timken is als bedrijfsleider teruggetreden en hij heeft zich niet door zijn zoon laten opvolgen. Er is nu een niet-Timken aan de macht, Jim Griffith, wat in mijn ogen betekenisvol is.' In 1981, bij een vorig sociaal conflict bij Timken, was het ook een niet-Timken als directeur die het slechte nieuws moest brengen. 'De familie probeert een afstand te houden van onpopulaire beslissingen, haar imago in de stad zoveel mogelijk te vrijwaren. In 1981 werd over een oplossing onderhandeld. Ik vermoed dat de directie dit keer het idee had dat de herstructurering niet op zich kon laten wachten. Ik laat me vertellen dat de familie Timken heel erg in haar maag zit met de reacties op het nieuws.'

De hoofdredacteur beschouwt de golf van ontslagen zelf niet als een ramp. 'In de jaren tachtig verloren we twaalfduizend industriebanen, wat een pak meer is dan nu – en ook dat hebben we overleefd. Persoonlijk denk ik dat de Timkens nog vele generaties een belangrijke activiteit in Canton zullen behouden.'

Zijn krant publiceert dag na dag de resultaten van een grote verkiezingsenquête. Het is, voor wie daaraan twijfelde, een nek-aannekrace.

Bij de Republikeinen vindt partijleider en kleinschalige zakenman Curt Braden (hij runt een verfbedrijf) dat Canton er helemaal niet zo slecht aan toe is.

'Het gaat de voorbije zes maanden steeds beter met de bedrijven, ikzelf heb net het beste kwartaal uit mijn geschiedenis achter de rug.'

Blijkens de peilingen in *The Rep* hebben de bewoners nochtans niet de indruk dat het beter gaat met de economie.

'De ontslagen krijgen veel aandacht, terwijl het goede nieuws niet wordt vermeld. De vakbonden spreken van jobverlies, maar eigenlijk is dat een ander woord voor toegenomen productiviteit. En wat de ontslagen bij Timken betreft: dat is een privéaangelegenheid tussen werknemers en bedrijf – iets wat zij onderling moeten uitwerken. De kans bestaat nog dat de jobs behouden blijven. Maar de kogellagerarbeiders van Timken zijn de hoogstbetaalde arbeiders ter wereld.'

Hoeveel wordt hun dan betaald?

'Dat weet ik niet. Het meeste ter wereld.'

Zijn de arbeiders er in zijn buurt slechter aan toe dan vijf jaar geleden?

'Dat weet ik niet. Je moet als bedrijf in de wereldeconomie overeind kunnen blijven. Ik neem aan dat je altijd ergens wel iemand vindt die voor minder geld wil werken.'

Hoe gênant is het dat Bush juist bij Timken werkzekerheid kwam voorspellen?

'Die jobs gaan niet verloren, ze worden verplaatst. Als je langs de oceaan loopt hoor je de golven klotsen, maar je hoort nooit hoe het tij keert. Dat is de situatie bij ons: de dingen veranderen ten goede, maar je merkt de veranderingen nog niet op.'

Hij verplaatst zijn aandacht ongevraagd naar de tegenstander Kerry.

'Ik noem hem Bad News John. Hij herinnert me aan een advocaat die een ziekenwagen achternaloopt in de hoop dat hij er een rechtszaak aan overhoudt. Hij ziet alleen winst in het slechte. Amerikanen houden daar niet van.'

Elke dag, bij het publiceren van resultaten van haar grote opiniepeiling, laat *The Rep* ook kiezers van beide hoofdkandidaten aan het woord. De tweeënzestigjarige, gepensioneerde James Abrahamson moet zijn huis verkopen en verhuizen naar een kleine woning om een niertransplantatie te kunnen betalen. Hij blijft zweren bij Bush. 'Ik groeide op op een boerderij in Iowa. We moeten altijd verantwoordelijk zijn voor onszelf; verwacht geen hulp. Dat is wat me is geleerd. Bush moet nog hardnekkiger bij zijn standpunten blijven, het mag hem niet uitmaken wat mensen van hem vinden.'

De tweeënveertigjarige Democraat Anthony Davide kon zich wel terugvinden in de belastingverlagingen die Bush heeft doorgevoerd, maar hij is rabiaat tegen de oorlog in Irak en maakt zich zorgen over de toenemende invloed van religieuze groepen, en de toenemende roep om censuur. 'Ik wil voor mezelf kunnen uitmaken naar wat ik kijk en wat ik beluister.'

Slechts 20 procent van de ondervraagden vindt het principe van het homohuwelijk verdedigbaar, dat is 20 procent minder dan het landelijke gemiddelde.

Schuin tegenover het kantoor van de Republikeinen delen vrijwilligers van de lutheraanse kerk in een kelder maaltijden uit aan hulpbehoevenden. Elders wordt beweerd dat het aantal hulpbehoevenden in het afgelopen jaar met 44 procent is toegenomen, maar zo ver zouden de lutheranen het niet drijven. De vraag is weliswaar toegenomen, maar met minder dan 44 procent, zeggen de vrijwilligers. Zij voorzien nu ongeveer zestienhonderd mensen van voedselhulp, in een stad van tachtigduizend, die een geschiedenis van welvaart heeft.

Ze hebben, gedeeltelijk door die toename, gedeeltelijk door de veroudering van hun kerk, over de eerste helft van het jaar een put van drieduizend dollar in hun voedselbudget.

Merele Kinsey, manager van COMPASS, een lokaal onderzoeksinitiatief, en sympathisant van de Democraten, is niet zonder meer tegen de ontslagen bij Timken. 'Dat heb ik ten tijde van Reagan, zoals vele vakbondslui en Democraten, geleerd: dat je de vrije markt moet laten spelen, ook al gaat ze tijdelijk in tegen individuele belangen. Waar ik verschil van de Republikeinen is dat we van de ondernemers aan wie we de vrije markt toebedelen iets moeten terugeisen. We moeten een pact sluiten: de ondernemers krijgen hun vrije markt, maar in ruil moeten ze ervoor zorgen dat wie ontslagen wordt een tijdlang menswaardig kan leven en zoeken naar ander werk, dat wie ziek wordt deugdelijk wordt verzorgd en dat iedereen op een fatsoenlijk pensioen kan rekenen. In welke mate dat vangnet er moet zijn weet ik ook niet. Ik vind dat Europa iets te ver gaat – de werkloosheid bij jullie ligt me te hoog. Ik vind dat werk, zelfs slecht werk, nog altijd meer waardigheid geeft dan werkloosheid met goede voorzieningen.'

Canton en omgeving hebben wat hem betreft te lang gewacht om de industrie te moderniseren. Ze tonen vooral slechte resultaten inzake onderwijs. 'Het oude systeem, waarbij mensen voor het leven bij een bedrijf aan de slag konden, en waarbij hun kinderen ook altijd wel goedbetaald werk vonden, stimuleerde de jongeren niet om te studeren. En nu dat systeem in elkaar stort, neemt het aantal universitair geschoolden nog af – misschien omdat studeren zoveel duurder is geworden en omdat er in de regio toch geen banen zijn voor hogeropgeleiden. De uitzendbureaus die een gediplomeerde over de vloer krijgen zeggen bijna automatisch: vertrek naar elders, naar het noorden.'

Dat de Republikeinen in tijden van rampzalig economisch nieuws toch nog gelijke tred houden met de Democraten, verwondert hem niet zo erg.

'Sommigen denken als ik: die ontslagen zijn misschien onvermijdelijk of noodzakelijk. En je moet er rekening mee houden dat meer bewoners in Stark County in landelijk gebied wonen dan in stedelijk.

Die landelijken zijn vaak erg religieus en conservatief. De tegenstanders in het conflict, de vakbonden, zijn hier nooit heel populair geweest. Je moet ook het belang van de bonden niet overschatten. Hooguit 15 procent van de werknemers is bij de vakbond aangesloten. Ik kom zelf uit een familie met nogal wat vakbondsactiviteit maar zelfs in mijn familie waren sommigen tegen de vakbond gekant – zo'n bond neemt de persoonlijke verantwoordelijkheid weg, vonden ze, beschermt luie, slechte werknemers, en maakt het bedrijven moeilijk om zich aan veranderende situaties aan te passen.'

En de lokale krant, *The Rep*, publiceert voornamelijk rechtse, pro-Bush-commentaren – de krant is van oudsher een wapen van de Republikeinen.

'Wat je hier ook hebt: de Amerikaanse droom – althans dat deel ervan waarbij de kinderen geacht worden in alle geledingen van de maatschappij hun ouders te overtreffen, langer te studeren, meer te verdienen – sterft af. Sommige kinderen zullen armer zijn dan hun ouders. En het oude loyaliteitspact tussen bedrijven en hun werknemers verdwijnt. Zelfs hier, waar mensen erg honkvast zijn gebleven, beginnen meer en meer bewoners te reizen. Ik denk niet dat jonge arbeiders nog echt denken dat ze hun hele leven bij Timken zullen werken. Ik heb ergens gelezen dat Amerikanen nu gemiddeld om de drie jaar van job veranderen. Waarom zou Canton een uitzondering op die jobmobiliteit blijven vormen?'

De jonge kruidenier kijkt er niet van op dat twee tienjarigen hem naar werk komen vragen. 'Om het even welk werk.' Ze mogen zijn deel van het trottoir vegen, en hij geeft hun voor de snelle, niet heel grondige beurt elk een dollar. 'Zo ben ik begonnen,' zegt hij dromerig. 'Dat is Amerika: je werkt voor een dollar, je pot je dollars op en voor je het weet begin je je eigen bedrijf.'

Wat later zie ik hoe de twee ukjes met hun dollar snoep zijn gaan kopen bij de concurrentie. De ene kauwt op chips, de andere op een Snicker – dat zal ook wel Amerika zijn. *Instant gratification.*

Ikzelf loop voorbij het Millenium Cafe waar de Daily Special 'Cheeseburger Soup' is, niet soep met cheeseburger, maar alles wat je in een cheeseburger zou verwachten in een stevige soep gedraaid. 'Ik weet het,' geeft de kelner toe, 'het klinkt grotesk, maar sommige klanten zijn er verzot op.'

De City Diner, lang niet zo *happening* als het Millenium Cafe, maar meer klassiek in het menu, belooft de klant 'Fine Dining'. Lever met frieten of tonijn met pasta vormen hier de dagschotels. De bediening verloopt hier iets minder gestroomlijnd of afgelikt dan elders, iets minder *How are you today?* en *Have a nice day*.

Twee van de jongste diensters, nog halve pubers, argumenteren tegen religie en voor het heidendom. Maar een van die twee houdt toch een slag om de arm: 'Kun je niet leven alsof er geen God is, maar er tegelijk zorg voor dragen dat je geen fundamentele geboden met voeten treedt? Zodat je, indien nodig, en ik geef toe dat het niet waarschijnlijk is, tegen Sint-Pieter kunt argumenteren dat je toch een ingangsbewijs verdient.'

'Je bent een sloerie,' lacht haar collega. 'Je bent zo iemand die een excuuslief heeft, in afwachting dat de *quarterback* beschikbaar wordt. Een lief dat je zo zou dumpen.'

De twijfelende ongelovige bloost hevig, maar ze ontkent het niet. 'Zo zit ik in elkaar, dat klopt. Als het ideaal niet beschikbaar is, kun je toch niet ophouden met leven. En als het wel beschikbaar is, kun je het toch niet laten liggen.'

Larry, die zoals ik aan de toog eet, heeft lever gekozen. Hij heeft iets met Peggy, de oudere dienster, of zij heeft iets met hem, of ze doen allebei alsof er iets zou kunnen zijn. Hij kost hem moeite om zich door de gulle portie lever te werken, maar Peggy is streng en duldt geen restjes. 'Vind je het niet lekker, Larry?' vraagt ze, even hevig pruilend.

'Wel ja, maar ik ben zo langzaamaan oververzadigd.'

'En ik die dacht dat zwarte mannen nooit oververzadigd geraken.'

Larry bestelt een glas van de limonade die Peggy zelf produceert.

'Mijn echtgenoot beweert dat hij enkel omwille van die limonade met mij zou zijn getrouwd.' Die wetenschap heeft ze voor mij bedoeld. 'Wil jij er ook?'

Ik houd het bij koffie en tonijn.

'Vind je de tonijn lekker, *hon*?'

Ik zeg ja en denk zo zo tot nee. De smaak is ver te zoeken, de meeste smaak voeg ik via het peperpotje toe.

'Die limonade is echt geweldig,' brengt Larry te berde. Hij steekt post-limonade een sigaret op. 'Hier mag dat nog.'

'Wanneer is je shift voorbij?' vraagt hij aan Peggy.

Om veertien uur. Dat toont ze op haar horloge. Hij knikt, eveneens zonder woorden.

'*See you tomorrow*,' roept hij bij het naar buiten gaan.

Columbus, de hoofdstad van Ohio, ligt op enkele uren busreis van Canton. Hij haalde het nieuws doordat een gekke schutter er op auto's mikte, en een slachtoffer maakte. Hij haalde het nieuws doordat vermeende terroristen de plannen van een *mall* hadden bestudeerd.

Het is een stad die, na de roestplekken van Canton, meevalt.

In de Duitse buurt vind je behoorlijk roggebrood. De onafhankelijke boekhandel telt zoveel kamertjes dat je er zonder plattegrond niet veel terugvindt.

Sommige woonbuurten zijn bijna gezellig, met portiekjes en aardige tuinen, met een slome rivier en een vrij onschuldige universiteit.

Ik wandel al een uur of twee door zo'n buitenwijk en in al die tijd heb ik drie pro-Bush-borden geteld tegen misschien vijfhonderd pro-Kerry. En dat in een staat en een stad die op het scherp van de politieke snee behoren te leven.

'Ach,' lacht Dorothy, die haar tuin bijsnoeit voor de winter, en die zelf twee Kerry-borden heeft geïnstalleerd, 'je wandelt gewoon verkeerd. Ikzelf woon samen met mijn vriendin. De overburen zijn homo's, de buren aan de andere kant ook. En wat verder woont nog een lesbisch paar. Dit is een wat armere buurt, met oudere huizen – hier wonen ofwel arbeiders ofwel studenten ofwel homo's, en geen van die drie is een doelgroep van Bush.'

Kerry heeft tijdens een van de presidentiële debatten het lesbianisme van de dochter van vice-president Cheney ter sprake gebracht.

'Dat was niet nodig. Hij had dat beter niet kunnen doen. Maar ik heb Cheney niet kwaad horen reageren toen de Republikeinse senaatskandidaat Alan Keyes zijn dochter en alle homo's als "zelfzuchtige hedonisten" omschreef. Cheney gebruikt zijn eigen dochter als het hem past, en hij negeert haar als dat beter uitkomt.'

Wint Bush met zijn anti-homohuwelijkstandpunt bij de arbeiders in de buurt?

'Ik denk het niet. Bush is ook anti-uitkering, anti-loonpolitiek, anti-gezondheidszorg voor iedereen. Dat treft vooral de arbeiders. En dit is een speciale wijk. Omdat we bij mekaar in de buurt leven, hebben we misschien iets minder vooroordelen dan elders.

Maar ik maak me geen illusies: elders levert de anti-homopraat Bush stemmen op. In onze staat stemmen we ook over een wet die het heterohuwelijk moet beschermen, alsof dat kan door homo's het recht te ontzeggen om te trouwen. Of door de partners van homo's voordelen te ontkennen die partners van hetero's wel kunnen ontvangen. Dat is het vervolgingsaspect van de Amerikaanse samenleving: homo's zijn de heksen of de communisten of de zwarten van de moderne tijd. Op homo's mag je vrijelijk hameren – dat is geen uiting van vooroordeel, dat is een uiting van traditioneel denken ter verdediging van Gods wetten, ter verdediging van het vaderland.'

Niet alleen homofilie staat in Ohio ter discussie, ook Darwin doet indirect mee aan de verkiezingen.

Professor Steve Rissing, docent aan de lokale universiteit en specialist in evolutietheorie, geplaagd door een tegenwerkende zenuw die ervoor zorgt dat zijn linkeroog tijdelijk niet opengaat, is enigszins verbaasd dat hij zijn wetenschap nu ook in de verkiezingen verdedigt. 'Wetenschap is iets waarvan ik veronderstelde dat het niet tot de bevoegdheden van de democratie behoorde. Maar het ligt wel helemaal in de lijn van deze tijd.'

Rissing betaalt mee aan de campagne van Adam Miller, die een zitje ambieert in de Staatsraad voor Onderwijs. De ontslagnemende Raad heeft enkele maanden geleden Darwins evolutietheorie gedegradeerd tot 'een theorie naast andere'. Leraren biologie moeten sinds het nieuwe schooljaar in hun lessen een pluralistisch gedachtegoed tentoonspreiden, en uitleggen dat het onzeker is of de mens van de aap afstamt. Ze mogen (maar moeten niet) verwijzen naar het scheppingsverhaal als alternatieve biologie, of nog liever naar de minder controversiële versie ervan: Intelligent Design (ID, een intelligentie ontwerpt het leven, en/of stuurt de evolutie). Adam Miller, de kandidaat van Rissings voorkeur, vindt, zoals Rissing, ID onzin, in tegenstelling tot de huidige verkozene in de raad, Michael Cochran, die theologie heeft gestudeerd en die het 'maar gedeeltelijk' met Darwin eens kan zijn.

'Het is,' zegt Rissing, 'alsof in 1543, het jaar waarin Copernicus overleed, een stemming zou worden gehouden over de kosmos: draait de aarde rond de zon of omgekeerd? De kans is groot dat destijds de stelling dat de zon rond de aarde draait een grote meerderheid zou hebben gevonden. En die stemming zou een oefening geweest zijn in futiliteit.'

Hij ziet nog een parallel met 1543. 'Weet je wie er nooit twijfelt aan de voortgang van de wetenschap? De commerciële wereld. In 1543 veranderden scheepslui hun routes op basis van wat Copernicus had ontdekt. Tegenwoordig verbouwen we in Ohio massaal genetisch gemanipuleerde soja – de soja volgt getrouw de leerstellingen van Darwin, ook al zijn de boeren het misschien niet met hem eens en lezen ze Genesis.' Dat is, volgens hem, trouwens het grote verschil met Europa: daar wordt Darwin niet of minder in vraag gesteld, maar wel de gemanipuleerde soja. Het is, veronderstelt hij, het ouwe geschil tussen theoretisch pruttelend maar praktisch aangelegd Amerika en praktisch pruttelend Europa.

De theorie houdt trouwens volgens hem geen kritiek in op het geloof. 'Ik ben een christen. Voor mij doet Darwin geen afbreuk aan mijn geloof. Hoe logischer de wereld in elkaar zit, hoe beter de wereld verklaard kan worden, hoe goddelijker hij voor mij is. De stelling dat de bijbel woordelijk te aanvaarden is, is op zoveel punten onhoudbaar. Ik begrijp niet dat men dat nog probeert te handhaven. De bijbel is zoveel boeiender als hij niet woordelijk begrepen wordt.'

Geen van de betrokkenen kan afdoende uitleggen waarom Darwin plots ter discussie werd gesteld in Ohio. Er was een rapport verschenen van de Ford Foundation waaruit bleek dat het biologie-onderwijs in Ohio te wensen overliet. De Staatsraad voor Onderwijs stelde zich tot doel de kwaliteit van het biologie-onderricht op te krikken, maar binnen de kortste keren werd de discussie verengd tot Charles Darwin.

Phil Burress, oprichter van Citizens for Community Values, en een voorstander van het scheppingsverhaal als biologieles (naast Darwin), beweert dat hijzelf de discussie in die baan heeft geleid. Anderen beweren dat enkele voorstanders van ID het voortouw hebben genomen. Maar Michael Cochran ontkent dat alles. Cochran, een Republikein, die namens het district Columbus in de Staatsraad voor Onderwijs zetelt, verklaart 'dat er een aantal twijfels rezen, onder meer bij mezelf. We consulteerden wetenschappers en toen bleek dat zij onze twijfels omtrent de evolutietheorie deelden.' (Volgens Darwinisten is deze passieve verklaring vals – was er wel degelijk een soort complot om Darwin een hak te zetten.)

De Raad liet twee vertegenwoordigers van ID discussiëren met twee Darwinisten, wat, zeggen Darwinisten, een gigantische vertekening van de wetenschappelijke realiteit betekent. Om de stand van zaken binnen de wetenschappelijke wereld weer te geven had men de twee ID'ers moeten laten discussiëren met 9998 Darwinisten: zo minoritair zijn de verdedigers van ID.

De Raad bereikte na die discussie een compromis: ID zou niet verplicht gedoceerd worden, maar Darwin zou van zijn sokkel worden gehaald.

Professor Rissing: 'Men speelde op de dubbelzinnigheid van het woord "theorie". Als je in de wetenschap iets een theorie noemt, betekent dat dat je heel veel bewijsmateriaal hebt. De Raad bedoelt met "theorie" eigenlijk hypothese. Darwins leer is een hypothese, net als ID – daar kwam het in de Raad eigenlijk op neer.

Ik confronteer mijn studenten graag met dat dilemma. Zoals je merkt zit mijn linkeroog tijdelijk dicht. Ik vraag dan aan mijn studenten: probeer je in zo'n geval, onder andere, te zoeken naar een genetische verklaring, naar precedenten bij mijn ouders, of zeg je: een intelligent wezen heeft het zo bedoeld? Wat is zinnig, en wat is onzin? ID is geen wetenschap, want dat is tautologie – het verklaart alles en dus verklaart het niets. De theometer meet niets, in tegenstelling tot de thermometer.'

Hoe reageren de leraren op het nieuwe curriculum?

Rissing: 'Dat is het erge. Biologie is nu meer dan ooit een kwestie van uit het hoofd leren. Leerlingen en leraren kunnen de kleppen en de kamers van het hart opsommen. Maar ze missen het inzicht. Terwijl je zoveel meer begrijpt als je een menselijk hart vergelijkt met het hart van een vis – dan zie je het pompsysteem van levende wezens evolueren. De meeste leraars houden zich mijlenver van begrip of verklaring. Alles wat je begrijpt of verklaart kan zich tegen jou keren. We zien hier wetenschap als compromis, als iets waar over te stemmen valt, iets wat zo min mogelijk mensen ongemakkelijk mag stemmen.'

Het grote slachtoffer van het dispuut is wat hem betreft de wetenschap. Je bedrijft tegenwoordig wetenschap ondanks de onzin die je medemensen verzinnen.

Rissing is voor de onmiddellijke toekomst niet heel hoopvol gestemd. De verkiezing van een nieuwe Staatsraad voor Onderwijs verzinkt in het niets bij het kabaal dat de presidentsverkiezingen veroorzaken. Michael Cochran, de huidige verkozene in Columbus, denkt, zoals Rissing, dat kiezers uiteindelijk op 2 november niet aan Darwin zullen denken. 'Wint Bush, dan word ik herkozen. Wint Kerry, dan word ik weggestemd.'

Wat denkt Cochran, de theoloog in de schoolraad, zelf van Darwin? 'Hijzelf riep op om zijn theorie te testen. En ik denk dat tegenwoordig niemand betwist dat evolutie binnen de soort voorkomt. De mens is niet altijd een meter tachtig groot geweest. Maar ik geloof niet dat de evolutieleer ons iets over het begin leert, en ik geloof persoonlijk niet dat evolutie tussen soorten voorkomt.'

Ondanks alle opgravingen? Ondanks Lucy?

'Bekijk het maar – er zitten grote, onverklaarde gaten in die vondsten.'

Na enige gevraag geeft hij toe dat zijn visie bijbelvriendelijker is dan de oorspronkelijke Darwin, 'maar onze discussie had niets met theologie te maken. We hebben ons enkel op wetenschappelijke argumenten gebaseerd.'

En uiteindelijk geldt ook hier de vrije markt van de informatie: als een meerderheid van de bevolking het er moeilijk mee heeft dat de mens van de aap afstamt, dan stamt de mens niet van de aap af.

Steve Stephens, reisschrijver bij de *Columbus Dispatch* en in een vorig leven politiek commentator, beschrijft de staat Ohio als een gestage lijn van vrijgevochten Cleveland naar benepen Cincinnati. Columbus ligt wat dichter bij Cincinnati, maar was traditioneel niet bijzonder preuts. Tot de hogergenoemde Citizens for Community Values, opgericht in Cincinnati, zich ook in Columbus begonnen te roeren. In Cincinnati had de leider van de groep, Phil Burress, eerder advertenties voor pornosites en erotische contactadvertenties laten weren van publieke borden en uit kranten, had hij een ban op ondergoedadvertenties bewerkstelligd (althans voor ondergoed waarin 'de welving van het geslachtsorgaan' zichtbaar is), haalde hij hotels over om niet langer erotische films aan te bieden, viel hij scholen lastig die voorlichting gaven over homofilie, et cetera.

Vorig jaar verlegde hij zijn acties naar Columbus (met wisselend succes, enkele verhuurders van advertentieborden hebben zich bij zijn richtlijnen neergelegd, en onder meer de busmaatschappij ligt onder vuur, maar de *Dispatch* weerstaat vooralsnog aan de voorgestelde fatsoensnormen).

Burress is dezer dagen over heel Ohio gespreid de grootste pleitbezorger van Issue One, het ontwerp om de staatsgrondwet zo te wijzigen dat het homohuwelijk en alles wat in die richting gaat (een burgercontract) eens en voor altijd onmogelijk gemaakt wordt. De wet zou tevens beletten dat de overheid voordelen verstrekt aan de partners van homo's.

Volgens peilingen in de Dispatch staat 63 procent van de inwoners van Ohio in deze aan de kant van Burress. Wat Steve Stephens choqueert: 'De enige verklaring die ik vind is dat we zo fel met de presidentsverkiezingen bezig zijn dat we geen tijd hebben om grondig over Issue One na te denken. De Republikeinse gouverneur van de staat is tegen Issue One. De middenstand is tegen. De vakbonden zijn tegen. Maar 63 procent van de gepeilden is voor.'

Burress, die ter opwarming verwijst naar zijn 'idool' pater Damiaan en zijn bezoek aan diens werkplaats, kan zijn tevredenheid even niet verbergen als ik via de telefoon naar de 63 procent verwijs. 'Tweehonderdachtentwintig jaar lang is het huwelijk in dit land een kwestie geweest van een man en een vrouw. Nu menen rechters in onder andere de staat Massachusetts dat ze de bevolking een homohuwelijk in de maag moeten splitsen. Dat druist radicaal in tegen onze judeochristelijke tradities.' Hij kan nauwelijks zijn misprijzen voor de tegenstanders van Issue One de baas.

Waarom hij zijn mening aan anderen wil opleggen?

'Dat wil ik niet. Ik wil hen beletten dat zij hun mening aan mij opdringen.'

Wil hij mettertijd homofilie laten verbieden?

'Nee. Wat mensen binnenskamers doen is hun zaak. Wat ze zichzelf aandoen is trouwens erger dan wat ik hen zou kunnen aandoen. Maar we moeten beletten dat in scholen of door de overheid propaganda wordt gevoerd voor iets dat zondig is.'

Propaganda? Het gaat toch om voorlichting.

'Wat jij voorlichting noemt, gaat ervan uit dat homofilie normaal is. Het praat zonde goed.'

Wanneer ik verder vraag naar zijn campagne in scholen, en naar zijn acties tegen pornografie, verdwijnt zijn hartelijkheid meteen. 'Wat wil je bereiken? Ik praat met jou in de veronderstelling dat je me over Issue One wilt ondervragen. Als je over andere onderwerpen wilt praten is dit gesprek afgelopen. Daar heb ik geen tijd voor.'

Hij legt de hoorn neer.

Ik blijf even zitten aan mijn kant van de lijn, met bewegende kaken maar verder sprakeloos, en probeer de abrupte evolutie van hartelijkheid rond pater Damiaan naar kortsluiting en de neergekwakte telefoon te reconstrueren. Misschien heeft Burress inderdaad geen tijd, wil hij inderdaad zijn anti-homoboodschap niet verwateren met zijsprongen. Misschien vermoedde hij weinig sympathie aan de andere kant van de lijn, en heeft hij geen geduld met andersdenkenden.

Amerikanen zijn veel minder gegeneerd over hun religie dan Europeanen, en telkens als religie ter sprake komt, probeer ik te peilen naar de kloof tussen geloof en samenleving (ongelovigen en anderen maken zich zorgen over de rol die het geloof van de president speelt in zijn politieke leven, maar je kunt tegelijk ook opmerken hoe weinig invloed dat religieus fanatisme op de rest van het leven uitoefent. De economie bijvoorbeeld stoort zich er niet aan, de tv blijft onverstoord *Desperate Housewives* opvoeren en homovriendelijke shows als *Will and Grace*).

De president noemt zichzelf een *born-again*-christen maar dat weerhoudt hem er niet van om zijn tegenstander te bekladden en met leugens te bezwaren, of om haatadvertenties te gedogen die door semi-onafhankelijke groepen tegen Kerry worden gelanceerd. Tot dusver heeft geen enkele gesprekspartner daar graten in gezien. Dat je een overtuigd christen bent, belet je niet om met alle middelen een overwinning na te streven. Door hele of halve leugens te verspreiden? Desnoods, of nee: liefst; want je wilt niet als een zwakkeling naar buiten treden. Wat ben je met flauwiteiten als je verliest? Winnen is het eerste gebod van de christen.

In Ethiopië heeft het lokale christendom beslist om de regels inzake onkuisheid en dronkenschap niet ernstig te nemen. In de VS lijken vele christenen de regels inzake rijkdom (de kameel en het oog van de naald) en geweld in hun nieuwe testament niet op te merken. De andere wang aanbieden? Fundamentalistische christenen beginnen in hun bleke vel te koken als ik durf te suggereren dat Bin Laden hun andere kaak verdient. Het herwonnen geloof lijkt, bij *born-again*-christenen zoals de president, eerder een keerpunt in de biografie te markeren dan een echte Paulusbekering. Het geloof stelt het individu in staat om bergen te verzetten, zonder hulp van enerlei therapie op te houden met drinken, en naderhand president te worden. Geloof is van hogerhand bekrachtigd zelfvertrouwen.

Geloof is ook een van de schaarsgeworden sociale elementen in de samenleving. Sport en kerk brengen nog mensen samen. De familie, officieel de hemel in geprezen, doet er voor Amerikanen vaak relatief weinig toe. Ze zijn gescheiden en hertrouwd en opnieuw gescheiden. En de kinderen uit het tweede huwelijk wonen aan de andere kust.

'Hoe kan ik mensen ontmoeten?' hoor ik een nieuwe bewoner op de toeristische dienst vragen.

'Tot welke kerk behoor je?' luidt de wedervraag. 'Dat is de voor de hand liggende gang van zaken: je probeert vriendschappen te sluiten met mensen binnen je kerk.'

De kerken behoren tot de weinige instellingen die nog niet tot nietszeggendheid zijn opgeleukt, al winnen de opgeleukte kerken aan aanhang (de succesrijkste van de moderne predikanten, Joel Osteen, maant zijn vrouwelijke volgelingen aan onkuisheid bij hun echtgenoten te bestrijden met Victoria's Secret – een evidente dubbelzinnigheid, want de echtgenote van de predikant heet Victoria).

Voor de nieuwe bezoeker telt dit land onheus veel helden. Ik moet daaraan denken terwijl ik op een bank voor een vervallen winkelcentrum zit, waar de onderklasse goedkoop spul in superformaat wegsleept. Elders bestaat er een zekere zuinigheid inzake heldendom, maar Amerikanen laten alle stoppen doorslaan: een brandweerman die in een brandend huis klautert, een meisje dat een verloren portefeuille terugbrengt, een soldaat die langs een bomauto rijdt en sindsdien enkele ledematen mist, een soldaat die niet langs een bomauto rijdt en dus geen ledematen mist, de inzittenden van een neerstortend vliegtuig, de jongeman die onder een rotsblok kwam vast te zitten en zijn eigen hand afhakte, de vrouw die besliste een buitenlandse studente te financieren – stuk voor stuk onvolprezen tot overdreven geprezen helden voor het leven.

Dit is een land van heldhaftige individuen, die worstelen met het kwade of met de vrije markt en zegevierend (wat doorgaans wil zeggen: rijk) uit de chaos tevoorschijn komen. En die als ze niet zegevierend tevoorschijn komen op God kunnen rekenen om in dit leven te overleven en in een later leven beter te varen. Wat elders het sociaal vangnet is, is hier God – soms zelfs letterlijk, de kerken organiseren slaapzalen en voedselbedelingen. Je kunt risico's nemen omdat de eeuwige uitkomst toch is verzekerd.

Om die worsteling met de vrije markt echt interessant te maken kun je maar best zo laag mogelijk beginnen, in de goot, als Mexicaanse dagloner, werkend aan het minimumloon, zonder een woord Engels te spreken – de held heeft grote weerstand nodig. Dat is de romantische versie van de Amerikaanse droom: je kneedt je werkelijkheid tot je succesrijk bent. Dat is de logica van de regering-Bush: iedereen kan een held zijn, iedereen kan de werkelijkheid kneden. Je moet dat heldendom niet fnuiken met sociale voorzieningen of een leefbaar minimumloon. De droom, de deur, staat open voor iedereen, je kunt twee of drie jobs combineren en je uit de goot naar het firmament werken (in werkelijkheid zijn de echt succesrijke zakenlui doorgaans rijk of halfrijk begonnen, zoals Bush zelf, en de allerrijksten, zoals Warren Buffett en Bill Gates – de realiteit van de goot laten ze aan anderen over; minder bevoorrechten moeten vaak meerdere jobs nemen om in de goot te kunnen overleven).

En zoals individuen hun eigen leven vorm kunnen geven, wilskracht kunnen doen triomferen over realiteiten, zo kunnen de Amerikaanse ingrepen het buitenland omvormen, Irak in een democratie veranderen en Afghanistan vrouwvriendelijk maken. Het Midden-Oosten kan de afgelopen tweeduizend jaar in een knoop zijn gedraaid, Amerikanen – althans Amerikanen van de strekking Bush – geloven dat de knoop, met geld en de nodige wilskracht, binnen enkele maanden te ontwarren valt.

Kerry's alternatief is minder romantisch, en volgens de aanhangers van de Bushdroom enigszins betuttelend – Kerry staat bijvoorbeeld een uitgebreide gezondheidszorg voor, waarmee hij armen deels de motivatie zal ontnemen om in de grote droom te stappen, waarmee hij quasi-Europeanen zal creëren, dat wil zeggen: minder dynamische mensen. En hij pronkt met onderhandeling, overleg, compromis. Niemand droomt van compromissen.

Kerry's filosofie is ook meer gebaseerd op gestaag hard werk en solidariteit (hoewel hij naar Europese normen nog altijd in een rechtse partij zou thuishoren). Dat hard werk is wat dubbelzinnig in de filosofie van Bush die, zoals wel meer mensen die in de olie-industrie zijn opgegroeid, of zoals wel meer *born-agains*, niet goed weet of geluk dan wel werk de doorslaggevende factor is in een heldenleven. Wie hard werkt, rekent misschien minder op een ommezwaai. Born-agains houden van een ommezwaai, van genade, van iets voor niets.

In Texas legde een kolonel me uit waarom Kerry wat hem betreft niet voldoet. 'Als je Bush beluistert, hoor je iemand die weet dat het kwade bestaat en dat we ertegen moeten vechten. Terwijl Kerry schijnt te geloven dat het goede alomtegenwoordig is en dat we door te praten iedereen tevreden kunnen houden. Dat is een filosofie die werkt in vredestijd maar die in deze beroerde tijden levensgevaarlijk naïef zal blijken. Bovendien heeft Kerry kritiek op zijn eigen land.

Daar houden Amerikanen niet van, dat is een zwakte in dit land – we gaan ervan uit dat wij ten gronde goed zijn, en dat de rest van de wereld het voor ons verknalt.'

Bush is de mythologievriendelijke kandidaat, de Amerikaanse dromer, de optimist.

Diezelfde kolonel argumenteerde even later dat er wat hem betreft meer gelijkenissen dan verschillen tussen de kandidaten zijn, en tussen alle Amerikanen. Ze willen met rust gelaten worden, een goed leven opbouwen, af en toe verhuizen (dat is de gestileerde versie van de pionierstochten door het land), trots op hun land kunnen zijn. De trots en de vaderlandsliefde zijn er sowieso. Die worden in het onderwijs op dagelijkse basis ingepeperd, sinds 11 september kun je nog nauwelijks een sportwedstrijd vinden waar 'God Bless America' niet wordt gezongen.

Het is in de politiek – maar ook in de Amerikaanse samenleving – eigenlijk ontoelaatbaar die zegening pessimistisch tegemoet te zien. De verbetering van het land is als doel in de grondwet opgenomen, en pessimisme overtreedt hier nog meer dan de grondwet. Dit land heeft, denk ik, zelfverheerlijking nodig om te floreren. Het houdt van zichzelf op een manier die de haat van buitenaf onbegrijpelijk maakt. Het houdt van zichzelf zoals de bewoners vaak van zichzelf houden. Het houdt van zichzelf omdat er veel is om van te houden: van schitterende landschappen over adembenemende boeken tot wereldveranderende uitvindingen en economische ontwikkelingen. Maar op de een of andere manier lijkt het land, ondanks de verspreide weelde, ondanks het geïmporteerde raffinement, vrij schraal te leven: gezeten in een onderbroek met een sixpack en andere versnaperingen binnen handbereik in een trailer met zoemende airco voor de treurbuis.

Maar ook die te dikke tv-kijker voor de buis, in zijn verbeelding belaagd door Al Qaeda of door het homohuwelijk, deelt, zonder dat hij zich daarvoor hoeft te verplaatsen, in de heldhaftigheid van het land. Het feit dat anderen in zijn naam heldhaftig zijn, verhoogt ook zijn status, hij dommelt mee in de droom van anderen. Bush herstelt de heldenstatus, Kerry trekt hem in twijfel. Bush geldt als een man van het volk, Kerry als elitair. De een staat voor eenvoud en zekerheid, de ander voor twijfel en dubbelzinnigheid. Zo beschouwd is de positie van Kerry zwak. De vier jaren Bush waren financieel wellicht niet zo weldadig voor de man in zijn onderbroek, en het heldendom in Irak werpt geen zichtbare vruchten af. Dat doet sommigen uit hun heldensluimer ontwaken.

Terwijl ik vanaf mijn bank het arme winkelpubliek observeer, met slechte tanden, vuile kleren, kortademigheid of astma, her en der een joekel van een blauw oog, vraag ik me af of ook zij zich onder het deken van de heldenmoed verwarmen.

Ik besluit de suggestie van Steve Stephens van de *Columbia Dispatch* te volgen, en de lijn te bereizen tussen vrijgevochten Cleveland en dichtgeslibd Cincinnati.

Wie herfstkleuren en een *indian summer* zoekt, trekt doorgaans naar andere oorden, Québec in Canada of Vermont in de VS. Maar langs verlaten wegen in Ohio, langs de Ohio-rivier, en zelfs in bepaalde delen van de steden, vind je net zoveel schoonheid, blaadjes die zich in weerwil van windstoten aan hun takken vasthouden, blaadjes die bij duizenden sneuvelen en dwarrelen, wolkeloze hemels die snel afwisselen met felle regens, temperaturen die soms comfortabel zomers, soms ineens kil zijn, en die in al hun wispelturigheid wijzen op een bijna eeuwige standvastigheid die geen directe boodschap heeft aan politiek, aan de verkiezing van mensenkinderen, of aan nerveuze verwachtingen.

Na een lange tocht door deze half treurige, half opbeurende schoonheid, zonder radio die de schandalen van de dag in herinnering brengt, zonder kiezers, beland ik op Cedar Road in Cleveland. De weg is tientallen kilometers lang, maar het deel dat mij intrigeert ligt net ten oosten van de binnenstad van Cleveland. Cleveland is, volgens een bureau dat zich met dergelijk onderzoek bezighoudt, de armste grote stad van het land. De werkloosheid is er zo groot dat de stad gestaag bewoners verliest.

Aan Cedar Road lummelen zij die nog niet zijn vertrokken. Ze zijn allen zwart, dragen een volumineuze anorak, of zijn zelf volumineus, en die anorak onttrekt hun zwaarte aan het oog. Die anorak is nog helemaal niet gewettigd door het klimaat, of misschien is klimaat hier een economisch gegeven: de rijken leven in hun nazomer, voor de armen langs Cedar Road is de winter al begonnen.

De enige gebouwen langs de weg die van enige weelde getuigen zijn de kerken, protserig, een ervan met forse beelden van leeuwen voor de ingang, en altijd met een bord dat aangeeft wanneer de gratis maaltijden worden uitgedeeld (de derde donderdag van de maand, de tweede woensdag, de eerste zaterdag – of soms het ontgoochelende: WACHT OP EEN VERDERE MEDEDELING).

Niet aan de kerken, maar aan sommige huizen hangt publiciteit voor de verkiezingen, voor regionale kandidaten of voor Kerry – nooit voor Bush. Aan bijna elk bord is ook een soort annex aangebracht: laat je ditmaal je stem niet ontfutselen.

Na kilometers armoede wijst de eerste versgeschilderde woning erop dat we het getto verlaten hebben. Nog een kilometer of tien verderop, aan huisnummer 24500, kun je luxewinkels vinden, in een winkelcentrum dat een Europese binnenstad nabootst.

Vrijgevochten Cleveland blijkt vooral arm en zwart Cleveland te zijn.

De taferelen zijn hier blijkbaar bekend. Op de verkiezingsdag doen blanke sympathisanten van de Democraten hun best om zoveel mogelijk zwarten uit bed te krijgen om te stemmen. Aan de vakbondsgebouwen zijn het voornamelijk zwarten die proberen zwarten te mobiliseren. Een hele batterij chauffeurs voeren potentiële kiezers af en aan. Af en toe komt zo'n chauffeur bij een penningmeester vragen naar de vergoeding voor zijn activiteit. Er blijkt daaromtrent onzekerheid te bestaan. De chauffeurs worden niet betaald maar wel vergoed. De termen laten ruimte voor interpretatie. Worden ze bijvoorbeeld vergoed voor gederfd inkomen? De palavers duren eindeloos, en de klok tikt.

De regen helpt niet. De verwarring rondom stembureaus helpt al evenmin – sommige kiezers worden van twee bureaus weggestuurd voordat ze aan hun echte bureau kunnen aanschuiven. Bij sommige bureaus loop je zo binnen, elders wacht je een halfuur of langer in de regen. Ik vind nog altijd vrij veel bewoners die absoluut geen heil zien in Bush, maar die toch niet de moeite nemen om te gaan stemmen. Ik vind ook veel zwarten die wars zijn van Bush maar die diens standpunt rond het homohuwelijk verkiezen boven het Democratisch alternatief. De stemming is niet feestelijk, maar de overwinning wordt nog wel verwacht. De ongemakken worden tenietgedaan door een overwinningsroes.

Gisteren speelde Springsteen nog.

Uiteindelijk trekt iedere geïnteresseerde zich terug achter een beeldbuis. Na hartritmestorende wijzigingen in de prognoses (eerst lijkt Kerry op een duidelijke overwinning af te stevenen) wordt het vonnis duidelijk: Kerry verliest Ohio, en met Ohio het land.

Er heerst bij de goedbedoelende blanke ronselaars van zwarte stemmen nog altijd ongeloof. De eerdere jubelstemming maakt de uiteindelijke ontgoocheling bijna ondraaglijk. De ontgoocheling wordt vermengd met ongeloof en consternatie, moedeloosheid en ontreddering. Ze kunnen niet geloven dat Bush uiteindelijk een groter aandeel van de zwarte stemmen heeft binnengehaald dan vier jaar eerder, dat de hoge werkloosheid binnen de staat de balans niet heeft doen overslaan (al verliest Bush wel als eerste Republikeinse president de meerderheid in Stark County en Canton, en heeft de bevolking van Canton wel een nieuwe bibliotheekbelasting goedgekeurd).

Een paar uur na de grote depressie is er al een ommezwaai in de houding: '*Win or lose*, we zijn allemaal in de eerste plaats Amerikanen.' Ook bij mensen die een dag eerder nog beweerden dat ze bij een nederlaag van Kerry dit land zouden verlaten, wordt dat de overheersende teneur. Ik hoor voor het eerst sinds lang het verhaal van de arend, die twee vleugels nodig heeft om te vliegen. Bush zou wel gek zijn mocht hij een van die vleugels afhakken.

Net voor de verkiezing verblijf ik in zogenaamd vrijgevochten Cleveland, net erna reis ik naar Cincinnati, het typevoorbeeld van een saaie Amerikaanse stad.

In de vestiging van de boekhandelketen Borders in de voorstad Mason vindt de geïnteresseerde een vreemde juxtapositie van christendom en erotiek – de erotische boeken en de christelijke literatuur staan tegenover elkaar. Iemand met lange armen kan tegelijk met de bijbel *The History of O* uit de rekken halen, iemand met kortere armen blijft zich afvragen of degenen die in de christelijke sectie rondhangen, wachten op een onbespied moment om van *De geschiedenis van Abraham* over te stappen naar *De Training van Emma*. Het valt niet uit te sluiten dat het tegenovergestelde voorkomt – dat de christelijk geneigde zich tegenover vrienden indekt door in de schaduw van blootboeken te gaan staan. Af en toe komt een gepensioneerde tussen de rekken staan die de erotisch geïnteresseerden terechtwijst met een fel '*Jesus is Lord*'. De zelfbenoemde hoeder van moraliteit wil me verder niet te woord staan. '*Jesus is Lord*'. Misschien is hij niet goed wijs, misschien is het hier mijn lot bij extreme christenen om geen commentaar te krijgen. De berispende christen bladert door architectuurboeken terwijl hij de erotieksectie bespiedt. Als hij geen kopers van erotiek ontwaart, bestudeert hij mensvrije kleurenfoto's van futuristische gebouwen.

De afdeling Religie is gigantisch, ettelijke kasten voor het christendom alleen, daar waar de hele geschiedenis van de filosofie plus de werken van filosofen amper twee planken verdienen.

De samenscholing van erotiek en christendom is, volgens een verkoopster, absoluut onbedoeld, en een gevolg van de bedrijfspolitiek om de pornoboeken onder de hoofding Psychologie te verdonkeremanen (en psychologie staat van oudsher dicht bij religie), maar ook zij ziet een zekere, bijna hogere waarheid in de combinatie van religie en erotiek. Het zijn twee groeisectoren in de boekhandel en in de buitenwereld. De verstrenging van de samenleving, de verdeugdzaming, doet blijkbaar de behoefte aan dit soort uitlaat toenemen. Als de dieetboeken er nog aan zouden worden toegevoegd – de derde groeipool – dan zou het plaatje compleet zijn: voedsel als uitlaatklep of als ascese.

Bestaat er een boek dat uitlegt waarom Cincinnati zo conservatief is?

De verkoopster weegt de vraag, en verliest ineens haar toegeeflijkheid.

'Ik denk van niet,' zegt ze, alsof de vraag haar ongelegen komt. 'Ik denk niet daarover is geschreven.'

Is dit gebied in haar ogen conservatief?

'Ik weet niet waarmee ik kan vergelijken. Ik weet het niet. Voor ons is dit normaal. Zeker niet progressief, normaal.'

Er is in Cincinnati, de stad aan de zuidwestgrens van de staat Ohio die in dit seizoen stoïcijns gruwelijk koude regens weerstaat, doorgaans weinig discussie omtrent de aanduiding 'conservatief'.

Bewoners rijden naar de overkant van de Ohio-rivier, naar de staat Kentucky, voor hun vertier, voor nachtclubs en drank. Er bestaat hier stadsvlucht die met de saaiheid te maken heeft, bedrijven hebben moeite om werknemers naar Cincinnati te halen, of om ze er te houden.

'Dit is altijd behoudend gebied geweest,' zegt Brad Mattes, directeur van het Life Issues Institute, een organisatie ter bestrijding van abortus. Mattes verklaart het conservatisme door de combinatie van religiositeit en honkvastheid bij de bevolking – die oorspronkelijk bestond uit Duitse katholieken en Schotse Ieren, waaraan later zwarte baptisten werden toegevoegd. De drie groepen waren conservatief, maar de Schotse Ieren spanden de kroon. De honkvastheid was hier bijna on-Amerikaans en ze duurt tot op zekere hoogte tot vandaag – wat betekent dat de familie hier meer kon en kan betekenen dan elders. 'En dat mensen nog weten hoe gruwelijk het is als een familie breekt en mensen losgeslagen zijn.'

'Zoals de rest van het land maken we sinds de jaren zestig, of eigenlijk sinds de jaren tachtig, een evolutie naar meer conservatisme mee,' zegt Duane Holm van de interkerkelijke organisatie MARC (Metropolitan Area Religious Coalition of Cincinnati). 'Reagan deed zijn deel, Bush I deed daar een schepje bovenop, en met Bush II is het tempo alleen maar versneld.'

In de voorbije jaren heeft Cincinnati de opkomst gezien van allerlei losweg kerkelijke organisaties die zich vastbijten in de horeca, in de gezondheidszorg, in het onderwijs, en die tot doel hebben (onderricht omtrent) homofilie uit de klas te verwijderen, abortus te bemoeilijken, of hotelketens ervan te overtuigen niet langer pornofilms aan te bieden (HET IS ALSOF JE IN EEN PORNOWINKEL SLAAPT, aldus een pamflet tegen betaalerotiek in hotels, ZELFS AL MAAK JE ZELF GEEN GEBRUIK VAN DE BETAALFILMS). Op meer dan één punt kregen de organisaties wat ze zochten van bedrijven en scholen die het gevecht liever niet aangingen.

'Ik voel me hier niet langer op mijn gemak,' zegt Adam Rosenberg, directeur van de lokale afdeling van de Democraten. 'Ik kijk over mijn schouder heen. Wie niet van een bepaalde opinie is, komt niet langer aan de bak. Hoort er niet bij. Mensen zijn bang. Dit is zogezegd *The Land of the Brave and the Free*. Maar ik voel me allesbehalve moedig en vrij. Ik ben bang. Ik heb het gevoel alsof de vervolging elk moment kan beginnen, of al begonnen is. Mensen zijn beschadigd.' En dan komt hij met de vergelijking die de uitslag van de presidentsverkiezing bij hem opriep: 'Mensen hebben de neiging onder een steen te kruipen in een grot. Ik voel zelf die neiging. Ze zijn pas kortgeleden vanonder hun steen gekropen maar ze kruipen alweer weg.'

Rosenberg is een opposant, hij woont in het hart van Bushland, zelfs de half grappende bedenkingen rond een boedelscheiding van Kerry-staten en Bush-staten (waarna de Kerry-staten zich bij Canada aansluiten en de Bush-staten zich omdopen tot Jezusland) kunnen hem niet troosten. In dat geval eindigt hij, als jood, in Jezusland.

Uit nationale en regionale peilingen bleek dat 'ethische kwesties' de belangrijkste motivatie boden aan kiezers. In Ohio koos 23 procent van de stembusgangers vanuit die optiek, nationaal iets minder – 22 procent. Waarmee deze ethische kwesties – abortus, homohuwelijk, stamcelonderzoek – de oorlog in Irak en bijvoorbeeld tewerkstelling of de economie overstemden. Wie in deze 'ethische categorie' thuishoorde, stemde overdonderend voor Bush. De evangelische en conservatieve christenen stemden bijna even overdonderend voor Bush: 80 procent.

Eric Rademacher, onderzoeker en enquêteur aan het Institute for Policy Research van de University of Cincinnati, heeft vragen bij die statistieken en bij hun methodologie. Hijzelf werkte kort voor de verkiezingen mee aan een eigen onderzoek waaruit bleek dat 4 procent van de kiezers abortus en 2 procent het homohuwelijk als voornaamste probleem naar voren schoven. 'Maar wij werkten met open vragen – de ondervraagden moesten zelf op het idee komen om over abortus te beginnen. Bij de peilingen na de verkiezingen gaf men ethische kwesties als een keuzemogelijkheid – men gaf de kiezers de pap in de mond.' Op die manier werd vier plus twee ineens drieëntwintig.

'De indruk die momenteel wordt gewekt is dat dit land een serieuze bocht naar rechts heeft genomen, maar volgens mij is er niet veel verschil met 2000. Het voorstel om het homohuwelijk te bannen zou twintig jaar geleden ook een meerderheid gehaald hebben, wellicht een grotere meerderheid.'

Gene Beaupré, professor politieke wetenschap aan de katholieke Xavier University, is minder geneigd het ethische aan de kant te schuiven. Hij stuurde studenten, in gelijke aantallen Republikeins en Democratisch, uit en hij vond dat mensen vaak in aandoenlijke mate tegen hun eigen belang in stemden. 'Het zuidoosten van de staat werd de afgelopen jaren echt zwaar door de economische crisis getroffen, maar toch stemde die streek massaal op Bush – omdat in dit geval andere prioriteiten speelden.'

Dat hoefde niet altijd de seksuele ethiek te zijn, in die buurt is het eigen wapen belangrijk (Kerry ging er enkele weken voor de verkiezingen op ganzen jagen), en natuurlijk de verdediging van het land en van de eigen veiligheid.

'In de analyses wordt nogal eens over het hoofd gezien hoe goed de Republikeinen hun campagne gevoerd hebben. Ze wisten precies hoe ze het platteland moesten bereiken. Wie traditioneel aan huisbezoeken denkt, gaat uit van woonblokken in een stad – ten minste twintig huizen binnen loopafstand. De Republikeinen zijn erin geslaagd hetzelfde te bereiken op het platteland, door vrijwilligers te mobiliseren, door te telefoneren, door zich op kerkgangers te concentreren.'

Volgens Beaupré was het verschil in efficiëntie tussen de partijen misschien wel de belangrijkste factor in deze verkiezingen. 'Er lijkt een grotere samenhang te zijn in de stemblokken. Het is niet altijd een samenhang die logisch lijkt. Dezelfden die tegen de legalisering van abortus stemmen, zijn doorgaans voor liberalisering van het wapengebruik – ik zou denken: als je op het ene terrein de vrije keuze voorstaat, waarom dan niet op het andere?' De samenhang van het eigen stemblok, en de verwijdering tussen de twee stemblokken, leidt tot de indruk dat het land in twee soorten mensen, in twee soorten kiezers uiteenvalt. En dat verzoening van die blokken ver te zoeken is. 'De Democraten hebben het ethische min of meer uit handen gegeven. Maar het moet mogelijk zijn over de oorlog of over werkloosheid te praten in ethische termen. In deze verkiezingen volgden we de rechts-evangelische versie van ethiek: ethisch is wat tussen de lakens gebeurt, of wat tussen de lakens niet zou mogen gebeuren. Kerry heeft die definitie van ethiek niet aangevochten, het is zijn fout dat hij geen ethische versie van zijn plannen heeft aangeboden.

Maar laten we niet te snel denken dat wat tijdens deze verkiezingen gebeurde, wijst op een onherroepelijke trend. Bush heeft gewonnen, en hij heeft in Ohio gewonnen, maar relatief gesproken was zijn marge in Ohio kleiner dan in 2000. Als zeventigduizend Bush-kiezers, uit een totaal van meer dan vijf miljoen kiezers in Ohio, op Kerry hadden gestemd, was er nu een president Kerry in de maak, en zou je me vragen of de VS eindelijk klaar zijn om van koers te veranderen en een progressief land te worden.

Ik bestudeer de politiek al ruim dertig jaar. In 1972 haalde Nixon een overdonderende overwinning, maar vier jaar later werden de Republikeinen weggestemd. Bush I leek ooit onoverwinnelijk maar hij kon niet beletten dat Clinton president werd. Mensen zeggen nu: het zuiden des lands is voor eeuwig Republikeins. Veertig jaar geleden kon je hetzelfde zeggen, maar andersom: het zuiden leek eeuwig Democratisch te zullen blijven. En wat de huidige ruk naar rechts betreft: die is toch vrij genuanceerd, vind ik.'

Professor Beaupré verwijst naar de speciale verkiezingen in Cincinnati, waar de stadsdiscriminatie van homo's werd opgeheven.

Nadat het stadsbestuur in het begin van de jaren negentig had geprobeerd een wet te installeren die discriminatie op basis van seksuele voorkeur onmogelijk zou maken, waren enkele conservatief-christelijke groepen met een tegenoffensief begonnen. In 1993 stemde de bevolking met een aanzienlijke meerderheid voor 'Artikel 12', waardoor het tegenovergestelde werd gerealiseerd van het oorspronkelijke voorstel: volgens dit wetsartikel 12 kon seksuele geaardheid geen reden zijn tot speciale legale bescherming. Met andere woorden, in de breedste interpretatie (want de formulering van de wet liet marge): een huisbaas kon huurders op straat zetten omdat ze homoseksueel waren, een werkgever kon personeel ontslaan op deze basis, en een werkgever kon in ieder geval homo's alle voordelen ontzeggen die hij of zij aan de partners van hetero's toekende.

Waren er vele concrete slachtoffers van de wet?

'Ze had vooral een symbolisch effect,' zegt Duane Holm, van het interkerkelijke MARC. 'Ze maakte duidelijk dat homo's en lesbiennes tweederangsburgers waren.'

Hijzelf kreeg in de elf jaar dat de wet van kracht was twee gevallen van flagrante discriminatie over de vloer – in beide gevallen werd geen proces aangespannen, omdat de slachtoffers veronderstelden dat ze hoe dan ook zouden verliezen.

Volgens Holm, die de verscheurdheid van de stad nog versterkt terugvond binnen de kerkgroepen, was de wet ten dele een uitvloeisel van interne problemen binnen vele protestantse kerkgemeenschappen, die zelf worstelden met de vraag of ze homo's tot het ambt moesten toelaten en of ze huwelijken tussen homo's zouden inzegenen.

De wet leidde, volgens het lokale bedrijfsleven, tot economisch verlies. De stad kreeg een 'onvriendelijk imago'. Enkele congressen lieten weten dat ze voortaan een andere lokatie zouden uitkiezen. Procter and Gamble, het grootste bedrijf in de regio (en onder meer producent van waspoeders zoals Tide), en doorgaans het tegenovergestelde van progressief, merkte, volgens woordvoerder Doug Shelton, 'dat waardevolle werknemers elders aan de slag gingen'. Om economische redenen (en enkel om economische redenen, benadrukt Shelton), besloot Procter and Gamble voor het eerst in zijn geschiedenis in de politiek te duiken. Het bedrijf maakte in de maanden voor de presidentsverkiezingen veertigduizend dollar vrij ten voordele van de campagne om Artikel 12 te bestrijden. Procter and Gamble vaardigde daarnaast een werknemer af die in de campagne zou werken. Vele andere bedrijven steunden de campagne. De katholieke aartsbisschop van Cincinnati sprak zich tegen het discriminatieartikel uit.

De andere kant, geleid door het eerder geciteerde Citizens for Community Values van Phil Burress, was nog beter gefinancierd. De anti-homogroepen huurden in de week voor de verkiezingen telkens twee pagina's per dag af in de twee dagbladen van de stad.

Ik probeer Burress ten tweede male te contacteren maar hij is met vakantie en hij beantwoordt de boodschappen niet die zijn secretaresse hem nastuurt.

Geen aardige man, suggereer ik tegenover Duane Holm, directeur van de kerkoverkoepelende MARC. 'Ik spreek dat niet tegen,' zucht hij. Holm stelt zich ook vragen bij de financiering van de groep van Burress. Die beschikt over bergen geld om homo's en pornowinkels de duvel aan te doen, en de oorsprong van dat geld wordt nooit helemaal duidelijk (al schijnt een deel uit de staat Colorado afkomstig te zijn, misschien van biergigant Coors – een bekend financier van rechtse groepen en vreemd genoeg tegelijk een sponsor van homomanifestaties).

Zowel met Artikel 12 als met Issue One – het staatsartikel tegen het homohuwelijk – werd de zwarte gemeenschap in het gelid gebracht. Burress wist de bejaarde mensenrechtenactivist en dominee Fred Shuttlesworth, een directe medestrijder van Martin Luther King, voor een advertentie te paaien. In zijn tv-spotje maakte Shuttlesworth duidelijk dat discriminatie van homo's volgens hem helemaal niet vergelijkbaar is met de rassendiscriminatie die hij zelf bestreed en bestrijdt.

En hoewel enkele zwarte dominees zich tegen Artikel 12 uitspraken, bleek een meerderheid van hen eerder voor.

Holm: 'Ik vraag me af of dat te maken heeft met het soort homo's binnen hun gemeente. Ik heb de indruk dat de witte homogemeenschap zo langzamerhand braver is dan het gemiddelde, burgerlijker, met vaste partners, een huis en twee auto's, terwijl de zwarte gemeenschap nog altijd iets gevaarlijks uitstraalt, en zwarte homo's eerder promiscu gebleven zijn. Maar dat verband beeld ik me misschien in. Feit was dat de zwarte clerus in een hoger percentage anti-homo was dan de witte.' (Een andere vraag die velen zich stellen: waarom houden zoveel zwarten zich bezig met de campagne tegen homo's als de discriminatie van zwarten – onder andere zichtbaar in politieacties in zwarte wijken – nog altijd een tastbaar probleem is?)

Waar de campagne van Burress en de zijnen vrij traditioneel verliep, met advertenties en preken, deden de Citizens to Restore Fairness – een groep van homo's en sympathisanten die dus onder meer door het bedrijf Procter and Gamble gefinancierd werden – wat niemand van hen verwachtte.

Justin Turner, hun campagneleider: 'We kwamen al gauw tot deze conclusie: als je de zaken in abstracte termen voorstelt, zijn de meeste mensen tegen ons, maar als je concreet over je eigen leven vertelt, over de moeilijkheden, over de discriminatie, en hoe belabberd je je daardoor voelt, dan vinden ze het sneu dat ze je leven nog moeilijker gemaakt hebben. Het concrete overtuigt.' En zo geschiedde: homo's gingen van deur tot deur en vertelden over hun leven, wel en wee, in een grootschalige, gepersonifieerde informatiecampagne.

Op verkiezingsdag voelde Holm zich al enigszins gerustgesteld. 'Aan de zwarte stembureaus stonden actievoerders met anti-homospandoeken, maar bij navraag bleken het geen vrijwilligers maar betaalde krachten – Burress betaalde hun honderdtachtig of tweehonderd dollar per man, wat nog eens bewijst dat die man geld zat heeft. En wat ook bewijst dat hij volgens mij meer steun had bij de zwarte clerus dan bij de zwarte bevolking.'

Het was geen overrompeling, maar op 2 november stemde Cincinnati met ongeveer 54 procent van de stemmen voor het opdoeken van Artikel 12. In de staat werd Issue One – het verbod op homohuwelijk en burgercontract – met 62 procent van de stemmen wet, maar binnen de stadsgrenzen van Cincinnati, de afgelopen dertien jaar een symbool van homohaat en onverdraagzaamheid, haalde Issue One net geen meerderheid.

Burress en de zijnen lieten in de lokale pers weten dat ze het opdoeken van Artikel 12 betreuren maar dat staatswet Issue One partners van homo's ook weghoudt van legale voordelen, althans in overheidsdienst, en dat er in de praktijk niet veel zal veranderen. Bovendien kondigde Burress aan dat Procter and Gamble, 'een bedrijf dat homo's ronselt', maar ook andere bedrijven die de campagne tegen Artikel 12 hebben ondersteund, geboycot zullen worden door zijn christelijke achterban. Geen Tide meer in christelijke wasmachines.

Duane Holm van de interkerkelijke MARC is over het algemeen vrij pessimistisch gestemd over de politiek van zijn land 'maar als we, zoals soms wordt aangenomen, uitgaan van de stelling dat alle politiek lokale politiek is, ben ik toch wat minder pessimistisch. We gingen deze verkiezingen in Cincinnati in met drie lokale voorstellen: dat rond Artikel 12, een voorstel om de belasting ter financiering van scholen aan de inflatie aan te passen, en een voorstel om een eigendomsheffing af te schaffen waarmee de lokale besturen worden gefinancierd. Ik had verwacht dat de drie stemmingen slecht zouden eindigen, dat de discriminatie van homo's bekrachtigd zou worden, en dat scholen en lokale besturen nog slechter gefinancierd zouden worden. Maar eureka: op de drie punten stemden de bewoners eerder links dan rechts. En dat in wat beschouwd wordt als de meest rechtse stad van Ohio.'

Zoals vaak wanneer je in Cincinnati met bewoners praat, belandt het gesprek uiteindelijk bij Jerry Springer. Ooit, voor hij als tv-ster vechtende transseksuele minnaars opvoerde, of dwergen die lid zijn van de KKK, was Jerry Springer burgemeester van Cincinnati. Dat was niet vrij van schandalen, maar zijn bestuur verliep vrij bevredigend. 'Hij was,' zegt Holm, 'zowat de Kennedy van Cincinnati: jong, knap, wat radicaler dan de meesten maar op een goedhartige wijze, zoals je ze van een briljante zoon of schoonzoon wat graag accepteert.'

De band tussen heiligschennende, hoerenlopende Springer (hij werd betrapt doordat hij met een cheque betaalde) en conservatief Cincinnati was al bij al vrij positief.

'Dat was natuurlijk voor hij een tv-nieuwspresentator werd,' aldus Holm, 'en zeker voor hij met zijn uitzinnige show begon.'

Springer heeft al aangekondigd dat hij ernstig overweegt zijn show op te doeken en zich in 2006 kandidaat te stellen voor het gouverneurschap van Ohio. Holm: 'Ik weet niet of de bewoners van de staat bereid zullen zijn hem zijn show te vergeven, of die als onbenullig weg te wuiven, zoals Springer zelf schijnt te doen. Maar hij is een getalenteerd man – dat staat buiten kijf.'

Wie zonder meer al droomt van een kandidatuur van Springer is Adam Rosenberg, de terneergeslagen directeur van de Democraten in Cincinnati en omstreken. 'Jerry Springer heeft het vermogen om contact te leggen met zijn toehoorders, hij kan in alle omstandigheden zichzelf zijn, evengoed met arbeiders als met zakenlui, met zwarten of met latino's, met christelijke groepen zelfs. Als hij naar het gouverneurschap dingt – dat heeft hij me beloofd – wil hij echt intens aan de bomen schudden, met een echt progressieve boodschap naar de kiezers gaan. Ik hoop dat hij het doet. Jerry Springer heeft enthousiasme en overtuigingskracht, hij gelooft in wat hij doet.' Rosenberg voelt zich even een beetje gerustgesteld. Alsof Springer zijn land uit de conservatieve sluimer kan halen.

Dan voelt hij zich weer alsof hij onder een steen zal kruipen.

13

Een engel, gezonden door God

De atmosfeer van politieke ontspanning duurt maar even. Na een week of twee is iedereen het 'wij zijn allen in de eerste plaats Amerikanen' weer helemaal vergeten, en is dit terug tweestromenland geworden, of een conservatief binnenland met progressieve kusten, of nog anders, conservatief beleg op een progressief broodje (en Amerikaanse sandwiches bestaan voor driekwart uit beleg).

Ik besluit nog eens toe te geven aan mijn nieuwe uitspatting: de auto. Ik huur alweer het kleinste wat de huurfirma aanbiedt, wat toch nog altijd ruim van afmetingen is: een zilverkleurige Chevrolet Classic.

Ik luister eindeloos naar talkradio, wat beter lukt naarmate het landschap minder inspireert. Ik luister naar de controverses van de dag. Hoe *Saving Private Ryan*, de Spielbergfilm, op ettelijke plaatsen niet op tv zal worden uitgezonden. Niet omdat hij zo gewelddadig is, omdat het bloed op de camera spat, maar omdat er in de film wordt gevloekt. Op geweld staan weinig remmen, maar schuttingtaal mag niet op Amerikaanse schermen, tenzij het door de context is gewettigd of tenzij voor de vloeken wordt betaald, op betaal-tv. De lokale niet-betaal-tv-maatschappijen vrezen boetes en doen liever aan zelfcensuur.

Het tweede thema is hoe christelijk rechts de president 'aan zijn beloftes zal houden', en of Bush water bij zijn religieus-ethische wijn zal doen. Limbaugh zegt van niet. Hij wéét van niet. Bush is niet herkozen om slappe handjes uit te delen.

Op de rechtse zenders wordt het iets moeilijker om links de schuld te geven van wat misloopt in het land, rechts controleert nu al enige tijd het parlement en het presidentschap – maar moeilijk gaat ook. De pijlen worden in toenemende mate op de rechters gericht, en als vanouds op de advocaten – die dit land ten gronde richten. (Het doet altijd wat vreemd aan de tirades tegen advocaten te horen ten behoeve van een president die zijn eerste ambtstermijn met behulp van advocaten heeft veroverd.)

Ik kom, knoppen induwend waarvan ik de consequenties niet kan inschatten, bij klassieke muziekprogramma's terecht die voornamelijk met het inzamelen van geld bezig lijken. Dat is trouwens de halftijdse bezigheid van de helft van de radiostations: fondsen werven om in staat te blijven fondsen te werven. Wat je kunt winnen als je geeft, hoe geweldig je bent als je geeft, hoe belangrijk het is dat je geeft, wat de zender in het verleden al allemaal, met behulp van je geld, heeft uitgezonden, en wat er in de toekomst nog kan volgen. Streepje Puccini gevolgd door nog meer werving, gevolgd door Tsaichovski, 'waar sommige liefhebbers op neerkijken maar volgens mij ten onrechte'.

Qua golflengte net naast de fondswervers rol ik in het helemaal apolitieke programma *Handel on the Law*. Bill Handel is een radio-jurist die gratis en snel advies verstrekt aan luisteraars die hem opbellen. De bellers zijn doorgaans van het voorspelbare type. 'Kan ik de ring van mijn grootmoeder terugeisen die mijn ex-vrouw draagt en die ongeveer honderdduizend dollar waard is?' (Antwoord: jazeker.) Of: 'In de reclamefolder stond dat ik een nieuwe prefabwoning kocht, maar mijn woning bleek drie jaar lang als kijkruimte gebruikt te zijn. Kan ik mijn geld terugeisen?' (Antwoord: niet alleen dat, je kunt een flinke stuiver bijverdienen door een proces tegen het bedrijf aan te spannen.) 'Moet mijn echtgenoot ook na zijn pensioen alimentatie aan zijn ex blijven betalen?' (Antwoord: alimentatie is een levenslange straf – 'ik kan het weten, ik betaal me blauw'.)

Twee of drie telefoontjes per uur springen uit het stramien.

Een vrouw wil weten hoe ze zoveel mogelijk kan erven van haar stervende, in schulden wegzinkende vader.

Daar heeft Bill wel oren naar.

'Hoe lang heeft hij nog te gaan? Je bent gekloot als hij niet minstens nog zes maanden leeft.'

'Ik vrees van niet,' mompelt de vrouw.

Bill: 'Je had me eerder moeten bellen. Laat dat een les zijn.'

De volgende beller, Eleanor, vraagt aan Bill of ze de stad Los Angeles voor het gerecht kan dagen. Op haar zeventiende is ze naar een verbeteringsgesticht gestuurd, waar geen kantine was. Ze kocht haar snacks van een karretje dat ook sigaretten verkocht. Daar is ze begonnen te roken. 'En nu heb ik astma. Zonder dat verbeteringsgesticht zou ik wellicht veel gezonder zijn geweest.'

Bill: 'Eleanor, vertel me: was jij zo'n wicht dat de hele tijd zwanger was en dat elke jongen die erom vroeg in haar broekje liet graaien? Dat was namelijk het type vrouw waar ik in mijn jonge jaren op viel. Aan haar betaal ik nu alimentatie.'

Eleanor, aarzelend: 'Zo was ik min of meer.'

Bill: 'Ik dacht het wel. Vergeet het. Je krijgt geen cent van Los Angeles.'

Eleanor: 'Dat vreesde ik, maar ik dacht: ik zal toch maar eens bellen.'

Bill: 'Niet bellen, Eleanor. Niet bellen.'

Op een volgend station peilen presentatoren bij hun luisteraars de relatieve voordelen van Brad Pitt en Tom Cruise (Pitt wint), en kan het luisterende publiek deelnemen aan een quiz die dvd's en bioscooptickets oplevert.

Opnieuw Rush Limbaugh dan, die, terwijl ik zowel links als rechts zenders zoek, op FM of middengolf, vanuit het niets verwoestend uithaalt: 'Folks, we moeten links niet paaien, we moeten het vernietigen. En ik bedoel dan, want ik word al te vaak verkeerd begrepen, niet fysiek: in de politieke arena moeten we links vernietigen. Die lui zijn slecht voor het land. Die verraden hun land waar we bij staan.'

Hij krijgt in zijn programma nog altijd voornamelijk telefoontjes van mensen die hem na-apen, met de klassieke beginzin: 'Ik kan niet geloven wat de progressieven nu weer verzinnen.' Het blijkt hem te gaan om een milieureglementering die enkele Democraten hebben voorgesteld.

Limbaugh: 'Die lui zullen niet rusten vooraleer we een communistisch land zijn.'

Tussen twee telefoontjes door zingt Limbaugh de lof van Tom Delay, leider van de Republikeinen in het Huis van Afgevaardigden en veelvuldig in opspraak wegens corruptie, wegens een dure golftrip naar Schotland die gefinancierd werd met geld dat aan een indianenstam, die een casino wilde beginnen, was ontfutseld. Hij heeft niks gedaan wat Democraten niet slechter doen, aldus Rush. 'Als de *liberals* het met iemand niet eens zijn dan proberen ze hem een schandaal in de schoenen te schuiven. We kennen die lui.'

Onderweg van Cincinnati naar Kansas rijd ik langs de boog van St. Louis, die de poort symboliseert waardoor de trek naar het westen is verlopen. Hier begint The Far West.

Wie onder de boog door ging was halverwege de realisatie van een droom. Ik stap even uit, en aan de toeristische dienst in de binnenstad, waar jazz en blues zo uit de straten lijken te spatten (een zwaarlijvige zwarte man zingt zijn zelfbeklag uit, maar met een sonore stem die je minstens nog in de volgende straat hoort), moppert een bejaarde vrouw over het veranderende karakter van haar stad, die niet langer zo eenvormig katholiek is als weleer. 'De nieuwen die komen,' zegt ze, 'je weet niet langer welke religie die hebben. Die komen uit Afrika of uit het Midden-Oosten.' Ze maakt zich klaar voor een reis naar Europa – wellicht haar laatste grote reis, schat ze, 'want ik ben tweeëntachtig, en dan trek je er niet langer zomaar op uit'. Zes landen in zeventien dagen, alles wat belang heeft: het Vaticaan, Buckingham Palace, de Eiffeltoren. Het is wat haar betreft een wereldreis, een reis waarvoor ze de prentbriefkaarten op voorhand heeft gekocht.

Kansas, met zijn Dodge City en zijn cowboys, behoort onmiskenbaar tot de Far West. Maar dat is niet de reden waarom de staat de hit is van de boekhandels. Vanaf juni staat het boek *What's the Matter with Kansas?* van Thomas Frank op de bestsellerlijsten (uitgegeven door Metropolitan Books, 2004), en sinds de verkiezingen wordt het beschouwd als profetisch.

Frank argumenteert dat een groeiende groep van mensen tegen hun strikte eigenbelang in kiezen, en op basis van wat breedgenomen ethische principes kunnen worden genoemd in de achterban van

Bush belanden. Werknemers maken door hun stemgedrag lastenvermindering voor bedrijven mogelijk, ze stemmen systematisch tegen pogingen om hun ziektekostenverzekering te verbeteren, ze ondersteunen stappen om hun vakbonden aan banden te leggen en het milieu terzijde te schuiven – omdat de Republikeinen nu eenmaal aan hun kant staan qua abortus of homohuwelijk. Een van de armste staten, zo arm dat de bevolking er wegloopt, kiest door de list van rechts, het alibi van morele principes, systematisch voor de rijken, verhoogt hun gemak en verlaagt het eigen comfort, in wat als het omgekeerde van de Franse revolutie kan worden beschouwd: een revolutie waarin de *sansculottes* door de straten stormen om meer macht voor de aristocratie te eisen, en tegelijk te eisen dat de rechten van de lagere standen worden opgeschort; een revolutie die grotere ongelijkheid moet mogelijk maken.

Frank, die tegenwoordig in Washington DC werkt, op de politieke redactie van het maandblad *Harper's*, is zelf uit Kansas afkomstig. De voorbije veertig jaar heeft daar een gestage 'bekering' van Democraten plaatsgehad. Frank kent de bekeerlingen en afvalligen uit de eerste hand.

Zo beschrijft hij een leraar, enthousiast lid van de vakbond, die decennialang voor Democraten had gestemd, die hoogoplopende discussies had gevoerd met zijn Republikeins stemmende zoon, maar die tegenwoordig bij verkiezingen zelf de meest rechtse kandidaat uitzoekt. Als katholiek is hij tot de conclusie gekomen dat het pro-abortusstandpunt van de meeste Democraten verwerpelijk is. Hij luistert en kijkt nu naar de meest rechtse radio- en tv-programma's en verpinkt niet als een van die tv-figuren beweert dat de lerarenvakbond 'niet van Amerika houdt'.

Anderen zijn tot de conclusie gekomen dat de Democraten zichzelf te goed vinden voor 'gewone mensen', Democratische vertegenwoordigers beginnen over vegetarisme, ze doen misprijzend over privéwapens, ze praten zich vrij met verbale acrobatie, zoals president Clinton ten tijde van de Lewinsky-troebelen, ze hebben geen ruggengraat, wat betekent dat ze zich aan alle zijden van elke discussie even lekker voelen.

Het zijn dergelijke ergernissen die voormalige Democratische kiezers over de brug jagen naar de Republikeinen, hun tegenstanders van weleer. Die vroegere tegenstanders hoeven niet eens hun beleid aan te passen.

Frank beschrijft hoe vliegtuigproducent Boeing in 2003 verschillende staten liet concurreren rond de vraag waar het bedrijf de nieuwe 7E7-toestellen zou assembleren. De concurrentie betrof onder meer de kwaliteit van het onderwijs, en de rekbaarheid van de arbeidswetgeving. In Kansas was de concurrentieslag nog grimmiger, omdat het gerucht de ronde deed dat Boeing zijn oude fabriek in de staat, in Wichita, zou sluiten. Kansas, solide onder Republikeins bestuur, besloot om, ondanks budgettaire moeilijkheden, ondanks een dispuut over de salarissen van leraren (die geacht werden in te leveren), Boeing een renteloze lening van vijfhonderd miljoen dollar aan te bieden.

Dat bleek niet voldoende om de hoofdprijs binnen te halen. Boeing besloot een klein deel van de productie van de 7E7 naar Wichita te brengen, zonder dat daar noodzakelijkerwijs nieuwe jobs zouden worden toegezegd – in ruil voor vijfhonderd miljoen dollar verkreeg de staat ongeveer een status quo.

Waarom halen dergelijke tribulaties ternauwernood het nieuws? Waarom jagen dergelijke verhalen de ex-Democraten niet terug naar hun oorspronkelijke partij? Waarom betalen ze gedwee mee om Boeing winstgevender te maken?

Een deel van het antwoord is: Democraten doen elders net hetzelfde als de Republikeinen in Kansas, en is er een soort onvermijdelijkheid gegroeid rond dit soort toestanden.

Maar er is volgens Frank meer aan de hand. De economie, het financiële eigenbelang, lijken bij de arbeiders steeds minder terzake te doen. Het beeld van de omgekeerde Franse revolutie is niet helemaal geslaagd. De rechtse arbeidersklasse wil geen aristocratie. Ze wil terug naar een vermeend idyllisch, christelijk, misdaadvrij, Hollywoodloos verleden. En de obstakels voor die terugkeer vindt ze doorgaans bij links.

De ex-Democraten zijn door rechtse propaganda, of gewoon door hun eigen verontwaardiging, in een systeem van twee werelden gezogen, elite tegen gewone mensen, Hollywood tegen fatsoenlijke gezinnen, rechters tegen de meerderheid (inzake bijvoorbeeld het homohuwelijk, dat in Massachusetts door een overigens gedeeltelijk Republikeins college van rechters wettig verklaard werd, zonder dat de verkozen vertegenwoordiging van het volk zich erover had uitgesproken), kunstenaars tegen christenen (de in urine gedrenkte crucifix van Andres Serrano is een symbool geworden van elitaire decadentie, het werk kon bovendien van overheidssubsidies genieten), verkwisters van overheidsgeld tegen kleine belastingbetalers. In al die voorbeelden staan de Democraten echt of in de verbeelding aan de verkeerde kant.

Het bizarre, en daar spelen de rechtse media zeker hun rol, is dat Republikeinen het Witte Huis bezetten, het parlement controleren, en ook de staat Kansas in handen hebben, dat ze hopeloos met grote bedrijven en belangengroepen vervlochten zijn, dat ze gemiddeld veel rijker en elitairder zijn dan de Democraten, maar dat ze toch tot op zekere hoogte de vertegenwoordigers van 'de kleine man' kunnen blijven. De Republikeinse vertegenwoordigers delen de nostalgie naar eenvoudiger tijden of doen alsof (Frank geeft een voorbeeld van een jonge Republikein die privé gewoon machtsgeil is, maar in interviews alleen maar praat over zijn doel om God en andere Amerikaanse waarden in het politieke leven te introduceren), ze hameren eindeloos op het goede van de gewone mensen, en beschrijven hoe die het slachtoffer zijn van allerlei culturele, nooit economische, krachten.

De grote stellingen in het boek zijn, zoals het hoort in goede boeken, interessant en betwistbaar, maar nog meer dan door de algemene teneur raak ik gecharmeerd door de details van het boek. In Franks versie is Kansas een broeinest van rare populisten. Zo leert hij ons John Brinkley kennen, een vermeende arts die roem vergaarde door stukjes bokkentestikel bij mannen in te planten – om hun potentie te verhogen. Hij verspreidde vanaf 1923 de voordelen van zijn kuur ook via een nationale radiozender. Een krant ontmaskerde hem als een kwakzalver, zijn radiolicensie werd ingetrokken, maar dat droeg alleen maar bij tot de populariteit van de man, die zich in de politiek gooide, en naar het gouverneurschap van Kansas dong. De traditionele machthebbers moesten fraude plegen om hem van de kiesoverwinning af te houden. De bewoners van Kansas beschouwden 'hun dokter' als een medeslachtoffer.

Zo beschouwd is de slachtofferrol een constante in Kansas, een moeilijk te duiden keerzijde van de heldenstatus die Amerikanen zo fel nastreven. Wie geen held kan worden, kan misschien maar beter een slachtoffer zijn.

Ik beland in Lawrence, een universiteitsstadje, niet ver van de staatsgrens met Missouri.

De universiteit maakt dan zeker het verschil, want dit is niet wat ik me als typisch Kansas voorstel: twee jongens lopen hand in hand door de binnenstad. Niet-commerciële, buitenlandse films vullen een zaal. Pro-Darwinisten beleggen een vergadering, in de ijdele hoop een machtsgreep van de Creationisten in hun staat te kunnen vermijden. Uitgelaten basketbalfans, nochtans ook depri omdat de universiteitsploeg haar favorietenrol niet heeft kunnen waarnemen, leggen me uit hoe de lokale brouwerij al heel lang gegeerd gerstenat produceert.

De nachten zijn rumoeriger dan je in Kansas zou verwachten. De dagen zijn educatiever.

Op de toeristische dienst hoor je hoe Lawrence en Kansas een rol speelden in de strijd tegen slavernij.

Toen het grondgebied van Kansas in 1854 ontsloten werd, onder andere om er een spoorlijn te kunnen aanleggen (het ontsluiten hield onder meer in dat de indianen, aan wie het land in een eerder compromis was toebedeeld, hun rechten ontnomen werden), was de spanning rond slavernij al te snijden, hoewel de burgeroorlog nog enkele jaren op zich zou laten wachten. Zowel de pro's als de contra's probeerden het nieuwe Kansas voor hun zaak te winnen, en dat was niet alleen een kwestie van discussie en overhalen: zowel pro-slavernijmigranten als anti's vestigden zich doelbewust in de staat. Het jonge Lawrence, gelegen langs de routes waar de ontdekkingsreizigers en de vroege handelaars passeerden (Santa Fe Trail, Oregon Trail), werd bevolkt met anti-slavernijmigranten die voornamelijk uit de buurt van Boston, of in ieder geval uit de staten van New England, afkomstig waren.

Tussen pro's en contra's woedde een conflict dat de staat herschiep in 'bloedend Kansas', met milities en boevenbendes aan beide zijden.

De buurstaat, Missouri, was zo mogelijk nog meer verdeeld omtrent slavernij. Officieel behoorde hij tot het noordelijke, anti-slavernijkamp, maar een militant deel van de bevolking, dat misschien de meerderheid van de bevolking vertegenwoordigde, legde verklaringen af waaruit bleek dat die 'schurken van abolitionisten' moesten worden afgemaakt. Ze voegden de daad bij het woord, op het grondgebied van Missouri werd gevochten en werden strooftochten georganiseerd die we tegenwoordig als terreuraanslagen zouden aanduiden.

De meest beruchte leider van de Confederalen in Missouri was William Quantrill. Quantrill was geboren in de staat Ohio, maar die staat was hem te tam. Hij toonde als jongeling al een aanleg voor wreedheid. Volgens een verhaal dat hij misschien zelf verspreidde schoot hij varkens door de oren omdat hij niet genoeg kon krijgen van het gekrijs. Als militieleider gedroeg hij zich niet veel beter. Hij liet zich onder meer omringen door de boeven Frank en Jesse James.

Na enige tijd werd het gedrag van de groep zo onhoudbaar dat zowel Confederalen als noordelijken Quantrill kwijt wilden. Om de groep ertoe te brengen het grondgebied van Missouri te verlaten, liet men hun vrouwen en kinderen oppakken. Men bracht die samen in een huis, en zou ze korte tijd later onder dwang verwijderen, in de hoop dat de boeven/milities van Quantrill hun families zouden volgen. Maar na luttele dagen stortte het gebouw waarin de families werden opgesloten in elkaar. De meeste familieleden lieten het leven.

Quantrill, die in de instorting een complot vermoedde, was uit op revanche. Hij vond die in anti-slavernijstadje Lawrence, toen drieduizend bewoners rijk.

In alle vroegte reed hij met vierhonderd medestanders het stadje binnen, overweldigde de lokale troepen en startte een orgie van geweld en plundering. Hij stelde zich tot doel alle gebouwen plat te branden en alle mannen te doden. Volgens een bijna eigentijds verslag spaarde hij echter wat we nu assertieve vrouwen zouden noemen: vrouwen die resoluut op de overvallers inpraatten, en zich niet zomaar bij de schurkenstreken neerlegden.

Voor de mannen kende de groep echter geen genade. De burgemeester van Lawrence verschool zich met enkele medewerkers in zijn waterput, terwijl zijn echtgenote op de belagers inpraatte. Tegen de tijd dat het huis van de burgemeester was platgebrand en de milities uit Missouri waren verdwenen, waren de drie mannen die in de put hadden geschuild van onderkoeling gestorven. Een vierde die hen hoopte te redden, klauterde langs het puttouw naar beneden, maar het touw brak en ook hij kwam om het leven. In totaal zouden honderdtachtig mannen zijn gedood.

Milities uit Kansas namen naderhand wraak op bewoners uit Missouri die niets met de expeditie van Quantrill te maken hadden.

Quantrill zag zich na het bloedbad genoodzaakt naar Texas te verhuizen en daar zijn duivels te ontbinden. Vervolgens begon hij een moord op president Lincoln te beramen, maar in een gevecht met een noordelijke militie werd hij in de rug getroffen. Hij stierf na enkele uren gevangenschap, een jaar of zo voor Lincoln echt werd vermoord.

Tegen de tijd dat de vertegenwoordigster op de toeristische dienst het verhaal heeft uitverteld, heb ik echt een kies op het land kapotgebeten. De voorlaatste maaltand is verregaand verbrokkeld, de vulling was ik maanden geleden, in de Petroleum Club van Midland, Texas, kwijtgeraakt en het laatste beschuttende stukje tand breekt af op de toeristische dienst van Lawrence. De pijn valt niet langer te paaien met tandenstokers en eenzijdig kauwen.

Op vijftig meter van mijn motel huist, blijkens het telefoonboek, een tandarts. Ik maak een afspraak en dat verloopt vlotter dan ik het me van thuis herinner. Ik kan vrijwel onmiddellijk langskomen. De receptioniste geeft me geen garanties omtrent de prijs. 'Dat hangt af van je probleem. In het beste geval honderd dollar of zelfs minder. Maar als de dokter je moet opereren kan het tot duizend dollar oplopen, of meer.'

Ter plekke vraagt de receptioniste of ik makkelijk kon parkeren – dit is het drukste deel van de consultaties.

Geen probleem, ik ben te voet gekomen.

Ze weet waar ik verblijf, maar toch verbaast het haar. 'Ik neem aan dat het een aangename wandeling is, als het weer niet te slecht is.'

Zijn de meesten van de patiënten verzekerd?

'Voor de tandarts doorgaans niet. De verzekering is duurder dan wat je denkt terug te krijgen. De meesten betalen gewoon wat het kost.'

Mijn tandarts, lees ik van de muur af, heeft gestudeerd bij de luchtmacht. Maar voor ik hem zelf een vraag kan stellen heeft een assistente mijn mond al opgevuld met een rubberen balletje en met een plaatje waarmee ze mijn verbrokkelde kies op de foto zal vastleggen.

Ik kan haar fotokunst op een scherm volgen. De assistente legt haar vinger op het punt waar volgens haar mijn tandzenuw is blootgekomen. 'Geen wonder dat je pijn hebt.'

Wat ik mij van Belgische tandartsen herinner, is een permanente poging tot opvoeding en kritiek: beter poetsen, vaker op bezoek komen, minder suikerwaren eten.

Hier blijft dat helemaal achterwege. Geen zweem van verwijt, hoewel mijn vorig bezoek aan een tandarts vijftien jaar geleden, in Hongkong, plaatsvond en ik me niet kan inbeelden dat mijn gebit in magazines zal worden bejubeld.

De tandarts komt me vertellen dat ik geopereerd moet worden. Ik veronderstel dat ik niet aan zijn taalgebruik ben aangepast.

Geopereerd?

'Jazeker, we zullen het gat moeten dichtnaaien. Als het je beter uitkomt de operatie uit te stellen, is dat wat mij betreft natuurlijk geen probleem.' Hij duwt me een papier in de hand waaruit blijkt dat ik een week van de kaart zal zijn.

Voor een tand?

'Het is niet zomaar een tand. Het is een maaltand. Ben je het hier mee eens? Anders geef ik je gewoon iets tegen de pijn.'

Ik geef toestemming voor de operatie en wanneer dat eenmaal gebeurd is, ben ik feitelijk monddood. Wat de tandarts niet belet om een conversatie op gang te brengen. Wat ik van het land vind, hoe ik bij hem ben beland, hoeveel een bezoek aan de tandarts in België kost, et cetera. 'Ik ga eerst met een strijkje je tandvlees verdoven, dan plaats ik een spuit om je tandvlees verder te verdoven, zodat je niet zult voelen wanneer ik de tweede spuit plaats die je helemaal verdooft.'

Wauw, zeg ik, wat verloren gaat in het afzuiggepruttel.

‘En ik zal je een prescriptie meegeven voor verdovende pillen.’ Een portie die me in ieder geval die moeilijke week zal doorhelpen, en, als ik niet te wild consumeer, me gedurende een maand murw kan houden.

Ik kan niet inbrengen dat ik zelfs al twijfel om vitaminepillen in te nemen, dat mijn oude Belgische tandarts liefst zonder gebruik van om het even welke verdoving tanden trok of vulde.

Ik onderga de drie trappen van verdoving, en moet dan pijnloos toezien hoe de tandarts aan de restjes kies sleurt en wrikt. Hij naait met zichzelf ontbindende draad. Da’s geruststellend. En ik moet moeilijk voedsel mijden. Wat in dit land geen probleem kan zijn.

Dat alles samen kost me tweehonderdtwintig dollar, wat eigenlijk nog meevalt. Plus de pijnstillers die ik in een apotheek/supermarkt ga halen.

De apotheek heeft een kwartier nodig om mijn pillen te prepareren. Enigszins moeizaam leg ik aan de bestellende apotheker uit dat ik in Europa nooit zoveel pijnloosheid zou voorgeschoteld krijgen.

‘Na,’ zegt hij, ‘Amerikanen zien er de zin niet van in nodeloos pijn te lijden.’

Het overhandigen van de pillen vereist tegenwoordig een identiteitsbewijs. Op het doosje zal mijn naam prijken. Dat maakte deel uit van een poging om het gebruik van pijnstillers toch ietwat aan banden te leggen, maar ten gronde is het een kwestie van mentaliteit, aldus de apotheker. ‘We hebben een mechanische visie op het leven. Niets is zo kwalijk dat het niet via pillen te herstellen valt. Mensen geloven dat het een kwestie van tijd is alvorens pillen alle problemen zullen oplossen.’

Ik gebruik een deel van de pillen, maar het grootste deel gooi ik naderhand weg, nog voor de draad zichzelf heeft ontbonden.

De rit naar Wichita verloopt pijnlijk (volgens de bijsluiter mag je geen verdovende pillen nemen als je wilt autorijden). Wichita, de stad die Boeing subsidieert, wordt in de VS ook nog geassocieerd met late abortus. Dokter George Tiller heeft er zijn abortuscentrum, waar, volgens zijn eigen website, enkele duizenden vrouwen die een vrucht met defecten droegen, een late abortus hebben ondergaan – toen ze tussen vijftien en achtendertig weken zwanger waren, met een gemiddelde van zevenentwintig weken. Zijn tegenstanders gaan ervan uit dat Tiller levensvatbare kinderen aborteert, of, om in hun terminologie te blijven: vermoordt. Tiller daarentegen stelt (in mededelingen, hij spreekt niet met buitenstaanders) dat hij zich strikt aan de wettelijke bepalingen houdt. Om de paar maanden wordt een gerechtelijk onderzoek tegen Tiller op gang gebracht, bijvoorbeeld ter controle van de eventuele abortus van een verkracht zwakzinnig meisje uit Texas. Een rechter draagt Tiller dan op zijn medische dossiers (of een medisch dossier) vrij te geven, wat de dokter op basis van zijn recht op medisch geheim weigert. Af en toe dreigt een onderzoeksrechter met een huiszoekingsbevel tegen de abortuskliniek.

Tegenwoordig zwijgt ook de andere kant – die toont een gezicht waar christelijk rechts het liefst niet al te openlijk mee wil geassocieerd worden.

Eerst was er een gewelddadige aanslag. In 1993, op de verjaardag van Tiller, terwijl hij in zijn auto stapte en wilde wegrijden, kwam de anti-abortusactiviste Rachelle Shannon op hem af; ze vuurde twee schoten door de autoruit en raakte de arts in zijn twee armen.

Eerder dat jaar was een andere abortusdokter doodgeschoten, en doorgaans trof Tiller voorzorgsmaatregelen, maar op het moment van deze aanslag werd Tiller niet beschut door het kogelvrij vest of door de hond die hem soms bewaakt.

De verwondingen vielen mee. Tiller ging de volgende dag gewoon weer aan de slag – en liet de pers weten dat hij zoals gebruikelijk ingrepen pleegde.

Sindsdien hebben de anti-abortusgroepen geweld afgezworen (onder druk van hun financiers, en van breder christelijk rechts), maar met name in Wichita woedt nog altijd een felle campagne tegen de abortuskliniek. Voor ze er het zwijgen toe deden, werkten de activisten mee aan een reportage in het blad *Rolling Stone*.

In maart 2004 ontving de werkneemster van het abortuscentrum, Sara Phares, een brief van de activisten: 'Beste Sara, volgens onze informatie ben je op dit ogenblik een werknemer van Woman's Health Care Services, dat abortussen uitvoert.' Ze werd aangemaand om berouw te tonen en haar job op te geven. 'We bidden voor je.'

Een week later ontvingen honderden die bij Sara in de buurt wonen een anonieme postkaart met het beeld van een verhakkelde foetus, waar het adres en telefoonnummer van de werkneemster was vermeld, plus de mededeling: DIT IS ABORTUS! DE BUURVROUW SARA PHARES IS BETROKKEN BIJ DE MOORD OP BABY'S ALS DEZE. De postkaart maande de ontvangers om haar te bellen en op andere gedachten te brengen. Er volgden nog twee series postkaarten. Ten minste één van de aangeschrevenen kwam inderdaad in actie en belde Phares. Een andere telefoneerde haar om haar te waarschuwen dat er 'gekken' met een campagne tegen haar begonnen waren.

Later begonnen de activisten voor het huis van Phares te manifesteren met een kruis en met foto's van foetussen. Ze lokten omstanders met muziek die doorgaans door ijsverkopers wordt gebezigd. Er werd gewijd water in haar voortuin gesprenkeld, er werd een duiveluitdrijving geënsceneerd.

De nieuwe aanpak van de radicale anti-abortusgroepen, die eerder actie voerden bij de klinieken zelf (maar dat werd door een rechter verboden), bestaat er dus in de werknemers van abortuscentra zoveel mogelijk het leven zuur te maken. Er wordt in afval gezocht naar belastend materiaal, er wordt aan privéwoningen gemanifesteerd, werknemers worden aangesproken terwijl ze bij Starbucks hun koffie halen of terwijl ze denken rustig in een restaurant te zitten. De wasserette waar de familie Tiller met haar was naartoe gaat, wordt bedreigd met een boycot van 'alle christelijke klanten'. Troy Newman, leider van Operation Rescue, de anti-abortusgroep in kwestie, zei tegen *Rolling Stone:* 'Ik wil dat die werknemers beseffen dat hun leven is veranderd. Zolang ze meewerken met de abortusindustrie en bloedgeld betaald krijgen, kunnen ze geen normaal leven leiden. Dat kunnen ze gewoon niet.'

De bedoeling is de 'bevoorradingslijnen' van de abortuscentra af te snijden, de werknemers, de gemeenschappen waarin ze zich bewegen, zo te belasten dat ze vanzelf gaan uitkijken naar ander werk.

Ik loop wat verward rond in die stille oorlog, met niemand die wil praten.

Het recentste doelwit van de anti-abortusoorlog is de hotelketen

La Quinta, die vrouwen die van ver hun abortus komen zoeken, onderdak verleent (het hotel ligt dicht bij het abortuscentrum). Volgens de anti-abortusgroepen voeren medewerkers van Tiller in de kamers van het hotel gesprekken met de vrouwen, waardoor de hotelketen feitelijk abortus ondersteunt. Voortaan zou christelijk rechts niet langer gebruik maken van La Quinta-vestigingen.

Zelfs bij het hotel wil men liever niet praten. Men wijst op de onmogelijkheid om de klanten uit te zoeken. Reizigers worden bij het inchecken niet naar hun motivatie gevraagd.

'Heeft de boycot effect?'

De receptioniste van dienst haalt haar schouders op. Een nationale woordvoerster die ik bel beweert van niet. Maar ook hier is duidelijk: hoe minder publiciteit over deze affaire hoe beter.

Niet rechtstreeks betrokken bewoners die ik interpelleer vinden doorgaans de technieken van de anti-abortusactivisten meer laakbaar dan het abortuscentrum, behoudens een enkele vrouw die, onder instemmend geknik van haar dochter, vindt dat abortus zo gruwelijk is dat de reactie erop zich niet binnen de perken van beleefdheid en zelfs wettelijkheid hoeft te houden.

Terwijl ik door de stad waar (en de binnenstad van Wichita wordt bijwijlen meer bevolkt door sculpturen dan door mensen), stuit ik aan het busstation op een tafereel dat iets over het land lijkt te vertellen. Een pijnlijk voorovergebogen zieke, in een rolstoel, misschien vijfenvijftig, en naar lokale normen niet zwaarlijvig, is met zijn infuus op weg, en krijgt via een fles en kabels in de neus ook zuurstof toegediend. Hij rolt tussen de bussen naar een hotdogkraam, en bestelt zich daar, moeizaam, een *giant hotdog*, met 'alles erop. En véél!' Terwijl aan de ene kant naar ik aanneem levensverlengend vocht drupt, spilt de man aan de andere kant ketchup en mosterd en vet. De eetpoging brengt hem in ademnood en is duidelijk pijnlijk. Hij hoest en moet halverwege pauzeren, maar werkt toch zijn *giant hotdog* helemaal naar binnen.

Mijn poging om meningen te sprokkelen over het abortuscentrum wordt ineens en tijdelijk irrelevant.

BTK is opgepakt!

Dit is voor een keer geen hype die buiten mensen om tot piepschuim wordt geklopt. Het is iets wat, zonder aanziens des persoons, bij zwart evenzeer als door wit, over de lippen gaat, zelfs in een busstation zonder evidente radio of tv.

BTK is opgepakt!

Zelfs de rolstoeleter heeft er niet van terug.

Wie?

De massamoordenaar van Wichita. BTK was de naam die hij zichzelf had gegeven, onder meer in communicatie met de lokale krant, de *Wichita Eagle*. Bind, Torture, Kill. Hij maakte sinds 1974 tien slachtoffers, en dat hadden er meer kunnen zijn, want enkelen hadden aan zijn greep kunnen ontkomen. Hij had hen met touw of gordijnkoord vastgebonden en, onder meer door een zak over hun hoofd te binden en met tape te isoleren, tot verstikking gebracht. Of met een mes neergestoken. Hij had zijn slachtoffers, waarbij ook kinderen en een man, niet seksueel misbruikt maar enkele keren had hij over hun lijken of over hun stuiptrekkende lijven gemasturbeerd. In de meeste gevallen had hij met zijn slachtoffers gespeeld, hen bedreigd, gerustgesteld, gewurgd, gereanimeerd. Hij had verhalen tegenover zijn slachtoffers opgehangen. Hij omschreef zichzelf als een misdadiger uit Californië die op de vlucht was en een tijdelijk onderkomen zocht. Hij probeerde zijn slachtoffers eerst te overreden hem te helpen. Hij probeerde hen te overheersen alvorens hen te overweldigen. En hij wou erkenning voor zijn kunde en zijn daden. BTK communiceerde uitvoerig over zijn misdrijven met de *Eagle* en met KAKE, een lokaal tv-station. Als de pers niet gauw genoeg naar hem verwees, stuurde hij bewijsmateriaal van zijn activiteiten op – iets wat hij bij zijn slachtoffer had gestolen, of zelfs foto's van het misdrijf.

Soms werd de communicatie verkeerd begrepen. Hij stuurde een gedicht naar de krant om zijn betrokkenheid bij een misdrijf te onthullen, maar een werknemer was verstrooid en dacht dat het om een contactadvertentie ging: het gedicht belandde bij de contactadvertenties. BTK wees onmiddellijk op de vergissing.

Een late mededeling werd BTK fataal. Hij had een diskette opgestuurd, die door deskundigen kon worden teruggevoerd tot een vestiging van de lutheraanse kerk. Ook vond men de naam 'Dennis' erop – wat scheen te verwijzen naar Dennis Rader, voorzitter van de kerkraad. Men verzocht de dochter van de zestigjarige Rader om een DNA-staal en uit de test bleek dat ze de dochter was van de massamoordenaar.

Rader bekende vrijwel meteen, nog altijd trots op wat hij had aangericht.

De arrestatie blijft in Wichita een paar dagen doorzinderen. De grote activiteiten van BTK lagen al enkele decennia achter hem, zodanig zelfs dat speurders dachten dat hij naar een andere stad was verhuisd, maar recent was hij opnieuw actief geworden, en er was altijd een zekere schrik blijven bestaan, vooral bij vrouwen.

De gegevens over Rader zijn niet van dien aard dat ze hen helemaal geruststellen. Rader is echt iemand zoals die in elke straat te vinden is.

Zijn prominente christelijkheid en evident mededogen (hij stond altijd als eerste klaar om spaghettisaus te bereiden voor de gaarkeuken van de lutheranen) wekt enige verwondering (ongeveer tegelijk met de ontmaskering van BTK opent, in Wisconsin, een gelovige het vuur in zijn kerk en doodt er zeven gelovigen, onder wie de predikant, om vervolgens zelfmoord te plegen; elders snijdt een rechtzinnige christen zijn echtgenote de keel door omdat ze op een echtscheiding aanstuurde – God verkiest volgens de dader moord boven echtscheiding, hoewel dat misschien een nipte voorkeur is). Rader verklaarde aan de politie dat hij zichzelf altijd, en tot vandaag, als een goed christen had beschouwd. Zijn slachtoffers vingen zijn blik, en van dat moment af was hij door hen geobsedeerd. Hij schaduwde hen, tot de dood erop volgde (of tot ze ontsnapten). Hij zag dat trekken van zijn aandacht en wat erop volgde als iets natuurlijks, iets wat God ongetwijfeld had gewild.

In de eerste dagen na de arrestatie brengt de *Wichita Eagle* voornamelijk negatieve commentaren op Rader. Hij werkte als buurttoezichter, moest buren terechtwijzen wier hond te luid blafte, of wier gazon er slechtverzorgd bijlag. Er werd een verband gezien tussen zijn verlangen om zijn buurt in het gelid te laten lopen en wat hij met zijn slachtoffers aanrichtte. Maar later blijkt dat de man eigenlijk eerder geliefd was in zijn omgeving, bewonderd door sommigen, geliefd of in ieder geval gedoogd door een langdurige echtgenote die, zoals de dochter, van niets wist en zo mogelijk nog meer verbijsterd was dan de rest van de stad.

Tijdens een wandeling vind ik een kapsalon dat er geen is. Er hangt een bord aan een gewone huisdeur: AANBELLEN VOOR KAPSTER.

Terwijl ik het bord lees, komt de kapster al opendoen.

'Wil je geknipt worden?'

Ik wil eigenlijk alleen haar bord lezen maar dat is nu moeilijk. Oké dan. Knippen.

Ze heet Kim, ze is achtenveertig, ze is in Laos geboren, in Vientiane, en terwijl ze me onder handen neemt vertelt ze wat graag over haar leven. Ze is op haar achttiende naar de VS gereisd, mee met een soldaat van wie ze vermoedde dat hij van haar hield.

Ze heeft een poging ondernomen om zich aan te passen. Ze heeft zich bekeerd tot het katholicisme, een paar kinderen gebaard. En nu...

Ik voel, en het doet me rillen, tranen op mijn hoofd openspatten.

Geen succes?

Ze glimlacht door haar tranen heen.

'Dat kun je wel zeggen.' De pogingen om zich te integreren zijn eigenlijk mislukt. Ze vond het katholicisme en religie in het algemeen maar niks. 'Kijk trouwens naar BTK. Zoveel beter wordt een mens niet van de bijbel.'

Na enige tijd vond haar echtgenoot iemand van wie hij meer hield. Hij liet haar achter met hun zoons, de ene een nietsnut, de andere een bolleboos – de bolleboos verkeert in hogere sferen, zij het zelfvoorzienend met behulp van studiebeurzen; de andere zoon probeert haar geld af te troggelen en heeft geen ander doel dan het eerstvolgende videospel te kunnen spelen, zelfs voor contact met het andere geslacht of, godbetert, het eigen geslacht, is hij te lui. Zijzelf leeft al lange jaren van alimentatie en eenzaamheid. Nu probeert ze haar inkomen en haar sociale leven op te vijzelen door te werken als kapster maar ze heeft geen vergunning, ze betaalt geen belasting en eigenlijk ligt ze constant op de loer naar potentiële klanten die het bericht aan haar deur lezen. Desnoods knipt ze de eerste keer gratis – om te tonen wat ze in haar mars heeft.

Dit is wat ze deed voor ze achttien was, en als ze terugblikt ziet ze alleen maar verval. Ze knipt slechter, ze ziet er stukken slechter uit, ze leeft in een land dat haar niet zo bevalt (niet dat Laos in 1975 zo glorieus was), en ze kan niet terug naar haar geboorteland, want dan trekt ze zich los van haar kroost terwijl ze grotendeels vervreemd is van haar eigen familie.

'Elk perspectief dat ik kan verzinnen is het verkeerde perspectief. Ik kom niet buiten, heb ik het geld niet voor. Ik ken ook niemand die me eens uitnodigt. Ik blijf hier voor kinderen die niet om me geven, en die ik heb opgevoed alsof Laos niet bestaat.'

De tranen beginnen opnieuw te rollen, en er zit nu minder haar tussen mijn schedel en haar ogen.

'Eigenlijk overkomt mij wat ik mijn ouders heb aangedaan. Ik ben zonder iemand iets te zeggen uit hun leven verdwenen. Ik heb de stellige indruk dat mijn kinderen zonder problemen uit mijn leven zouden kunnen verdwijnen. Die ene verdwijnt trouwens alleen niet omdat hij nog van mijn geld leeft.'

De weg die westelijk uit Wichita voert, brengt me vrij gauw in koeland. Bijna een jaar geleden, in Florida, reed of stapte ik langs terreinen waar auto's tentoongesteld en verkocht werden. Op elke tentoongestelde auto, en het waren er in sommige gevallen vele honderden, eventueel van een buitenlands merk, was een Amerikaans vlaggetje aangebracht. De combinatie van vlag en nationaal transportmiddel bij uitstek maakte van de vlaggenvlakte iets waarvan ik dacht dat het het land kon symboliseren. De rolstoelman met zijn hotdog is misschien ook zo'n symbolisch beeld.

In deze vlakte, die vlakker is dan een biljart, zie ik een derde archetypisch beeld. Soms bedekt gras die vlakte, maar her en der doemt een omheind terrein op (een *corral*?), waaruit het gras is weggewoeld, en waar een stinkende modderbrij overblijft waarin tienduizenden koeien staan of liggen. Hoog boven de omheinig prijkt de tomeloze, van grote afstand te lezen boodschap, misschien onspecifiek ten gunste van het Atkins-dieet: *Stay Thin, Eat Beef.*

Op de een of andere manier maakt de boodschap deze samenscholing van te verwachten leed nog erger. Niet alleen leven de beesten met hun doem, iemand vindt het slagveld van slijk en bevend, levend vlees nog een reclameboodschap waard.

Ik draai de radio uit en zet me weer in versnellingsloze beweging. Ik rijd Dodge City binnen, ik rijd Dodge City door. Ik rijd de staat Kansas uit en overnacht net over de grens in Colorado, in Lamar, dat net als Lawrence, Kansas, ook weer op de Santa Fe Trail blijkt te liggen. In het tot toeristische dienst omgevormde stationsgebouw legt een bejaarde vrouw me uit dat ik zopas aan een kamp voorbijgereden ben waar in de Tweede Wereldoorlog Amerikanen van Japanse origine waren opgesloten. In haar eigen Lamar, zegt ze, heerste tot enkele decennia geleden apartheid tussen Spaanstaligen en Engelstaligen. De spoorweg was hun scheidingslijn, in die zin dat Spaanstaligen ten zuiden van die lijn moesten blijven. Dat had allerlei redenen: etnisch, taalkundig, religieus (de protestanten benoorden de grens wilden geen infiltratie van Spaanse katholieken) en natuurlijk sociaal. 'Mijn oude moeder, de onderwijzeres, half anarchistisch, en in ieder geval pro-vakbond, heeft nog tegen die scheiding gevochten. Het heeft haar haar job gekost. En nu doen de mensen alsof die toestand nooit heeft bestaan.' Ze wijst naar de Spaanstalige collega met wie ze het stationsgebouw deelt. 'Wij weten nog hoe het zat, maar op school wordt daar niet over gesproken.'

Vakbonden zijn hier nooit doorgebroken, zegt ze, zelfs niet met de Spaanstalige populatie die toch eerder een syndicale traditie had dan de anglo's. De grootgrondbezitters stelden hun veto, 'ze dreigden met algemeen ontslag, en dan kozen mensen ervoor zonder vakbond te werken'.

De streek is altijd conservatief geweest, gaat ze verder, en ik ben helemaal niet zo, maar... Ze stokt. 'Dit gebied heeft een onwaarschijnlijk beminnelijke kwaliteit. Ik beweer niet dat ik veel gereisd heb, maar ik ken geen land dat zo doorleefd is als dit. Mooi zelfs, hoewel het nooit postkaarten zal vullen. Daarvoor moet je, wat verderop, in de Rocky Mountains, zijn.'

Zoals in Ohio heb je in Colorado onmiskenbaar een lijn van progressief naar conservatief. Progressief is Boulder, het bergstadje ten noorden van hoofdplaats Denver. Denver zit in het midden. En Colorado Springs is resoluut oerconservatief.

In Boulder doceert Ward Churchill, de indiaan die na 11 september schreef en/of zei dat dit land zelf wel grotere terreurdaden op het geweten had dan zo'n aanslag met drieduizend doden. Hij verwees naar slavernij en natuurlijk ook naar de afslachting van indianen. Hij betoogde ook dat het niet vanzelfsprekend is te gewagen van onschuldige slachtoffers, als die zich bevinden in het Pentagon of in de Twin Towers, het symbool van Amerikaans kapitalisme.

Churchills argumenten werden terzijde geschoven en in plaats daarvan werd, onder meer op Fox News, een campagne van persoonlijke vernietiging gevoerd die twee onbewezen, irrelevante en zelfs vrij afdoend betwiste (maar nooit op Fox) elementen scheen te bevatten. Hij is geen echte indiaan, en hij heeft zich ooit schuldig gemaakt aan wetenschappelijk plagiaat.

Op die gronden kon men Churchill laten ontslaan, argumenteerden Fox-commentatoren die vonden dat in zulk geval het recht op vrije meningsuiting ondanks het ontslag gevrijwaard zou blijven.

Het grote conflict in Colorado Springs haalt voorzover ik het bekijk nooit Fox News. Daar is de militaire luchtvaartacademie, een soort Top Gun-school, volgens berichten in de lokale krant, ingepalmd door fundamentalistische christenen, die proberen andersdenkenden te bekeren of te fnuiken. Een lutheraanse predikante die de vooroordelen heeft aangeklaagd, wordt naar Tokio overgeplaatst. Een eigen rapport van de academie komt tot de conclusie dat er niets grondig fout is maar dat alles voortaan zal veranderen.

De directeur van de academie geeft uiteindelijk, tegenover de Anti-Defamatie Liga, toe dat er toch wel wat fout zit, en dat het zeker zes jaar zal duren om het te corrigeren, omdat de betrokkenen zelf niet doorhebben dat er een probleem is.

Studenten werden de voorbije maanden met vierduizend pamfletten aangemaand om naar *The Passion of the Christ* van Mel Gibson te gaan kijken. Joden en andersdenkenden kregen in die periode meer kritiek van rechts-christelijke medestudenten. Er werden christelijke e-mails naar alle studenten gestuurd. Klassen begonnen met christelijke gebeden. Andersgelovigen werd de mogelijkheid ontzegd om hun religieuze feestdag te vieren. De voetbalcoach, al twintig jaar in dienst, hing vorig jaar een spandoek in de kleedkamer met het opschrift: IN DE EERSTE EN DE LAATSTE PLAATS BEN IK EEN CHRISTEN ... IK MAAK DEEL UIT VAN HET TEAM JEZUS CHRISTUS.

Als ze afgestudeerd zijn, aldus een commentator, weten we dat de studenten kunnen vliegen, maar we weten niet waarvoor ze vliegen.

Op Fox worden tientallen tv-uren besteed aan Churchill, de belaagde man in de progressieve stad, terwijl de beschuldigde school in de conservatieve stad doodgezwegen wordt.

Ik begin, mede omdat ik nu in een auto voortbeweeg, de isolatie van de Amerikaanse samenleving, noem het het individualisme, zo mogelijk nog scherper te voelen. Ik kom mijn dagen door met enkele *howdie*'s en *have a nice day*'s gevolgd door weer enkele uren alleen met mijn radio. Je kunt hier een leven spenderen zonder echt met iemand te praten. Colorado Springs is een joggersstad. Er slingeren tientallen mijlen onverharde paden door centrale stadsparken en universitaire gronden, langs riviertjes. Hoewel het pas heeft gesneeuwd lijkt toch ongeveer de helft van de stad in de vooravond dan wel in de vroege ochtend smeltsneeuw en modder te trotseren voor de dagelijkse oefenkilometers. De meesten lopen alleen, aangesloten op een lawaai producerend apparaat, maar je ziet ook wel studenten die zich vrolijk keuvelend oefenen, zich een asielplaats van intermenselijkheid garanderend in deze koude wereld en – dat neem ik zonder enig bewijs aan – christelijke frustratie wegoefenend. Zeker hier is dit een wereld zonder grote emotie, vrolijkheid evenzeer werend als tristesse. De dagelijkse *high* van het lopen maakt de gelijkmoedigheid van het leven verteerbaar.

De wereld van de radio en de wereld die ik door mijn voorruit gadesla hebben weinig met elkaar te maken. Je kunt veronderstellen dat er miljoenen mensen door net zulke voorruiten naar gelijksoortige landschappen kijken en onderwijl dezelfde radioprogramma's beluisteren. Je kunt veronderstellen dat de joggers met hun lawaai-apparaat vaak naar dezelfde muziek luisteren, terwijl ze elk afzonderlijk aan hun conditie werken. Maar hoeveel inhoudsloze *howdie*'s en *have a nice day*'s kan een mens verdragen alvorens in algehele nietszeggendheid te verzinken? En na hoeveel tijd word je het moe dat de verschillende nieuwszenders hun tanden zetten in het nieuws van de dag, als verschillend van het nieuws van de vorige dag, en doorgaans even irrelevant als het nieuws van de volgende dag.

Deze christelijke stad huisvest ettelijke christelijke onderzoeksinstituten. Het meest bekende ervan is Focus on the Family, een modern complex met zevenhonderd werknemers die internationaal en nationaal, lijfelijk of via radio- of tv-uitzendingen, of met kleurentijdschriften en boeken, de boodschap van kinderarts James Dobson verspreiden.

Dobsons organisatie spendeert miljoenen in verkiezingscampagnes, financiert het werk dat Cincinnati homo- en pornovrij hoorde te maken, hij is te gast bij Larry King op CNN (dat interview speelt non-stop in de tentoonstellingsruimte van de organisatie).

Het moderne gebouwencomplex doet me denken aan de uitspraak van een lutheraanse professor die ik eerder ontmoette. 'Er schijnt in dit land een constante te zijn,' zei die: 'Hoe moderner de faciliteiten en de kledij, hoe aftandser de theologie. Bij ons lutheranen, en bij de katholieken, dragen de bedienaars pakjes die wel duizend jaar oud lijken. De evangelische christenen werken met tv en met schotelantennes, maar ze gaan er wel van uit dat de wereld in zeven dagen werd geschapen, en dat Eva uit de rib van Adam kwam.'

Dat gaat helemaal op voor Focus on the Family, hoewel de groep zich specialiseert in 'het vrijwaren van de traditionele familie-ethiek'.

Ik word aan de receptie opgevangen door Anthony, die een tijdje in Parijs heeft gestudeerd en die via mij zijn Frans hoopt op te frissen.

Wat vond hij trouwens van Frankrijk?

'*Je l'ai beaucoup aimé.*'

Hij spreekt de taal heel behoorlijk. Maar meent hij dat hij graag in Frankrijk was? Ik heb een uitzending van Focus on the Family gehoord waaruit je kon concluderen dat de duivel zich tijdelijk in Parijs heeft gevestigd.

'*Bien sûr.*' Hij frutselt aan zijn das. 'Ik ben er niet op eigen initiatief heen getrokken. Mijn vader had er werk. Maar ik moet wel toegeven dat ik het er aangenaam vond.'

En niet noodzakelijkerwijs zondig?

'Ik vertegenwoordig hier misschien niet de officiële lijn, en ik spreek in deze zeker niet namens de organisatie, maar elk land heeft zijn waardigheid, zijn pro en zijn con.'

Denkt hij hier lange tijd te werken?

'*Sais pas.*' Hij volgt aan een plaatselijke universiteit een opleiding in management, en Dobson betaalt van alle organisaties het best voor studentenwerk.

Dus de theorie is wat hem betreft secundair?

'Neen, ik ben echt wel – hoe zeg je dat trouwens in het Frans? – born-again. En als God me zou roepen zou ik bijvoorbeeld zeker op missie vertrekken.' Maar tot dusver heeft God hem, 'eerlijk gezegd tot mijn opluchting', niet geroepen en is zijn doel om snel heel veel geld te verdienen. 'Mag ik je dan nu uitleggen waar je wat kunt vinden in de tentoonstellingsruimte?'

In het volgende motel, aan de volgende overnachtingsplaats, word ik, na een ontbijt en een wandeling, in de live-berichtgeving van CNN gezogen.

Brian Nichols, gevangen op verdenking van verkrachting en gijzeling van een vriendin die hem eerder de bons had gegeven, heeft in de rechtbank van Atlanta zijn begeleidster overweldigd, haar wapen gestolen, zijn rechter, de gerechtsklerk, en nog twee mensen doodgeschoten, en is vervolgens op de vlucht geslagen.

Het misdrijf is bij wijze van spreken aan de voordeur van het CNN-hoofdkantoor gebeurd, twee van de slachtoffers, de rechter en de klerk/stenografe, zijn bekenden, 'goede vrienden' zelfs, van de vuurspuwende CNN-medewerkster Nancy Grace. Grace, die in een vorig leven als procureur in Atlanta werkte, die eerder, terwijl ze Shakespeare studeerde, overschakelde op rechten toen haar vriend brutaal werd vermoord, gaat sindsdien met verschroeiend enthousiasme iedereen achterna van wie ze veronderstelt dat hij schuldig is (en in haar ogen is ongeveer elke beschuldigde dat, ook en vooral als die vrijgesproken wordt).

Nu echter bedrijft ze de dwepende, wenende verslaggeving. Met de rechter had ze vaak een glas gedronken en weekends gespendeerd, de klerk was een halve of een hele heilige, die had haar vakantie opgeofferd aan een collega met kanker, die bracht altijd zelfgeconfeit lekkers mee naar de rechtszaal, en niet alleen voor het personeel, maar ook voor de getuigen en soms zelf voor een sympathieke beschuldigde.

De berichtgeving concentreert zich voorts op de ontsnapping, op de klopjacht, en op de onhebbelijkheden van het juridisch systeem, dat niet toelaat dat gevangenen in hun plunje voor de rechtbank verschijnen (omdat dit een indruk van schuld bij de jury opwekt).

Zo kon het dat Brian Nichols in een kleedkamer kwam met een dertig centimeter kortere en twintig kilo lichtere begeleidster, die hij makkelijk overweldigde, van haar wapen ontdeed en opsloot (in andere rechtbanken wordt de begeleider zonder wapen in de kleedkamer gestuurd, leren we). De kleedkamer werd door bewakingscamera's geobserveerd, maar op het moment van de ontsnapping hield niemand de schermen in de gaten.

Liever dan onmiddellijk te vluchten, ging Nichols op zoek naar de zaal waar zijn proces zou worden gehouden. Hij vroeg om richtingsaanwijzingen, liep de rechtszaal binnen en schoot de rechter neer, de stenografe, en een wachter. Vervolgens zette hij het op een lopen, hij stal een auto in een parkeergarage, die hij op een andere verdieping in de garage achterliet (de politie bleef twaalf uur lang vergeefs naar die auto zoeken), hij nam de metro, hij stal een andere auto, knalde nog iemand neer.

Tegen de avond belandde hij in een appartementswijk buiten Atlanta, waar hij moe en bijna doelloos wachtte.

De informatie over Nichols is eerst schaars, hij is voor in de dertig, katholiek, een universitair, sportief (lid van de universitaire voetbalploeg), geboren in een vrij gegoed, zwart middenstandsmilieu.

Er doen twee versies de ronde. Volgens de ene is hij een soort koorknaap geweest tot zijn relatie met de vrouw die hij verkracht zou hebben knapte. De andere versie toont een geleidelijke degradatie: na zijn universitaire carrière was Nichols getrouwd en gescheiden – hij liep achterstand op bij het betalen van zijn bijdrage voor het gezamenlijke kind. Hij raakte in kleine drugscriminaliteit verwikkeld. En na de vermeende verkrachting is hij een relatie begonnen met een vrouw die enkele dagen geleden een kind heeft gebaard. Volgens sommigen is die geboorte wat hem tot zijn drastische vluchtpoging heeft genoopt.

De verkrachtingszaak had al eerder van de baan moeten zijn, maar een jury, die de beschuldigde nochtans in meerderheid gunstig gezind leek te zijn, kwam niet tot een oordeel, en men had beslist een nieuw proces te beginnen. Dat tweede proces verliep voor Nichols blijkbaar slechter dan het oorspronkelijke. Zijn advocaat vreesde dat het op levenslang kon uitdraaien, het openbaar ministerie had plots veel geloofwaardiger getuigen opgedolven.

Na zijn ontsnapping vindt men in zijn cel een lijst met namen en kruisjes – ook de naam van de aanklager was, zoals die van de rechter, aangekruist. Men weet niet of de kruisjes wijzen op geplande slachtoffers. De aanklager was niet in de rechtszaal aanwezig, hij wordt sindsdien wel door enkele agenten begeleid.

Op dit moment lijkt CNN een *fait divers* eindeloos uit melken. De volgende dag, in de nieuwsluwte van een zaterdag, wordt nog altijd tot den treure bericht over de affaire, met name over de aanhouding van de vermeende dader. ('We zeggen vermeend,' aldus de onvermoeibare Nancy Grace, 'omdat we dat moeten zeggen, maar eigenlijk bedoelen we de dader.')

Ik heb al bijna een dag afgehaakt wanneer ik toevallig opnieuw door het verhaal word gegrepen.

CNN toont exclusief (of althans exclusief voor de kabelstations die ik in mijn motelkamer ter beschikking heb) een slecht in beeld gebrachte persconferentie van Ashley Smith. Smith, een mooie, halfblonde weduwe van zesentwintig, vertelt traag maar waardig en in goed geformuleerde zinnen over wat ze heeft meegemaakt.

In die nacht van vrijdag op zaterdag, zo rond twee uur, vijftien uur nadat Nichols was ontsnapt, constateerde ze dat ze door haar voorraad Marlboro Light Menthol's heen was. Ze verliet haar appartement in Duluth, een voorstadje van Atlanta, dat ze pas een week eerder had betrokken, en nam haar auto. Toen ze enkele minuten later terugkeerde werd ze door een gewapende man gegijzeld.

Ze gilde maar hield daarmee op toen hij haar dreigde neer te schieten.

'Weet je wie ik ben?' vroeg hij, volgens haar relaas, nadat ze haar appartement hadden betreden.

Ze herkende hem niet doordat hij een pet droeg, maar zodra hij zijn hoofd ontblootte, werd ze door gevoelens van paniek overvallen. Ze smeekte voor haar leven (dit alles is Smiths versie, Nichols deed geen publiek relaas): 'Als je mij doodt, wordt mijn dochter een wees.'

Smiths leven vertoont bijna het tegenovergestelde patroon van dat van Nichols. Zij was slecht aan haar leven begonnen. Was betrapt tijdens winkeldiefstallen, betrapt op rijden onder invloed, had niet gestudeerd, sukkelde tussen tijdelijk werk en langdurige werkloosheid; met als hoogtepunt in haar carrière een periode als kelnerin in een sportkantine. Ze was op vrij jonge leeftijd getrouwd met een man die al even erg door het leven leek te klotsen als zij, die gokte en, ook weer zoals zij, zwaar dronk.

Op een avond was hij tijdens een caféruzie neergestoken. Hij stierf in haar armen. De dader is nooit geïdentificeerd, de oorzaak van de ruzie is nooit achterhaald. Ashley Smith liet hun dochter achter in een tijdelijk pleeggezin – ze probeerde geld bijeen te sprokkelen om bijvoorbeeld verpleging te gaan studeren.

Nichols leidde Smith naar haar badkamer, verplichtte haar om in de badkuip plaats te nemen en bond haar vast met haar eigen tape. Achteraf beschouwd was dat nog meer onheilspellend dan het toen leek: Nichols herhaalde wat hem tijdens de verkrachtingszaak ten laste was gelegd. Ook in dat eerdere geval zou hij zijn slachtoffer naar de badkamer hebben gebracht en in het bad vastgebonden hebben.

Maar dit keer liep het anders. Hij verhuisde haar na een tijdje naar de slaapkamer, en toen terug naar de badkamer, waar hij haar op een krukje deed plaatsnemen, een handdoek over haar hoofd drapeerde (zodat ze niet moest toekijken hoe hij douchte).

'Ik voel me als een krijger,' zei hij, suggererend dat hij had gehandeld namens de zwarte gemeenschap, uit wraak om wat die had ondergaan. 'Ik wil niemand meer doden.'

Vrij vroeg moet hij gefrappeerd geweest zijn door het noodlot dat de dader van een schietpartij samenbracht met de weduwe van een messengevecht, de symbolische dader werd geconfronteerd met de symbolische gevolgen van zijn daad. Ze wees hem er ook op dat zijn slachtoffers vast en zeker kinderen, ouders, echtgenoten, vrienden achterlaten, die, zoals zijzelf, op de dool zouden geraken.

Na zijn douche keken ze tv. 'Ik kan niet geloven dat ik dat ben,' moet hij gezegd hebben. De tv toonde een van zijn slachtoffers – de eigenaar van een auto: 'Ik wilde hem niet doden. Hij deed niet wat ik hem vroeg.'

Hij begon haar ook te bezweren dat ze zich geen zorgen moest maken, 'ik wil niemand meer kwaad doen', dat ze haar dochtertje zou terugzien. Smith vroeg of ze, zoals gepland, zaterdagochtend haar dochtertje mocht ophalen. 'We zullen zien.'

Ze las hem voor uit de bijbel en uit de religieuze bestseller *The Purpose Driven Life*, van Rick Warren, leider van een megakerk in Los Angeles. Ze begon waar ze voordien was geëindigd, bij hoofdstuk 33: 'We dienen God door anderen te dienen. De wereld definieert grootsheid in termen van macht, bezittingen, prestige en positie. Als je van anderen dienstbaarheid kunt eisen, heb je het gemaakt. In onze ikzuchtige cultuur met een ik-eerst-mentaliteit is handelen als een dienaar geen populair denkbeeld.'

Nichols vroeg haar om de passage te herhalen.

Hij vroeg ook of hij haar familiefoto's mocht bekijken. Ze toonde hem ook het autopsierapport van haar echtgenoot. 'Dat zullen de familieleden van je slachtoffers ook te zien krijgen.'

Ze maande hem aan zich over te geven.

'Ik ben al dood,' repliceerde hij, 'kijk naar mijn ogen.'

'Je bent niet dood. Je staat tegenover mij. Geloof je in wonderen of denk je dat het toeval is dat wij hier samen zijn?' vroeg ze hem. Was het toeval dat hij ondanks uitvoerige politiebewaking uit het gerechtsgebouw kon ontsnappen? Ze suggereerde dat Gods plan voor hem inhield dat hij de Blijde Boodschap in de gevangenis moest verspreiden.

Tegen dageraad bedacht hij dat hij zijn tweede vluchtauto moest verplaatsen. Smith reed hem achterna in haar auto. Hij had haar toestemming gegeven om haar mobiele telefoon mee te nemen, ze tikte het nummer voor de noodoproep in, maar maakte geen verbinding. 'Wauw,' zei hij, terwijl hij enkele kilometers verder in haar auto stapte, 'je bent niet gevlucht.' Ze keerden in haar auto terug naar het appartement.

Ze bakte hem pannenkoeken als ontbijt. 'Wauw,' zei hij opnieuw: 'Echte boter.'

Hij vroeg haar of hij enkele dagen in haar appartement mocht blijven, lekker eten en tv kijken. 'Da's alles wat ik nog wil: normale dingen.'

Hij vroeg ook wanneer ze haar kind moest afhalen. Ze antwoordde dat ze rond halftien diende te vertrekken.

Hij overhandigde haar zijn geld, veertig dollar. 'Daar kan ik nu toch niks meer mee aanvangen. Je bent een engel, door God gezonden. Ik wil je opnieuw zien. Zul je mij komen bezoeken?'

Ze beloofde hem te zullen opzoeken. Dan liet hij haar gaan. Ze verliet het gebouw en belde aan het eerste stoplicht de politie.

Nichols gaf zich even later zonder slag of stoot over.

Na die persbijeenkomst springen de christelijke zenders op het fait divers, of, zoals zij het noemen, op 'het mirakel van Duluth', ze slaan hun luisteraars ook met voorzienigheid en Gods plan om de oren, en met geloof dat bergen verzet.

Zelfs al geloof je niet zelf, dan kun je nog altijd aannemen dat geloof bergen verzet. Maar als steeds doen de nieuwszenders aan overkill, en wat eerst een mooi verhaal leek, wordt iets wat past in een betoog, wat een stelling kan bewijzen.

Het vervolg van het verhaal laat niets aan de fantasie over. Nichols maakt veel kans op de doodstraf, terwijl Smith vier boekcontracten en een bod op de filmrechten van die vermaledijde, ruim zeven uur durende ontmoeting kreeg aangeboden. Ze ontving snel ook enkele tienduizenden dollars premiegeld voor haar rol in de afwikkeling van de affaire.

'Ze had ons altijd verteld dat we ooit trots op haar zouden zijn,' vertelde haar wenende grootvader ten overstaan van enkele cameraploegen. Hij schudde het hoofd. 'We zijn trots dat ze haarzelf en haar God zo goed vertegenwoordigd heeft.'

Het is niet duidelijk of ze Nichols in de gevangenis zal bezoeken.

Wyoming is de minst volkrijke van de Amerikaanse staten, met ongeveer een half miljoen inwoners. De staat is voor meer dan 90 procent wit en telt verder indiaanse reservaten, natuurparken (Yellowstone!), oliebronnen, gras- en jachtvelden.

De staat is hooggelegen, koud, droog en aanhoudend conservatief (vice-president Cheney en diens echtgenote zijn er geboren). De staat is ook, en dat wordt in de brochures benadrukt, de eerste waar vrouwen hun rechten verwierven: in 1868 verkregen ze hier gelijkberechtiging en in 1870 konden ze voor het eerst aan de verkiezingen deelnemen. Die vermeende vrouwvriendelijkheid, wordt hier telkens toegevoegd, had eerder met het nijpend tekort aan vrouwen te maken dan met echte overtuiging. Men wilde in deze onvriendelijke omgeving van cowboys en dronkelappen een vriendelijk wettelijk kader scheppen.

Als je even van de hoofdwegen afwijkt, en verdwijnt in glooiend, gelig grasveld, kun je hier een uur of langer de indruk krijgen helemaal alleen op de wereld te zijn.

Rock River, een oud kolenmijnstadje, weet met zijn tweehonderd inwoners nauwelijks die indruk te verstoren. Aan de Double Shot Bar kun je nog altijd evengoed je paard als je auto kwijt. Wyoming is niet voor niets de *cowboy state*.

De jonge eigenares van de bar studeert ook nog rechten in Laramie, de lokale universiteitsstad. Ze is uit Milwaukee, Wisconsin, overgekomen, en ze heeft het in het boomloze, desolaat rollende, van strepen sneeuw voorziene landschap van haar adoptiestaat best naar haar zin. Milwaukee was haar te onveilig, terwijl de misdaad in Wyoming bijna te verwaarlozen is en voornamelijk met alcohol te verbinden valt. Baldadigheid, rijden onder invloed. 'Het leven is eenvoudiger, traditioneler, conservatiever.' Ze wijst naar het geweer dat onmiskenbaar achter haar toog staat. 'In Wisconsin krijgt een barhoudster geen wapenvergunning en kan ze zich niet verdedigen als ze wordt aangevallen. Hier is het evident dat je klanten die daar aanleiding toe geven kunt neerknallen. Elders vinden advocaten een miljoen excuses voor wie zich niet heeft gedragen en krijgen ze de dader met alle trucs van het boek weer vrij; hier gaat men er nog van uit dat mensen verantwoordelijk zijn voor hun eigen daden.' Van het dragen van autogordels tot geweren is Wyoming volgens haar een van de minst gereglementeerde staten.

Ze vindt zich niet helemaal terug in het conservatieve denken van de staat: 'Ik ben pro-burgerrechten, ik ben pro-keuze inzake abortus.' Maar de eenvoud in het gemeenschapsleven en de overheersende zin voor eigen verantwoordelijkheid, doen de balans wat haar betreft in het voordeel van Wyoming kantelen.

Een vrouwelijk klant uit Colorado komt haar vragen of ze op zondag flessen sterkedrank verkoopt. In haar eigen staat is dat niet toegelaten. 'Uiteraard wel,' zegt de barhoudster.

'*Whisky for my man*,' neuriet de vrouw uit Colorado, die op visweekend naar dit gebied is gereisd, '*and beer for my horses*.' Ze verdwijnt met een grote fles gin en vier plastic bekers tonic in de richting van haar familievoertuig.

Wat wil de barhoudster later als advocate beginnen?

Bemiddelen inzake milieu, zegt ze, bedrijven duidelijk maken aan welke regels ze zich moeten houden, de toepassing van de wet afdwingen. Wat dat betreft laat Wyoming, dat leeft van grondstofwinning, nog te wensen over.

'Ik ben het niet oneens met het groene gedachtegoed. Maar je moet ook realistisch zijn en beseffen hoe belangrijk mijnbouw is voor zovele mensen.'

Een volgende dag, een volgend dorp om het niets even te onderbreken, een volgende pleitbezorger van vrij wapenbezit.

Hoewel je in dit geval misschien nog moeilijk van een dorp kunt spreken. Op het vorige plaatsnaambord werd vermeld dat in die nederzetting tien inwoners verblijven. Bij Hiland heeft men de moeite niet meer genomen om een getal te vermelden, maar tien lijkt heel ruim geschat.

In Steelman's Brite Spot komen bar, winkel, tankstation en restaurant samen. Terwijl zijn echtgenote Carla een ontbijt kookt, en in het bargedeelte Fox News de staat van de wereld opmaakt, vertelt Bob over zijn stamboom (terug te voeren tot zeventiende-eeuwse voorouders in Zweden en Duitsland) en zijn liefde voor dit land van jagers en hongerige, te talrijke wolven. 'Zou niet in een stad kunnen wonen,' zegt hij, terwijl hij aan zijn bretels trekt en zijn geruite hemd over zijn bolle buik probeert glad te strijken, 'ik ben geen socialist.'

Hij heeft zich niet versproken – zo denkt hij er helemaal over: wie in een stad woont is een socialist, die verliest zijn individualiteit.

'Ik heb er geen moeite mee regels te volgen,' gaat hij even later verder. 'Ik wil alleen niet dat de overheid me oplegt wat ik moet doen, ik wil graag mijn eigen opinie kunnen vormen.'

De regering in Wyoming valt nog wel mee, zegt hij, al vindt Bob haar ook wel behoorlijk progressief: '*Rino*'s noemen we de bewindslui, *Republicans In Name Only*.'

Essentieel is wat hem betreft het recht een wapen te dragen. 'Ik heb in elke hoek van elke kamer een geweer klaar – geladen ook. Vijftien geweren alles samen, conservatief geschat.'

Aan een van de muren van zijn winkel heeft hij een fotokopie opgehangen. IN 1935 LIET HITLER DE WAPENS REGISTREREN. DE WERELD WERD METEEN EEN AANGENAMERE PLAATS.

Er zijn zestig miljoen eigenaars van geweren in de VS, zegt hij, en als de regering, van welke signatuur ook, probeert hen te ontwapenen of anderzijds de duvel aan te doen is ze nog niet thuis. 'Ik ga liever dood dan dat ik mijn geweer afsta.'

Heeft hij het ooit een mens gedood?

'Dat niet. Op een dag betrapte ik een inbreker en toen heeft het vijf seconden gescheeld.' Als vijfenzestigjarige heeft hij alle oorlogen gemist, wat hij betreurt. 'Voor Korea was ik te jong en voor Vietnam te oud.'

Van de groenen moet hij helemaal niets weten. 'Die begrijpen niet hoe wij leven, zoals stadslui dat niet begrijpen. De groenen kopen jachtvergunningen op om echte jagers te beletten te jagen. Ze pleiten voor een jachtverbod op wolven, terwijl wolven fokken als ratten, en niet alleen het vee maar zelfs mensen bedreigen. De groenen zeggen: "Wolven vallen enkel zwakke dieren aan en konijnen." Natuurlijk vallen wolven ook sterke dieren aan en mensen. Ik zou willen dat al die groene jongens op blote voeten door dit gebied gestuurd zouden worden. Ik wil de wolven niet uitroeien, ik wil dat een beperkt aantal jagers op ze mogen jagen, zodat ze minder talrijk worden. Is dat nu zo moeilijk te vatten?'

Hij wil overigens, zegt hij, net zomin door predikanten betutteld worden als door de overheid. 'Ten gronde wil ik gewoon met rust gelaten worden.'

Thomas Frank zou een boek kunnen schrijven over Wyoming. *What's the matter with Wyoming?* De geschiedenis leest hier als een handboek van verdrukking van kleintjes door groten. De *homesteaders*, de kleine boertjes en boerinnen, werden hier systematisch verdrongen of gekoeioneerd door grote nieuwkomers. De wetteloosheid was groot, in bijna elk middelklein stadje dat ik passeer telde dat verleden een louche en een rosse buurt. Maar nu stemt Wyoming braafjes op de groten en de machtigen, en hult het zich in deftigheid.

De overgang naar Montana is niet meteen te merken, al wordt het gras misschien iets minder geel. Ik rijd Montana binnen langs het telegenieke Little Bighorn-slagveld, waar luitenant-kolonel Custer onder meer door de Sioux van Sitting Bull in de pan werd gehakt. Het was uitstel van executie, want uiteindelijk werden de Sioux toch in reservaten gedwongen.

Er woedt, los van het historische slagveld, een andere slag die op de radiogolven wordt uitgevochten. Voor een keer heeft de rechtse commentator Rush Limbaugh geen succes om zijn doorgaans dweperige luisteraars in bedwang te houden.

Het geval Terri Schiavo overheerst alle nieuws, zelfs het nieuws van de zieltogende paus. De echtgenoot van deze vrouw, hersendood en niet meer in staat zichzelf te voeden, heeft na lange jaren van processen van een rechtbank in Florida de toestemming gekregen om haar te laten sterven (tegen de zin in van haar ouders), en Limbaugh is als vanouds, en zoals christelijk rechts, dit keer met volle steun van de katholieke kerk, tekeergegaan tegen de 'cultuur van de dood' die langzaamaan de bovenhand zou krijgen in het land. Het parlement heeft een speciale wet gestemd om de beslissing van de rechtbank in Florida opnieuw aan te vechten, hoewel de zaak al ettelijke vormen van beroep en hernieuwd onderzoek van experts heeft doorgemaakt.

Een prominent parlementslid, tevens chirurg, bepaalt van een afstand, aan de hand van gemonteerde beelden, dat Schiavo wat hem betreft niet hersendood lijkt te zijn.

De publieke opinie, en zelfs de opinie van de luisteraars van Limbaugh, keert zich in vrij aanzienlijke meerderheid tegen de inmenging van het parlement, van christelijk rechts. En voor een keer komt Limbaugh aan de verliezende kant uit. Al verdraait hij zijn nederlagen altijd zo dat ze halve overwinningen worden. Bij een volgend item, over Guantanamo, oppert hij dat de gedetineerden daar beter behandeld worden dan Terri Schiavo – wat dan weer de instemming krijgt van iemand die het programma belt.

Ik vraag me nog altijd af in hoeverre dit land een land is, of een aaneenschakeling van monaden, onsamenhangende flarden en sprokkels, maar bij zo'n geval als Schiavo blijkt er een nogal eensgezinde belangstelling, en een eensgezinde reactie te komen, om het even hoeveel kilometers ik verderrijd. Misschien omdat hier, ondanks bijna politieke unanimiteit (de Democraten zijn bang om zich aan de kant van 'de dood' te scharen), ondanks onvermoeibaar gedram van rechtse commentatoren, de gezonde boerenreactie – bemoei d'r jullie niet mee – overheerst, en het idee dat politici in de woordelijke vertaling meer hebben afgebeten dan ze kunnen kauwen. De geconfisqueerde waarheid weet niet te overtuigen, onder andere omdat ze botst op ervaringen die vele mensen zelf hebben opgedaan.

Ik overnacht in Libby, in het Caboose Motel, en ook hier overheerst het mededogen datgene wat als politiek opportunisme wordt beschouwd. Natuurlijk is het een gruwelijke situatie, maar de laatste die je er in dergelijke omstandigheden bij wilt betrekken is de overheid, zegt de receptionist. De man blijkt even later ook vol van tips voor natuurtrips, waarop ik elanden, geiten en allerlei hertensoorten moet kunnen gadeslaan. Ik probeer af en toe iets in te brengen over dat wat echt belang heeft in Libby, maar daar heeft hij geen oren naar.

Libby heeft beslist dat de aderlating van de toeristische sector lang genoeg geduurd heeft, en dat er nu maar eens gezwegen moet worden over de gezondheidsproblemen van de streek. De lokale krant, zo al geoefend in het doodzwijgen van de materie (het schandaal werd uitgebracht door journalisten van buiten de staat), opent met de introductie van een gebed op de gemeenteraad. Om de scheiding van Kerk en Staat niet te schenden zal het gebed worden voorgedragen door iemand die niet bij de overheid werkt of is verkozen.

Ik probeer het in de boekhandel, in de snackbar, zelfs in de gezondheidswinkel, maar overal wordt er geminimaliseerd en geprutteld. Een overheidsrapport is nochtans duidelijk. De boekhandel houdt één exemplaar van elk van de twee boeken die over de zaak verschenen zijn in voorraad. 'Zo goed verkoopt dat niet,' aldus de eigenares. 'we kunnen beter bijbestellen als daar nood aan is.'

Het is misschien een typisch verhaal: een ondernemende hoteleigenaar exploreerde in de vroege twintigste eeuw de buurt in de veronderstelling dat de Rockies ook in Libby (genoemd naar de dochter van de spoorwegchef) rijkdommen zouden bevatten. Hij vond een berg met wat hij zonoliet noemde, een stof met asbestachtige vezels die zo goed als onbrandbaar was en bovendien isoleerde. Het kostte hem enige moeite, en hij moest zijn hotel verkopen, maar gaandeweg vond hij afnemers voor zijn zonoliet (elders wordt het product vermiculiet genoemd), en liet hij het zelf verwerken in cement. Het werd uiteindelijk in grote delen van het land gebruikt. Libby werd een tijdlang 's werelds belangrijkste producent van zonoliet/vermiculiet.

Het bedrijf WR Grace, sinds 1963 de exploitant van de mijn, werd dé werkgever van Libby. Op het hoogtepunt van de werking zou WR Grace dagelijks twee ton asbestachtig stof in de lucht hebben gebracht. Het bedrijf, bleek recent, had alarmerende gezondheidsrapporten terzijde geschoven. Volgens die rapporten, en het oudste dateert nog uit de jaren zestig, had 90 procent van de vaste werknemers problemen met de longen.

Een breder onderzoek had kunnen uitwijzen wat een overheidsrapport uit 2000 bevestigde: dat 20 tot 54 procent van de zesduizend dorpsbewoners waren aangetast. Iets wat minder opviel dan kon verwacht worden, omdat Amerikanen nu eenmaal vaak verhuizen en met name oudere inwoners naar warmere streken trekken.

Ondanks de eigen rapporten bleef WR Grace decennialang afval afstaan om bijvoorbeeld een speelterrein voor een school op te hogen.

Intussen ligt het plaatselijke kerkhof vol met te jong gestorven bewoners, en hebben duizenden gedupeerden een schadeclaim ingediend tegen WR Grace, dat zich afdekte door prompt het faillissement te verklaren.

Duizenden hebben na de onthullingen Libby verlaten, hoewel overheidsdiensten de plaats intussen hebben 'opgekuist', en het gevaar zou zijn geweken. Volgens de eigenares van de boekhandel is aan de ontvolking een eind gekomen, en zijn de huizenprijzen intussen weer enigszins gestegen. Maar de toeristische industrie is de slag nog lang niet te boven. 'Ik kan wel duizend keer verklaren dat Libby weer gezond is, mensen blijven de plaats mijden.'

Zijzelf is trouwens naar Libby gekomen omdat ze nergens even goedkope huizen vond.

Ken je slachtoffers? vraag ik aan de eigenares van de natuurwinkel.

'*Oh yes*,' antwoordt ze, en ze verwijst me door naar haar echtgenoot, Mike, boer en nu tevens directeur van het lokale museum. Ik zoek hem op in dat museum.

Mike is op zijn achtenzestigste grotendeels gepensioneerd. Hij is ineens gepassioneerd geraakt door het verleden, de opbouw van Libby, de relaties met de indianen. Hijzelf werd in Iowa geboren, in een onooglijk plaatsje met een excentrieke onderwijzeres die les gaf aan alle kinderen tegelijk. 'Ze zei ons: "Doe wat je hart je oplegt." Ik heb me daar in mijn leven soms niet aan gehouden maar als ik het niet deed heb ik het me steevast beklaagd. Mijn familie was Republikeins, mijn vrienden waren Democraten. Ik had altijd wel iemand die aan me trok om de ene of de andere zaak te dienen. En soms heb ik tegen beter weten in toegegeven, hoewel ik in mijn binnenste twijfels koesterde. Altijd fout. En on-Amerikaans. Als er één karaktertrek is waar we trots op moeten zijn, is het dat Amerikanen nog durven hun eigen pad te volgen. We vergalopperen ons wel eens, maar we zijn tenminste nooit bang geweest te exploreren, ons eigen plan te volgen.'

Hoe gaat het met zijn gezondheid?

'Ik ben kortademig. Mijn longen worden langzaamaan leer. De dokter heeft me uitgelegd dat asbestosis mijn doodsoorzaak wordt, al zegt hij niet hoeveel tijd me nog rest.'

Hoe wordt iemand op een boerderij besmet?

'Ik neem aan dat het stof overal te vinden was, maar ik had het landgoed gekocht dat eerst in eigendom was van de directeur van de fabriek. Die had op zijn grond experimenten met zonoliet laten uitvoeren. En de resten van de experimenten waren nog aanwezig toen ik er arriveerde. Ik heb dat opgeruimd – misschien dat ik toen besmet ben geraakt.'

Mike is van een bijna onaardse rust, hij loopt relatief ongericht rond, blijft haperen bij een tentoongesteld gebruiksvoorwerp of een antieke tractor. Hij begeleidt me zelfs naar de kast mineralogie waar uit de doeken wordt gedaan hoe zonoliet ontstaat. Hij lijkt niet bijzonder boos om wat hem overkomt.

'*I guess*. Je moet niet te gauw klagen. Ik heb altijd een hekel gehad aan zeurkousen. Je werkt in dit leven met de kaarten die je worden toebedeeld. Dat is nu eenmaal zo. Daar moet je je bij neerleggen. Ik vind het ook wat makkelijk om de schuld op het bedrijf af te schuiven. Zonoliet heeft hier decennialang voor welvaart gezorgd. In die periode hoorde je niemand zeggen hoe onrechtvaardig het wel was dat we al die rijkdom op onze stoep hadden gekregen, terwijl het dorp verderop geen behoorlijk bedrijf binnen zijn grenzen had. Het is natuurlijk niet fraai wat WR Grace heeft gepresteerd, maar ook in de tijd dat het bedrijf op de hoogte was van de gezondheidsrisico's hebben hier nog altijd veel mensen gemakkelijk geld verdiend. De indianen noemden dit de plaats waar wordt gestorven. Misschien hadden zij ook al door dat er iets ongezonds aan de streek is – in dat geval heeft Grace die ongezondheid niet veroorzaakt, alleen verergerd. We hadden beter wat meer aandacht kunnen besteden aan wat de indianen vertelden.'

Zijn echtgenote wil gaan reizen, nu het nog kan, haar winkel verkopen. Mike is iets minder enthousiast maar wellicht reist hij met haar mee. Naar Europa, en dwars door het eigen land. 'We wonen al in een mooie streek. Je moet hier echt wat rondtrekken. Zo mooi dat je je ogen uitwrijft.'

Hij heeft een goed leven gehad, zegt hij. Het is nog altijd goed, al heeft hij tegenwoordig minder adem.

Het heeft enkele dagen gestortregend. De Kootenai-rivier zwelt gestaag, wat hier soms de lente aankondigt. De receptionist van het Caboose Motel blijft me koppig wijzen op de wouden en rivieren, meertjes en watervallen die ik nog niet heb bezocht.

Elanden, opper ik: waar kan ik elanden zien? Ooit heb ik in Canada een elandmoeder met jong gezien maar een echt kolossale eland met uitgewerkt gewei heb ik nog nooit in het wild kunnen aanschouwen.

Hij stuurt me via een weggetje aan de overkant van de rivier naar een camping aan een meer waar ik bijna gegarandeerd elanden zal kunnen observeren – daar hebben ze hun drinkplaats.

Op dat weggetje verandert de regen af en toe in sneeuw. Het wegdek is ofwel geruimd ofwel met een dunne laag verse, goed berijdbare sneeuw bedekt.

Dat verandert enigszins wanneer ik de weg naar de camping op draai. De eerste honderden meters wordt het sneeuwpak op de weg al dikker, en dan...

Het kan maar enkele seconden hebben geduurd, maar ik leefde die seconden in slow motion.

Op een helling waar de verse sneeuw klaarblijkelijk ijs bedekt, verlies ik de controle over het stuur. Ik rijd misschien tien kilometer per uur, de weg helt af naar links en ik zwenk ontstellend langzaam richting een diepte. Het is geen levensbedreigend ravijn dat wenkt – het hoogteverschil is hooguit vier meter – maar het vooruitzicht erin te donderen is toch minder dan verleidelijk. Ik bots op een berm van ooit geruimde, nu bevroren sneeuw, die krachtig genoeg is om de glijdende auto tegen te houden, en smal genoeg om me een uitzicht op de diepte te gunnen.

Gedeeltelijk door de weerbots, gedeeltelijk door de helling, begint de zilverkleurige Chevrolet Classic nu tergend traag achteruit te glijden. Ik draai aan het stuur, duw achtereenvolgens op rem en gas, wat in beide gevallen niets aan de sliprichting verandert, maar wel aan de positie van het voertuig, dat eerst dwars glijdt en dan achterstevoren. Misschien vijftien meter lager dan waar ik op de sneeuwberm was gebotst beland ik, aan de overkant van de weg, in een greppel. De rechterkant van de auto zit vast, de onzichtbare ijslaag eindigde ongeveer twee meter voor de plek waar mijn linkervoorwiel nu staat.

Ik probeer volle gas uit de greppel te rijden, en houd me klaar om binnen de twee meter te remmen. Ik produceer stoom en uitlaat, maar de greppel en grote ijsblokken daarin houden de auto tegen.

Meer – door de agressieve startpoging hebben de banden sneeuw vermalen, die onder het chassis is geraakt. De rechterbanden raken niet langer grond.

Het aantal opties is niet groot. Ik ben enkele uren lopen van bewoning verwijderd. Het mobiele bereik is, zo dicht bij elanden, uitgevallen.

Ik zoek in mijn koffer en vind een sneeuwkrabbertje – waarmee ik mijn ruiten ijsvrij had kunnen maken. Verder niks wat ik herken en wat van nut kan zijn. Wat had ik verwacht? Vuurpijlen?

Ik steek mijn sneeuwkrabbertje onder het chassis in de hoop daar de sneeuw weg te halen, maar bij de eerste krabpoging breekt het spul in tweeën.

Met behulp van het krabberloze stokje vermaal ik de bevroren sneeuw tot het chassis weer vrijkomt. In de greppel hak ik de sneeuw- en ijsblokken aan diggelen en stapel ze zo dat de banden enige steun krijgen. Dan probeer ik nog eens *full steam ahead*, met één voet klaar om snel te remmen en niet opnieuw te gaan glijden. Een eerste keer zonder succes. Een tweede keer zonder succes. Ik begin eraan te denken aan de wandeling te beginnen, nu ik nog van enkele uren daglicht gebruik kan maken. Maar bij de ultieme poging, goed een uur na de oorspronkelijke glijpartij, puft de auto zich vrij. Er is, op de krabber na, geen schrammetje schade. In luttele seconden is de motor zo heetgedraaid dat ik me aan de kap schroei.

Hoe waren de elanden? wil de receptionist weten. 'Indrukwekkend, niet? Ik kan er geen zien zonder erbij te denken hoe wonderbaarlijk de wereld is.'

Eigenlijk kan ik hem geen ongelijk geven. Ik heb dan wel geen elanden gezien, maar zelfs op de plek van mijn kleine onheil kon ik niet anders dan schoonheid ontwaren, verse hertensporen (naar ik aanneem, misschien waren het wel sporen van elanden), sneeuw die kristalachtig glinstert in een zeldzame opklaring, sneeuw die elk naaldje van de dennen bedekt, takken die meewarig deinen op de wind. Het geluid van water dat ondanks de vriestemperaturen opborrelt. Een vogel die zijn verrassing uitroept. Op goed twintig kilometer van de zonolietmijn vertoef je in een wereld waar de dood die mensen zaaien nog iets is waarover je onwetend kunt zijn.

Missoula, Montana, is, zoals Lawrence, Kansas, een stadje dat steevast hoog uitkomt als lijsten worden opgesteld van aangename plaatsen. Het is makkelijk genoeg te zien waarom. Naar de normen van Montana is dit vruchtbaar land in een gematigd klimaat, met een rivier, bergen, jonge, sportieve mensen die een universiteit bevolken maar die vaker op de vele paden te vinden zijn waar ze joggen of mountainbiken. Tussendoor kajakken ze op de Clark Fork-rivier. Kou of sneeuw zijn geen afdoend excuus om binnen te blijven. En na al die activiteit overdag hebben ze 's avonds een uitje verdient.

Dawn, die zelf uit Texas afkomstig is, houdt wel van die combinatie, zegt ze: overdag gezondheid nastreven, en 's nachts alle kurken laten knallen. Niet dat ze nog zo wild is als enkele jaren geleden.

Haar grootvader ontwierp een pantoffel die lange tijd hoge verkoopcijfers haalde en die de familie in staat stelde zonder zorgen te leven. Maar toen de bron opdroogde, de pantoffel uit de mode geraakte, werd een juridisch steekspel geopend, waarbij Dawns moeder, toch al niet heel stabiel, het onderspit moest delven, en waarbij de rechten van de pantoffel uiteindelijk bij de jongere minnares van de grootvader belandden.

Het zou het vermelden niet waard zijn geweest mocht het Dawns leven niet verregaand hebben bepaald. De moeder trok weg uit Texas, leefde met haar dochter in de auto. Ze was al aan de drugs voor ze Texas verliet, maar onderweg zonk ze verder weg in dat leven, dat eindigde, al dan niet moedwillig, met een overdosis.

Sinds haar zestiende bereddert Dawn haar eigen leven. Ze kwam in Missoula werken en studeren, en nu, op haar vijfentwintigste, doet ze dat, als ongehuwde moeder van een zoontje, eigenlijk nog.

Dawn is spichtig, ze loopt rond in chique mannenkleren, broek, hemd, das, die contrasteren met het punkhaar en de neussteen. Met de vader van haar kind, een Guatemalteek, heeft ze geen band meer, maar met diens ouders gek genoeg wel. 'Zijn moeder is mijn beste vriendin geworden. We bellen elkaar dagelijks.'

Dawn studeert nu management, al heeft ze last met het *man* in dat woord. Ze heeft enkele jaren in een modebedrijf gewerkt, en altijd weer werden haar suggesties terzijde geschoven, of zonder bronvermelding ingepikt. Door een toeval kwam ze een tijdlang aan het hoofd van het bedrijf te staan, en hoewel ze zich naar behoren van die taak kweet, kreeg ze nooit een bedankje. Toen er vervolgens echt naar een nieuwe chef werd gezocht werd haar kandidatuur niet eens in overweging genomen en ging de job naar een collega die ouder was, en, in haar ogen doorslaggevend: mannelijk.

Het is nu haar ambitie om na afwikkeling van haar studies een eigen bedrijf te beginnen. Om het even wat, als het maar het ongelijk van haar vroegere werkgever kan bewijzen.

Lukt het te studeren in combinatie met de opvoeding van haar zoon?

'Het moet maar. Zoals we hier zeggen: *failure is not an option*.'

Ze is zelf eerder progressief, zegt ze ('Kijk naar mij – zie ik er behoudend uit?') en ze maakt zich tot op zekere hoogte zorgen over haar land, maar eigenlijk is ze ten gronde ook optimistisch. 'Ik heb weinig gemeen met christelijke fundamentalisten, maar als ik een dertienjarig meisje zie dat met haar blote kont op straat paradeert dan ben ik even gechoqueerd als die fundamentalist. Ik heb een tijdje gewerkt in een ijskraampje en ongeveer alle vrouwelijke scholieren dragen tegenwoordig een afhangende broek waarboven je hun onderbroek ziet uitsteken, liefst dan nog een thong. Daarvoor zou ik mijn dochter terechtwijzen (en godzijdank heb ik een zoon). Hoe moeten fundamentalisten daarop dan reageren?'

Tijdens de afgelopen presidentsverkiezingen werden in Montana en Missoula een aantal referenda gehouden. De staat heeft voor Bush gekozen, dat is geen nieuws, en tegen het homohuwelijk, 'maar we hebben ook, en met grote meerderheid, voor de legalisatie van medische marihuana gestemd. Dan denk ik: het is toch al te gemakkelijk dit land, of deze staat, af te doen als rabiaat conservatief. Die conservatieven voeren in zekere zin een achterhoedegevecht. Zoals ik die blote billen van de dertienjarigen niet kan tegenhouden, zo kunnen zij niet verhinderen dat homo's uiteindelijk een wettelijke vorm aan hun relaties zullen geven. We zouden het anders willen, maar het zal niet anders zijn. Als ze zich in zo'n referendum tegen het homohuwelijk uitspreken, drukken ze eigenlijk gewoon uit dat de dingen te snel veranderen. Dat vind ik ook, zij het misschien op een andere manier. Maar wat er ook bij referendum beslist wordt, de toekomst houdt niemand tegen.'

NAWOORD

L'avenir de l'Europe, and never the twain shall meet

Ik ben uiteindelijk vijftien maanden in het land gebleven. Dat is kort voor een land van deze omvang, maar ik voel me toch verplicht tot een soort State of the Union, breedgeborsteld en betwistbaar.

Ik ben er eerder geweest. Tijdens een busmaand in 1982 werd ik geregeld aangeklampt door *born-again*-passagiers die me probeerden te bekeren, en die dan woest reageerden wanneer ik de poging niet bleek te appreciëren. In één geval, ergens in Texas, weigerde een vrouw in een volle bus naast mij te blijven zitten. Ze verwachtte dat de chauffeur mij zou dwingen een andere plaats in te nemen. 'Je kunt toch niet verwachten dat ik naast de duivel plaatsneem.'

De chauffeur had daar geen oren naar. Maar toen iemand uitstapte, ging de vrouw, wit van devotie of van toorn, en van kop tot teen in het zwart gekleed, zelf op een andere bank zitten, met een bijbel in de hand en trillend bewegende lippen biddend voor mijn eeuwige verdoemenis eerder dan voor mijn bekering.

Tijdens diezelfde reis kwam ik in San Francisco uit op een met kettingen gewapende jongerenbende, die hommeles zocht en vond met de concurrentie.

Bij een volgende reis, in 1997, eigenlijk een week tussen twee perioden van zes maanden in Canada (ik moest even het land uit om een nieuwe stempel in mijn paspoort te krijgen), had ik een vreemde ervaring in Bellingham, een grensstadje tussen Vancouver en Seattle. In het motel logeerde een zopas vrijgelaten *sex offender*, veroordeeld wegens seks met een minderjarige. Zijn vrijlating en tijdelijke adres werden in de *Bellingham Herald* vermeld, zonder details over de aard van de crimineel bevonden relatie, en de eerstvolgende nacht, zo rond twee uur, stonden twee aangeschoten jonge vrouwen aan zijn kamer, die naast de mijne lag.

'*Hé Jim, wanna see my titties? Wanna see young titties? Open your door, now*. Kom, maak je deur open. Ben je bang van ons? Ben je bang van kleine meisjes?'

De man, een vijftiger, reageerde niet of minimaal op de halfhartige striptease van de vrouwen, maar hij keek door zijn raam wel gefascineerd toe.

Dat ging zo een uurtje door. Gehis van andere overnachtenden, en zelfs een bezoek van de motelmanager, kon de vrouwen niet op andere gedachten brengen. Ze hadden niet zelf van de man te lijden gehad, ze wilden hem klaarblijkelijk niet eens bestraffen. '*Just havin' some fun with the guy*.' Plaagstrip.

Geen enkele van die ervaringen blijkt relevant tijdens mijn huidige reis. In vijftien maanden heeft niemand echt geprobeerd mij tot iets te bekeren. In 1982 was het *born-again*-christendom gebaseerd op persoonlijk enthousiasme, tegenwoordig is het wellicht eerder een fenomeen dat berust bij enthousiaste organisaties, die hun volgelingen binnen de paden van het fatsoen houden (weerhouden van gewelddadige aanslagen tegen abortuscentra), maar die tegelijk een gretige vinger in de politieke pap roeren (pogingen om de abortuswetgeving te veranderen).

In die vijftien maanden heb ik veel plaatselijk geweld en plaatselijke criminaliteit op tv en in kranten opgemerkt, heb ik herhaaldelijk gepraat met mensen die hun recht op bewapening verantwoorden met dat om zich heen grijpend geweld, maar zelf heb ik heel vreedzaam gereisd, onbestolen (op een niet als crimineel bewezen verdwenen tube tandpasta na), onbedreigd, na verloop van tijd onbehoedzaam maar onbestraft met tassen en andere bezittingen omgaand. Zeker in landelijke gebieden krijg je de indruk dat er geen enkele bedreiging uitgaat van medemensen, dat de wereld eerder mild gestemd is.

En de twee jennende meisjes in Bellingham bleken al even weinig typisch voor Amerikanen, of niet typischer voor Amerikanen dan voor jongeren in het algemeen, een wreed divertiment zonder meer.

In de buitenwereld worden de VS van oudsher met religie geïdentificeerd. De oorspronkelijke blanken waren vaak het juk van de Europese kerken ontvlucht om in de nieuwe wereld naar goeddunken en in vrijheid te kunnen geloven of niet.

Religie was tijdens mijn vijftien maanden een constant element van bezorgdheid in het land, het verdwijnen ervan, de verdrukking door seculieren voor de enen, de overdreven gretige greep voor de anderen. De enen zijn bezorgd dat rechters en opdringerige actiegroepen binnenkort zullen verhinderen dat kerstdag nog kan worden gevierd, de anderen vrezen dat opdringerige belangengroepen binnenkort hun vorm van het christendom aan iedereen zullen opdringen.

Het valt niet te ontkennen dat het woord God, ook buiten de media, overvloedig valt – zo overvloedig dat het misschien ook betekenisloos geworden is. Het kerkbezoek in het land ligt veel hoger dan in Europa, maar het loopt wel terug. Het geloof in hemel en hel is groter dan in de rest van het Westen, maar ook hier doet new age zo langzaamaan betere zaken dan de meeste kerken. Net voor president Bush op een golf van vernieuwde religiositeit (dat is een van de taaie verklaringen) werd herkozen, zagen zijn medewerkers zich genoodzaakt hun kandidaat met advertenties tijdens de uitzending van de tv-soap *Will and Grace* leven in te blazen. De Bush-campagne stond impliciet – en soms expliciet – sympathiek tegenover de pogingen om het homohuwelijk eens en voor altijd onmogelijk te maken, maar tegelijk bleek een belangrijk deel van het Republikeinse kiespubliek verzot te zijn op deze homovriendelijke sitcom, waarin dat huwelijk een weerkerende wensdroom van enkele protagonisten is. Terwijl Bush op de conservatieve golf zijn overwinning behaalde was het populairste tv-programma in het land *Desperate Housewives*, een door een Republikeinse homo geschreven tragikomedie over het wel en vooral het wee van verwaarloosde of anderzijds gefrustreerde huisvrouwen in kleinsteeds, Republikeins, wit Amerika. Met overspel, criminele kinderen, criminele ouderen, maar vooral met frustraties rondom de onmogelijkheden van de dromen waarmee de vrouwen zijn opgegroeid. De nostalgische droom waarop Bush werd verkozen wordt voor de ogen van zijn kiezers de grond ingeboord.

Het is onmiskenbaar dat de conservatieve kerken, en nieuwe, conservatieve of charismatische denominaties aan relatief belang winnen terwijl de gebruikelijke groten – methodisten, lutheranen en vooral katholieken – achteruit boeren.

Dat kan wijzen op een radicalisering van de gelovigen, maar ook op een crisis bij de groten – de katholieke kerk met haar seks-schandalen, de methodisten en lutheranen met hun disputen rond homofiele voorgangers (vrouwelijke voorgangers, hoewel vrij zeldzaam, zijn doorgaans minder controversieel).

Ondanks die overdaad aan God heb ik de indruk – in tegenstelling tot een hele rij bezoekers die minstens tot Alexis de Tocqueville teruggaat – dat de VS in wezen een onreligieus land zijn, een land van mensen die zich door niets van hun doel laten afhouden, al zeker niet door enkele van de tien geboden.

Vóór deze reis heb ik ongeveer evenveel tijd doorgebracht in de moslimwereld. Daar drukt religie een stempel op het leven van alledag, met vijf keer daags de zowel kakafonische als ontroerende lokroepen van de moezzins, met de gestage stroom richting moskee, de wasbeurten, de insjallahs, de reflectieve paternosterbollen, de hoofddoeken en de gebedsbuigingen. In een land als India verspreiden de tempels lawaai, geur en kleur, proberen goeroes en charlatans religieuze snaren te betokkelen, worstel je jezelf om het halfuur door een processie, en weet je dat de ceremonies levensveranderend zijn.

De Amerikaanse religiositeit daarentegen is anoniem en discreet, als we de protserige en breedsprakige tv-diensten niet meetellen, zoals voor de start van Nascar-races, wanneer God wordt ingeroepen, als een soort omnipolis, om de coureurs die hun hachje wagen toe te laten hun uitzinnige risico's te overleven.

De Amerikaanse religiositeit is symbolisch, een lege zwarte doos, een zeldzaam element van aarding voor losgeslagen levens, een van de mythen van zelfbevestiging of zelfbegoocheling die de bewoners nodig hebben: in hun kerk horen Amerikanen dat ze goede mensen zijn, weliswaar met feilen, dat ze beter kunnen worden, dat God aan hun zijde staat. Op de nationale feestdag hangen zelfs in het gebied van de Amish de kerkleiders nationale vlaggen aan hun kerk. De zondagsdienst stelt gelovigen in staat doordeweeks geen rekening te houden met de godsdienst.

Maar ook daarin zijn Amerikanen wispelturig en kieskeurig: nergens wordt zo gretig van kerk veranderd als in de VS.

Op andere niveaus is er wel een gelijkenis met de moslimwereld: het navelstaarderige van de cultuur, die niet uitblinkt van nieuwsgierigheid, zelfs niet na 11 september. Alle problemen zijn terug te voeren tot de navel – het 'wij worden verdrukt en vernederd' van de moslims heeft als Amerikaans equivalent 'iedereen is tegen ons'. De vermenging van superioriteitsgevoelens en frustratie is vergelijkbaar, al is de machtspositie dan helemaal verschillend.

In beide werelden is men ook bereid op basis van beperkte feitenkennis tot grote conclusies te komen, om selectief te vergeten en correctief te herinneren.

Toen na de EU-top in Brussel zowel de Europese grondwet op de lange baan werd geschoven als geen akkoord werd bereikt over de financiering, werd die crisis straf genoeg bevonden om het zesde item te worden op het avondnieuws van NBC.

In ontelbare conversaties met blanke Amerikanen werden de gesprekspartners ongemakkelijk als ik na hun ophemeling van het eigen land de slavernij en het lot van de indianen ter sprake bracht. Die passen niet in het plaatje, en eigenlijk doen ze ook niet langer ter zake, want die misdrijven werden lang geleden begaan en sindsdien is de situatie helemaal anders. Of men moet ze begrijpen in de context van die tijd: slavernij was eigenlijk sociale promotie voor de zwarten uit de brousse, en de indianen hadden nu eenmaal geen weerstand tegen Europese ziektes en – erger – geen notie van bezit, die waren gedoemd. Ook recente problemen worden driftig vergeten. 11 september heeft de Amerikanen verschoond van de opdracht om nog langer over de bommen van Oklahoma na te denken. En Abu Ghraib is alweer grotendeels uit de gedachten verdwenen. Er zijn toch straffen geweest, dat is toch allemaal gecorrigeerd...

In de kiem was het land altijd al een paradijs, maar in de praktijk moest het af en toe afrekenen met *hiccups*. Het is overal wel wat, het land is nog maar goed tweehonderd jaar oud – het is snel nog beter aan het worden. Dat staat trouwens in de grondwet: dat het land verbeterd zal worden.

Er wordt niet alleen vergeten, er wordt ook uitgegomd en geboetseerd. Maureen Dowd, getalenteerde en giftige columniste bij de *New York Times*, heeft de voorbije verkiezingscampagne beschreven als een gevecht tussen de jaren vijftig en de jaren zestig. Waarbij de jaren vijftig het hebben gewonnen. In de herschreven geschiedenis van de huidige machthebbers en hun medestanders wordt het McCarthyisme en de anti-communistische jacht in Hollywood niet alleen verschoonbaar maar ook vaderlandslievend. Wordt Vietnam opnieuw een rechtvaardige oorlog die werd verloren omdat de Amerikanen hun eensgezindheid tijdelijk hadden verloren. Wordt Watergate een aberratie van een zichzelf overschattende pers. Toen Deep Throat onlangs zijn identiteit prijsgaf, werd in een doorgaans niet al te nauw op principes toekijkende pers opvallend kritisch bericht over Mark Felt. Onder meer G. Gordon Liddy, die de inbraak in Watergate had helpen plannen en die voor zijn rol een gevangenisstraf opliep, mocht niet alleen op Fox News maar ook op de andere, zogenaamd gematigde zenders verklaren dat Deep Throat wat hem betreft zijn land verraden heeft. De politieke inbreker verwijt degene die hem heeft helpen oppakken landverraad. Als een conservatieve president een misdrijf laat plegen moet de pers dat toedekken. Dat Liddy zijn mening mag geven over Deep Throat is meer dan relativisme: het is geschiedherschrijving. Niet alleen Liddy maar ook de man achter Reagans Contragate, Oliver North, een andere held van rechts, zijn tegenwoordig *anchors* met eigen mediashows. North is bovendien een vliegende reporter voor Fox News. Hij mag af en toe in Irak zogenaamde interviews afnemen van troepen. Het komt erop neer dat zowel de interviewer als de geïnterviewde het er snel over eens geraken dat ze geweldig zijn, dat ze een geweldig land vertegenwoordigen en dat ze Irak een geweldige dienst bewijzen. Dat soort journalistiek zou wellicht zelfs in de jaren vijftig onbetamelijk zijn geweest.

Tijdens de Britse parlementsverkiezingen kon je Amerikaanse

journalisten met open mond het interview van BBC-coryfee Jeremy Paxman met premier Blair zien volgen. Er werden pertinente contradicties in verklaringen van Blair naar voren gebracht, er werd om feitelijke uitleg gevraagd, Paxman kan iets van een pitbull hebben, maar het interview maakte wel duidelijk op welke vragen Blair wel dan niet een antwoord bood, op welke punten hij met zichzelf of met de werkelijkheid in de knoop lag, waar de conflictstof voor zijn regering te vinden was. Amerikaanse politici, toch zeker de politici van een hoger echelon, worden niet hard geïnterviewd, en de president al helemaal niet. Journalisten, hoe anti-staat of anti-overheid ze soms ook zijn, respecteren het instituut van de president, ze koesteren zelfs de mythe van de moedige, onbevlekte leider. Ze laten liever leugens intact dan die mythe onderuit te halen. Enkele prominente journalisten die Watergate hebben meegemaakt denken dat de media anno nu niet langer de moed zouden hebben om dat schandaal uit te spitten. De nieuwe Deep Throat zou nog in de parkeergarage van zijn keuze met de nieuwe Bob Woodward praten, maar de krant zou misschien niet publiceren. Of het Witte Huis zou een schandaal over Woodward suggereren (echt of uitgevonden) en elk bericht zou worden afgedaan als een poging tot revanche van een gediscrediteerde journalist. In die termen van doodsstrijd tussen twee partijen is al het nieuws een kwestie van gezichtspunt. Het oude adagium *Speak Truth to Power* is voor een deel uit de journalistieke praktijk verdwenen en vervangen door *Entertain*.

Feitenmateriaal is in journalistiek of in de pseudo-journalistiek van discussieprogramma's en columns vervangen door innuendo. Maak je tegenstrever verdacht: daar heb je geen feiten voor nodig.

De tactiek van relativisme en verdraaiing (naar algemeen wordt aangenomen verfijnd door de neo-cons) faalt af en toe, omdat de tactici zich soms in het publiek vergissen. De zaak Terri Schiavo, door Republikeinse adviseurs naar voor geschoven als iets waarmee stemmenwinst te boeken viel, bleek zich snel tegen de Republikeinen te keren. Er is veel talent voor nodig om de waarheid geloofwaardig te verdraaien.

Amerika, dat is een cliché voor duurzaamheid, is een gebied van mythen. Mythen zijn de trampolines waarmee Amerikanen zichzelf overstijgen. De mythen zijn veelvuldig en soms contradictorisch, ze worden bestendigd in films en onderwijs, en uitgemolken in commercials.

Er is de mythe van het individualisme, die nooit schijnt in te houden dat Amerikanen zich onderscheiden van elkaar – eigenlijk is het land redelijk conformistisch, in literatuur en magazines bijvoorbeeld is de schrijfstijl meestal opvallend gestroomlijnd. Het individualisme heeft eerder betrekking op zelfredzaamheid, en op limieten van de samenleving. Mensen, althans zij met normale talenten, worden geacht voor zichzelf op te komen, voor zichzelf te zorgen en zo mogelijk hun minder fortuinlijke medemensen te helpen. Wie er niet in slaagt het eigen leven succesrijk in te vullen, kan zich niet makkelijk beroepen op excuses. Niet op slechte afkomst, niet op tegenslag. Wie niet succesrijk is, moet gewoon meer zijn of haar best doen, harder werken, inventiever zijn. Er is natuurlijk grote ongelijkheid van kansen maar daar wordt zelden naar gekeken. Weerstanden en andere uitdagingen maken succes juist zoeter. En reken zeker niet op de overheid voor je succes, of op uitkeringen: tot in den treure werd me erop gewezen, en niet alleen door Republikeinen, dat uitkeringen en andere vormen van afhankelijkheid indruisen tegen de menselijke waardigheid, tegen de waardigheid van het individu (in de praktijk die, zoals vaak, verschilt van de mythische werkelijkheid, plukken allerlei bedrijven de overheid net zo goed kaal als elders, en blijven, ondanks besparingen, toch wel mensen van uitkeringen overleven). En de overheid moet zich ervan weerhouden het succes van het individu in de weg te staan, door bijvoorbeeld uitzinnige belastingen te heffen.

De mythe heeft hier een groot realiteitsgehalte. Ontelbare Amerikanen zetten zich metterdaad in voor goede doelen. Relatief gesproken geeft de Amerikaanse overheid weinig aan ontwikkelingshulp, relatief gesproken geven privé-Amerikanen veel. Jongeren zijn vaak doordesemd van een hoop op, een verwachting van grootsheid.

Verbonden met de mythe van het individualisme is de mythe van de maakbaarheid. Aangezien het individu zijn of haar lot in eigen handen heeft, is het verantwoordelijk voor het slotresultaat. Mensen kunnen zichzelf veranderen (en, al is dat minder duidelijk, de wereld rondom hen). Ze kunnen via operaties aan hun lichaam laten sleutelen (op een van de vele radioprogramma's die ik beluisterde werd in een publiciteitsboodschap aan mensen aangeraden hun vrienden, familieleden en kennissen een bon voor de plastisch chirurg te schenken, borstvergroting of neuscorrectie, maakt niet uit, de bon dekt een vast bedrag van de operatie), ze kunnen via pillen hun gemoedsgesteldheid veranderen, hun erectie verlengen, ervoor zorgen dat ze tijdens het eerstvolgende bezoek aan vrienden niet naar het toilet moeten. Je draagt er zorg voor dat je gebit in een brochure getoond kan worden, want je lach is het uithangbord van je lichaam, van je persoon, en die moet perfect zijn.

Wat je maar echt wilt, kun je voor mekaar krijgen. Als je maar echt president wilt worden, zal dat lukken. En als je echt alles hebt geprobeerd en het lukt niet dan heb je jezelf niets te verwijten. Amerikanen dwepen met succes, maar ze zijn mild voor mislukking.

Succes betekent doorgaans een begin van grootheid. En dat is dan weer een andere mythe: *Big is Beautiful*, en wie anders argumenteert krijgt tegenwind. Meer en sneller is beter dan minder en traag. Besparing is laakbaar, uitbreiding is positief. Groei is natuurlijk, besparing, ook energiebesparing, is tegennatuurlijk. Deze mythe verklaart ten dele waarom vermageren Amerikanen zo moeilijk valt. Of waarom Amerikanen niet begrijpen dat de rest van de wereld het moeilijk heeft met grote broer USA. Het wantrouwen van de rest van de wereld tegenover de olifant van de wereld, gaat ervan uit dat olifanten schade aanrichten. In de Amerikaanse mythologie houdt grootte geen automatische dreiging in. Integendeel: groot wijst op succes, en succes hoort waardering en navolging op te wekken.

De mythe van het individu en de mythe van het grote komen ietwat gewrongen samen in de mythe van de underdog die, David en Goliath indachtig, de reus onderuit haalt. De olifant is geen bedreiging omdat hij, indien hij zich niet houdt aan de regels van het fatsoen, door de underdog zal worden bedwongen.

De mythe van migratie is wat dubbelzinniger dan de andere mythen. Bijna geen Amerikaan zal, los van oprispingen rond de recente toevloed van illegale Mexicanen, negatief doen over mensen die hun land opzoeken en er een beter leven proberen uit te bouwen. Op die drang is het land gebouwd en het is maar normaal dat steeds meer mensen het 'beste land ter wereld' opzoeken. Een Britse tv-maker die *Survivor* en *The Apprentice* heeft bedacht, zegt enkele lovende zinnen over het land en wordt meteen als ere-Amerikaan geadopteerd. De Russische uitvinder die met zijn vondst een bedrijf begint in Baltimore wordt al gauw als 'een van ons' beschouwd. Het accent is irrelevant. Amerikanen zijn in die zin geen puristen. Er bestaat geen Algemeen Beschaafd Amerikaans. Ieder brabbelt zoals zij of hij gebekt is.

Die theoretische en ook wel praktische positieve invulling van migratie staat oud en nieuw racisme niet in de weg. In vele Amerikaanse steden zag ik minder tekenen van integratie, van interraciale vriendschappen, dan bijvoorbeeld in Groot-Brittannië. Het racisme van wit tegen zwart, nochtans grotendeels weggegomd uit het collectief geheugen, is niet weggegomd uit de realiteit van alledag.

's Lands optimisme is bijna tastbaar. In de VS valt vreugde niet op straat te vinden. De sterkte emoties worden tegenwoordig voor tv-programma's gereserveerd, dansende of gewoon flikflooiende mensen zijn een zeldzaamheid, wat gedeeltelijk verklaart waarom gezelligheid zo moeilijk te vinden is. Maar in al zijn emotieloosheid is dit een land van brede optimistische stroken, van onvrolijk optimisme, geloof in de goedheid van het tegenwoordige en het betere van de toekomst.

Optimisme wint het bijna altijd van realisme. In de afgelopen vijftig jaar heeft de meest optimistische presidentskandidaat altijd de verkiezingen gewonnen (misschien met uitzondering van Nixon). Wie optimistisch is kan wel wat leed verdragen, Bush junior kan tot bloedens toe verklaren dat het in Irak de goede kant uitgaat, maar dat er ondertussen nog wel wat doorzettingsvermogen nodig is – dat is acceptabel. De houding dat het in Irak de verkeerde kant uitgaat is daarentegen inacceptabel.

De VS zijn een onaf, oningevuld land, een land zonder te veel details.

De bewoners houden van hun land, op een van twijfel gespeende manier. Ze houden om verschillende redenen van hun land. De relatieve blindheid wijst misschien eerder in de richting van verliefdheid dan van liefde. Ze denken dat ze in het beste land leven, het best mogelijke, en ze beklagen het buitenland, dat ze overigens niet kennen. Je kunt hun moeilijk duidelijk maken dat Europa zijn voordelen heeft, een uitgaanscultuur, genot, geschiedenis die tot diep in stenen is doorgedrongen. Dat zijn doorgaans elementen die Amerikanen niet zo appreciëren, die hen afleiden van hun uiteindelijke doel: succes. Van te veel verleden worden ze minder vrij. Ze kunnen ook niet begrijpen hoe moreel laks Europeanen publiekelijk zijn – dat een koning ('En waarom hebben jullie ook weer een koning?') een onecht kind kan verstoten zonder dat hij daarmee de banbliksems van zijn onderdanen op de hals haalt. ('Zijn jullie onderdanen? Dat is zo'n lachwekkende term, bijna SM.')

Amerikanen zijn door de band niet welbespraakt, ze zijn niet spits, ze hebben geen verhaal.

Maar ze hebben wel die gedeelde mythen, waarvoor in Irak wordt gestorven, althans in hun gedachten. Ze weten waar ze met hun land voor staan, al wordt dat enkel gevangen in brede woorden: vrijheid, democratie, ondernemersschap, het recht om te leven, om naar goeddunken een godsdienst te belijden – eigenlijk staan ze zoveel jaar na datum nog altijd achter die enkele zinnen uit Jeffersons onafhankelijkheidsverklaring.

Europa heeft geen onafhankelijkheidsverklaring en geen grondwet. Zelfs al zou de voorliggende grondwet zijn goedgekeurd, dan nog zou Europa geen grondwet hebben in de zin dat de Verenigde Staten er een hebben: een bevlogen document van gedeelde fierheid. 'Wij, het volk...' hebben ons tot doel gesteld om het land beter te maken.

Ik heb tijdens deze reis bijna evenveel over Europa gedacht als over Amerika. Ik werd tussen twee uitersten geslingerd. Van de ene kant is de uitholling van de pers ook in Europa aan de gang, de opleuking van het leven, de infantilisering van de informatie en het amusement. *L'Amérique* is in deze *l'avenir de l'Europe*. Europa loopt braafjes het nulniveau der nietszeggendheid tegemoet.

Op een andere manier drijven de VS en Europa steeds verder uit elkaar. Terwijl in de VS een opleving van de eigen waarden, de eigen mythen, te bespeuren valt, en het actief nastreven van doeleinden, wordt Europa steeds vaker defensief. We verdedigen dat waar we eigenlijk zelf niet meer in geloven. We voeren een achterhoedegevecht om bepaalde verworvenheden te verdedigen, en tegel voor tegel geven we terrein prijs. De nederlaag wordt even uitgesteld, terwijl de VS ideologisch en economisch terrein veroveren.

In een beter universum zou het tegenovergestelde gebeuren, zouden we op cultureel gebied de VS wat meer aan ons laten voorbijgaan, terwijl we actief zouden belijden en realiseren wat we belangrijk vinden. In de veronderstelling dat we iets belangrijk vinden.

Ik weet niet goed of ik me zorgen maak over de VS. Het is de grootmacht van de wereld, die, in verleden en heden, af en toe over schreven gaat, verzeilt in expedities waar de wereld niet beter van wordt (en, toegegeven, in expedities waar de wereld wel beter van wordt), die lijkt af te wijken van een andere van 's lands mythen – de liefde voor waarheid, het vermogen om de waarheid onder ogen te zien. Maar het is ook een land met een korte aandacht, en een groot vermogen tot zelfreiniging en snelle verandering. Goed tien jaar na het McCarthyisme beleefde het land Woodstock. Binnen enkele jaren na de heksenprocessen van Salem kwamen rechters en aanklagers tot enige inkeer. Luttele maanden nadat president Bush de verkiezingen in Irak aangreep om de invasie te rechtvaardigen – en bijna op algemene instemming werd onthaald – is de oorlog in Irak toch alweer hogelijk onpopulair. Op moment van verhoogde preutsheid gaan zelfs in conservatief gebied schoolmeisjes steeds uitdagender gekleed. De onsamenhang is groot.

Het is geen pleidooi voor onachtzaamheid of zelfs toegeeflijkheid maar in een land dat, bij gebrek aan geheugen, zichzelf voortdurend opnieuw moet uitvinden is het best mogelijk dat binnenkort de theometer weer wordt vervangen door de thermometer. Kan Jefferson zich weer recht draaien in zijn graf.

Aantekening

Wat voorafging is gebaseerd op vijftien maanden reizen. Van ruwweg 15 november 2003 tot begin december 2004, en dan van begin januari tot begin april 2005. Die reis verliep in grote onlogica, omdat ik in een vroeg stadium de hoop ontwikkelde dat kriskrassen me meer zou leren dan systematisch gebieden afwerken. Voor dit boek heb ik wat kreuken uit de reis rechtgestreken, elementen uit verschillende trajecten samengebracht op een manier die hopelijk alleen de oorspronkelijke chronologie geweld aandoet.

De reis werd financieel mogelijk gemaakt door de krant *De Morgen*, en door het Fonds Pascal Decroos.

Ik ben hun dank verschuldigd.